2026 특수교사임용시험 대비

KORea Special Education Teacher

# 김남진
# KORSET 특수교육

## 기출분석 ❷

I 영역별 마인드맵 수록
I 2009~2025년 기출문제 수록

김남진 편저

## 모범답안 및 해설

박문각 임용    동영상강의 www.pmg.co.kr    박문각

이 책의
**차례**

KORea Special Education Teacher

PART 04

# 지적장애아교육

# 01

정답 ⑤

해설

ㄱ. 가지고 놀던 장난감을 **빼앗겨도** 자기 주장을 하지 못하는 것은 자신에게 억울한 상황을 자신의 입장에서 분명하게 이야기하지 못하는 것으로 자기결정 행동의 구성요소 중 자기옹호 및 리더십과 관련된다. 따라서 민성이의 특성은 자기결정력 부족이라고 할 수 있다.

**Check Point**

(1) 자기결정
한 사람이 자신의 인생의 주체로서 중요한 결정을 함에 있어 다른 사람에게 의존하지 않고 본인 스스로 책임을 지는 것

(2) 초인지
주어진 일이나 문제를 해결하고 수행하기 위해서 어떠한 전략을 사용해야 할지, 그리고 어떤 전략이 가장 효율적인지를 평가하고 노력의 결과를 점검하는 능력

(3) 실행기능
① 두뇌의 전두엽이 조정하는 것으로 보이는 일련의 기능으로 계획, 충동통제, 행동과 사고의 유연성, 조직화된 탐색 등을 포함
② 실행기능의 결함은 행동이 유연하지 못하고 환경 내의 작은 변화에도 적응하지 못하는 등의 많은 어려움을 겪게 함.

# 02

정답 ④

해설

ㄴ. 유아의 생활연령에 적합한 지역사회 적응기술을 지도한다.

**Check Point**

📝 **지역사회 중심 교수 실행 절차**
지역사회 중심 교수의 일반적인 교수 절차는 다음과 같다.

| 교수 장소와 목표 기술 설정 |
| --- |
| ⇩ |
| 교수할 기술 결정 |
| ⇩ |
| 교수계획 작성 |
| ⇩ |
| 기술의 일반화 계획 |
| ⇩ |
| 교수 실시 |

# 03

정답 ②

해설

ㄱ. 의미있는 문장을 구성할 수 있다. : 다양한 문제점들이 있으나 대략적인 의미는 전달 가능하다.

ㄴ. 문장을 어순에 맞게 구성할 수 있다. : '나는 운동장에 나갔다' → '나 나가 우동장'으로, '영수가 반창고를 붙여' → '영수이가 부처 반찬고을'과 같이 쓰고 있으므로 문장을 어순에 맞게 구성한다고 볼 수 없다.

ㄷ. 잘못된 조사를 사용하거나 생략하는 등 바르게 사용하고 있지 못하다.

| 일기<br>내용 | 나 나가 우동장 | | | | | | |
| --- | --- | --- | --- | --- | --- | --- | --- |
| 바른<br>문장 | 나는 운동장에 나갔다. | | | | | | |
| 형태<br>소 | 나 | 는 | 운동<br>장 | 에 | 나가 | -았- | -다 |
| | 자립 | 의존 | 자립 | 의존 | 의존 | 의존 | 의존 |

ㄹ. 낱말 소리와 표기가 다를 수 있음을 가르칠 필요가 있다. : 말금(맑음), 꼬치(꽃이), 너머져(넘어져), 우러(울어), 부처(붙여)

**Check Point**

(1) 형태소의 개념
① 형태소는 의미를 가지고 있는 가장 작은 말의 단위
② '의미'는 어휘적 의미뿐만 아니라, 문법적 의미(형식적으로만 존재하는 의미이며, 조사나 어미와 같이 문법적 역할을 함)도 포함

(2) 형태소의 종류
① 자립성 여부: 자립성을 기준으로 형태소를 분류할 때는 문장에서 홀로 사용될 수 있는지, 다른 형태소에 의지하여야만 사용될 수 있는지에 따라 자립 형태소와 의존 형태소로 구분
  ㉠ 자립 형태소: 명사, 대명사, 수사, 관형사, 부사, 감탄사
  ㉡ 의존 형태소: 용언의 어간과 어미, 조사, 접사
② 실질적인 뜻의 유무: '실질적인 뜻'이란 구체적인 대상이나 대상의 상태·동작, 혹은 추상적인 관념 등을 말하는 것이며, '어휘적인 뜻'으로도 볼 수 있음
  ㉠ 실질 형태소(어휘 형태소): 체언, 수식언, 독립언, 용언의 어근
  ㉡ 형식 형태소(문법 형태소): 조사, 어미, 접사

| 문장 | 영수가 먹은 딸기가 매우 달았다. | | | | | | | | | |
|---|---|---|---|---|---|---|---|---|---|---|
| 단어 | 영수 | 가 | 먹은 | | 딸기 | 가 | 매우 | 달았다 | | |
| 형태소 | 영수 | 가 | 먹- | -은 | 딸기 | 가 | 매우 | 달- | -았- | -다 |
| 자립성 여부 | 자립 | 의존 | 의존 | 의존 | 자립 | 의존 | 자립 | 의존 | 의존 | 의존 |
| 실질적 뜻의 유무 | 실질 | 형식 | 실질 | 형식 | 실질 | 형식 | 실질 | 실질 | 형식 | 형식 |

출처 ▶ 김홍범 외(2021 : 156-157)

**04** _____ 2009 초등1-18

정답 ②

해설

ㄱ. 기능적 읽기와 쓰기란 일상생활에서 필요한 읽기와 쓰기 활동이다. 초등학교 지적장애 아동이라면 흔히 볼 수 있는 상점의 간판, 지하철역 이름, 분식집의 음식 메뉴, 아동에게 필요한 문구류 이름 등의 읽기와 쓰기가 해당되고, 중·고등학교 지적장애 학생이라면 취업을 위한 이력서 쓰기, 은행 이용에 필요한 단어나 문장의 읽기와 쓰기가 해당된다(송준만 외, 2016 : 301). 따라서 위인전을 읽게 하는 것은 기능적 읽기를 위한 활동이라고 할 수 없다.

ㄹ. 김 교사가 직접 읽으면서 구두점을 따라 쉬어 읽는 방법이나 모르는 단어가 나왔을 때 사전 찾는 방법을 보여주는 것은 직접교수 혹은 명시적 교수에 해당한다.

**Check Point**

✎ 정밀교수
① 1960년대 중반 린슬리(O. Lindsley)가 개발한 측정 체계
② 형성평가 과정처럼 학생의 수행을 매일 측정해서 그래프로 작성하는 방법
③ 특정한 교수방법이나 교육과정이 아닌, 수업의 효과를 평가하고, 교수적 결정을 하려고 사용하는 방법
④ 정밀교수의 구성
  ㉠ 구체적인 수행 행동이나 표적 행동 선택
  ㉡ 매일 정반응과 오반응의 빈도를 측정하여 표준행동표 또는 표준촉진표에 기록
  ㉢ 수행 행동이 바람직한 방향으로 변화되도록 교수 내용이나 방법 수정
  ㉣ 그래프로 평가하고 데이터의 변화 경향을 분석하여 교수 종결 여부 결정

※ 마지막 두 단계는 목표한 수행에 도달할 때까지 반복

출처 ▶ 특수교육학 용어사전(2018 : 407-408)

**05** _____ 2009 초등1-19

정답 ①

해설

다양한 장소(학교, 수영장, 목욕탕)에서 과제분석된 내용을 수행할 수 있는지를 살펴보는 것은 장소/상황에 대한 일반화를 위한 활동에 해당한다.

**Check Point**

(1) 적응행동 영역

| 영역 | 예시 |
|---|---|
| 개념적 적응기술 | 언어, 읽기와 쓰기, 돈, 시간, 수 개념 |
| 사회적 적응기술 | 대인관계 기술, 사회적 책임감, 자존감, 파괴감, 순진성(즉, 경계심), 규칙 따르기/법 준수, 희생당하는 것을 피함, 사회적 문제해결 |
| 실제적 적응기술 | 일상생활 활동(개인적 관리), 작업 기술, 돈 사용, 안전, 건강관리, 여행/이동, 일정/일과 계획, 전화사용 |

(2) 일반화의 유형
① 자극 일반화와 반응 일반화로 구분
② 자극 일반화
  ㉠ 어떤 자극이나 상황에서 어떤 행동이 강화된 결과, 그와는 다른 어떤 자극이나 상황에서도 그 행동이 일어날 가능성이 증가하는 것
  ㉡ 자극 일반화를 위한 전략: 자연스러운 상황에서 가르치기, 훈련 상황을 일반화가 일어나야 할 상황과 비슷하게 조성하기, 여러 다양한 상황을 이용하기, 훈련 시 광범위한 관련 자극 통합하기 등
③ 반응 일반화
  ㉠ 어떤 자극이나 상황에서 어떤 행동이 강화된 결과, 동일한 자극이나 상황에서 이와는 다른(학습되지 않은) 행동이 일어날 가능성이 증가하는 것
  ㉡ 반응 일반화를 위한 전략: 충분한 반응사례로 훈련하기, 훈련 상황에서 의도적으로 아동이 다양한 반응을 하도록 만들어 주기 등
※ 과잉일반화: 자신이 배운 것을 다른 것에 지나치게 적용하는 것

**06**                         **2009 중등1-1**

정답 ④

해설

ㄱ. 발생률은 특정 기간 동안 모집단에서 판별된 새로운 사례 수를 의미하는 용어로 출현율과는 다르다.
ㄷ. 특정 기간 동안에 전체 인구 중 새롭게 판별된 장애인 수는 발생률에 해당한다.
  • 출현율이란 ㄴ에 제시된 바와 같이 장애라는 특정 조건을 가진 장애인의 수를 말한다.
ㄹ. 장애의 원인을 연구하고 예방 프로그램을 개발하는 데 의의가 있는 개념은 발생률이다.

**07**                         **2009 중등1-8**

정답 ②

해설

ㄱ. 독립성은 다양한 영역을 포함하는 매우 포괄적인 구성 개념으로서, 자기의존과 자기결정을 그 핵심으로 하고 있다. 자기의존은 자신을 돌보는 개인의 능력을 말한다. 자기결정은 자신의 삶의 길을 설정하고 그대로 나아가는 능력을 말한다. 교육자들이 도울 수 있는 기술에는 선택하기, 선호도 의사소통하기, 달성 가능한 목표 수립하기, 그리고 자기주장하기 등이 있다(신종호 외, 2008 : 359).
  • Abey와 Stancliffe는 자기결정 능력을 개인적 요소와 환경적 요소, 상호작용의 세 가지로 보았으며, 목표 설정, 선택, 자기조절, 문제해결, 자기주장, 의사소통, 사회적 기술, 독립생활, 통제귀인, 자기존중과 자기수용, 자기효능감과 자기확신, 결정, 타인권리 인정을 하위요소로 포함하였다(정희섭 외, 2013 : 40).
  • 자기결정은 고용, 독립생활 및 재정적 독립을 포함하는 졸업이후 성과에 긍정적인 영향을 미치므로 지적장애 중등학생의 생활기술 교수에 매우 중요한 요소이다. 구체적인 자기결정 기술들은 선택과 의사결정, 문제해결, 목표설정, 독립, 자기관리, 자기교수, 자기옹호 및 자기인식을 포함한다(Wehmeyer & Schlock, 2001; Gargiulo et al., 2021 : 461 재인용).
    - 독립이란 최소한의 지원으로 환경을 관리하는 것을 의미한다.
    예 학생은 체육 과목에서 운동기구(공, 후프, 원주형 표시물)를 회수하기 위해 사진 촉진체계를 사용한다.
ㅁ. 자기결정의 하위 구성 요소 중 수행이란 목표를 성취하는 방법이자 학생 스스로 성공과 실패의 갈림길에 놓이게 할 수 있는 위험을 감수하는 과정이다. Field와 Hoffman의 모델에서도 목표설정을 위한 계획 다음 단계로 수행을 제시하고 있다. 수행의 요소로는 위험 감수, 의사소통, 자원과 지원에의 접근, 향상, 갈등과 비판 대처, 지속성의 요소가 있다(정희섭 외, 2013 : 45).
  • 자기결정 프로그램 중 Step to Self-determination 프로그램은 Field와 Hoffman의 자기결정 모델에 기반하여 개발된 것으로, 경도 정신지체와 학습장애를 포함한 중등부 장애학생과 비장애학생을 적용대상으로 한다. 이 프로그램의 단계와 단원들 중 4단계 실행의 단원 내용은 위험에 대처하기, 협상하기, 대화하기, 갈등과 비판에 대처하기, 자원과 지원을 평가하기, 인내심을 가지고 수행하기로 구성되어 있다.

**Check Point**

## ✎ 자기결정 행동의 구성 요소

| 구성 요소 | 설명 |
|---|---|
| 선택하기 기술 | • 자기결정의 핵심 요소<br>• 학생은 자신의 요구와 선호도를 확인하고 이에 대해 의사소통하기 위해서 선택할 기회를 가져야 함 |
| 문제해결 기술 | 스스로 문제를 확인하고 분석하여 잠정적인 해결책을 찾은 후에 가장 적절한 방안으로 문제를 해결하는 것(문제와 가능한 해결책을 판별하기) |
| 의사결정 기술 | • 하나의 상황에서 여러 가지 해결책 중 어느 것이 가장 좋을지를 결정하는 기술(가능한 한 최선의 정보에 근거하여 결정 내리기)<br>• 서로 다른 해결책의 결과에 대해 이해하는 것 포함 |
| 목표 설정 및 성취 기술 | • 자신의 목표가 무엇인지 확인하기, 목표와 관련한 자신의 현 위치 파악하기, 행동을 위한 계획 세우기, 목표를 향한 자신의 진전도 평가하기 기술 포함<br>• 자신의 학습에 좀 더 책임감을 갖도록 하는 데 효과적인 기술 |
| 자기관리 기술 | • 자신의 행동을 조절하기<br>• 자기점검, 자기평가, 자기강화 포함 |
| 자기옹호 및 리더십 기술 | 자기옹호기술: 자신의 믿음을 옹호하는 능력(또는 자기 자신의 요구와 욕구 알리기) |
| 자기 효능 | 자신이 특정한 목표를 수행하거나 성취할 수 있다고 믿는 것 |
| 자기 인식과 자기 지식 | • 자기 인식: 자신의 강점이나 능력, 자신의 약점이나 제한점 등을 이해하는 능력<br>• 자기 지식: 자신의 특성을 사용하는 방법에 대해 하는 것 |
| 자기교수 기술 | • 문제해결을 촉진하기 위해 혼잣말하기<br>• 타인의 직접적인 도움 없이 새로운 정보와 기술을 배우기 |
| 내적 통제소재 | 결과들을 통제할 수 있다고 믿기 |

**08** ⎯⎯⎯⎯⎯⎯⎯⎯⎯⎯ 2009 중등1-10

정답 ⑤

해설

ㄱ. 다양한 환경을 제공한다.: 일반화

ㄴ. 학습활동 시 교사의 참여를 줄인다.: 숙달

ㄷ. 과제에 대하여 학생의 반응 양식을 다양화한다.: 일반화

ㅂ. 정해진 시간 내에 과제를 완성하도록 연습 기회를 늘린다.: 숙달

**Check Point**

## ✎ 학습 단계(수행 수준의 위계)

일반화는 습득 → 숙달(또는 유창성) → 유지 → 일반화의 (학습)단계를 거쳐 완성

| | |
|---|---|
| 습득 | • 교수목표: 아동이 목표기술을 정확하게 수행하도록 돕는 것 강조<br>• 습득을 위한 전략: 빈번한 교수 제공하기, 아동의 참여 기회 늘리기 등 |
| 숙달 | • 교수목표: 아동이 과제를 정확하고 빠르게 완수하도록 하는 것<br>• 숙달을 위한 전략: 아동의 학습 시 교사의 참여 줄이기, 완성된 과제에 한하여 피드백 제공하기 등 |
| 유지 | • 교수목표: 높은 수준의 수행을 유지하는 것<br>• 시간이 지나도 한번 습득한 행동을 지속적으로 할 수 있는 것을 뜻하기 때문에 '시간에 대한 일반화'라고 함<br>• 유지를 위한 전략: 간헐 강화계획, 과잉학습, 분산연습, 학습한 기술을 기초로 새 기술 교수하기 등 |
| 일반화 | • 자극 일반화와 반응 일반화로 구분<br>• 자극 일반화: 어떤 자극이나 상황에서 어떤 행동이 강화된 결과, 그와는 다른 어떤 자극이나 상황에서도 그 행동이 일어날 가능성이 증가하는 것<br>   - 자극 일반화를 위한 전략: 자연스러운 상황에서 가르치기, 훈련 상황을 일반화가 일어나야 할 상황과 비슷하게 조성하기, 여러 다양한 상황을 이용하기, 훈련 시 광범위한 관련 자극 통합하기 등<br>• 반응 일반화: 어떤 자극이나 상황에서 어떤 행동이 강화된 결과, 동일한 자극이나 상황에서 이와는 다른(학습되지 않은) 행동이 일어날 가능성이 증가하는 것<br>   - 반응일반화를 위한 전략: 충분한 반응사례로 훈련하기, 훈련 상황에서 의도적으로 아동이 다양한 반응을 하도록 만들어 주기 등 |

# 09      2010 유아1-7

정답 ③

해설

- 건강 : '인슐린 주사를 장기적으로 매일 맞아야'는 시간 제한 없이 정기적인 지원을 필요로 함을 의미한다.
- 문제행동 : '단기적인 행동중재를 받을 필요'는 단기적 속성의 특징을 표현한 것이다.
- 전환 : '올 한 해 동안 배울 필요'는 1년이라는 기한이 정해져 있으나 간헐적인 속성은 없는 것으로 표현되었다.

**Check Point**

## ✎ 지원의 강도에 따른 분류

| | |
|---|---|
| 간헐적 지원 | • 필요에 따른 지원으로, 일시적 또는 단기적 속성을 갖는 특징<br>• 고강도 혹은 저강도로 제공 |
| 제한적 지원 | • 한동안 지속되고 시간제한은 있지만 간헐적인 속성은 없는 등의 특징을 갖는 지원의 강도<br>• 보다 강한 수준의 지원보다는 인력이 덜 필요하고, 비용 면에서도 더 저렴할 수 있음 |
| 확장적 지원 | 적어도 몇몇 환경에서 정기적으로 지원이 필요하며 시간 제한적이지 않음 |
| 전반적 지원 | • 영구성을 띠며 고강도의 지원으로 개인의 모든 환경에 제공되며 일상적 생활 영위에 필요<br>• 확장적 혹은 제한적 지원보다는 더 많은 수의 전문인력과 개입 필요 |

# 10      2010 초등1-23

정답 ①

해설

- ㄴ. 우체국 이용 기술을 지도하기 위해 학생들에게 우체국을 방문하여 각자 편지를 부치게 한다. : 지역사회 중심 교수
- ㄹ. 은행 이용 기술을 지도하기 위해 학생들에게 은행을 방문하여 개별 예금통장을 개설해 보게 한다. : 지역사회 중심 교수
- ㅁ. 비디오 모델링을 이용한 교수방법에 대한 설명이다.

# 11      2010 중등1-5

정답 ②

# 12      2010 중등1-13

정답 ③

해설

- ㄴ. 식사도구 사용하기 : 실제적 적응기술
- ㄹ. 다른 사람과 공동 작업하기 : 사회적 적응기술
- ㅂ. 학급의 급훈 및 규칙 지키기 : 사회적 적응기술

## 13

정답 ③

해설

ㄱ. 페닐케톤뇨증(PKU)은 출생 후 조기 선별이 가능하며 식이요법을 통해 치료가 가능하다. 페닐케톤뇨증은 영아기부터 구토, 습진, 담갈색 모발과 흰 피부색이 나타나며 경련이 일어나고 지능 저하를 일으키지만, 생후 1개월 이내에 치료를 시작하면 이와 같은 증상은 나타나지 않는다. 혈중의 페닐알라닌 측정 검사를 통해 선별할 수 있으며, 치료는 페닐알라닌이 적은 특수 분유를 먹는 식이요법으로 시작한다.

ㄹ. 정신지체 학생의 인지발달 특성을 설명하는 발달론의 관점이다.

ㅁ. 정신지체 학생은 자신에 대한 기대수준이 낮음으로 인하여 타인에게 의존하고(→ 외부 지향성), 과제수행 결과 여부를 운명이나 행운 혹은 다른 사람과 같은 외부의 힘에 따른 결과로 받아들이는 경향이 있다(→ 외적 통제소재). 과제수행 결과 여부를 자신의 행동에 따른 결과로 받아들이는 경향은 내적 통제소재에 해당한다.

**Check Point**

☑ **다운증후군의 원인(유형)**

| 원인(유형) | 내용 |
|---|---|
| 삼염색체성 (비분리 염색체) | • 다운증후군의 세 가지 염색체 원인 중 가장 일반적인 삼염색체성(또는 비분리 염색체)은 개념적으로 부모의 염색체 한 쌍이 분리하는 데 실패했기 때문이고, 이로 인해 아동이 47번째 염색체를 가지게 됨<br>• 다운증후군으로 태어난 아동의 92% 이상을 설명 |
| 전위 (전좌) | • 하나의 염색체 일부가 다른 염색체의 유사한 부분과 결합될 때 발생<br>• 다운증후군 사례의 3~5%에서 발견 |
| 섞임증 (모자이키즘) | • 정상적인 수정란이 유사분열을 계속해 가는 과정 중 어느 단계에서 염색체 절단이나 비분리현상으로 인해 세포분열에 이상이 생겨서 정상 세포계열과 이상 세포계열이 함께 나타나는 경우<br>• 다운증후군의 세 번째 유형이며 가장 드문 형태 |

## 14

정답 ⑤

해설

ㄱ. 도구 수정(감자칼 등)을 이용하여 참여할 수 있도록 고려한다.

ㄹ. 으깬 감자 샐러드를 식빵에 바르는 친구들의 활동을 관찰하는 것은 잘못된 부분참여의 원리 적용 유형 중 수동적 참여에 해당한다.

• 감자 샐러드를 식빵에 바르는 것이 어렵다면 으깬 감자 샐러드를 식빵에 얹혀 놓는 활동을 하도록 하는 것이 부분참여 원리 측면에서 바람직하다.

**Check Point**

☑ **부분참여**

① 중도·중복 장애아동이 어떤 활동이나 과제의 모든 면 또는 단계에 참여하지 못하더라도 그가 할 수 있는 활동의 일부분에라도 최대한 의미 있는 참여를 하게 하는 것

② 부분참여를 통해 '사회적 역할 가치화'를 실현할 수 있음

③ 잘못된 부분참여의 원리 적용 유형

| 수동적 참여 | 장애아동들이 자연스러운 환경에 배치되었으나 적극적으로 활동에 참여하도록 허락하는 대신에, 또래들이 활동에 참여하는 것을 관찰하는 기회만 제공되는 것이다. |
|---|---|
| 근시안적 참여 | 교사가 교육과정의 관점들 중 한 가지 혹은 몇 가지만을 좁은 시야로 집중하고, 장애아동이 학습의 전반적인 기회들로부터 이득을 보지 못하도록 하는 것이다.<br>예 생필품 가게에 갔을 때 장애아동에게 물건을 고르고 사는 기회를 주는 대신에 손수레만 밀게 한다. |
| 단편적 참여 | 장애아동이 몇몇 활동들에 부정기적으로 참여하는 것을 말한다.<br>예 장애아동이 일반교육 사회과목 수업에 또래들과 함께 일주일에 2일 동안은 참여하고, 하루는 특수학급에서의 수업을 위해 해당 시간에 데리고 나와야 한다. |
| 참여기회 상실 | 장애아동이 독립적으로 활동하기 위해 너무 많은 시간과 노력을 기울이게 함으로써 아동으로 하여금 더 많은 수의 활동들에 참여할 기회를 상실하게 하는 것을 말한다.<br>예 학급 간 이동을 위해 휠체어를 스스로 천천히 밀어서 이동하는 장애아동은 각 수업의 일부를 놓칠 수 있다. |

# 15

정답 ⑤

해설

ㄱ. 발달연령이 아닌 생활연령을 기준으로 해야 한다.

ㄴ. 목표 어휘는 현재의 생활환경뿐만 아니라 현재 생활환경을 포함한 미래의 생활환경까지도 포함하는 어휘 내에서 선정하여야 한다.

### 지문 돋보기

ㄷ. 학생 A는 의사소통에 소극적이며 낯선 사람과 의사소통하는 데 어려움이 있음. 따라서 의사소통 기술 훈련은 독립성과 잠재력을 키우는 방향으로 이루어져야 함

ㄹ. 학생 A는 교실 내에서 배운 언어를 일상생활에서 거의 적용하지 못함. 따라서 통합교육 환경과 지역사회 환경 내의 요구를 고려한 언어교수를 필수적으로 제공하여야 함

ㅁ. 학생 A는 상황에 맞지 않게 발화하는 경향이 있음. 따라서 생태학적 요인을 고려하여 의사소통 내용을 선정하고, 그 내용 교수를 위한 과제분석이 선행되어야 함

### Check Point

### ☑ 생태학적 목록

기능적 기술의 필요도와 선호도를 조사할 때는 생태학적 목록을 작성하는 것이 유용하다. 생태학적 목록의 작성은 다음과 같은 단계를 따른다.

| 단계 | 내용 | 설명 |
|---|---|---|
| 1 | 교육과정 영역 정하기 | 구체적인 기술들을 가르치고 삽입해야 할 상황, 맥락으로 사용될 교육과정 영역을 정함 |
| 2 | 각 영역에서 현재 환경과 미래 환경 확인하기 | 현재 주거환경은 일반 아파트나 주택일 수 있지만 미래 환경은 장애지원을 받는 아파트, 그룹홈 혹은 시설일 수 있음 |
| 3 | 하위 환경으로 나누기 | 각 아동들에게 필요한 활동을 파악하기 위해 그 활동이 일어날 수 있는 환경을 자세히 구분함 |
| 4 | 하위 환경의 활동 결정 및 활동 목록 만들기 | • 무엇이 가장 적절한 활동인지 결정하기 전에 다양한 변인을 고려해야 함<br>• 아동의 생활방식에 대한 정보를 제공함 |
| 5 | 각 활동을 위해 필요한 기술 정하기 | • 활동을 가르칠 수 있는 단위 수준이나 과제분석으로 나누는 일이 필요함<br>• 의사소통, 근육운동, 문제 해결력, 선택하기, 자기 관리와 같은 요소의 기술을 익힘 |

# 16

정답 ③

해설

ㄷ. 교사주도 학습을 통한: 학생 주도적 학습을 통한 장애학생의 자기결정 증진은 장애 학생의 긍정적인 학업성취에 영향을 미친다.

ㄹ. 선택의 기회를 제공하는 것은 자기결정의 구성 요소에 해당한다.

 • 선택하기 기술은 자기결정의 핵심요소이다.

ㅁ. 자기결정 기능모델에서는 자율성, 자기조절, 심리적 역량, 자아실현을 자기결정의 네 가지 특성으로 제시하였다.

### Check Point

(1) 자기결정의 개념

① 자기결정이란 한 사람이 자신의 인생의 주체로서 중요한 결정을 함에 있어서 다른 사람에게 의존하지 않고 본인 스스로 책임을 지는 것이다.

② Wehmeyer는 자기결정을 "자신의 삶에서 주요한 결정권자로 행동하고 외부의 과도한 영향이나 간섭을 받지 않은 상태에서 자신의 삶의 질과 관련된 선택과 의사결정"으로 정의하였다.

(2) Wehmeyer의 기능적 자기결정 모델

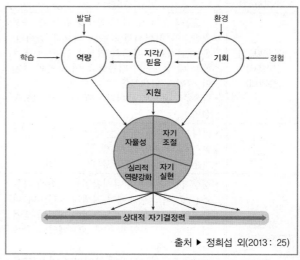

출처 ▶ 정희섭 외(2013 : 25)

① 기능적 자기결정 모델은 자기결정이 행동의 기능(목적)에 기반하여 정의되어야 한다고 주장하는 Wehmeyer의 자기결정 모델에 근거하고 있다.

② Wehmeyer는 자율성, 자기조절, 심리적 역량, 자아실현을 자기결정의 네 가지 특성으로 제시하였다.

(3) 자기결정의 특성과 구성 요소

Wehmeyer는 자기결정의 기능적 이론과 관련하여 자기결정 행동의 구성 요소를 다음과 같이 제시하였다(송준만 외, 2019: 373-374).

① 선택하기 기술
② 의사결정 기술
③ 문제해결 기술
④ 목표 수립 및 달성 기술
⑤ 자기관찰, 자기평가 및 자기강화 기술
⑥ 자기교수 기술
⑦ 자기옹호 및 리더십 기술
⑧ 내적 통제
⑨ 효능성과 성과기대에 대한 긍정적 귀인
⑩ 자기인식
⑪ 자기지식

**17** 2011 중등1-15

정답 ①

해설

ㄱ. 중도 지적장애 학생이 관심을 끌기 위하여 수업을 방해하는 행동을 보일 경우 교사의 주의를 주는 행동은 관심을 끌고 있는 것으로 받아들여질 수 있다.
  • 학생의 문제행동을 유지시키는 강화요인(여기서는 교사의 관심 또는 주의)을 제시하지 않는 소거 전략의 적용이 바람직하다.
ㄹ. 윌리엄스 증후군은 단어나 이야기의 말하기 측면에서는 아주 뛰어나지만 시공간적 기술에 어려움을 보인다.
ㅁ. 외상성 뇌손상은 출생 후, 조산은 출생 전후(주산기)의 지적장애 원인으로 분류된다.
  • 아동 학대 및 가정 폭력은 출생 후, 행동적 요인으로 분류되며 가정 형편의 문제(즉, 빈곤)는 출생 후, 사회적 요인에 해당한다.

Check Point

(1) 다중위험요인 접근법
지적장애의 원인이 될 수 있는 위험요인을 4가지 범주로 나누고 시기와 교차하여 제시

| 시기 | 생의학적 | 사회적 | 행동적 | 교육적 |
|---|---|---|---|---|
| 출생 전 | • 염색체 이상<br>• 단일유전자 장애<br>• 증후군<br>• 대사장애<br>• 뇌 발생 장애<br>• 산모 질환<br>• 부모 연령 | • 빈곤<br>• 산모 영양 실조<br>• 가정폭력<br>• 출생 전 관리 결여 | • 부모의 약물 남용<br>• 부모의 음주<br>• 부모의 흡연<br>• 부모의 미성숙 | • 지원 없는 부모의 인지적 장애<br>• 부모가 될 준비의 결여 |
| 출생 전후 (주산기) | • 조산<br>• 출생 시 손상<br>• 신생아 질환 | 출산관리의 결여 | • 부모의 양육 거부<br>• 부모의 자식 포기 | 중재서비스를 위한 의료적 의뢰의 결여 |
| 출생 후 | • 외상성 뇌 손상<br>• 영양실조<br>• 뇌막염<br>• 발작장애<br>• 퇴행성 장애 | • 장애를 가진 보호자<br>• 적절한 자극의 결여<br>• 가정의 빈곤<br>• 가정 내 만성적 질환<br>• 시설수용 | • 아동학대 및 유기<br>• 가정폭력<br>• 부적절한 안전 조치<br>• 사회적 박탈<br>• 다루기 힘든 아동의 행동 | • 손상된 부모 기능<br>• 지체된 진단<br>• 부적절한 조기중재서비스<br>• 부적절한 특수교육서비스<br>• 부적절한 가족지원 |

(2) 행동표현형
① 유전자에 따라 겉으로 나타나는 행동 유형
② 동일한 증후군을 갖고 있다고 해서 모든 아동들이 동일한 행동표현형을 갖는 것은 아님
  • 이유: 행동표현형은 유전자의 직접적인 결과라기보다는 다음과 같은 다양한 요인의 영향을 받아 변화할 수 있기 때문임
  ㉠ 동일한 증후군을 갖고 있는 아동이라도 그들이 갖고 있는 유전자나 염색체 변이과정의 다양성으로 인해 부적응 행동이나 언어 및 지적 능력 등에서 다양한 수준을 보일 수 있음
  ㉡ 행동표현형은 아동의 성별, 가족 배경, 일상생활 양식, 제공되는 자극 정도, 가족의 의사소통 유형이나 부모의 문제해결 양식 등에 따라서도 다르게 발달할 수 있음
  ㉢ 행동표현형은 연령이 증가함에 따라 변화할 수 있음
③ 행동표현형은 발달적, 생물학적, 환경적인 다른 요소들과 복잡하게 상호작용하면서 지속적으로 변화하며 형성된다는 것을 이해해야 함

## 18

정답 ①

해설

ㄹ. 책임감 및 자존감은 사회적 적응기술에 해당한다.

ㅁ. 학생 A의 필요에 따라 일시적, 단기적으로 제공되는 지원은 간헐적 지원에 해당한다.

Check Point

### ☑ 적응행동의 종류

| 개념적 적응기술 | 인지, 의사소통 및 학업기술<br>예 언어, 읽기 및 쓰기, 금전개념, 자기-지시 |
|---|---|
| 사회적 적응기술 | 사회적 능력 기술<br>예 대인관계, 책임감, 자존감, 속기, 파괴감, 순진성(즉, 경계심), 규칙준수/법 준수, 희생되는 것을 피함, 사회적 문제해결 |
| 실제적 적응기술 | 독립생활 기술<br>예 일상생활 활동(개인적 관리), 작업 기술, 돈 사용, 안전, 건강관리, 여행/이동, 일정/일과 계획, 전화사용 |

## 19

정답 ④

해설

① 시연(rehearsal)은 정보를 기억하기 위해 반복적으로 암송하는 기억전략이다. 학습한 내용을 잘 기억하지 못하므로 시연전략이 적절하다.

② 선택적 주의집중의 어려움이 있으므로 과제와 관련된 적절한 자극과 부적절한 자극을 구별할 수 있도록 지도해야 한다.

③ 학습 의지가 부족하고 수동적이므로 자기점검과 자기강화를 통해 과제 참여도와 학습동기를 높인다.

④ 지적장애 학생 A는 과제 수행 시 집중하는 시간도 짧고 선택적 주의집중에도 어려움이 있는 만큼 여러 가지 색깔 단서를 사용하는 것은 선택적 주의집중에 어려움을 초래하므로 피해야 한다.

• 색깔 단서를 사용하는 것과 과제 수행에 대한 일반화 사이에는 직접적인 관련이 없다.

⑤ 과제 수행 시 집중하는 시간이 짧으므로 과제를 단계별로 나누어 제시하고, 학습 의지가 부족하므로 쉬운 내용을 먼저 지도하는 것이 동기 유발에 효과적이다. 그리고 갑작스러운 환경 변화에는 민감하게 반응하므로 과제의 난이도를 서서히 높인다.

Check Point

(1) 지적장애 아동의 주의집중

① 선택적 주의집중과 주의집중 유지에 어려움을 보일 수 있으며, 이는 장애가 심각할수록 더 심한 경향이 있음

| 주의집중 | 선택적 주의집중 | 수행 중인 과제에 필요한 자극에는 주의를 기울이고 관련 없는 자극은 무시하는 것 |
|---|---|---|
| | 주의집중 유지 | 시간의 흐름에 따라 일정시간 동안 환경에서 방해하는 자극을 억제하면서 집중된 주의 유지 |

② 지적장애 아동의 주의집중 특성을 고려한 교수방법
ㄱ 자극을 단순화하여 제시
ㄴ 목소리, 억양, 크기로 관련 정보 강조
ㄷ 과제에 대한 주의를 흩뜨리게 할 수 있는 방해 자극 제거
ㄹ 과제에 집중할 때 보상하기
ㅁ 아동에게 교과서 속에 제공된 전략을 사용하도록 가르치기 예 볼드체, 이탤릭체
ㅂ 이해 정도 및 유무를 자주 확인하기
ㅅ 관련 정보 식별해주기
예 형광펜으로 표시하기, 밑줄 긋기, 화살표 그리기 등

(2) 지적장애 아동의 기억

① 단기기억 또는 작동기억과 정보처리 과정에서의 어려움이 있음
② 장기기억은 단기기억에 비해 덜 손상되어 일반아동과 차이가 거의 없으나 자료의 조직화에는 어려움을 보임
③ 일반아동에 비해 낮은 초인지
• 초인지: 주어진 일이나 문제를 해결하고 수행하기 위해서 어떠한 전략을 사용해야 할지, 그리고 어떤 전략이 가장 효율적인지를 평가하고 노력의 결과를 점검하는 능력
④ 일반화와 전이에 어려움을 보이는데, 상대적으로 과잉 일반화의 문제를 나타냄

(3) 시연

① 나중에 회상해 낼 것을 생각하고 미리 기억해야 할 대상이나 정보를 눈으로 여러 번 보아 두거나 말로 되풀이해 보는 것
② '암송'이라고도 함
③ 정보를 기억하는 가장 흔한, 그리고 가장 현실적인 전통적인 기억전략
④ 반복을 통하여 작업기억 속의 정보를 보유하려는 과정
⑤ 집중연습과 분산연습으로 구분

출처 ▶ 김삼섭(2010 : 257)

## 20    

정답 ①

해설

지문 돋보기

| | 교수전략 | 학습결과 |
|---|---|---|
| (나) | 책상 정리 방법을 알려주고 시범을 보인 후 : 모델링 | • 매일 책상을 정리하지만 : 시간이 지나도 책상 정리하는 것이 지속되고 있음을 나타냄<br>• 사물함은 정리하지 못한다. : 일반화 단계에는 이르지 못한 유지 단계임 |
| (다) | • 양치질하기를 작은 단계로 나누어 : 과제분석<br>• 양치질하기를 작은 단계로 나누어 지도하였다. : 행동연쇄법 | 서툴게 양치질을 할 수 있다. : 유창하지는 못한 수준이므로 습득 단계임 |

(라) 담임 선생님께 인사하는 모습을 관찰한 후 다른 선생님과 이웃 어른들에게도 인사를 할 수 있으므로 창수의 기능 수준은 일반화되었다고 할 수 있다.
(마) 학교 주변 그림지도를 이용하여 교실에서 반복하여 지도하고 있으므로 교수전략은 지역사회 모의수업이다.

Check Point

(1) 지역사회 중심 교수(지역사회 기반 교수)

| 지역사회 모의수업 | 구조화된 연습 기회 제공 |
|---|---|
| 지역사회 참조 교수 | 학교 내에서 지역사회에서 필요한 기술을 간접적으로 연습 |
| 지역사회 중심 교수 | 지역사회에서의 직접 경험을 통하여 장애아동을 가르치는 교수법 |

(2) 지역사회 중심 교수와 현장학습의 차이점
지역사회 중심 교수가 현장학습과 다른 점은 교사가 다양한 역할을 하고, 계획을 세우며, 학습기회를 제공하는 교육과정적 접근이라는 점이다(송준만 외, 2016 : 230).

## 21    

정답 ⑤

해설

ㄱ. 학생의 실수에 대해 강화를 해서는 안 된다.
   • 학생이 바지에 오줌을 쌌을 경우, 사회적 강화를 해 주면 바지에 오줌을 싸는 학생의 행동은 증가하게 된다.
ㄹ. 용변처리 기술은 실제적 적응기술에 해당한다.

## 22    

정답 ③

해설

② 계산기 사용과 같은 활동은 계산 원리의 이해나 능숙한 연산 기술의 습득이 본래의 목적이 아닌 경우 계획한다.
③ 발달연령이 아닌 생활연령에 적합한 교수자료를 사용해야 한다.

Check Point

(1) 기능적 생활중심 교육과정
① 기능적 생활중심 교육과정(≡ 기능적 교육과정, 생태학적 교육과정)이란 학습자의 생활, 경험, 흥미, 관심, 필요, 활동 등을 중심으로 구성된 교육과정
② 실생활에서 활용할 수 있는 기능을 중심으로 가르치자는 취지에서 시작된 중등도 및 중도 장애아동을 대상으로 한 교육과정
③ 지적장애 아동들에게 가르쳐야 할 우선적인 내용은 학교에서 교과활동에 의한 지식, 이론적 접근보다는 실생활에 필요한 기능적 기술과 자신을 관리할 수 있는 기술들이 교육프로그램의 주요 내용으로 구성되어야 함

(2) 기술의 형식과 기능
생활연령에 적절하게 기능적 기술을 선정하여 접근할 때는 기술의 형식과 기술의 기능을 고려할 것

| 기술의 형식 | • 다양한 기술의 형식을 통해 하나 혹은 유사한 기능을 가르칠 수 있다.<br>• 어린 아동에게 적절한 기술 형식이 나이 든 학생에게는 적절하지 않을 수도 있다. |
|---|---|
| 기술의 기능 | • 교사는 아동에게 필요한 기술의 기능을 결정한 다음, 기술의 기능이 연령에 적합한 형식으로 사용될 수 있도록 해야 한다.<br>• 아동이 대부분의 또래가 실행하는 것과 같은 기능을 수행할 수 없다면 교사는 그 아동에게 필요한 무난한 형식을 찾아야 한다.<br>• 기술의 기능을 결정할 때는 기능적 기술의 필요와 선호도를 조사해야 한다. : 생태학적 목록 활용 |

## 23

2012 초등1-30

정답 ②

해설

ⓒ 학생이 자신의 선호도에 따라 하나씩 골라 이야기하기
: 선택하기 기술

ⓒ 자신이 선택한 애완동물을 왜 좋아하게 되었는지 말하
게 하고: 자기옹호
  • 자신에 대한 이해와 관련된 요소 즉, 자신이 선호하는
    것(또는 흥미 있어 하는 것)에 대해 적극적으로 의사
    표현하고 있는 상황이 제시되어 있다.

ⓒ 강아지와 금붕어 기르는 방법에 대해 알고 있는 정도를
학생이 체크리스트에 표시하고 결과 확인하기: 자기관
리 기술

## 24

2012 중등1-8

정답 ④

해설

ㅁ. 위계적 차원에서 사회적 능력은 사회적 기술과 사회인
지의 상위개념이다. 따라서 사회성 증진 프로그램의 최
종 목표는 사회적 능력의 신장으로 설정하는 것이 바람
직하다.

**Check Point**

(1) 사회적 능력의 개념
① 적절한 대인관계 형성 능력을 전반적으로 지칭
② 사회문제를 사회적으로 용인되는 방향으로 해결하는
능력
③ 일반적으로 사회적 능력(social competence)은 사회적
기술과 사회적 인지를 포함하는 개념

(2) 사회적 능력, 사회적 기술, 사회적 인지 개념 구분

| 사회적 능력 | 사회적 기술 | 사회적 인지 |
|---|---|---|
| • 사회적 기술 + 사회적 인지<br>• 사회적 기술보다 포괄적인 개념<br>• 대인관계 문제를 사회적으로 용인되는 방향으로 해결하는 능력 | • 대인관계 기술과 유사어<br>• 구체적인 대인관계 상황에서 발휘되는 적절한 사회적 반응 | • 대인관계 관련 정보 수집 및 적절한 판단능력 |

출처 ▶ 김동일 외(2016 : 310)

(3) 기타
김애화 등(2012 : 372-373)은 사회적 능력의 구성 요소를
다음과 같이 제시

① 사회적 능력은 하나의 요소로 구성된 구인이 아니라 다
요인 구인

② 긍정적 대인관계, 연령에 적합한 사회 인지, 문제행동의
부재, 효과적인 사회적 기술을 포함하는 개념
  ⓒ 긍정적 대인관계 : 친구 및 성인과 얼마나 잘 지내는
    지에 대한 개념으로, 이는 대상 학생이 사회적으로 얼
    마나 잘 수용되는지를 판단하는 중요한 기준이 됨
  ⓒ 사회 인지 : 자아에 대한 인식(자아개념)과 사회적
    상황에 대한 인식 및 사회적 정보 파악 등을 포함하
    는 개념
  ⓒ 문제행동
    • 사회 적응을 방해하는 부적절한 문제행동
    • 사회적 능력 측면에서 긍정적인 평가를 받기 위해
      서는 부적절한 문제행동을 보이지 않아야 함
  ⓒ 사회적 기술 : 사회적 과제를 성공적으로 수행하기
    위해 사용하는 구체적이고, 관찰 가능한 행동

## 25

정답 ④

해설

㉠ '손해 보지 않기'는 사회적 적응기술에 해당하며, 일상 생활 활동에 필요한 기술이란 실제적 적응기술을 의미 한다.

㉢ 약체 X 증후군은 일반적으로 시·공간적 기술보다는 음성언어 기술에 강점이 있다.

**Check Point**

✍ 증후군별 행동표현형

| 원인적 진단 | 종종 실재하는 행동적 징후 |
|---|---|
| 약체 X 증후군 | • 시공간적 기술에 비해 더 나은 음성언어 기술. <br> • 일상생활과 신변관리기술에서 비교우위 <br> • 무관심, 과잉행동, 자폐성 행동과 빈번한 연관 <br> • 모든 연령대에 걸쳐 흔한 불안장애 |
| 다운증후군 | • 언어적 또는 청각적 과제보다는 시공간 적 과제수행에 강점 <br> • 지능에 비해 강한 적응기술 <br> • 명랑하고 사회적인 성격 <br> • 성인기에 흔한 우울증 |
| 윌리엄스 증후군 | • 언어, 청각 기억력과 얼굴인식에 강점 <br> • 시공간적 기능성, 지각-운동 계획과 소 근육 기술에서의 제한 <br> • 마음이론에 강함(인간 상호 간 지능) <br> • 손상된 사회적 지능으로 친구가 없음 <br> • 모든 연령대에 걸쳐 흔한 불안장애 |
| 프래더-윌리 증후군 | • 손상된 포만감, 탐식행동과 비만 <br> • 시각적 처리와 퍼즐을 해결하는 데 강점 <br> • 모든 연령대에 걸쳐 흔한 강박장애와 충 동조절장애 <br> • 성인기에 간혹 정신이상 |
| 엔젤만 증후군 | • 여러 차례 부적절한 웃음이 어린 사람들 사이에 특징적 <br> • 모든 연령대에 걸쳐 일반적으로 행복한 성향을 보임 <br> • 과잉행동과 수면장애가 어린 사람들 사 이에 보임 |
| 스미스-마제니스 증후군 | • 말하기 기술 획득의 지체 <br> • 계열적 처리에 상대적으로 약함 <br> • 수면장애가 흔함 <br> • 빈번한 상동행동과 자해행동 <br> • 충동조절장애가 어린이들 사이에 흔함 |

출처 ▶ AAIDD(2011)

## 26

정답 ①

해설

㉢ 비정기적인 참여가 이루어지는 단편적 참여에 해당한다.

㉣ 최소개입촉진(또는 최소촉구체계, 도움증가법)은 최소- 최대촉구법을 의미한다. 따라서 가장 간단하고 사용하 기 쉬운 것을 선택하도록 하는 것과는 거리가 멀다.

   • 최소개입촉진의 원리에 따라 가장 덜 개입적인 교수 방법을 선택하는 것이 바람직하다.

㉤ 점진적 안내는 전체 훈련을 통해 도움을 점진적으로 줄 여나가고, 학습자가 과제를 완성할 때 학습자의 손에 그 림자를 만드는 것이다. 그림자 만들기는 학습자가 과제 를 완성할 때 교사의 손을 학습자의 손 위 가까이에 놓 는 것을 의미한다. 이렇게 하면 학습자가 행동의 어떤 단계에서 실패할 때 교사가 즉각적인 신체안내를 해 줄 수 있다.

   • '학습 단계 초기에는 신체적 촉진을 주다가 필요할 때 는 즉시 촉진을 제공할 수 있도록 과제 수행에 따라 점차 신체적인 안내를 줄여가는 점진적 안내'로 표현 하는 것이 적절하다.

**Check Point**

(1) 부분참여의 원리

① 중도·중복 장애아동이 어떤 활동이나 과제의 모든 면 또는 단계에 참여하지 못하더라도 그가 할 수 있는 활 동의 일부분에라도 최대한 의미 있는 참여를 하게 하 는 것

② 부분참여는 장애인들에게 사회적으로 가치 있는 역할 을 부여하는 것을 강조하기 위해 고안되었는데, 이는 사 회적으로 가치 있는 역할을 부여하는 것이 그들의 이미 지와 개인적 역량에 긍정적 영향을 주기 때문임

③ 부분참여는 장애학생이 다른 사람들과 동일한 방법으 로는 혼자서 활동을 수행할 수 없기 때문에 제외시키기 보다는, 학생을 최대한 참여할 수 있도록 하는 것에 중 점을 둠

(2) 잘못된 부분참여의 원리 적용 유형

| | |
|---|---|
| 수동적 참여 | 장애아동들이 자연스러운 환경에 배치되었으나 적극적으로 활동에 참여하도록 허락하는 대신에, 또래들이 활동에 참여하는 것을 관찰하는 기회만 제공되는 것이다. |
| 근시안적 참여 | 교사가 교육과정의 관점들 중 한 가지 혹은 몇 가지만을 좁은 시야로 집중하고, 장애아동이 학습의 전반적인 기회들로부터 이득을 보지 못하도록 하는 것이다.<br>예 생필품 가게에 갔을 때 장애아동에게 물건을 고르고 사는 기회를 주는 대신에 손수레만 밀게 한다. |
| 단편적 참여 | 장애아동이 몇몇 활동들에 부정기적으로 참여하는 것을 말한다.<br>예 장애아동이 일반교육 사회과목 수업에 또래들과 함께 일주일에 2일 동안은 참여하고, 하루는 특수학급에서의 수업을 위해 해당 시간에 데리고 나와야 한다. |
| 참여기회 상실 | 장애아동이 독립적으로 활동하기 위해 너무 많은 시간과 노력을 기울이게 함으로써 아동으로 하여금 더 많은 수의 활동들에 참여할 기회를 상실하게 하는 것을 말한다.<br>예 학급 간 이동을 위해 휠체어를 스스로 천천히 밀어서 이동하는 장애아동은 각 수업의 일부를 놓칠 수 있다. |

(3) 사회적 역할의 가치화(Social Role Valorization ; SRV)
① 울펜스버거(Wolfensberger)가 '정상화'라는 용어 대신에 사용한 용어
② 정의 : 사회적 평가 절하의 위험에 있는 사람을 위하여 가치 있는 사회적 역할을 개발하고 지원하며 방어하기 위하여 문화적으로 가치 있는 수단을 가능한 한 많이 이용하는 것

## 27 · 2013 유아B-3

모범답안

| 3) | • 특성 : 학습된 무기력<br>• 동기 유발 전략 : 가능한 한 성공 경험을 많이 할 수 있도록 과제 난이도를 조절하여 제공한다(또는 아동의 능력 안에서 성공할 수 있는 과제를 제공한다). |
|---|---|

해설

3) 동기 유발 전략을 쓰도록 하고 있으므로 선행사건 중재 측면에서 제시하여야 한다.
• 동기조작은 선행자극 통제 방법의 하나로 환경적 상황을 조작해서 행동을 수정하는 방법이다. 행동의 발생 빈도가 증가하는 것을 동기유발효과라고 하고, 행동의 발생 빈도가 감소하는 것을 제지효과라고 한다 (이성봉 외, 2019 : 48-49).

Check Point

### 🖉 학습된 무기력
피할 수 없거나 극복할 수 없는 환경에 반복적으로 노출된 경험으로 인하여 실제로 자신의 능력으로 피할 수 있거나 극복할 수 있음에도 불구하고 스스로 그러한 상황에서 자포자기하는 것이다. 학습된 무력감이라고도 한다. … (중략) … 특수교육에서 학습된 무기력이 중요시되는 이유는 장애학생들이 학교나 가정에서 학습이나 적응행동에서 실패의 경험이 지나치게 누적되는 경우 학습된 무기력으로, 연습에 의해서 향상될 수 있음에도 어떠한 시도조차 하지 않을 수 있기 때문이다. 따라서 교사는 이들이 적절한 성취감을 맛볼 수 있도록 과제를 분석하여 제시하여야 한다(국립특수교육원, 2018 : 517-518).

## 28 · 2013 초등B-2

모범답안

| 3) | ㉠ 지역사회 모의수업<br>㉡ 학교 매점에서 화폐 계산하기<br>• 차이점 : 지역사회 모의수업은 지역사회의 장면이나 과제를 교실 수업으로 끌어와 모의 활동을 하는 것이고, 지역사회 참조교수는 학교의 공간 내에서 지역사회에서 필요한 기술을 간접적으로라도 연습할 수 있는 기회를 갖는 것이다. |
|---|---|

## 29  2013 중등1-23

정답 ⑤

해설

① 정신지체에서 지적장애로 용어가 변경되었다. '정신지체'라는 용어에는 개인의 내적 조건에 의해 기능이 제한된 상태가 장애라는 관점이 내포되어 있지만, '지적장애'라는 용어에는 그 개인이 갖고 있는 잠재력과 맥락이 잘 맞지 않아 생기는 제한된 기능 상태가 '장애'라는 관점이 내포되어 있다(송준만 외, 2022 : 24).

② 11차 정의는 10차 정의와 동일하게 지능지수의 절사점을 평균으로부터 −2표준편차 이하(또는 평균 미만의 2 혹은 그 이상 표준편차 낮은 점수, 평균 아래로 대략 2 표준편차 낮은 점수)로 한다. 그러나 75 이상도 포함하도록 하여 지원대상의 범위를 넓힌 것은 8차 정의에 해당한다.

③ 11차 정의의 인간 기능성에 대한 개념틀은 ICF 모델과 일치한다.

　• 인간 기능성에 대한 다차원적 모델은 인간의 기능성과 장애에 대한 ICF의 모델과 일관성을 갖는다. ICF 모델은 장애가 단순히 주요한 손상만으로는 설명될 수 없음을 나타낸다. 신체 기능과 구조는 활동에서의 제한성과 상호작용할 수 있으며, 이것이 사회적 참여에 영향을 줄 수 있다. 또한 이러한 활동에서의 제한성은 개인이 갖고 있는 요소뿐만 아니라 환경적 요소에 의해서도 상호 영향을 주고받는다. 이렇듯 ICF 모델에서는 인간의 기능성을 인간이 갖고 있는 다면적인 요소들과 환경 사이의 상호작용 과정으로 이해하고 있다(송준만 외, 2022 : 29).

④ 지원 모델에서는 일상적이고 보편적인 지원이 이루어지는 것이 아닌 한 개인의 발달, 교육, 이익, 개인적 안녕을 촉진하고 그 개인의 기능성을 향상시키기 위한 개별화된 지원이 이루어진다.

Check Point

### (1) 정신지체와 지적장애

역사적으로 한 개인이 장애가 있다고 할 때 그것은 무엇을 의미하는가에 대한 관점이 변화되어 왔고, 이러한 관점이 보다 명확하게 정의에 반영될 필요가 있었기 때문이다.

① 정신지체라는 용어에는 개인의 내적 조건에 의해 기능이 제한된 상태가 장애라는 관점이 내포되어 있다.

② 지적장애라는 용어에는 그 개인이 갖고 있는 잠재력과 맥락(context)이 잘 맞지 않아 생기는 제한된 기능 상태가 '장애'라는 관점이 내포되어 있다.

③ WHO의 ICF 모델에서도 제한된 기능 상태란 신체 기능 및 구조와 개인 활동상에서의 문제로부터 기인하는 '장애'라고 보았으며, 더 나아가 이 모델에서 제시한 신체 기능(손상된 지적 기능성)과 활동(적응행동에서의 제한성) 영역은 지적장애에 대한 조작적 정의에서 구체화된 진단기준과 일맥상통한다. 지적장애라는 용어의 채택은 이러한 AAIDD와 WHO의 장애에 대한 변화된 관점을 반영한 결과라고 볼 수 있다.

출처 ▶ 송준만 외(2016 : 28-29)

### (2) 지적장애의 정의 변화

| 9차 (1992년) | 정신지체는 현재 기능에 실질적인 제한성이 있는 것을 지칭한다. 정신지체는 유의하게 평균 이하인 지적지능과 동시에 그와 연관된 적응적 제한성이 두 가지 혹은 그 이상의 실제 적응기술 영역들, 즉 의사소통, 자기관리, 가정생활, 사회성 기술, 지역사회 활용, 자기지시, 건강과 안전, 기능적 학업교과, 여가, 직업기술의 영역에서 존재하는 것으로 특징 지어진다. 정신지체는 18세 이전에 나타난다. |
|---|---|
| 10차 (2002년) | 정신지체는 지적 기능과 개념적·사회적·실제적 적응기술로 표현되는 적응행동의 양 영역에서 심각한 제한성을 보이는 것이다. 이 장애는 18세 이전에 시작된다.<br>이러한 정의를 적용하기 위해서는 다음과 같은 가정들이 반드시 전제되어야 한다.<br>• 현재 기능성에서의 제한성은 그 개인의 동년배와 문화에 전형적인 지역사회 환경의 맥락 안에서 고려되어야 한다.<br>• 타당한 평가는 의사소통, 감각과 운동 및 행동 요인에서의 차이뿐만 아니라 문화와 언어에서의 다양성도 함께 고려되어 실시되어야 한다.<br>• 한 개인은 제한성만 갖고 있는 것이 아니라 동시에 장점도 갖고 있다.<br>• 제한성을 기술하는 중요한 목적은 그 개인에게 필요한 지원이 무엇인지 파악하기 위해서다.<br>• 개별화된 적절한 지원이 장기간 제공된다면 정신지체인의 생활기능은 일반적으로 향상될 것이다. |
| 11차 (2010년) | 정신지체 용어가 지적장애라는 용어로 변경된 것을 제외하고는 10차 정의와 동일하다. |

### (3) 지적장애의 개념과 ICF의 장애 개념 간 관련성

| ICF〲AAMR | 건강 조건 | 신체 기능과 구조 | 활동 | 참여 | 맥락적 요소 |
|---|---|---|---|---|---|
| 지적능력 | | ★ | | | |
| 적응행동 | | | ★ | | |
| 참가, 상호작용, 사회적 역할 | | | | ★ | |
| 건강 | ★ | ★ | | | |
| 상황 | | | | | ★ |

(4) 지원모델
① 지원모델은 개인의 능력과 환경의 요구 사이의 부조화 및 개인적 성과를 향상으로 이끄는 개별화된 지원의 제공 사이의 관계를 묘사한 것
② 지적장애를 개인의 결함보다는 기능의 상태로 개념화하고 개인과 환경 간의 잠재적 부조화를 다룸
③ 지원모델을 통해 설명되고 있는 내용
   ㉠ 지적장애인들이 경험하는 자신의 능력과 환경적 요구 간의 불일치로 인해 지원에 대한 요구가 생기게 되고,
   ㉡ 이러한 지원 요구를 바탕으로 개별화된 지원계획을 개발하고 적용하여,
   ㉢ 그 개인이 좀 더 독립적이게 되고, 더 나은 대인관계를 갖고 사회에 기여하고, 학교나 지역사회에서의 활동 참여가 증진되며, 더 높은 삶의 만족도를 느끼게 되는 성과를 얻게 된다.

# 30

정답 ③

해설

ㄴ. 지역사회 중심 교수는 체계적인 교수 계획에 의해 이루어진다. 이와 같은 특징은 현장학습과의 차이이기도 하다.

ㄹ. 지역사회 중심 교수의 효과를 극대화하기 위해서는 장애의 정도와 유형에 상관없이 지역사회에 접근할 수 있어야 하고, 특수학급의 수업 맥락이 아닌 아동의 지역사회 통합이라는 큰 맥락에서 이루어져야 한다.

Check Point

## ✎ 일반사례 교수법의 절차

| | |
|---|---|
| [1단계]<br>교수영역 결정하기 | 교수영역은 학습자가 배운 행동이 수행될 다양한 자극 상황을 포함하는 환경이어야 하며, 학습자의 특성, 학습자의 의사소통 능력, 학습자의 현행수준, 수행환경의 특성 등을 고려해야 한다. |
| [2단계]<br>지도할 기술을 과제분석하고 관련된 모든 자극과 반응을 조사하기 | 교수영역에서 일어날 수 있는 모든 자극과 반응을 조사한다. |
| [3단계]<br>교수와 평가에 사용될 교수의 예를 결정하기 | 선정한 예는 교수영역 내의 모든 관련 자극과 모든 반응 변수를 포함하는 대표적인 예 중에서 최소한의 것이어야 한다. |
| [4단계]<br>교수 순서를 계열화하고 교수하기 | 모든 교수 사례를 한 회기 내에 중재하도록 계열화하고, 한 회기에서 모두 중재할 수 없다면 한 번에 한두 가지 사례를 교수하고 중재 회기마다 새로운 사례를 기존에 학습한 사례에 더하여 교수한다. 또 일반적인 사례를 먼저 교수하고 예외적인 사례를 교수하도록 구성한다. |
| [5단계]<br>비교수 상황에서 평가하기 | 교수한 기술의 일반화를 알아보기 위해 비교수 상황에서 학습자의 수행을 검토한다. |

## 31                      2013 중등1-26

정답 ①

해설

ㄷ. 기능적 접근을 적용한 교육과정의 개발은 아동의 필수 전제기술 습득과는 상관없이 아동의 현재와 미래 환경에서 필요한 기술들을 교사가 조사하고 그 기술들을 가르치는 하향식 접근 방법이다.

ㄹ. 학생이 일정한 능력 수준을 갖추기 전에는 상위의 독립적 기술을 가르치지 않는다는 것은 준비도 가설과 관련된 발달론적 접근에 대한 내용이다.

ㅁ. 기술을 습득하기 위해서는 좀 더 많은 시간을 필요로 하는데, 학습의 단계와 위계에 따라 영역별로 발달 단계에 맞추어 학습해야 한다는 것은 발달론적 접근의 내용에 해당한다.

**Check Point**

### ☑ 교육과정 구성을 위한 접근(교육과정적 접근)

① 발달론적 접근

  ㉠ 개념

    • 인간의 발달은 위계적 구조를 이루며 점차 상위과정으로 분화되어 가는 과정에 있다는 인지주의 심리학의 발달이론을 바탕으로 하는 접근 방식으로, 이에 따른 교육과정 구성 강조

    • 발달론적 접근에서는 아동들이 위계적 기술단계에서 전 단계를 습득하여 준비되어야 다음 단계의 내용을 학습할 수 있다고 봄

    • 아동이 독립적으로 기술을 사용할 능력이 있기 전에는 기술들을 가르치지 않는다는 '준비도 가설'에 따라 나이가 많은 아동들에게 가르칠 기술들을 생활연령보다는 정신연령에 근거하여 선택. 따라서 생활연령에 적절한 기술들보다 발달에 필수적인 기술들을 통해 발달을 촉진하는 상향식 접근법으로 교육과정 개발

  ㉡ 장점

    • 체계적 교수 가능

    • 수업을 아주 작은 단계로 나누어서 할 수 있음

    • 기능 영역과 순서에 따른 분명한 계획 수립 가능

    • 기초적인 기능을 학습하게 함

  ㉢ 단점

    • 정상발달 순서 및 필수 선수기술 습득의 강조로 기능적 기술의 교수가 이루어지지 않는 '준비성 함정'에 빠질 가능성

    • 교수를 위해 선정되는 기술이 실제 사용되는 자연적 환경과 맥락을 참조하지 않을 가능성

    • 활동을 수행하는 데 일반아동이 수행하는 방법을 강조함으로써 그 활동의 결정적인 결과를 성취하는 데 다른 대안적인 효과적 방법들의 모색에 소홀

② 기능론적 접근(생태학적 접근)

  ㉠ 장애아동이 현재 및 미래 환경에서 독립적으로 생활하고 기능하기 위해 필요한 기능적 기술들을 지도해야 한다는 접근 방식으로 해당 관점이 반영된 교육과정의 구성 주장

  ㉡ 환경과의 상호작용을 강조하는 맥락에서 생태학적 접근이라고 볼 수 있음

  ㉢ 기능론적 접근은 아동과 환경에 대한 상호적 관계에 초점을 맞추는 것으로 최근 장애아동의 평가와 중재에서 새롭게 시도되는 접근 방법

  ㉣ 중도 지적장애 아동의 특성을 고려한 교육과정을 구성할 때 적합한 접근 방법

    • 기능적이고 생활연령에 적합한 기술을 실제 환경에서 교수하기 때문에 아동의 일반화 능력을 가정하지 않아도 되며, 교수할 것으로 판별될 기술들은 사회적 타당화에 의해서 기능적이고 적절한 것으로 결정

  ㉤ 기능론적 접근을 적용한 교육과정의 개발은 아동의 필수 전제기술 습득과는 상관없이 아동의 현재와 미래 환경에서 필요한 기술들을 교사가 조사하고 그 기술들을 가르치는 하향식 접근법

## 32                      2013추시 유아A-7

모범답안

| | |
|---|---|
| 1) | ① 기능적으로 의미 있는 상황에서 교수할 수 있도록 학습기회를 구성한다.<br>② 유아가 하루 일과 전체를 통해서 교수목표를 충분히 연습할 수 있도록 다양한 기회를 조성한다. |

**Check Point**

### (1) 활동 중심 삽입교수의 정의

활동 중심 삽입교수는 유아교육기관의 하루 일과나 활동 중에 장애 유아가 개별화교육계획의 교수목표를 연습할 수 있도록 특정 시간을 선정하고 짧지만 체계적인 교수를 실행함으로써 유아로 하여금 필요한 기술을 자연적인 환경에서 성공적으로 사용할 수 있게 도와주는 방법이다(이소현, 2020 : 437).

(2) 활동 중심 삽입교수를 위한 일반적인 지침

① 활동 중심 삽입교수는 하루 일과와 활동 중 삽입된 학습기회를 이용한다.

② 활동 중심 삽입교수는 그 성과를 보장하기 위하여 학습기회가 충분히 주어지도록 계획되고 실행되어야 한다.

③ 활동 중심 삽입교수는 그 성과를 보장하기 위하여 체계적인 계획과 실행을 필요로 한다.

④ 활동 중심 삽입교수는 일반 유아교육과정 내에서 일과와 활동이 진행되는 중에 장애를 지닌 유아의 개별화교육계획상의 교수목표를 교수하는 과정이므로 그 성과를 보장하기 위해서는 유아교사와 특수교사 간의 긴밀한 협력이 전제되어야 한다(이소현, 2017 : 278－280).

(3) 활동 중심 삽입교수를 위한 학습 기회 구성

교사는 학습 기회를 구성할 때 다음과 같은 점을 주의해야 한다.

① 수정된 교수목표를 활동 중에 삽입하여 교수하기 위한 기회를 조성할 때 교사는 기능적으로 의미 있는 상황에서 교수할 수 있도록 학습기회를 구성해야 한다. 즉, 가르쳐야 하는 기술이나 행동이 활동의 맥락상 자연스럽게 교수되도록 해야 한다.

② 교사는 삽입교수가 가능한 기회를 식별하고 조성하는 것 외에도 유아가 하루 일과 전체를 통해서 교수목표를 충분히 연습할 수 있도록 다양한 기회를 조성해야 한다. 이것은 삽입교수를 통하여 유아가 기존의 기술을 연습하는 것 외에도 새로운 기술이나 개념을 학습할 수 있기 때문이다(이소현, 2017 : 284).

(4) 기타

① 장애유아는 일반 교육과정에 참여하는 것만으로는 자신에게 필요한 모든 학습 기회를 제공받을 수 없으며, 활동 중심 삽입교수는 이와 같은 사실을 전제함으로써 그 중요성이 강조된다. 즉, 대부분의 유아교육 프로그램이 하루 일과 전체를 통해서 학습의 기회를 제공하는 것은 사실이지만 장애유아에게는 이러한 기회를 인식하고 학습할 수 있도록 구체적인 보조와 지원을 필요로 한다는 것이다.

② 그러므로 장애유아를 교육함에 있어서 교사의 가장 중요한 역할 중 하나는 개별화교육계획에 포함된 교수목표를 습득할 수 있도록 학습기회를 제공하는 것이다. 이를 위해서는 기존의 교육과정이 운영되는 중에 특별히 계획된 교수 장면을 포함시켜야 한다(이소현, 2020 : 436).

# 33 　　　　　　　　　　　　　　　　2013추시 유아B-8

모범답안

4) 우정활동

해설

지문 돋보기

(가) 준이의 행동 특성
• 친구가 제안하는 경우 놀이에 참여하나 자발적으로 친구에게 놀이를 제안하거나 시작행동을 보이지는 않는다. : 상호작용의 결여
(나) 활동계획안
3. 다양한 동작을 이용하여 그림자를 만들어 본다. : 활동
 • 친구와 손잡고 돌기, 친구 껴안기, 친구와 하트 만들기, 간지럼 태우기 : 신체적 접촉을 통한 상호작용을 유발할 수 있는 동작
 • 유아 간의 신체적 접촉이 일어나도록 그림자 활동을 구조화하여 : 교육과정의 변경 없이 상호작용을 촉진할 수 있는 활동을 자연스럽게 삽입

4) 우정활동이란 집단 애정활동이나 집단 사회화 등으로 사용되어 온 상호작용 증진을 위한 개별화된 자연적 교수법들을 총칭하는 용어로, 노래나 게임 활동 등에 친사회적인 반응을 삽입함으로써 교사가 직접 활동을 수정하고 실행하는 것이다.

Check Point

(1) 우정활동

① 우정활동은 기존의 교육과정 내에서 사용하는 노래, 율동, 게임, 놀이 활동 등을 약간 수정하여 유아들이 사회적 행동을 학습하고 서로 간의 상호작용을 하도록 촉진하는 방법이다.

   예 '호키포키'라는 동요를 율동과 함께 부르는 활동을 할 때 '다 같이 오른발을 안에 넣고'라는 가사 대신 '다 같이 마주 보고 인사하며'와 같이 인사하기, 악수하기, 안아 주기, 칭찬하기, 어깨 두드리기 등의 사회적 행동을 삽입하여 유아 간 상호작용이 발생하도록 도와줄 수 있다.

② 우정활동은 교사가 유아의 사회적 행동을 연습할 수 있는 반복적인 기회를 제공할 수 있다는 것과 또래 상호작용을 촉진하는 좀 더 지원적인 맥락을 조성해 줄 뿐만 아니라 이러한 활동을 통하여 장애유아에 대한 또래의 태도에 영향을 미침으로써 전반적인 학급 분위기를 또래 관계 형성을 위한 긍정적인 분위기로 전환해 준다는 장점을 지닌다(이소현, 2017 : 173).

(2) 학령기 또래 아동과의 사회-의사소통 촉진방법

① 자연적 중재는 사회적 상호작용 및 의사소통 기술의 교수를 위해서 사용되어 온 방법들 중 '자연적인 교수법'으로 분류되는 방법들을 의미한다.

② 자연적인 중재는 방법론적 측면에서 다음과 같은 특성을 지닌다.

　㉠ 학급 내 놀이 활동과 같은 자연적인 상황에서 발생한다.

　㉡ 아동이 특정 사회적 기술을 보이거나 또래 문화에 참여할 수 있는 기회를 포착해야 한다.

　㉢ 필요한 자원이 발생하거나 제공될 수 있도록 활동을 구성해야 한다.

　㉣ 학습 기회에 참여함으로써 발생하는 자연적 결과가 아동에게 흥미롭고 보상적이어야 한다.

③ 자연적 중재의 방법으로는 우발교수와 우정활동(friendship activities)을 들 수 있다.

　㉠ 우정활동이란 집단 애정활동이나 집단 사회화 등으로 사용되어 온 상호작용 증진을 위한 개별화된 자연적 교수법들을 총칭하는 용어다.

　㉡ 노래나 게임 활동 등에 친사회적인 반응을 삽입함으로써 교사가 직접 활동을 수정하고 실행하는 것이다. 교사의 직접적 교수는 또래 상호작용을 격려하고, 긍정적인 또래 상호작용을 관찰할 수 있도록 사회적 행동에 대한 또래 모델을 제공하며, 또래 상호작용과 관련된 친사회적 행동을 연습시키고, 또래 상호작용을 인지하고 칭찬하는 것을 포함한다.

　㉢ 우발교수와 우정활동의 유사점은 새로운 사회-의사소통 기술을 학습하고 이미 학습한 기술을 정교화하고 일반화할 수 있는 부가적인 기회를 제공한다는 것이다.

　㉣ 우정활동은 매일 10~15분 동안 집단을 대상으로 실시되기 때문에 우발교수에 비해 교사의 더 많은 준비를 필요로 하며, 우발교수보다 더 많은 사회-의사소통 기술의 기회를 제공할 수 있다는 차이점이 있다(송준만 외, 2016 : 458-460).

## 34　　　　　　　　　　　2013추시 중등A-2

**모범답안**

| 1) | • (가) 숙달<br>• (나) 일반화 |
|---|---|

## 35　　　　　　　　　　　2013추시 중등A-5

**모범답안**

| 1) | ㉠ 사회적<br>㉡ 간헐적 |
|---|---|
| 2) | ㉢ 선택적 주의집중 |
| 3) | • 현재 기능성에서의 제한성은 그 개인이 동년배와 문화에 전형적인 지역사회 환경의 맥락 안에서 고려되어야 한다.<br>• 타당한 평가는 의사소통, 감각과 운동 및 행동 요인에서의 차이뿐만 아니라 문화와 언어에서의 다양성도 함께 고려되어 실시되어야 한다. |

**해설**

**지문 돋보기**

• 간단한 단어를 읽고 쓸 수 있으며 화폐 개념이 있음 : 개념적 적응행동
• 책임감, 학급 및 도서실에서의 규칙 따르기 : 사회적 적응행동
• 관련 있는 중요한 자극에 집중하기 : 선택적 주의집중
• 단기간 내 사용할 수 있는 정보를 기억 : 단기기억

3) • 지적장애가 있다고 하더라도 동일한 특성을 가진 학생들의 집단인 특수학급에서는 수업 참여나 다른 학생들과의 의사소통에 무리가 없을 수 있다. 그러나 지적장애 학생의 기능상 제한성 유무와 정도는 지적장애 학생과 동년배 그리고 지적장애 학생이 속해 있는 문화에 전형적인 지역사회 환경의 맥락 내에서 판단되어야 한다.
• 타당한 평가가 되기 위해서는 지능검사 결과를 해석할 때 준호가 다문화 가정에서 성장하여 한국어 어휘가 부족한 점이 지능검사의 결과에 영향을 미쳤을 수도 있음을 고려해야 한다.

**Check Point**

(1) 주의집중

지적장애는 선택적 주의집중과 주의집중 유지에 어려움을 보일 수 있음

| 주의<br>집중 | 선택적<br>주의집중 | 수행 중인 과제에 필요한 자극에는 주의를 기울이고 관련 없는 자극은 무시하는 것 |
|---|---|---|
| | 주의집중<br>유지 | 시간의 흐름에 따라 일정시간 동안 환경에서 방해하는 자극을 억제하면서 집중된 주의 유지 |

(2) 단기기억

① 단기간의 사용을 위해 정보를 보유하는 것으로, 몇 초나 몇 분에 걸쳐 내용을 회상할 수 있는 능력으로 투입된 정보를 조작하는 것 강조

② 장기기억 속에 저장된 정보가 반드시 단기기억으로 되돌아와 재생되기 때문에 작동기억이라고 함

(3) 지적장애 정의를 적용할 때 전제되어야 하는 필수적인 가정
① 현재 기능성에서의 제한성은 그 개인의 동년배와 문화에 전형적인 지역사회 환경의 맥락 안에서 고려되어야 한다.
② 타당한 평가는 의사소통, 감각과 운동 및 행동 요인에서의 차이뿐만 아니라 문화와 언어에서의 다양성도 함께 고려되어 실시되어야 한다.
③ 한 개인은 제한성만 갖고 있는 것이 아니라 동시에 강점도 갖고 있다.
④ 제한성을 기술하는 중요한 목적은 그 개인에게 필요한 지원이 무엇인지 파악하기 위해서다.
⑤ 개별화된 적절한 지원이 장기간 제공된다면 지적장애인의 생활기능은 일반적으로 향상될 것이다.

## 36  　2013추시 중등A-7

**모범답안**

| 4) | ㄹ 목표 설정 |
|---|---|
|  | ㅁ 목표 및 계획 수정 |

**해설**

4) 자기 결정력 증진을 위한 구체적인 교수 모델들이 개발되었다. 그중 하나가 자기 결정 학습 교수 모델(SDLMI)이다. 이 모델은 자기 규제된 문제해결과 자기 결정력을 증진시킬 수 있도록 개발되었다. 이 모델은 교사가 학생에게 어떻게 자신을 옹호하는지 가르칠 수 있는 체계로서 3개의 교수단계(목표 세우기 – 행동하기 – 계획 목표 수정하기)로 구성되어 있는데, 학생이 일련의 질문에 답하고, 교사가 학생의 자기 지시된 학습을 지원할 수 있도록 돕는 교육적 목록을 지원하고 있다(이정은, 2015 : 130 – 131).

**Check Point**

### ✎ 자기결정 교수학습 모델(SDLMI)
① 이 모델은 교사가 학생에게 어떻게 자신을 옹호하는지 가르칠 수 있는 체계로서 '목표 설정 → 계획 및 실행 → 목표 및 계획 수정'의 3단계로 구성된다.
② 자기결정 학습 교수 모델의 각 단계에는 아동이 해결해야 될 4가지 문제, 교수목표, 교수지원이 포함된다.
　㉠ 학생질문: 학생은 각 단계의 질문에 답하기 위해 요구를 충족하는 목표를 설정하고, 목표에 적합한 계획을 구상하고, 계획을 완수하기 위해 행동을 수정함으로써 자신의 문제해결을 조정해 나간다. 학생에게 학생질문을 사용하도록 지도하는 것은 자기조정적 문제해결 전략을 지도하기 위해서이다.

　㉡ 교수목표: 학생이 각 단계의 문제를 해결하는 것을 돕기 위한 교수 과정의 길잡이 역할을 한다.
　㉢ 교수지원: 각 단계에서 학생이 학습을 스스로 주도할 수 있게 돕는 역할을 한다.
③ 자기결정 교수학습 모델의 단계별 내용

| [1단계] 목표 설정 |
|---|
| ☐ 성취해야 할 학생의 과제: 나의 목표는 무엇인가? |
| ☐ 교수적 지원: 흥미, 노력, 교수적 요구에 대한 학생의 자기평가 등 |
| • 학생 질문 1 : 내가 무엇을 배우길 원하는가?<br>• 교사 목표 |
| • 학생 질문 2 : 내가 그것에 대해 알고 있는 것은 무엇인가?<br>• 교사 목표 |
| • 학생 질문 3 : 내가 모르는 것을 배우기 위해서 나는 어떤 변화가 필요한가?<br>• 교사 목표 |
| • 학생 질문 4 : 이 일이 일어나도록 하려면 무엇을 할 수 있는가?<br>• 교사 목표 |

| [2단계] 계획 및 실행 |
|---|
| ☐ 성취해야 할 학생의 과제: 나의 계획은 무엇인가? |
| ☐ 교수적 지원: 자기일정 계획 등 |
| • 학생 질문 5 : 내가 모르는 것을 배우기 위해 나는 무엇을 할 수 있는가?<br>• 교사 목표 |
| • 학생 질문 6 : 내가 행동하는 데 방해가 되는 것은 무엇인가?<br>• 교사 목표 |
| • 학생 질문 7 : 이러한 장벽을 제거하기 위해 내가 할 수 있는 것은 무엇인가?<br>• 교사 목표 |
| • 학생 질문 8 : 언제 내가 행동할 것인가?<br>• 교사 목표 |

| [3단계] 목표 및 계획 수정 |
|---|
| ☐ 성취해야 할 학생의 과제: 내가 배운 것은 무엇인가? |
| ☐ 교수적 지원: 자기평가 전략 등 |
| • 학생 질문 9 : 내가 어떤 행동을 했나?<br>• 교사 목표 |
| • 학생 질문 10 : 어떤 장벽이 제거되었는가?<br>• 교사 목표 |
| • 학생 질문 11 : 내가 모르는 것과 관련하여 어떤 변화가 있었는가?<br>• 교사 목표 |
| • 학생 질문 12 : 내가 알기 원하는 것을 알고 있는가?<br>• 교사 목표 |

## 37 · 2013추시 중등B-3

**모범답안**

1) 용어 : 최소위험 가정 기준

**Check Point**

☑️ **지적장애 학생의 교육과정 구성 및 운영을 위한 기본 전제**

① **연령에 적합한 교육과정**
- 지적장애학생의 교육과정은 생활연령에 적합한 내용으로 구성되고 적용되어야 한다.

② **궁극적 기능성의 기준**
- ㉠ 중도장애학생을 위한 교육목표로서, 그들이 성인이 되어 최소제한적 환경에서 일반인들과 함께 자신의 잠재력을 최대한 발휘하여 기능하기 위해 개개인이 꼭 소유하고 있어야 할 요소들
- ㉡ 성인기의 통합된 환경에서 최대한 독립적이고 생산적으로 활동하기 위해 반드시 필요한 요소들을 갖추도록 지도해야 한다는 개념

③ **최소위험 가정 기준**
- ㉠ 결정적인 자료가 있지 않은 한 교사는 학생에게 최소한의 위험스러운 결과를 가져오는 가정에 기반하여 교육적 결정을 내려야 한다는 개념
- ㉡ 지적장애학생이 배우지 못할 것이라는 점이 증명된 것이 없기 때문에, 결정적인 증거가 없는 한 아무리 지적장애의 정도가 심하더라도 최선의 시도를 통해 교육 가능성 신념을 실현해야 한다.

④ **영수준의 추측**
- ㉠ 학급에서 배운 기술들이 실제 사회생활에서 일반화하지 못할 수도 있다는 전제에 기반을 두고, 배운 기술들을 여러 환경에서 일반화할 수 있는지를 시험해 봐야 한다는 개념
- ㉡ 일반화가 되지 않을 경우에는 기술이 사용될 실제 환경에서 가르쳐야 한다.

⑤ **자기결정 증진**
- ㉠ 자기결정 : 선택할 수 있는 범위를 고려해서 적절한 결정을 하고, 자율적 의지와 독립성, 그리고 행동에 대한 책임을 가지는 개인의 능력
- ㉡ 지적장애학생은 자기결정의 권리를 가지고 자신의 삶을 통제하고 스스로 옹호할 수 있는 기회와 경험을 가져야 한다.

## 38 · 2014 유아A-2

**모범답안**

1) 교수법 : 활동 중심 삽입교수

**해설**

1) 유아특수교사는 ㉡과 ㉢의 교수활동을 통해서 IEP 목표를 충분히 연습할 수 있도록 기회를 조성하였다.

**Check Point**

(1) **활동 중심 삽입교수의 이해**

① '활동 중심 중재'와 '삽입 학습 기회'의 두 가지 유사한 교수전략의 개념을 혼합한 용어로, 유치원의 하루 일과에 따라서 진행되는 활동에 교수활동을 삽입하여 장애 유아의 교수목표가 성취되게 하는 교수전략

② 유아교육기관의 하루 일과나 활동 중에 장애 유아가 개별화 교육계획의 교수목표를 연습할 수 있도록 특정 시간을 선정하고 짧지만 체계적인 교수를 실행함으로써 유아로 하여금 필요한 기술을 자연적인 환경에서 성공적으로 사용할 수 있게 도와주는 방법

③ 대부분의 학습은 일과와 활동이 운영되는 중에 유아가 자신의 흥미와 선호도를 기반으로 활동에 참여하게 될 때 이러한 참여가 학습 기회로 연계되면서 발생함. 그러나 장애 유아는 일반 교육과정에 참여하는 것만으로는 자신에게 필요한 모든 학습 기회를 제공받을 수 없으며, 활동 중심 삽입교수는 이와 같은 사실을 전제함으로써 그 중요성이 강조됨

④ 일반적으로 다음과 같은 세 단계로 이루어짐
- ㉠ 1단계 : 유치원 교육과정에 따라 장애 유아의 교수 목표를 수정한다.
- ㉡ 2단계 : 교수목표를 학습할 수 있는 학습 기회를 구성한다.
- ㉢ 3단계 : 삽입교수를 계획하고, 실시하고, 평가한다.

출처 ▶ 이소현(2020 : 436-438)

(2) **활동 중심 삽입교수의 중요성**

① 활동 중심 삽입교수는 유아교육기관의 학급 운영과 활동 진행에 큰 변화를 요구하지 않는다는 장점을 지닌다.

② 장애 유아를 별도로 분리해서 교육할 필요가 없다.

③ 학급 내 자연적인 환경에서 교수가 일어나기 때문에 새로 습득한 기술의 즉각적이고도 기능적인 사용 능력을 증진시킬 수 있다.

④ 유아교육기관의 하루 일과 및 활동 전반에 걸쳐 삽입 학습 기회가 체계적으로 제공됨으로써 새롭게 학습한 기술의 사용 능력이 다양한 상황으로 일반화될 수 있다.

출처 ▶ 이소현(2011 : 271-277)

# 39 | 2014 유아A-8

모범답안

| 1) | 자율성, 자기조절, 심리적 역량, 자아실현 |
|---|---|
| 2) | • 기호 : ⓑ<br>• 구성 요소 : 자기인식 |
| 3) | ⓑ 일반사례교수법<br>ⓢ 지도내용 : A, 슈퍼마켓에서 물건사기 기술 교수하기<br>ⓞ 지도내용 : B, 슈퍼마켓에서 물건사기 기술의 일반화 정도 평가하기 |

**Check Point**

(1) 자기결정
① 자기결정이란 한 사람이 자신의 인생의 주체로서 중요한 결정을 함에 있어서 다른 사람에게 의존하지 않고 본인 스스로 책임을 지는 것을 의미
② Wehmeyer는 자율성, 자기조절, 심리적 역량, 자아실현 등을 자기결정의 네 가지 특성으로 제시

(2) 자기결정의 특성(영역)

| 특성(영역) | 내용 및 요소 |
|---|---|
| 자율성 | 부모로부터의 정서적인 분리, 자신의 삶에 대한 개인적 통제의식의 발달, 개인 가치체계의 확립 및 성인 세계에서 요구되는 행동과제 수행을 포함하는 개념으로, 개인이 부당한 외부영향이나 간섭 없이 자신의 선호도, 흥미 혹은 독립적인 방식으로 자율적으로 행동하는 것 |
| 자기조절 | 행동결과의 바람직한 여부를 평가하고 필요한 경우엔 자신의 계획을 수정하고, 어떻게 행동해야 하는가에 관한 결정을 할 그런 환경에 대처하기 위한 반응목록이나 자신의 환경을 자기가 확인할 수 있도록 해주는 복잡한 반응체계 |
| 심리적 역량 | 기질, 인지 및 동기를 포함한 자각된 통제의 다양한 차원들을 말하는 용어로, 심리적 역량을 갖춘 방식으로 행동하는 사람은 자신이 자기에게 중요한 환경에 대한 통제력을 가지고 원하는 성과를 성취하는 데 필요한 기능을 소유하고, 만약 자신이 그러한 기능을 적용하기를 선택하면 인지된 성과가 이루어질 것이라는 믿음에 토대를 두고 그렇게 행동하는 것 |
| 자아실현 | 자기결정이 된 사람은 지식을 활용할 수 있는 방식으로 행동하기 위해 종합적이고 상당히 정확한 자신에 대한 지식과 자기의 강점과 약점을 이용한다는 점에서 그들은 자아를 실현하고 있는 중임. 이런 자기인식과 자기지식은 자신의 환경에 대한 해석과 함께 경험을 통해서 형성되고 주요한 다른 강화 및 자기행동에 대한 귀인의 영향을 받음 |

# 40 | 2014 초등B-5

모범답안

| 1) | 생태학적 목록법 |
|---|---|
| 2) | 청소기로 청소하기는 학생의 현재와 미래의 모든 환경에 필요한 기술이기 때문이다. |

해설

2) (가)에서 교사가 언급한 기준이란 '여러 생활 영역에 걸쳐서 중요하거나 유용한 기술'을 의미한다.
• 여러 문헌에서 공통적으로 제시하고 있는 기능적 기술의 우선순위 결정 기준은 다음과 같다. ① 하나 이상의 환경에서 필요한 기술인가? ② 학생의 현재와 미래의 모든 환경에 필요한 기술인가? ③ 학생의 생활연령에 적합한 기술인가? ④ 학생의 독립성을 증가시킬 수 있는 기술인가?
• 현재와 미래의 환경을 파악하고, 그 환경의 하위 환경에서 요구되는 활동들을 살펴본 후 (나)의 '청소기로 바닥을 밀어 청소할 수 있다.'를 학습 목표로 설정한 것은 학습 목표에 해당하는 내용이 현재와 미래의 모든 환경에 필요한 기술이라는 것을 확인하였기 때문이다.

**Check Point**

✍ 기능적 기술의 우선순위 선정 기준
기능적 기술의 우선순위 선정 기준은 문헌마다 각기 다르게 소개되고 있으나 공통적인 기준은 다음과 같다.
① 하나 이상의 환경에서 필요한 기술
② 학생의 현재와 미래의 모든 환경에 필요한 기술
③ 학생의 생활연령에 적합한 기술
④ 학생의 독립성을 증가시킬 수 있는 기술

# 41 | 2014 중등A-8

모범답안

| ㉠ | 언어와 청각 기억력 |
|---|---|
| ㉡ | 시각적 처리와 퍼즐 해결 |

## 42

**모범답안 개요**

| 행동특성 | 학생 A는 개념적 적응기술과 사회적 적응기술의 사용에는 어려움이 없으나 실제적 적응기술의 수행에 어려움이 있다. |
|---|---|
| ○○카페가 적합한 이유 | • 실습지의 직무<br>　- 바리스타 수업을 받았음. 커피내리기, 화장실 청소는 지원을 통해 수행 가능<br>　- 주문 및 서빙, 손님 응대 가능<br>　- 복무규정을 준수하는 데 문제 없음<br>• 실습지의 구성원: 고등학생과 대학생 아르바이트 등 친하게 지낼 만한 또래가 있음<br>• 실습지의 문화: 장애인과 함께 근무한 경험이 있어 장애인에 대한 이해가 전반적으로 높음 |
| 실습 전 갖추어야 할 기술 | • 기술: 독립적으로 대중교통 이용하기<br>• 선정 이유: 카페가 학생 A의 집에서 지하철로 20분 거리이나 어머니는 학생 A의 출퇴근을 지원할 여건이 안 되기 때문이다. |

**해설**

학생 A의 행동 특성과 적응행동 유형과의 관련성은 다음과 같다.

| 상황평가 결과 | 적응행동의 예 | 관련 적응기술 | 비고 |
|---|---|---|---|
| 출근 시간을 잘 지킨다. | 규칙준수 | 사회적 | ○ |
| 맡은 일은 끝까지 마무리한다. | 사회적 책임감 | 사회적 | ○ |
| 메뉴판의 음식명을 읽을 수 있다. | 읽기 | 개념적 | ○ |
| 손님과 다른 직원들에게 인사를 잘 하고 친절하다. | 대인관계 기술 | 사회적 | ○ |
| 다른 사람의 도움 없이는 화장실 청소를 하지 못한다. | 화장실 청소 | 실제적 | × |
| 음식 주문 번호와 일치하는 번호의 테이블에 음식을 가져간다. | 수 개념 | 개념적 | ○ |
| 화폐의 종류는 구분하나, | 돈(화폐) 개념 | 개념적 | ○ |
| 음식 값을 계산하는 데는 어려움이 있다. | 돈(화폐) 사용 | 실제적 | × |

## 43

**모범답안**

4) ⓓ 숙달(또는 유창성)

**Check Point**

### 📝 학습 단계(일반화의 과정)

학습(또는 일반화)은 습득 → 숙달 → 유지 → 일반화의 단계를 거쳐 완성된다.

| 습득 | • 교수목표: 아동이 목표기술을 정확하게 수행하도록 돕는 것을 강조한다.<br>• 습득을 위한 전략에는 빈번한 교수 제공하기, 아동의 참여 기회 늘리기 등이 있다. |
|---|---|
| 숙달 | • 교수목표: 아동이 과제를 정확하고 빠르게 완수하도록 하는 것이다.<br>• 숙달을 위한 전략에는 아동의 학습 시 교사의 참여 줄이기, 완성된 과제에 한하여 피드백 제공하기 등이 있다. |
| 유지 | • 교수목표: 높은 수준의 수행을 유지하는 것이다.<br>• 유지는 시간이 지나도 한번 습득한 행동을 지속적으로 할 수 있는 것을 뜻하기 때문에 '시간에 대한 일반화'라고 한다.<br>• 유지를 위한 전략에는 간헐 강화계획, 과잉학습, 분산연습, 학습한 기술을 기초로 새 기술 교수하기 등이 있다. |
| 일반화 | • 일반화는 자극 일반화와 반응 일반화로 구분할 수 있다.<br>• 자극 일반화란 어떤 자극이나 상황에서 어떤 행동이 강화된 결과, 그와는 다른 어떤 자극이나 상황에서도 그 행동이 일어날 가능성이 증가하는 것을 의미한다.<br>　- 자극 일반화를 위한 전략에는 자연스러운 상황에서 가르치기, 훈련 상황을 일반화가 일어나야 할 상황과 비슷하게 조성하기, 여러 다양한 상황을 이용하기, 훈련 시 광범위한 관련 자극 통합하기 등이 있다.<br>• 반응 일반화란 어떤 자극이나 상황에서 어떤 행동이 강화된 결과, 동일한 자극이나 상황에서 이와는 다른(학습되지 않은) 행동이 일어날 가능성이 증가하는 것을 말한다.<br>　- 반응 일반화를 위한 전략에는 충분한 반응사례로 훈련하기, 훈련 상황에서 의도적으로 아동이 다양한 반응을 하도록 만들어 주기 등이 있다. |

# 44 | 2015 초등A-4

**모범답안**

| 1) | ㉠ 선택적 주의집중<br>㉡ 초인지 |
|---|---|
| 2) | 자기기록(또는 자기점검) |

**Check Point**

## ✎ 초인지와 실행기능

### ① 초인지

주어진 일이나 문제를 해결하고 수행하기 위해서 어떠한 전략을 사용해야 할지 계획하고, 어떤 전략이 가장 효율적인지를 평가하며 노력의 결과를 점검하는 능력

> **초인지**
>
> 메타인지 또는 상위인지라고도 한다. 인지에 대한 인지 또는 사고에 대한 사고이며, 인지 활동을 계획·수행·감독하는 능력이다. 구체적으로 문제해결 과정에서 문제해결에 필요한 정보를 파악하기 위해 전략을 수립하고, 문제해결 단계와 전략을 의식적으로 사용하며, 문제해결의 결과를 반성하고 평가하는 능력을 의미한다. 초인지적 지식과 초인지적 기능으로 구분하는데, 초인지적 지식은 인지적 과제를 수행할 때 자신이나 타인의 인지적 능력과 과정·정보를 인식하는 능력이고, 초인지적 기능은 인지(학습)를 조절하고 감독하는 능력으로 인지 과정에 계획, 점검, 평가 등이 포함된다(특수교육학 용어사전 : 460).

### ② 실행기능

- ㉠ 다양한 맥락과 영역에서 자신이 설정한 목적을 달성하기 위해 인지적 과정을 통제하고 운영하는 시스템 (김애화 외, 2012 : 60)
- ㉡ 환경적 요구에 대한 인지적·행동적 반응의 유지 및 전환 간의 균형을 유지하는 능력으로, 더 장기적인 목표 지향적 행동을 가능하게 하며, 관련된 지식의 탐색, 추상화 및 계획 능력, 의사결정 기술, 행동 개시, 자기감찰, 인지적 유연성, 즉각적이고 반사적인 반응의 억제 등을 포함하는 광범위한 능력
- ㉢ 실행기능을 구성하는 대표적인 하위 요인
  - 계획하기
  - 작업기억
  - 선택적 주의집중
  - 생각 및 과제 전환하기
  - 부적절한 자극을 억제하기

> **실행기능**
>
> 최선의 문제해결을 위해 어떤 전략을 언제, 어디서, 어떻게 적용할 것인지를 알고 적용하는 기능이다. 심리학자들이나 신경과학자들 사이에서는 인지 조절과 동일한 개념으로 사용되고도 있다. 문제해결 과정에서는 자신이 현재 어느 위치에 있는지를 알아 적절히 조절하는 자기점검과 자신의 행동을 계획하고 진행하고 평가하는 자기조절(self-regulation) 등이 있다(특수교육학 용어사전 : 293).

# 45 | 2015 중등A-3

**모범답안**

| (가) | 일반사례교수법 |
|---|---|
| (나) | 지역사회 참조 교수 |

**해설**

(가) 지역사회 중심 교수를 체계적으로 지도하는 방법에 해당한다.
- 제시된 내용은 각 단계를 명확하게 제시하기보다는 지도 절차를 개괄적으로 제시한 것이다.

(나) 학교 안에서 지역사회 중심 교수를 구현하기 위한 방법에 해당한다.

# 46 | 2016 유아B-2

**모범답안**

| 3) | 우정활동 |
|---|---|

**해설**

3) 우정활동은 기존의 교육과정 내에서 사용하는 노래, 율동, 게임, 놀이 활동 등을 약간 수정하여 유아들이 사회적 행동을 학습하고 서로 간의 상호작용을 하도록 촉진하는 방법이다. 우정활동은 교사가 유아의 사회적 행동을 연습할 수 있는 반복적인 기회를 제공할 수 있다는 것과 또래 상호작용을 촉진하는 좀 더 지원적인 맥락을 조성해 줄 뿐만 아니라 이러한 활동을 통하여 장애 유아에 대한 또래의 태도에 영향을 미침으로써 전반적인 학급 분위기를 또래 관계 형성을 위한 긍정적인 분위기로 전환해 준다는 장점을 지닌다. 따라서 교사는 기존의 교육과정의 흐름 속에서 어떻게 우정활동을 삽입하여 활용할 수 있을지에 대하여 주의 깊게 살피고, 활동을 진행한 후에는 활동을 통하여 연습한 사회적 행동이나 증진된 상호작용이 유지되고 일반화될 수 있도록 관심을 기울여야 할 것이다(이소현, 2011 : 173).

## 47        2016 유아B-4

**모범답안**

| 3) | 부분참여의 원리 |

**해설**

3) 부분참여란 중도·중복장애 학생이 어떤 활동이나 과제의 모든 면 또는 단계에 참여하지 못하더라도 그가 할 수 있는 활동의 일부분에라도 최대한 의미 있는 참여를 하게 하는 것을 의미한다. '중도장애 학생들이 활동에 충분히 참여할 수 없다 하더라도 학생이 포함되도록 허용하면 부분적으로 참여할 수 있다고 제안하는 것'이다.

## 48        2016 초등A-4

**모범답안**

| 1) | 페닐케톤뇨증을 가지고 태어난 학생에게 식이요법을 통해 정신지체가 되지 않도록 하였다. |
|---|---|
| 2) | 다음 중 택 1<br>• 부모의 약물 남용<br>• 부모의 음주<br>• 부모의 흡연<br>• 부모의 양육 거부<br>• 부모의 자식 포기<br>• 아동학대 및 유기<br>• 가정폭력<br>• 부적절한 안전 조치<br>• 사회적 박탈<br>• 다루기 힘든 아동의 행동 |
| 3) | ㉣, 안전모를 쓰게 하는 것은 뇌손상으로 인한 질병이나 정신지체 자체의 출현을 예방하는 1차적 예방이기 때문이다. |
| 4) | ① ⓐ 나비가 꽃에 앉아 있어요.<br>   ⓑ 나비가 앉아 있는 곳은 어디지요(또는 나비는 어디에 앉아 있나요)?<br>② 쌍연합학습전략은 단기 기억에 결함이 있는 정신지체 학생의 기억학습에 효과적이기 때문이다(또는 쌍연합학습전략은 정보처리 과정에 결함이 있는 정신지체 학생의 기억학습에 효과적이기 때문이다). |

**해설**

1) 형제 중 먼저 태어난 아이가 자폐인 경우에 동생을 유아기 때 자세히 모니터링하는 것도 2차 예방의 한 예가 될 수 있다(AAIDD, 2011 : 171).
  • 3차 예방에는 다운증후군 학생이 정기적인 갑상선 기능검사를 통해 신체적 손상을 예방하는 경우, 지적장애 학생에게 행동지원을 통해 활동 제한성을 예방하는 경우 등이 해당한다.

4) ② 정신지체 학생 특히 경도 정신지체 학생의 정보처리 과정에서의 결함은 질적인 차이보다는 양적인 차이로 보았으며, 또한 장기 기억보다는 단기 기억에서 많은 차이가 난다고 보았다. 이에 따라 시연 전략, 매개 전략을 사용한 쌍연합학습, 정보의 조직화를 위한 유목화 전략 등 주로 정신지체 학생을 위한 인지 전략은 기억 전략의 연구에 집중되어 왔다(백은희, 2020 : 230).

**Check Point**

(1) 예방의 종류 및 목표

| 단계 | 정의 및 목표 |
|---|---|
| 1차 예방 | • 질병이나 장애 자체의 출현을 예방하기 위한 지원<br>• 목표 : 개인의 건강 상태 증진 |
| 2차 예방 | • 이미 어떤 상태나 질병의 영향을 받고 있는 개인에게서 장애나 증상이 나타나는 것을 예방하는 지원<br>• 이미 발생한 위험요인의 영향을 감소시키거나 제거시키는 단계<br>• 목표 : 위험 요소를 지닌 개인의 판별과 장애 발생을 예방하는 중재의 연계 |
| 3차 예방 | • 장애로 인해 나타날 수 있는 기능상의 어려움을 최소화하기 위한 지원<br>• 장애를 가진 아동을 돕는 단계<br>• 목표 : 전반적인 기능성 향상 |

(2) 쌍연합학습전략(매개전략)
① 매개전략은 자극과 반응을 연결시키는 과정으로 자극 제시에 사용되는 언어적 매개 혹은 관계에 역점을 둔다. 단어 학습에 사용되며, 쌍연합학습(paired associate learning)이라고도 한다.
② 우선, 두 개의 자극을 함께 제시하고 그 다음에는 자극을 하나만 제시하고 마지막으로 두 자극 사이의 관계를 말하여 회상(수행)을 돕는다. 이때 과제가 얼마나 학습자에게 의미 있는가 또는 사물이나 단어가 얼마나 친숙한 것인가가 학습에 영향을 미친다. 즉, 친숙하고 익숙한 과제나 단어 혹은 사물일 때 학습이 더 잘 된다.
③ 예를 들어, '사과', '소년' 두 개의 어휘를 단어카드로 제시하고, 교사는 "소년이 사과를 먹고 있다."라고 말을 하여, 두 개의 어휘를 하나의 문장으로 만든다. 그리고 나서 학생들에게 "소년이 먹고 있는 것은 무엇이지?"라고 물으면서 '사과'의 단어카드를 보이면, 학생들이 "소년이 사과를 먹고 있다."라는 문장을 상기하면서 '사과'라는 어휘를 말하게 한다(백은희, 2020 : 226).

## 49     2016 중등A-3

**모범답안**

| 강조점 1 | 생태학적이며 다면적인 관점에서 장애를 개념화한다. |
|---|---|
| 강조점 2 | 개인의 기능을 향상시키기 위한 개별화된 지원이 하는 역할의 중요성을 제시한다. |

**해설**

- 지적장애란 무엇인가를 이해하기 위한 접근방법에는 '지적장애를 조작적으로 정의하는 방법', '지적장애와 다른 요인들 간의 관계를 이론적 모델을 통해서 이해하는 방법'이 있다(송준만 외, 2019 : 31). 지적장애와 다른 요인들 간의 관계를 이론적 모델을 통해서 이해하는 방법과 관련하여 AAIDD의 11차 매뉴얼에 의하면 "5가지 차원들과 지원이 인간 기능성에 작용하는 역할에 대한 묘사"를 인간 기능성에 대한 개념적 틀의 2가지 주요 구성요소(AAIDD, 2011 : 38)로 제시하고 있다. 이에 대해 송준만 등(2019 : 32)은 "지적장애를 이해하기 위해서 생태학적 접근을 하고 있으며, 인간 기능성에 대한 다섯 가지 차원(지적 능력, 적응행동, 건강, 참여, 맥락)의 요인들과의 관계와 중개적 역할을 하는 지원으로 구성되어 있다"고 설명하고 있다.
- 이와 같은 구성 요소에 기초하여 볼 때 인간 기능성에 대한 개념적 틀은 지적장애를 '인간 기능성에서의 제한성'이라는 관점에서 정의하고, 생태학적이면 다면적 관점에서 장애를 개념화하며, 개인의 기능을 향상시키기 위한 개별화된 지원이 하는 역할의 중요성을 제시하고 있다(송준만 외, 2019 : 31).

**Check Point**

### ✎ 인간 기능성의 개념적 틀
① 인간 기능성에 대한 다차원적 모델은 AAIDD에 의해 1992년 매뉴얼에서 처음으로 제안
② 2002년 매뉴얼에서 더 정교화
③ 인간 기능성에 대한 개념적 틀은 2가지 구성 요소를 가지고 있음.
"5가지 차원들과 지원이 인간 기능성에 작용하는 역할에 대한 묘사, 인간 기능성에 대한 이 틀은 지적장애의 표출(manifestation)이 지적 능력, 적응행동, 건강, 참여, 맥락 및 개별화된 지원 사이에서 역동적이고 상호적 관여를 포함하는 것을 인정한다(AAIDD, 2011 : 38).
④ 세계보건기구에 의해 제안된 기능성, 장애 및 건강의 국제 분류(ICF) 모델과 일맥상통함

## 50     2016 중등A-9

**모범답안**

| 이점 | (장애학생의 이미지와 개인적 역량에 긍정적인 영향을 줄 수 있다는 점에서) 사회적 역할 가치화라는 개념을 실현할 수 있다. |
|---|---|
| 기호와 문제점 | ⓛ 잘못된 부분참여의 원리 중 참여기회 상실로, 이전 시간에 수행한 쓰기 과제 완성에 너무 많은 시간과 노력을 기울이게 함으로써 다른 활동에 참여할 기회를 상실하게 하고 있다.<br>ⓒ 잘못된 부분참여의 원리 중 수동적 참여로, 적극적으로 활동에 참여하도록 허락하는 대신에 관찰만 하도록 하고 있다.<br>ⓔ 잘못된 부분참여의 원리 중 근시안적 참여로, 상자가 움직이지 않게 붙잡는 한 가지 활동만 하도록 함으로써 전반적인 기회들로부터 이득을 보지 못하도록 하고 있다. |

**해설**

**지문 돋보기**

ⓛ 학생 A의 활동목표가 구입한 물건값을 계산하는 것이므로 학생 A 역시 해당 활동의 목표 달성을 위한 유의미한 활동의 일부에라도 참여할 수 있도록 하는 것이 바람직함. 예를 들어 연산 기술의 습득이 전제되지 않는다면 부분참여를 위해 전자 계산기를 사용하게 할 수 있음
ⓒ 탈 틀에 종이 죽을 붙이는 것이 활동 목표지만 왼손의 변형으로 인해 어려움이 있다면 교사나 또래들이 탈을 잡아주고 학생 A의 오른손을 이용하여 종이 죽을 붙이게 한 후 마무리 과정을 도와주는 방식을 고려할 수 있음
ⓔ 접이선대로 접는 활동 외의 상자 조립과 관련된 활동에는 참여하도록 하는 것이 부분참여의 원리에 맞음

기호와 문제점) 부분참여의 원리를 바르게 적용하기 위해서는 우선적으로 활동목표와 관련한 유의미한 활동이어야 한다는 점을 유의해야 한다.

**Check Point**

### (1) 부분참여의 원리 개요
① 부분참여의 원리란 중도·중복장애아동이 어떤 활동이나 과제의 모든 면 또는 단계에 참여하지 못하더라도 그가 할 수 있는 활동의 일부분에라도 최대한 의미 있는 참여를 하게 하는 것을 의미한다.
② 부분참여의 원리의 핵심은 일반 또래들이 참여하는 활동에 함께 참여하기 위하여 굳이 기술을 독립적으로 행할 수 있어야 할 필요는 없다는 것이다. 대신에 다른 형식을 통해서 기술의 기능을 행할 수 있는 조정이 적용될 수 있다.
③ 부분참여의 원리는 장애인들에게 사회적으로 가치있는 역할을 부여함으로써 그들의 이미지와 개인적 역량에 긍정적 영향을 준다는 이점이 있다.

## (2) 잘못된 부분참여의 원리 적용 유형

| 수동적 참여 | 장애를 가진 학생들이 자연스러운 환경에 배치되었으나 적극적으로 활동에 참여하도록 허락하는 대신에, 또래들이 활동에 참여하는 것을 관찰하는 기회만 제공되는 것이다. |
|---|---|
| 근시안적 참여 | 교사가 교육과정의 관점들 중 한 가지 혹은 몇 가지만을 좁은 시야로 집중하고, 학생이 학습의 전반적인 기회들로부터 이득을 보지 못하도록 하는 것이다. |
| 단편적 참여 | 학생이 몇몇 활동들에 비정기적으로 참여하는 것을 말한다. |
| 참여기회 상실 | 학생이 독립적으로 활동하기 위해 너무 많은 시간과 노력을 기울이게 함으로써 학생으로 하여금 더 많은 수의 활동들에 참여할 기회를 상실하게 하는 것을 말한다. |

## 51        2016 중등A-14

모범답안

| ㉠ | 기술 결함이며, 기본 학습과정에서의 심한 결함(또는 기술을 배우는 기회의 부재)으로 인해 나타난다. |
|---|---|
| ㉡ | 수행력 결함이며, 동기 유발 부족(또는 행동을 수행하는 기회의 부족)으로 인해 나타난다. |

해설

불안이나 분노, 충동성 등과 같은 정서적 각성 반응이 사회적 기술의 습득을 방해했다는 내용은 제시되어 있지 않다.

Check Point

### ☑ 사회적 기술 결함 유형

| 기술 결함 | • 사회적 기술 결함은 적응적이거나 사회적인 방법으로 행동하는 데 필수적인 사회적 능력이 없거나 위계적인 행동을 수행하는 데 있어서 중요한 단계를 알지 못하는 것이다.<br>• 기술 결함은 기본 학습과정에서의 심한 결함, 기술을 배우는 기회의 부재가 원인이 될 수 있다.<br>• 사회적 기술의 획득 결함을 중재할 때는 직접 지도, 모델링, 행동시연, 코칭 등의 기법을 이용하는 것이 효과적이다. |
|---|---|
| 수행력 결함 | • 개인의 수행력 결함은 주어진 행동을 수행하는 방법은 알지만 인정할 만한 수준에서 행동을 수행하지 못하는 것이다.<br>• 수행력 결함은 동기 유발 부족과 관련이 있고 행동을 수행하는 기회 부족이 그 원인이 될 수 있다.<br>• 아동이 학급 상황에서 행동을 수행하지 못하지만 학급 밖에서 행동을 수행할 수 있는 경우는 수행력 결함이다. 또한 과거에 행동을 수행하는 것이 관찰된 경우 기술 결함이라기보다는 수행력 결함이라고 볼 수 있다.<br>• 수행력 결함은 선행사건과 후속결과를 조절함으로써 개선될 수 있으며, 또래주도, 유관강화, 집단강화를 중재방법으로 사용한다. |
| 자기통제 기술 결함 | • 자기통제 기술 결함 유형의 사회적 능력 결함을 가진 사람은 특정 유형의 정서적 각성 반응이 기술의 습득을 방해하기 때문에 특정한 기술을 배우지 못한다.<br>• 학습을 방해하는 정서적 각성 반응으로는 불안을 들 수 있다. 불안으로 인하여 사회적 기술을 획득하지 못할 때는 불안을 줄이기 위한 둔감법이나 홍수법과 더불어 자기대화(self-talk), 자기감독, 자기강화 등을 함께 사용한다.<br>• 분노는 사회적 능력의 습득을 방해하는 또 다른 정서적 각성 반응이다. 강화기법, 집단강화, 가벼운 혐오기법(꾸중, 격리, 반응대가, 과잉교정)과 같은 행동 감소 절차를 적용한다. |
| 자기통제 수행력 결함 | • 자기통제 수행력 결함이 있는 아동은 그들의 사회적 기술 목록에 특정 기술이 있지만 정서적 각성 반응과 선행사건 또는 후속결과 통제 문제 때문에 기술을 수행하지 못한다. 아동은 기술을 수행하는 방법을 알고 있지만 부적절하고 일관성 없이 사용한다.<br>• 충동성은 자기통제 수행력 결함의 예다. 충동성이나 불충분하게 반응하는 경향은 정서적 각성 반응으로 고려할 수 있다. 충동적인 아동은 또래나 교사와 적절하게 상호작용하는 방법을 알고 있지만 부적절한 행동을 초래하는 반응양식인 충동성 때문에 일관성이 없다. 이러한 아동들을 지도하기 위하여 부적절한 행동을 억제하는 자기통제 전략, 변별기술을 지도하는 자극통제 훈련, 적절한 사회적 행동을 증대시키는 유관강화 등을 이용한다. |

# 52 　　　　　　　　　　　　　　　　2016 중등B-5

**모범답안**

- ㉠ 시침과 분침을 구별할 수 있도록 한다.
- ㉡ 과제를 정확하고 빠르게 완수할 수 있도록 하는 데 중점을 둔다.
- 2: 모형 시계와 학습지보다는 실물 시계를 활용하는 것이 일반화에 효과적이기 때문이다.
- 5: 하루 일과를 순서대로 배열하기는 학생의 현행 수준인 시간의 전후 개념에 해당하는 활동이므로 후속학습 내용으로는 부적절하기 때문이다.

**해설**

㉠ 선수 학습에서 학생의 수행을 보면 학생은 분침을 기준으로 시간을 제시하고 있으며 시침을 가리키는 숫자를 분으로 제시하고 있음을 알 수 있다.

**Check Point**

## ✎ 학습 단계(수행 수준의 위계)

| | |
|---|---|
| 습득 | • 교수목표 : 학생이 목표기술을 정확하게 수행하도록 돕는 것을 강조한다.<br>• 습득을 위한 전략<br>　− 빈번한 교수 제공하기<br>　− 학생의 참여 기회 늘리기<br>　− 정확한 수행을 위해 피드백을 집중적으로 제공하기<br>　− 오류를 줄이기 위해 다양한 촉진 제공하기 등 |
| 숙달 | • 교수목표 : 학생이 과제를 정확하고 빠르게 완수하도록 하는 것이다.<br>• 숙달을 위한 전략<br>　− 정해진 시간 내에 과제를 완성하도록 연습기회 늘리기<br>　− 학생의 학습활동 시 교사의 참여 줄이기<br>　− 완성된 과제에 한하여 피드백 제공하기 등 |
| 유지 | • 교수목표 : 높은 수준의 수행을 유지하는 것이다.<br>• 유지는 시간이 지나도 한번 습득한 행동을 지속적으로 할 수 있는 것을 뜻하기 때문에 '시간에 대한 일반화'라고 한다.<br>• 유지를 위한 전략<br>　− 간헐 강화계획<br>　− 과잉학습<br>　− 분산연습<br>　− 학습한 기술을 기초로 새 기술 교수하기 등 |

| 일반화 | | • 일반화는 자극 일반화와 반응 일반화로 구분할 수 있다. |
|---|---|---|
| | 자극 일반화 | • 자극 일반화란 어떤 자극이나 상황에서 어떤 행동이 강화된 결과, 그와는 다른 어떤 자극이나 상황에서도 그 행동이 일어날 가능성이 증가하는 것을 의미한다.<br>• 자극 일반화를 위한 전략<br>　− 자연스러운 상황에서 가르치기<br>　− 훈련 상황을 일반화가 일어나야 할 상황과 비슷하게 조성하기<br>　− 여러 다양한 상황을 이용하기<br>　− 훈련 시 광범위한 관련 자극 통합하기 등 |
| | 반응 일반화 | • 반응 일반화란 어떤 자극이나 상황에서 어떤 행동이 강화된 결과, 동일한 자극이나 상황에서 이와는 다른 (학습되지 않은) 행동이 일어날 가능성이 증가하는 것을 말한다.<br>• 반응 일반화를 위한 전략<br>　− 충분한 반응사례로 훈련하기<br>　− 훈련 상황에서 의도적으로 학생이 다양한 반응을 하도록 만들어 주기 등 |

# 53          2016 중등B-7

**모범답안**

| | |
|---|---|
| ⊙의<br>특징 | 다음 중 택 2<br>• 개인의 활동, 서비스, 지원은 자신의 꿈, 관심, 선호, 강점, 능력에 기초한다.<br>• 개인과 개인에게 중요한 사람들은 생활양식 계획에 포함되며, 통제를 연습하고 현명한 결정을 하는 기회를 갖는다.<br>• 개인은 자신의 경험에 기초한 결정으로 의미 있는 선택을 한다.<br>• 개인은 가능하면 자연적 지원과 지역사회 지원을 사용한다.<br>• 활동, 지원, 서비스는 개인적인 관계, 지역사회 통합, 존엄, 존중을 성취하는 기술을 촉진한다.<br>• 개인의 기회와 경험은 최대화되고, 융통성은 기존의 규제와 자금 제약 내에서 향상된다.<br>• 계획은 협력적이고 반복적으로 발생하며, 개인에 대한 지속적인 헌신을 포함한다.<br>• 개인은 자신의 개인적 관계, 가정, 일상에 만족한다. |
| ⊜의<br>절차 | 교육과정영역 정하기 → 각 영역에서 현재와 미래 환경 확인하기 → 하위 환경으로 나누기 → 하위 환경의 활동 결정 및 활동 목록 만들기 → 각 활동을 위해 필요한 기술 정하기 |

**Check Point**

## (1) 개인중심계획의 원칙(특징)

※ 개인중심계획의 특징으로 소개되는 문헌(Wehmeyer et al., 2019 : 230)도 있다.

① 개인의 활동, 서비스, 지원은 그의 꿈, 관심, 선호도, 강점, 잠재력을 근거로 한다.

② 개인에게 중요한 사람들은 생활 유형 계획하기에 포함되어야 하고, 정보화된 결정과 통제할 기회를 가져야 한다.

③ 개인은 자신의 경험을 바탕으로 의미 있는 선택을 통해 결정해야 한다.

④ 개인은 가능할 때 자연적 지원과 지역사회 지원을 활용한다.

⑤ 활동 및 지원 서비스는 개인의 관계, 지역사회통합, 존엄과 존중을 성취할 수 있는 기술을 키운다.

⑥ 개인의 기회와 경험은 최대화되어야 하며, 현재의 규범과 재정적인 제약 내에서 융통성이 발휘되어야 한다.

⑦ 계획하기는 협력적이고 순환하며, 지속적으로 개인에게 위임하는 것을 포함한다.

⑧ 개인은 자신의 관계, 가정, 일상적 일과에 만족해야 한다.

출처 ▶ 이정은(2015 : 56-57)

## (2) 기능적 생활중심 교육과정과 생태학적 목록

① 기능적 생활중심 교육과정(또는 기능적 교육과정, 생태학적 교육과정)이란 학습자의 생활, 경험, 흥미, 관심, 필요, 활동 등을 중심으로 구성된 교육과정이다.

② 기능적 기술의 필요도와 선호도를 조사할 때는 생태학적 목록을 작성하는 것이 유용하다.

• 생태학적 목록은 다음과 같은 단계에 따라 작성된다.

| 단계 | 내용 | 설명 |
|---|---|---|
| 1 | 교육과정 영역 정하기 | 구체적인 기술들을 가르치고 삽입해야 할 상황, 맥락으로 사용될 교육과정 영역을 정함 |
| 2 | 각 영역에서 현재 환경과 미래 환경 확인하기 | 현재 주거환경은 일반 아파트나 주택일 수 있지만 미래 환경은 장애지원을 받는 아파트, 그룹홈 혹은 시설일 수 있음 |
| 3 | 하위 환경으로 나누기 | 각 학생들에게 필요한 활동을 파악하기 위해 그 활동이 일어날 수 있는 환경을 자세히 구분함 |
| 4 | 하위 환경의 활동 결정 및 활동 목록 만들기 | • 무엇이 가장 적절한 활동인지 결정하기 전에 다양한 변인을 고려해야 함<br>• 학생의 생활방식에 대한 정보를 제공함 |
| 5 | 각 활동을 위해 필요한 기술 정하기 | • 활동을 가르칠 수 있는 단위 수준이나 과제분석으로 나누는 일이 필요함<br>• 의사소통, 근육운동, 문제해결력, 선택하기, 자기관리와 같은 요소의 기술을 익힘 |

# 54 | 2017 초등A-2

**모범답안**

| 1) | ① 자신에 대한 이해 ② 수단적 일상생활활동 |
|---|---|
| 2) | 지역사회 모의수업 |
| 3) | 또래와 함께 책 읽기 |
| 4) | ⑩ 연령에 적합한 교육과정 측면에서 6학년인 민기에게 유아용 동화책을 읽게 하는 것은 생활연령에 적절하지 않기 때문이다. ⑭ 궁극적 기능성의 기준 측면에서 버스타기 기술은 성인이 되어 최소제한적 환경에서 독립적이고 생산적으로 활동하기 위해 필요한 기술이기 때문이다. |

**해설**

3) 자연적 지원이란 주어진 환경 내에서 자연스럽게 제공될 수 있는 인적 및 물적 자원을 통해 지원되는 것을 의미한다. 예를 들어 가족이나 직장 동료, 친구, 이웃들로부터 자연스러운 일과 내에서 지원이 제공되는 경우를 들 수 있다.

**Check Point**

## (1) 자기옹호기술
개인이나 집단이 자신들의 욕구와 이익을 위하여 스스로 어떤 일에 대하여 주장하거나 실천하는 과정

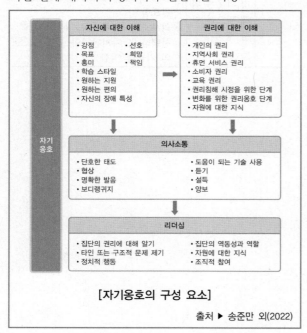

**[자기옹호의 구성 요소]**

출처 ▶ 송준만 외(2022)

## (2) 일상생활활동의 유형
① 일상생활 수행 능력은 기본적 기술을 요구하는 기본적 일상생활활동(ADL)과 더 진보된 문제해결 능력과 사회적 기술, 그리고 더 복잡한 환경적 상호작용을 요구하는 수단적 일상생활활동(IADL)으로 구분

| 기본적 일상생활활동 | 자기관리, 기능적 이동성, 성적 표현, 수면과 휴식 등 |
|---|---|
| 수단적 일상생활활동 | 의사소통 도구 사용, 건강 관리 및 유지, 재정 관리, 음식 준비와 청소하기, 지역사회로의 이동성 등 |

② 지적장애인의 기본적 일상생활 기능과 수단적 일상생활 기능은 이동성과 인지 수준의 영향을 받기 때문에 일상적인 신체활동과 운동기능을 강화함으로써 이동성을 증진하고 유지시켜야 함

## (3) 지적장애 학생의 교육과정 구성 및 운영을 위한 기본 전제

| 연령에 적절한 교육과정 | • 지적장애 아동의 교육과정은 생활연령에 적합한 내용으로 구성되고 적용되어야 한다. <br>• 중도 지적장애 아동 역시 일반 또래 아동들을 위한 활동에도 참여할 필요가 있다. <br>• 기능적이고 연령에 적합한 행동들은 자연적인 환경에서 더 쉽게 강화될 것이며, 결과적으로 학습된 행동들은 유지가 용이하다. |
|---|---|
| 궁극적 기능성의 기준 | • 중도장애 아동을 위한 교육목표로서, 그들이 성인이 되어 최소제한적 환경에서 일반인들과 함께 자신의 잠재력을 최대한 발휘하여 기능하기 위해 개개인이 꼭 소유하고 있어야 할 요소들 <br>• 아동과 가족의 선호도, 생활연령의 적합성, 문화적 요소를 고려해야 한다. |
| 최소위험 가정 기준 | • 결정적인 자료가 있지 않는 한 교사는 아동에게 최소한의 위험스러운 결과를 가져오는 가정에 기반하여 교육적 결정을 내려야 한다는 개념 <br>• 한 아동을 교육하기 위해 드는 비용이 향후 보호 혹은 관리를 위해 드는 비용보다 더 크지 않으며, 오히려 교육을 통해 독립성이 향상되고 관리가 쉬워지거나 관리할 부분이 줄어들 수 있도록 하는 기술을 배울 수 있다면 실제로 비용 효과적인 면에서 더 이득이 되는 것이다. 따라서 지적장애 아동이 배우지 못할 것이라는 점이 증명된 것이 없기 때문에, 결정적인 증거가 없는 한 아무리 지적장애의 정도가 심하더라도 최선의 시도를 통해 교육 가능성 신념을 실현해야 한다. |

| 영수준의 추측 | • 학급에서 배운 기술들이 실제 사회생활에서 일반화하지 못할 수도 있다는 전제에 기반을 두고, 배운 기술들을 여러 환경에서 일반화할 수 있는지를 시험해 봐야 한다는 개념<br>• 일반화가 되지 않을 경우에는 기술이 사용될 실제 환경에서 가르쳐야 한다.<br>• 지역사회중심 교수, 기능적 교육과정<br>• 아동들이 기능적 기술들을 자연스럽게 습득할 것이라고 추측하는 대신 지적장애 아동들에게 성인이 된 이후에 필요한 기술들을 가르치는 교육과정을 적용해야 한다. |
|---|---|
| 자기결정 증진 | • 자기결정: 선택할 수 있는 범위를 고려해서 적절한 결정을 하고, 자율적 의지와 독립성, 그리고 행동에 대한 책임을 가지는 개인의 능력<br>• 자기결정을 잘하는 사람은 질적인 삶을 위해 바람직한 목표를 설정하고 성취할 수 있다.<br>• 지적장애 아동은 자기결정의 권리를 가지고 자신의 삶을 통제하고 스스로 옹호할 수 있는 기회와 경험을 가져야 한다.<br>• 자기결정 증진에 유익한 기술: 선택하기, 의사결정, 문제해결기술, 목표설정 및 달성, 독립성, 자기평가와 자기강화, 자기교수, 자기옹호와 리더십, 효능성 및 성과 기대에 대한 긍정적 귀인, 자기인식, 자기지식 등 |

# 55

**모범답안**

| ㉠ | 약체 X 증후군 |
|---|---|
| ㉡ | 다운증후군 |

**Check Point**

## ☑ 다운증후군

① 지적장애의 가장 일반적인 생물학적 원인
② 원인(유형): 비분리, 전위, 섞임증
③ 염색체의 비분리로 인해 21번 염색체가 3개가 된 결과가 전체 다운증후군의 약 95% 정도로 가장 많음
④ 다운증후군의 행동표현형
  ㉠ 언어적 또는 청각적 과제보다는 시공간적 과제수행에 강점
  ㉡ 지능에 비해 강한 적응기술
  ㉢ 명랑하고 사회적인 성격
  ㉣ 성인기에 흔한 우울증

# 56

**모범답안**

| 2) | 선택하기 기술 |
|---|---|

**Check Point**

## ☑ 자기결정 행동의 구성 요소

| 선택하기 기술 | • 선택하기 기술은 자기결정의 핵심 요소이다.<br>• 학생이 자신의 요구와 선호도를 확인하고 두 가지 이상의 선택 상황에서 자신이 선호하는 것을 분명하게 표현하는 것을 의미한다.<br>• 자신이 하고 싶은 활동, 활동할 장소, 학습 과제, 과제를 수행할 순서 등에 대해 선택할 수 있게 함으로써 성취될 수 있다. |
|---|---|
| 의사결정 기술 | • 하나의 상황에서 여러 가지 해결책 중 어느 것이 가장 좋을지 결정하는 기술이며, 서로 다른 해결책의 결과에 대해 이해하는 것을 포함한다.<br>• 의사결정 기술을 가르치기 위해서는 선택하기 기술이 선행되어야 한다. |
| 문제해결 기술 | • 문제해결 기술은 스스로 문제를 확인하고 분석하여 잠정적인 해결책을 찾은 후에 가장 적절한 방안으로 문제를 해결하는 것을 말한다. 즉, 가능한 정보들을 이용하여 문제에 대한 다양한 해결책을 찾아보고 구상하는 것이다.<br>• 일상생활에서 문제를 해결할 능력을 향상시키기 위해 지원과 편의를 제공해야 한다. |
| 목표 수립 및 달성 기술 | • 자신의 목표가 무엇인지 확인하기, 목표와 관련한 자신의 현 위치 파악하기, 행동을 위한 계획 세우기, 목표를 향한 자신의 진전도 평가하기<br>• 기술을 포함한다.<br>• 자신의 학습에 좀 더 책임감을 갖도록 하는 데 매우 효과적인 기술이다. |
| 자기관리 기술 | • 자기점검(자기관찰), 자기평가 및 자기강화를 포함한다.<br>• 자신의 행동에 대해 측정하고 관찰하여 기록하는 자기점검, 자신의 행동에 대한 진전을 살피고 평가하는 자기평가, 자신의 행동에 따라 결과가 달라질 수 있음을 가르치기 위한 자기강화 등을 포함하여 지도한다. |
| 자기교수 기술 | 자기교수란 학생이 학습 문제를 해결하도록 학생 스스로 말해 가면서 실행하는 것이다. |
| 자기옹호와 리더십 기술 | • 자기옹호 기술이란 자신의 믿음을 옹호하는 능력을 의미한다.<br>• 자신의 권리와 책임에 대해 가르치고, 스스로 지켜 나가기 위한 방법과 다른 사람들과 의사소통하며 협상하는 것을 지도한다. |
| 내적 통제 | • 내적 통제소재는 긍정적이거나 부정적인 행동 결과를 자신의 것으로 간주한다. 반면, 외적 통제소재는 행동 결과를 운명이나 행운 혹은 다른 사람과 같은 외부의 힘에 의해 이루어진 것으로 보는 것이다. |

| | • 지적장애인은 자신의 행동 결과에 대하여 성공이나 실패에 대한 원인이나 책임을 외적 통제소재에 두는 경향이 강하기 때문에 이들의 통제소가 내적 통제소재로 발달할 수 있도록 해야 한다. |
|---|---|
| 효능성과 성과기대에 대한 긍정적 귀인 | • 자기효능이란 자신이 특정한 목표를 수행하거나 성취할 수 있다고 믿는 것을 의미한다.<br>• 자기효능은 자기결정 기술을 성공적으로 실행하는 경험을 통해 향상될 수 있다. |
| 자기인식 | 자기인식은 자신의 강점이나 능력, 자신의 약점이나 제한점 등을 이해하는 능력을 말한다. |
| 자기지식 | 자기지식은 자신의 특성을 사용하는 방법에 대해서 아는 것을 말한다. |

# 57
2018 유아B-7

**모범답안**

| 1) | ㉠ 생태학적 목록법 |
|---|---|
| 2) | ㉡ 지역사회 모의수업<br>㉢ 지역사회 참조 교수 |
| 3) | ① 일반사례교수법<br>② 신호등이 있는 횡단보도 건너기의 교수와 평가에 사용될 교수의 예를 결정한다. |

**해설**

2) ㉡ 기능적 기술 습득을 위해 교실에서 상황극, 게임을 한 것이므로 지역사회 모의수업에 해당한다.

㉢ 유치원 내에서 이루어졌기 때문에 지역사회 참조 수업이라고 할 수 있다.

3) ② 교수와 평가에 사용될 교수의 예를 결정하기에 해당하는 내용을 (나)의 내용(신호등이 있는 횡단보도 건너기)에 맞춰 제시한다.

• 일반사례교수법은 '교수영역 결정하기 → 지도할 기술을 과제분석하고 관련된 모든 자극과 반응을 조사하기 → 교수와 평가에 사용될 교수의 예를 결정하기 → 교수 순서를 계열화하고 교수하기 → 비교수 상황에서 평가하기'의 단계로 이루어진다.

**지문 돋보기**

| 내용 | 단계 |
|---|---|
| 은지의 도보 통학 범위 내에서 교수 범위를 선택한다. | 교수영역 결정하기 |
| '신호등이 있는 횡단보도 건너기' 기술을 과제분석하여 이와 관련된 자극과 반응을 조사한다. | 지도할 기술을 조사하기 |
| 교수 순서를 계열화하여 등·하원 시에 교수한다. | 교수 순서를 계열화하고 교수하기 |
| 비교수 상황에서 평가한다. | 비교수 상황에서 평가하기 |

# 58
2018 초등A-5

**모범답안**

| 2) | 민지가 자신이 좋아하는 나뭇잎을 선택하고 학교 주변에서 찾을 수 없다는 결정적인 자료(증거)가 없음에도 교사가 임의로 나뭇잎을 제공했기 때문이다. |
|---|---|
| 3) | 주의집중 시간이 증가할 것이다. |
| 4) | 사회적 적응기술 |
| 5) | ⓐ 자율성<br>ⓑ 자기조절 |

**해설**

2) 최소위험 가정 기준이란 결정적인 자료가 있지 않은 한 교사는 아동에게 최소한의 위험스러운 결과를 가져오는 가정에 기반하여 교육적 결정을 내려야 한다는 개념이다.

4) 사회적 책임감, 자존감, 규칙 따르기, 희생당하는 것을 피함 등은 사회적 적응기술에 해당한다.

5) ⓐ 세호가 찾고 싶은 나뭇잎을 스스로 표시하도록 하는 것은 부당한 외부의 영향이나 간섭 없이 자신의 선호도, 흥미 혹은 독립적인 방식으로 자율적으로 행동하도록 하는 것이므로 자율성에 해당한다.

ⓑ 자기조절이란 자신의 행동에 대하여 스스로 통제하거나 조정할 수 있는 능력으로 행동결과의 바람직함 여부를 평가하고 필요한 경우엔 자신의 계획을 수정하도록 한다. 이에 비춰볼 때 세호가 자신이 찾은 나뭇잎을 표시하여 파악할 수 있도록 하는 것은 자신이 찾고 싶은 나뭇잎과 찾은 나뭇잎을 비교하여 결과를 평가하고 필요한 경우 계획을 수정(더 찾을 것인가 아니면 찾기를 멈출 것인가)할 수 있도록 하는 것이기 때문에 자기조절에 해당한다.

**Check Point**

## ✍ 적응행동의 영역(10~11차 정의)

| 개념적 적응기술 | 언어, 읽기와 쓰기, 돈·시간·수 개념 등 |
|---|---|
| 사회적 적응기술 | 대인관계 기술, 사회적 책임감, 자존감, 피괴성, 순진성(즉, 경계심), 규칙 따르기/법 준수, 희생당하는 것을 피함, 사회적 문제해결 등 |
| 실제적 적응기술 | 일상생활 활동(개인적 관리), 작업 기술, 돈 사용, 안전, 건강 관리, 여행/이동, 일정/일과 계획, 전화 사용 등 |

# 59 | 2018 중등A-3

모범답안

| ㉠ | 지원 빈도 |
|---|---|
| ㉡ | 지원 유형 |

**Check Point**

### ✎ 지원정도척도

① 특징

㉠ 지원정도척도(Supports Intensity Scale ; SIS)는 지원이 각 활동에 얼마나 자주 요구되는지(빈도), 지원할 때마다 얼마나 많은 시간이 소요될 것인지(지원시간), 어떤 유형의 지원이 필요한지를 구체적으로 평가

㉡ SIS는 인쇄용지와 지필형식, CD-ROM으로 된 전자검사, SIS 온라인 웹기반 검사, 태블릿이나 노트북 또는 데스크용으로 된 표준화된 검사로 지원 요구에 대한 객관적인 평가를 통해 어느 지원 영역에 어떤 유형의 지원이 얼마나 빈번하게 제공되어야 하는지 등을 분석한 후 개별화된 지원계획을 수립할 수 있도록 함

② 강점

㉠ SIS는 전통적인 평가와 다르게 사람들이 부족한 것을 보지 않고 사회에서 성공적으로 살아가기 위해 개인이 필요로 하는 일상의 지원이 무엇인지를 봄

㉡ SIS는 직접적이고 타당한 결과 제공

㉢ SIS는 직접 의사소통을 하면서 각 장면마다 개인의 참여를 요구하여 지원의 유형, 빈도, 강도 측정

㉣ 가족, 장애인 친구, 사례관리자와의 면담을 통해 어떻게 개인이 성장하고 있는지를 고려

㉤ SIS 점수는 장애인의 개별화지원계획을 수립하는 데 도움을 줄 뿐만 아니라, 개인의 요구 순위 및 필요한 지원 영역을 시각적으로 제공해 줌으로써 서비스 결정을 하는 데 실질적인 정보 제공

③ 구성

㉠ 검사의 대상 연령 : 16~72세까지

㉡ 검사도구의 구성 : 면접지, 3개 장의 프로파일

• 1장 : 지원요구척도로 49개의 생활 활동으로 구성

• 2장 : 안전과 옹호에 대한 보충용 검사로 자기옹호, 돈과 재정생활, 자기 신체 보호, 법적인 책임을 경험하기, 조직에 참여하기, 법적 서비스 받기, 결정하기, 다른 사람을 옹호하기의 8개 활동으로 구성

• 3장 : 의학적이고 행동적인 특별 지원 요구로서 15개의 의학적인 상태와 13개의 문제행동이 나열되어 있음

# 60 | 2018 중등A-9

모범답안

• ㉢ 지역사회 모의수업

이유 : 다음 중 택 1

– 처음부터 지역사회의 공간을 직접 활용하기 어려운 상황일 때 사용한다.

– 지역사회에 나가기 전에 구조화된 연습의 기회가 필요할 때 사용한다.

# 61 | 2018 중등B-8

모범답안 개요

| 서론 | 생략 |
|---|---|
| 본론 | • 지도 초기 단계부터 일반화를 고려해야 하는 이유<br>– 과제 수행에 대한 거부감이 크며, 과제를 습득하는 데도 어려움이 있으며, 배운 내용을 일반화하는 데 있어서도 어려움이 있기 때문에 지도 단계부터 일반화를 고려하는 것이 필요하다.<br><br>• 학생 S의 정의적 측면에서의 문제와 해결을 위한 교수법<br>– 문제 : 반복된 실패로 인한 학습된 무기력의 문제를 갖고 있다.<br>– 교수법 : 가능한 한 성공 경험을 많이 할 수 있도록 과제 난이도를 조절하여 제공한다.<br><br>• 자극 일반화와 반응 일반화<br>– 자극 일반화 : 어떤 자극이나 상황에서 어떤 행동이 강화된 결과, 그와는 다른 어떤 자극이나 상황에서도 그 행동이 일어날 가능성이 증가하는 것<br>– 반응 일반화 : 어떤 자극이나 상황에서 어떤 행동이 강화된 결과, 동일한 자극이나 상황에서 이와는 다른(학습한 것과는 다른) 행동이 일어날 가능성이 증가되는 것<br><br>• 자기점검 방법의 장점<br>– 독립기능을 촉진하여 행동의 일반화를 가능하게 하므로 주어진 문제를 스스로 해결할 수 있게 한다.<br>– 행동에 대한 기록은 자신의 행동에 대한 확실하고 구체적인 피드백을 제공하므로 자신이 얼마나 잘할 수 있는지를 알게 한다.<br><br>• 유지의 중요성과 자기점검 방법<br>– 필수적인 기초단위 기술이 유지되지 않는다면 후속 학습에 심각한 방해가 될 뿐만 아니라 지적장애를 가진 학생들이 기능적 기술을 지속적으로 사용할 수 없기 때문에 중요하다.<br>– 습득된 기술의 유지 및 유지 여부 점검을 위해 자기점검 방법을 사용할 수 있다. |
| 결론 | 생략 |

**Check Point**

(1) 자기점검의 장점

① 자기기록은 자기 행동의 양이나 질을 관찰하고 측정하여 스스로 기록하는 방법으로 자기점검이라고도 하고 있다. 행동에 대한 기록은 학생과 교사에게 행동에 대한 확실하고 구체적인 피드백을 줄 수 있다. 비교적 쉽고 간단한 자기기록 기술은 반응 효과가 있어서 기록자체만으로도 바람직한 방향으로 행동이 바뀐다는 특성이 있다. 이러한 특성은 자기기록이 행동 변화에 효과가 있는 이유와도 관련이 있다. 즉, 자기기록은 그 자체가 스스로 자기 행동을 감독하게 하여 자기기록이 자기가 주는 보상이나 자기가 주는 벌로서 작용하고, 자기기록이 환경 단서로 작용하여 학생에게 자기 행동의 잠정적 결과를 인식하게 하는 것을 더욱 증가시키기 때문에 행동을 변화시킬 수 있는 것이다. 이런 효과가 있는 자기기록은 시간이 좀 더 지나고 학생이 자기기록에 익숙해지면 효과가 감소할 수도 있기 때문에, 추가로 다른 자기관리 기술과 함께 쓰는 것이 더 효과적이다(양명희, 2016 : 480).

② 자기기록된 자료는 학생과 교사에게 행동에 관한 구체적인 피드백을 제공한다. 이 정보는 어떤 강화 인자가 유용한지를 결정하는 데에 사용될 수 있다. 어떤 경우에 행동에 대한 자료 수집은 행동에 대한 반응 효과를 가질 수도 있다. 행동은 자기기록 절차의 기능만으로 원하는 방향으로 변화될지도 모른다. 이것만 해도 자기기록은 행동 변화 기법으로 기능하는 것이다(Alberto et al., 2014 : 498).

(2) 유지

① 행동 변화를 위한 중재나 프로그램이 끝난 뒤에도 필요할 때마다 변화된 행동을 할 수 있는 것
② '시간에 대한 일반화'라고도 한다.
③ 학자에 따라서는 유지를 일반화보다 앞선 순서로 보기도 하고, 거꾸로 일반화를 유지보다 앞선 단계로 보기도 한다. 그러나 유지는 시간에 대한 일반화라고 설명할 수 있기 때문에 유지와 일반화의 단계는 분명하지 않을 수 있다.

출처 ▶ 양명희(2016 : 148)

**62**    2019 유아A-5

**모범답안**

| 2) | 주의집중 |

**해설**

2) '평소 박 선생님과 제가 원기에게 하던 행동을 아이들이 자세히 본 것'은 아동들이 교사의 행동을 의미 있게 지각하기 위해 박 교사와 김 교사의 관련 행동에 집중하는 것을 의미하므로 주의집중 과정에 해당한다.
  • 관찰학습은 주의집중, 파지, 재생, 동기화 과정을 거친다.

**Check Point**

✎ **관찰학습**

① Bandura는 아동이 관찰학습 동안에 주의집중 과정, 파지 과정, 재생 과정, 동기화 과정이라는 네 가지 하위 절차를 거치게 된다고 했다.

| 하위<br>과정 | 활동 |
|---|---|
| 주의집중 | • 아동이 의미 있게 지각하기 위해 관련 사건에 집중하는 것이다.<br>• 모델의 특성, 과제 요소(특별한 크기, 형태, 색깔, 소리 등), 모델 활동의 기능적 가치의 지각이 영향을 준다.<br>• 아동들의 모델에 대한 주의집중은 의존성, 자신의 능력에 대한 지각, 특성에 의해 영향을 받는다. |
| 파지 | • 기억 속에 저장된 정보를 인지적으로 조직, 시연화, 부호화, 전송하는 것이다.<br>• 학습된 정보를 시각적, 상징적 형태로 코딩하며 시연함으로써 증진되고, 이전에 기억 속에 저장된 정보에 새로운 자료를 관련짓는다.<br>• 관찰 모델에서는 지식 저장의 두 가지 모델을 가정한다.<br>  − 지식은 이미지나 언어적 형태로 저장되는데, 이미지적 부호화는 활동을 위해 특별히 중요하지만 단어로 쉽게 기술되지 않는다.<br>  − 많은 인지기술 학습은 규칙이나 절차의 언어적 부호화에 의존한다.<br>• 시연이나 정보의 정신적 고찰은 지식의 파지에 핵심적 역할을 한다. |
| 재생 | • 모델 사건에 대해 외현적 행동으로 시각적, 상징적 개념화를 통해 번역하는 것을 포함하는 행위다.<br>• 모델 행동의 재생에서의 문제점은 학습자가 기억 속에 부호화된 정보를 외현적 행동으로 표현해 내는 데 있어 어려움이 있다는 것이다. 피드백을 통해 결함을 교정하게 된다. |

| 동기화 | • 사람들이 '중요하다고 느끼는' 모델 행동에 주의 집중을 유지하고 재생할 가능성이 높아지도록 하는 것이다.<br>• 동기는 학습의 흥미를 향상시키고, 교재를 학생의 흥미와 관계 지으며, 학생들이 목표를 세우고, 학생의 진행과정을 점검하거나 수행을 향상시키는 것에 대한 피드백을 제공하고, 학습의 가치에 강조를 두는 것을 포함하여 다양한 방법으로 교사를 촉진하게 된다. |
|---|---|

출처 ▶ 송준만 외(2016 : 278-279)

② 관찰을 통해 학습이 이루어지려면 먼저 관찰자가 주어진 모델 자극에 주의를 기울여야 하고, 주의집중한 자극을 내면화하기 위해 모델의 행동을 상징적 형태로 변화시켜서, 정신적으로 보유하고 있다가, 동기를 유발하는 조건을 만나면 내적 또는 외적으로 그것을 사용하게 된다는 것이다(양명희, 2016 : 403).

---

# 63 2019 유아B-2

**모범답안**

| 1) | 수행 중인 과제에 필요한 자극에는 주의를 기울이고 관련 없는 자극은 무시하는 것이다. |
|---|---|

---

# 64 2019 중등A-5

**모범답안**

| ⓒ | 자연적 지원 |
|---|---|

**해설**

ⓒ 자연적 지원이란 주어진 환경 내에서 자연스럽게 제공될 수 있는 인적·물적 자원을 통해 지원되는 것을 말한다(송준만 외, 2019 : 36).

---

# 65 2019 중등A-6

**모범답안**

| ㉠ | 자기 효능감 |
|---|---|
| ㉡ | 클라인펠터 증후군 |

**Check Point**

(1) 자기 효능감

① 자기 효능감은 낯설고 스트레스가 많은 상황에서 성공적으로 행동을 수행할 수 있다고 믿는 능력에 대해 가지는 주관적 기대로, 매우 구체적인 통제 신념으로 고려된다.

② 자기 효능감은 Bandura의 사회인지학습이론에서 유래한 것으로 상황에 대한 개인의 기술적 대처 능력에 대한 주관적 예측으로, 인지 심리학에 있어서는 개인의 내적 수행능력으로, Skinner에 있어서는 성취에 대한 기대 요인으로 해석된다.

③ 학업 성취의 귀인에 있어서 학습의 문제를 가진 장애아동들은 반복되는 실패경험으로 인하여 어려움의 이유를 노력의 부족보다는 불충분한 능력의 탓으로 돌리는 경향이 있다. 다시 말해 이들은 학업의 문제뿐 아니라 능력이 부족하기 때문에 노력해도 소용이 없다고 믿는 동기의 문제도 함께 가지고 있는 것이다. 여기에서 자기 효능감이 중요성을 가지게 되며, 자기 효능감의 향상은 학습자가 상황을 통제할 수 있다고 믿도록 하여 자기 조정 학습의 방향을 이끈다(백은희, 2005 : 208).

(2) 클라인펠터 증후군

① 남성이 여분의 X염색체를 갖게 될 때 발생(보통 XXY)

② X염색체 수가 많을수록 지적장애의 정도가 심함

③ 모든 남성들이 지적장애를 갖게 되는 것은 아님

④ 언어와 관련된 학습장애의 출현율이 비교적 높은 편

# 66   

**모범답안**

• 엔젤만 증후군

**Check Point**

### ✏ 엔젤만 증후군
① 모계 유전된 15번 염색체 장완의 부분적 결손이 주원인
② 혀의 움직임이 자유롭지 못해 음식을 씹거나 삼키는 데 어려움
③ 행동문제, 소두증, 발작, 지적장애의 특성을 보임
④ 행동표현형
　㉠ 여러 차례 부적절한 웃음이 어린 사람들 사이에 특징적
　㉡ 모든 연령대에 걸쳐 일반적으로 행복한 성향을 보임
　㉢ 과잉행동과 수면장애가 어린 사람들 사이에 보임

# 67   

**모범답안**

• ㉠ 사회적 능력

**해설**

㉠ 사회성 기술(통 사회적 기술)은 특정 개인의 행동에 대해 상대방이 판단하는 효과성 및 수용 정도와 관련이 있다(2012 중등1-8 기출).

# 68   

**모범답안**

• 교육환경 차원: 중도·중복장애인을 분리하지 않고 일반인의 교육환경과 동일하거나 최대한 유사한 환경에서 교육하여야 한다.
　교육내용 차원: 중도·중복장애인에게도 일반인에게 적용되는 교육내용과 동일하거나 가장 유사한 내용이 적용되어야 한다.
• ㉡ 사회적 역할의 가치화

**Check Point**

(1) 정상화의 시작
① 정상화는 장애인이 사회 주류의 규준과 패턴에 가능한 한 유사한 일상생활의 패턴과 조건을 즐겨야 한다는 이상을 구체화한 원리이며 철학이다. 1959년 덴마크정신지체서비스의 의장이었던 Bank-Mikkelson은 "정신지체인이 가능한 정상에 가까운 생활 조건에서 살아가도록 하기 위하여"라는 덴마크 정신지체인법 성명에서 최초로 정상화를 언급하였다.
② 스웨덴정신지체아동협회의 의장이었던 Nirje에 의하여 "장애인이 사회의 생활방식과 일반상황에 가능한 한 가까운 생활조건과 삶의 형태를 누릴 수 있도록 하는 것"으로 정의되었다.
③ 이와 같이 정상화는 "장애인이 사회 주류의 규준과 패턴에 가능한 한 유사한 일상생활의 패턴과 조건을 즐겨야 한다는 이상(理想)"을 구체화한 개념이다. 정상화의 관심은 장애인이 생활하고 일하는 장소에서 그들의 교육, 여가활동 및 인권을 가능한 한 정상적으로 만드는 데 있다. 그러므로 정상화는 특별한 처치, 고립 및 시설을 떠나 장애인이 일반인과 동일한 권리, 자유 및 선택을 즐기는 것을 보장하는 데로 이동할 것을 요청하였다.

(2) Wolfensberger와 사회적 역할의 가치화
① 정상화는 1970년대와 1980년대 미국에서 Wolfensberger에 의하여 사회학의 주요한 원리로서 정교화되었다.
② Wolfensberger는 사회-정치적 이상에 기초하여 지적장애와 정신건강에 곤란을 지닌 사람부터 사회에서 평가 절하되고 일탈한 모든 집단에까지 적용하도록 그 초점을 확장하여 정상화를 "사람이 가치 있는 사회적 역할을 확립하고 유지할 수 있도록 하기 위하여 문화적으로 가치 있는 수단을 이용하는 것"이라고 정의하였다.
③ Wolfensberger는 "사회에서 어떤 집단, 특히 장애인들이 평가 절하된 사회적 역할을 가진다는 그의 관심을 반영하여 역할 기대, 일탈 및 공공 지각의 개념을 중심으로 하여야 한다"고 주장하였다.

④ Wolfensberger는 정상화라는 용어를 포기하고, 대신 '사회적 역할의 가치화(social role valorization)'라는 용어를 채택하였다. 그는 사회적 역할의 가치화를 "사회적 평가 절하의 위험에 있는 사람을 위하여 가치 있는 사회적 역할을 개발하고 지원하며 방어하기 위하여 문화적으로 가치 있는 수단을 가능한 한 많이 이용하는 것"으로 정의하였다. 따라서 정상화는 Wolfensberger(1983)에 의하여 사회적 역할의 가치화로 개념이 정교화되었다고 할 수 있다.

⑤ 이와 같이 정상화는 장애인이 생활하고 공부하고 일하는 장소에서 그들의 주거, 교육, 직업 활동 등을 가능한 한 정상적으로 만드는데 초점을 두고, 장애인을 특별한 처치나 고립 또는 시설을 떠나 일반인과 동일한 권리, 자유 및 선택을 즐기는 데로 이동할 것을 요청하였다. 이러한 정상화의 원리는 교육에서 중도 장애아동들이 그들의 요구에 적절한 처치를 제공하는 분리교육을 필요로 할 수밖에 없다는 입장에서 장애아동을 가능한 한 최소 제한적 환경에 배치하여야 한다는 개념을 확립하여 주류화를 요구하는 배경이 되었다.

출처 ▶ 정동영(2017 : 40-43)

---

## 69 ⬛⬛⬛⬛⬛⬛⬛⬛⬛ 2020 유아B-2

**모범답안**

4) 활동 중심 삽입교수

**Check Point**
●

**(1) 활동 중심 삽입교수**

① 활동 중심 삽입교수는 일반 유아교육과정을 운영하는 중에 장애 유아에 대한 교수활동을 삽입하여 실시함으로써 장애유아의 일반교육과정 접근과 함께 개별 교수목표를 동시에 성취할 수 있게 해주는 교수 접근으로 '활동 중심 중재'와 활동 중에 교수 기회를 삽입하는 '삽입 학습 기회'의 두 가지 교수전략의 개념을 혼합한 용어이다. 즉, 활동 중심 삽입교수는 유아교육기관에서 진행되는 일과 및 활동 중에 장애유아가 교수목표를 학습하게 하기 위하여 교수 장면을 삽입하는 것을 말한다.

② 활동 중심 삽입교수에서 삽입이란 유아에게 의미 있고 흥미로운 활동을 확장하거나 수정하거나 조정함으로써 유아에게 교수목표를 연습할 기회를 제공하는 것을 의미한다. 삽입교수는 일반교육과정에 참여하는 것만으로는 유아에게 필요한 모든 학습 기회를 제공할 수 없다는 사실을 전제로 하기 때문에 교사는 체계적인 계획 하에 삽입 학습 기회를 제공할 수 있어야 한다.

출처 ▶ 이소현(2011 : 269-270)

**(2) 생활 속의 삽입교수**

생활 속의 삽입교수는 아동 초기 특수교육 및 학령기 중증 장애 학습자 교육에 시행되어온 증거 기반 수업이다. 생활 속의 삽입교수에는 학습자의 일과와 활동 속의 구체적 학습 기회를 목표로 삼는 게 포함된다. 예를 들면 점심시간에 학습자의 의사소통 기술(선택하기, 요청하기, 맛있고 맛없음에 대한 의견 말하기 등), 사회성 기술(점심식사 일정 따르기, 동료나 성인과 의사소통 등), 자립 기술(포크 사용하기, 치우기 등) 등을 연습할 수 있는 우연학습의 기회이다 (곽승철 외, 2019 : 144).

---

## 70 ⬛⬛⬛⬛⬛⬛⬛⬛⬛ 2020 유아B-3

**모범답안**

3) 학습된 무기력

# 71

**모범답안**

| 3) | 주하는 ○○○에만 친구 이름을 넣어 부르게 한다. |
|---|---|

**해설**

**지문 돋보기**

- 민정이는 좋아하는 또래들과 어깨동무를 하고 노래 부르게 한다. : 부분참여가 아닌 참여의 형태에 해당함. 대집단 활동에서의 어려움을 보이는 민정이의 부분참여를 위해서는 민정이가 대집단 활동의 일부분에라도 참여할 수 있도록 하는 방안이 제시되어야 함
- 주하는 ○○○에만 친구 이름을 넣어 부르게 한다. : 일상생활에서 자주 사용하는 3음절의 단어로 말하는 주하의 특성을 고려하고 있음. 이는 노래 전체를 부르는 것은 어렵더라도 친구 이름을 넣어 부분적으로 활동(친구 이름 넣어서 노래해 보기)에 참여할 수 있도록 하는 방법이기 때문에 부분참여의 원리가 적용되었다고 할 수 있음
- 바닥에 원형 스티커를 붙여 놓고 자리를 이동하며 노래 부르게 한다. : 교수방법에 해당하는 내용으로 부분참여라고 할 수 없음
- 리듬패턴은 그림악보로 제공한다. : 수업 시간에 제공된 교수 자료의 유형에 대한 설명으로 부분참여와는 관련 없음
- 유아가 익숙하게 다룰 수 있는 리듬악기를 제공한다. : 수업을 위한 교수자료의 제공과 관련된 것으로 부분참여와는 관련이 없음
- 소미가 친구들에게 리듬악기를 나누어 주도록 한다. : 활동 3의 내용, 즉 리듬악기를 연주해 보라는 활동 3의 목표 그리고 하위 활동 과제와 무관함. 따라서 부분참여와 관련이 없음. 소미의 부분참여를 위해서는 수줍음이 많고 활동 참여에 소극적인 소미를 활동 목표 달성을 위한 하위 과제에 일부분이라도 참여시키기 위한 방안이 제시되어야 함

3) 부분참여란 중도·중복 장애아동이 어떤 활동이나 과제의 모든 면 또는 단계에 참여하지 못하더라도 그가 할 수 있는 활동의 일부분에라도 최대한 의미 있는 참여를 하게 하는 것을 의미한다.

# 72

**모범답안**

| 2) | 숙달(또는 유창성) |
|---|---|

**해설**

2) 학습 단계는 습득, 숙달, 유지, 일반화의 과정을 거친다. ㉠에서 '더 짧은 시간 내에 15번 정확하게 수행'은 과제를 정확하고 빠르게 완수하도록 하는 것이므로 숙달(또는 유창성)에 해당한다.

# 73

**모범답안**

| 4) | 다음 중 택 1<br>• 독립성 및 인간관계 향상<br>• 사회공헌 기회 증진<br>• 개인적 안녕과 삶의 만족감 향상 |
|---|---|

**해설**

4) 지원모델에 제시되어 있는 개인적 성과의 내용 중 '학교와 지역사회 환경에서의 활동 참여 증진'은 최 교사의 대화 내용(학교뿐 아니라 지역사회 환경에서의 활동 기회 증진)에 포함되어 있으므로 제외한다.

**Check Point**

📝 **지원모델**

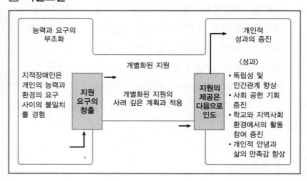

① 개인의 능력과 환경의 요구 사이의 부조화 및 개인적 성과를 향상으로 이끄는 개별화된 지원의 제공 사이의 관계를 묘사한 것
② 지적장애를 개인의 결함보다는 기능의 상태로 개념화하고 개인과 환경 간의 잠재적 부조화를 다룸
③ 지원모델을 통해 설명되고 있는 바는 다음과 같음
  ㉠ 지적장애인들이 경험하는 자신의 능력과 환경적 요구 간의 불일치로 인해 지원에 대한 요구가 생기게 되고,
  ㉡ 이러한 지원 요구를 바탕으로 개별화된 지원계획을 개발하고 적용하여,
  ㉢ 그 개인이 좀 더 독립적이게 되고, 더 나은 대인관계를 갖고 사회에 기여하고, 학교나 지역사회에서의 활동 참여가 증진되며, 더 높은 삶의 만족도를 느끼게 되는 성과를 얻게 된다.

## 74 [2020 중등A-4]

| ㉠ | 부조화 |
|---|---|
| ㉡ | 자기관리 |

Check Point

(1) 2015 개정 특수교육 교육과정 핵심역량

교육과정이 추구하는 인간상을 구현하기 위해 교과 교육을 포함한 학교 교육 전 과정을 통해 중점적으로 기르고자 하는 핵심역량은 다음과 같다.

> 가. 자아정체성과 자신감을 가지고 자신의 삶과 진로에 필요한 기초 능력과 자질을 갖추어 자기 주도적으로 살아갈 수 있는 자기관리 역량
> 나. 문제를 합리적으로 해결하기 위하여 다양한 영역의 지식과 정보를 처리하고 활용할 수 있는 지식정보처리 역량
> 다. 폭넓은 기초 지식을 바탕으로 다양한 전문 분야의 지식, 기술, 경험을 융합적으로 활용하여 새로운 것을 창출하는 창의적 사고 역량
> 라. 인간에 대한 공감적 이해와 문화적 감수성을 바탕으로 삶의 의미와 가치를 발견하고 향유하는 심미적 감성 역량
> 마. 다양한 상황에서 자신의 생각과 감정을 효과적으로 표현하고 다른 사람의 의견을 경청하며 존중하는 의사소통 역량
> 바. 지역·국가·세계 공동체의 구성원에게 요구되는 가치와 태도를 가지고 공동체 발전에 적극적으로 참여하는 공동체 역량

(2) 누가 중도장애 학생인가?

중도장애(severe disabilities)라는 말이 문헌에서 많이 사용되지만, 단 하나의 권위 있는 정의가 존재하지는 않는다. 특수교육 용어의 보편적 출처인 미국장애인교육법(IDEA, 1997)에서는 중도장애에 대해 정의하지 않았으며, 관련된 연방법규에서는 13개의 장애유형을 정의하고 있는데, 그 중 여러 유형이 중도장애로 간주될 수 있는 학생들을 포함하고 있지만(예 자폐, 맹-농, 정신지체, 중복장애, 외상성 뇌손상) 해당 유형의 모든 학생이 중도장애를 가지고 있는 것은 아니다.

중도장애를 설명하는 많은 정의들이 인지, 신체, 감각, 행동 및 기능적 손상과 같은 결함에 초점을 맞추었지만, 이러한 정의들은 불행히도 한 인간으로서의 중도장애인에 대해서는 별로 말해주는 바가 없다. 어느 정도 확실하게 말할 수 있는 것은 중도장애인은 장애특성이나 능력, 교육적 필요에 있어서 매우 다양한 이질적인 집단이라는 것이다. 그들이 갖고 있는, 장애와 관련 없는 다른 특성들(예 흥미, 선호도, 성격, 사회경제적 수준, 문화적 배경 등)도 일반 사람들과 마찬가지로 다양하다. 중도장애인들이 서로 공통적으로 가지고 있는 것은 집중적이고 지속적인 지원(support)에 대한 요구이다. 종종 중도장애인들은 출현율이 낮은 장애를 가지고 있다고 표현되기도 하는데, 이는 중도장애인이 일반인의 1% 미만으로 추정되기 때문이다.

국제기구인 TASH(중도장애인 협회)는 그들이 옹호하는 중도장애인에 대해 다음과 같이 표현하였다.

> 통합된 지역사회에 참여하고, 다른 모든 시민과 유사한 삶의 질을 향유하기 위하여, 하나 혹은 그 이상의 중요한 생활영역에서 지속적인 지원을 필요로 하는 사람을 말한다.
> 지원은 이동, 의사소통, 자기관리와 같은 생활 활동과, 지역사회 주거, 고용, 자족(self-sufficiency)에 필요한 학습을 위해 요구될 수 있다(TASH, 2000).

Snell은 중도장애인의 다양성과 일생에 걸친 지원의 필요성뿐 아니라, 중도장애인들이 "학습할 능력"을 가지고 있다는 점을 상기시켰다. 이는 언급할 필요가 없을 정도로 당연하게 보이기도 하지만, 1980년대 초까지만 해도 심한 중도장애인들이 학습할 수 있는가와 이러한 판단이 그들의 교육권에 어떻게 영향을 미칠 수 있는가에 대해 전문 문헌상에 열띤 논의가 이루어졌다. 어떤 사람들은 심한 중도장애 아동의 교육 가능성과 교육방법에 대해 의문을 제기한 반면, 장애의 정도에 상관없이 모든 아동의 교육 추구를 옹호하는 설득력 있는 논의를 펴는 사람도 있었다. Baer가 지적했듯이 모든 학생들이 학습할 수 있다고 생각하는 접근은, 학생들이 자신에게 유용한 기술을 학습하는 데 따른 잠재적인 유익함뿐 아니라, 교수-학습에 관한 우리 자신의 이해를 넓히는 기회를 제공한다.

모든 사람의 교육을 지지하는 입장은 IDEA에 포함된 완전취학(zero reject)의 연방정부의 원칙과 일치한다. 완전 취학 조항은 모든 학령기 아동이, 장애의 정도와 상관없이 무상의 적절한 공교육을 받을 권리가 있음을 명시하였다. 완전 취학 원칙은 티모시 v. 로체스터 교육청의 판례에서 확인되었다. 중도중복장애학생이 지역 공립학교의 입학이 거부되었는데, 이는 학교 측에서 학생이 교육으로부터 혜택을 받기에는 너무 장애가 심하다고 판단했기 때문이었다. 미국 연방법원에서는 학교 측의 판단에 동의하였지만, 항소심에서는 1심의 판결을 번복하고 IDEA의 핵심 요소인 완전 취학의 원칙을 강력히 재확인하였다.

출처 ▶ Snell et al.(2009: 2-3)

# 75 · 2020 중등B-6

2020 중등B-6

모범답안

- 프래더-윌리 증후군
- ⓒ 학급에서 배운 기술들이 실제 사회생활에서 일반화하지 못할 수도 있다는 전제에 기반을 두고, 배운 기술들을 여러 환경에서 일반화할 수 있는지를 시험해 봐야 한다는 개념이다.
  ⓔ 지역사회 참조 교수

# 76 · 2021 유아A-1

모범답안

| 2) | 다음 중 택 2<br>• 유아교육기관의 학급 운영과 활동 진행에 큰 변화를 요구하지 않는다.<br>• 장애 유아를 별도로 분리해서 교육할 필요가 없다.<br>• 학급 내 자연적인 환경에서 교수가 일어나기 때문에 새로 습득한 기술의 즉각적이고도 기능적인 사용 능력을 증진시킬 수 있다.<br>• 유아교육기관의 하루 일과 및 활동 전반에 걸쳐 삽입학습 기회가 체계적으로 제공됨으로써 새롭게 학습한 기술의 사용 능력이 다양한 상황으로 일반화될 수 있다. |
|---|---|

해설

2) 활동 중심 삽입교수는 유아교육기관의 하루 일과나 활동 중에 장애 유아가 개별화교육계획의 교수목표를 연습할 수 있도록 특정 시간을 선정하고 짧지만 체계적인 교수를 실행함으로써 유아로 하여금 필요한 기술을 자연적인 환경에서 성공적으로 사용할 수 있게 도와주는 방법이다(이소현, 2020 : 437).

# 77 · 2021 유아A-5

모범답안

| 1) | 자기옹호 |
|---|---|

**Check Point**

## ✎ 자기결정 행동의 구성 요소

| 구성 요소 | 설명 |
|---|---|
| 선택하기 기술 | • 자기결정의 핵심 요소<br>• 학생은 자신의 요구와 선호도를 확인하고 이에 대해 의사소통하기 위해서 선택할 기회를 가져야 함 |
| 의사결정 기술 | • 하나의 상황에서 여러 가지 해결책 중 어느 것이 가장 좋을지를 결정하는 기술(가능한 한 최선의 정보에 근거하여 결정 내리기)<br>• 서로 다른 해결책의 결과에 대해 이해하는 것 포함 |
| 문제해결 기술 | 스스로 문제를 확인하고 분석하여 잠정적인 해결책을 찾은 후에 가장 적절한 방안으로 문제를 해결하는 것(문제와 가능한 해결책을 판별하기) |
| 목표 설정 및 성취 기술 | • 자신의 목표가 무엇인지 확인하기, 목표와 관련한 자신의 현 위치 파악하기, 행동을 위한 계획 세우기, 목표를 향한 자신의 진전도 평가하기 기술 포함<br>• 자신의 학습에 좀 더 책임감을 갖도록 하는 데 효과적인 기술 |
| 자기관리 기술 | • 자신의 행동을 조절하기<br>• 자기점검, 자기평가, 자기강화 포함 |
| 자기교수 기술 | • 문제해결을 촉진하기 위해 혼잣말하기<br>• 타인의 직접적인 도움 없이 새로운 정보와 기술을 배우기 |
| 자기옹호 및 리더십 기술 | 자기옹호기술 : 자신의 믿음을 옹호하는 능력(또는 자기 자신의 요구와 욕구 알리기) |
| 내적 통제소재 | 결과들을 통제할 수 있다고 믿기 |
| 자기 효능 | 자신이 특정한 목표를 수행하거나 성취할 수 있다고 믿는 것 |
| 자기 인식 | 자신의 강점이나 능력, 자신의 약점이나 제한점 등을 이해하는 능력 |
| 자기 지식 | 자신의 특성을 사용하는 방법에 대해 하는 것 |

## 78 | 2021 초등A-5

**모범답안**

| | |
|---|---|
| 1) | ① 최소위험 가정 기준<br>② 기능적 생활 중심 교육과정(또는 기능적 교육과정, 생태학적 교육과정) |
| 3) | ① 자기교수(기술)<br>② 내가 배운 것은 무엇인가? |

**해설**

1) ② '학생의 생활, 경험, 흥미 등을 중심으로 현재 필요한 것이면서 미래의 가정과 직업, 지역사회, 여가활동 등에 활용될 수 있는 생활 기술'이란 기능적 기술을 의미하며, 이와 같은 기능적 기술을 중심으로 지도하는 교육과정의 유형은 기능적 생활 중심 교육과정이다.

3) ① 자기교수는 문제해결을 촉진하기 위해 혼잣말하기 혹은 타인의 직접적인 도움 없이 새로운 정보와 기술을 배우기 등으로 설명된다.

**Check Point**

(1) 기능적 생활 중심 교육과정

① 개념 : 학습자의 생활, 경험, 흥미, 관심, 필요, 활동 등을 중심으로 구성된 교육과정

② 특징 : 경도 장애학생을 대상으로 할 수 있는 전통적인 학업 중심 교육과정보다는 실생활에서 활용할 수 있는 기능을 중심으로 가르치자는 취지에서 시작된 중등도 및 중도 장애학생을 대상으로 한 교육과정

③ 교육프로그램의 주요 내용 : 학교에서 교과활동에 의한 지식, 이론적 접근보다는 실생활에 필요한 기능적 기술과 자신을 관리할 수 있는 기술들이 교육프로그램의 주요 내용

(2) 자기결정 교수학습 모델(SDLMI)

① 자기결정력 증진을 위한 구체적인 교수 모델

② 목표 설정 → 계획 및 실행 → 목표 및 계획 수정의 3단계로 구성

③ 모델의 각 단계에는 아동이 해결해야 될 네 가지 문제, 교수목표, 교수지원 포함

④ 자기결정 교수학습 모델의 단계별 내용

### [1단계] 목표 설정

☐ 성취해야 할 학생의 과제 : 나의 목표는 무엇인가?

☐ 교수적 지원 : 흥미, 노력, 교수적 요구에 대한 학생의 자기평가 등

• 학생 질문 1 : 내가 무엇을 배우길 원하는가?
• 교사 목표

• 학생 질문 2 : 내가 그것에 대해 알고 있는 것은 무엇인가?
• 교사 목표

• 학생 질문 3 : 내가 모르는 것을 배우기 위해서 나는 어떤 변화가 필요한가?
• 교사 목표

• 학생 질문 4 : 이 일이 일어나도록 하려면 무엇을 할 수 있는가?
• 교사 목표

### [2단계] 계획 및 실행

☐ 성취해야 할 학생의 과제 : 나의 계획은 무엇인가?

☐ 교수적 지원 : 자기일정 계획 등

• 학생 질문 5 : 내가 모르는 것을 배우기 위해 나는 무엇을 할 수 있는가?
• 교사 목표

• 학생 질문 6 : 내가 행동하는 데 방해가 되는 것은 무엇인가?
• 교사 목표

• 학생 질문 7 : 이러한 장벽을 제거하기 위해 내가 할 수 있는 것은 무엇인가?
• 교사 목표

• 학생 질문 8 : 언제 내가 행동할 것인가?
• 교사 목표

### [3단계] 목표 및 계획 수정

☐ 성취해야 할 학생의 과제 : 내가 배운 것은 무엇인가?

☐ 교수적 지원 : 자기평가 전략 등

• 학생 질문 9 : 내가 어떤 행동을 했나?
• 교사 목표

• 학생 질문 10 : 어떤 장벽이 제거되었는가?
• 교사 목표

• 학생 질문 11 : 내가 모르는 것과 관련하여 어떤 변화가 있었는가?
• 교사 목표

• 학생 질문 12 : 내가 알기 원하는 것을 알고 있는가?
• 교사 목표

## 79     2021 초등B-5

**모범답안**

| 1) | ① 지역사회 모의수업 |
| | ② 일반화 |

**해설**

1) ① '밖에 나가기 어렵다'는 것과 '학교에 마트가 없는 경우' 적용할 수 있는 지역사회 중심 교수의 유형을 고려한다.
② 다양한 사례를 가르쳐 배우지 않은 환경에서도 수행할 수 있도록 하는 것은 (자극)일반화에 해당한다.

## 80     2021 중등A-1

**모범답안**

| ㉠ | 개인중심계획 |
| ㉡ | 지원정도척도(또는 지원강도척도) |

**Check Point**

### ✎ 개별화된 지원 평가, 계획 및 감독을 위한 과정

① 1단계: 바람직한 삶의 경험과 목표의 판별
 • '개인중심계획'의 활용 요구
 • 개인중심계획의 특징: 개인의 꿈, 선호하는 것, 흥미에 초점을 맞추는 것
 • 개인중심계획의 주요 목적: 한 개인에게 무엇이 중요한 것인가를 찾아내는 것
② 2단계: 지원요구의 패턴과 강도 결정
 • 표준화된 도구나 관찰 혹은 심층 면담 등을 통해 다양한 삶의 영역에서 필요한 개인의 지원요구를 평가하는 것 포함
 • 현재 지원요구를 측정할 수 있는 유일한 표준화 검사 방법: 지원정도척도
 • 지원정도척도의 구성
  – 지원 빈도: 특별 지원, 즉 대다수의 비장애인에게 일반적으로 필요한 빈도 이상의 지원이 표적 활동 각각에 대해 얼마나 자주 필요한지와 연계
  – 일일 지원시간: 지원을 제공하는 날에 지원을 준비하는 데 일반적으로 소용되는 시간을 의미
  – 지원 유형: 어떤 사람이 참여해야 하는 활동을 할 때 필요할 수 있는 지원의 성격
③ 3단계: 개별화된 계획의 개발
④ 4단계: 진보의 감독
⑤ 5단계: 평가

## 81     2021 중등B-4

**모범답안**

• 실제적 적응기술

**해설**

**지문 돋보기**

| 상위 기술 | 적응행동 유형 |
|---|---|
| 컵라면 구입하기 | 실제적 |
| 컵라면 조리하기 | 실제적 |
| 정리하기 | 실제적 |

학생 F는 '컵라면 가격 알기'와 '계산하고 구입하기'와 같은 하위 기술의 부족으로 인해 컵라면을 구입할 수 없다. 컵라면 구입하기는 실제적 적응기술에 해당한다.

**Check Point**

### (1) 적응행동 하위 유형

| 개념적 적응기술 | • 인지, 의사소통 및 학업 기술과 같은 개념적인 기술을 의미한다.<br>• 구체적으로는 언어 읽기와 쓰기, 돈 개념, 자기지시와 같은 내용이 있다. |
|---|---|
| 사회적 적응기술 | • 사회적 기대와 다른 사람의 행동을 이해하고 사회적 상황에서 자신이 어떻게 행동해야 하는 것이 적절한지를 판단하는 기술이다.<br>• 사회적 기술의 주요한 구성 요소는 사회적 이해, 통찰, 판단 및 의사소통이다.<br>• 대인관계, 책임감, 자기존중, 속기 쉬움, 규칙 준수, 법률 준수, 희생되는 것을 피하는 것 등이 그 내용이 된다. |
| 실제적 적응기술 | • 평범한 일상생활을 해 나가는 데 있어 독립된 인간으로서 자신을 유지해 가는 기술을 말한다.<br>• 독립을 최대한으로 성취하기 위해 자신의 신체적 능력을 사용하는 기술을 말한다.<br>• 감각운동 기술, 자기관리 기술(잠자기, 목욕하기, 화장실 사용하기, 먹기, 마시기), 안전기술(위험 피하기, 손상 예방하기) 등을 토대로 한다. |

출처 ▶ 송준만 외(2019 : 166-167), 내용 요약 후 인용

(2) KNISE-SAB의 검사 영역별 소검사 내용

| 영역 | 영역의 의미 | 소검사 |
|---|---|---|
| 개념적 적응행동검사 | 구체적인 현실의 실제가 아니라 학문적 상황에서 성공하는 데 필요한 기술 | 언어이해, 언어표현, 읽기, 쓰기, 돈 개념, 자기지시 |
| 사회적 적응행동검사 | 사회적 기대와 다른 사람의 행동을 이해하고 사회적 상황에서 자신이 어떻게 행동하는 것이 적절한지를 판단하는 기술 | 사회성 일반, 놀이활동, 대인관계, 책임감, 자기존중, 자기보호, 규칙과 법 |
| 실제적 적응행동검사 | 평범한 일상생활 활동을 해 나가는데 있어 독립된 인간으로서 자신을 유지해 가는 데 필요한 실제적 적응기술 | 화장실 이용, 먹기, 옷 입기, 식사 준비, 집안 정리, 교통수단 이용, 진료 받기, 금전 관리, 통신수단 이용, 작업기술, 안전 및 건강 관리 |

출처 ▶ 송준만 외(2019 : 170)

## 82  2022 유아B-4

모범답안

3) 파지

해설

3) 정신적 고찰과 시연은 파지 단계에서 이루어지는 활동이다.
- 관찰학습은 주로 심상과 언어라는 두 가지 표상체계에 의존하여 정보를 상징화하고 파지한다. 따라서 심상과 언어는 기억과 학습의 중요한 수단이라고 할 수 있겠다. … (중략) … 상징적 부호화와 더불어 시연 또한 기억의 보조수단이 된다. … (중략) … 정리하자면, 파지 과정은 심상적 부호화와 언어적 부호화, 시연을 통해 형성된다고 말할 수 있다. 최고 수준의 관찰학습은 우선 모델의 행동을 심상과 언어를 이용하여 상징적 부호화과정을 거친 후 시연을 통하여 장기기억으로 저장하고 그것을 알맞은 상황에서 인출하여 외현적 행동으로 옮길 때 성취될 수 있는 것이다(차수인, 2010 : 13-16).
- 운동 재생 과정은 상징적 표상을 적절한 행위로 변환시키는 것이다. 즉, 관찰한 내용을 행동으로 재생하는 과정이라고 할 수 있다(차수인, 2010 : 16).

## 83  2022 유아B-6

모범답안

3) 지역사회 모의수업

해설

지문 돋보기

- 현장체험학습에 필요한 기술을 연습할 수 있도록 교실 환경을 꽃 축제의 코너와 유사하게 : 지역 사회의 다양한 환경에서 일어나는 활동에 참여하는 데 필요한 기술을 연습할 수 있도록 교실환경 꾸미기

3) 현장체험학습에 필요한 기술을 연습할 수 있도록 교실 환경을 꽃 축제의 코너와 유사하게 꾸몄다. : 교실에서 이루어지는 지역사회 중심 교수전략 중 지역사회 모의수업을 의미한다.

Check Point

✎ 지역사회 중심 교수(지역사회 기반 교수)의 유형
① 지역사회 중심 교수
② 지역사회 참조 교수
③ 지역사회 모의수업

## 84  2022 초등B-3

모범답안

2) 숙달 능력(또는 유창성 능력)

해설

2) 숙달 단계에서의 목표는 아동이 과제를 정확하고 빠르게 완수하도록 하는 것이다.

지문 돋보기

- ABAB 규칙을 습득하였으나 : 습득 단계를 지남
- 가끔 순서가 틀리고, 모양을 찾는 데 시간이 오래 걸렸다. : 아직은 완벽하게 숙달되지 못했음을 의미

## 85 — 2022 초등B-5

모범답안

| | |
|---|---|
| 2) | 파지 |
| 3) | ① 단백질 성분이 함유된 음식은 피한다(또는 페닐알라닌 성분이 함유된 음식은 피한다).<br>② 실제적 적용기술 |

해설

2) 관찰학습은 주의집중, 파지, 재생, 동기화의 네 가지 하위 과정으로 구성된다. [B]의 내용 중 범주화하기, 시연하기, 노랫말 만들어 부르기 등은 모두 파지를 위한 활동 내용이다.

3) ① 페닐케톤뇨증은 페닐알라닌을 티로신이라는 아미노산으로 전환시키는 효소의 활성이 선천적으로 저하되어 페닐알라닌이 축적돼서 생기는 단백질 대사장애이다. 혈중의 페닐알라닌 측정 검사를 통해 선별할 수 있으며, 치료는 페닐알라닌이 적은 특수 분유를 먹는 식이요법으로 시작한다. 페닐케톤뇨증 아동의 부모는 자세한 영양교육을 받아 특수 조제품을 올바르게 사용해야 하며, 정확하게 식단을 계획해서 아동이 먹어서는 안 되는 식품은 다른 식품으로 대체해야 한다(송준만 외, 2019 : 92).

## 86 — 2022 중등A-2

모범답안

| | |
|---|---|
| ㉠ | 맥락 |
| ㉡ | 전형적인 수행에 기초 |

해설

㉡ 적응행동의 평가는 매일의 일과와 변화하는 상황 동안에 한 개인의 최대한의 수행이 아닌, 전형적인 수행에 기초하며, 적응기술 제한성은 자주 다른 적응기술 영역들에서의 강점과 공존하고, 적응기술들에서 한 개인의 강점과 제한성은 개인의 동년배에게 전형적인 보통의 지역사회 환경들의 맥락 안에서 기록되며, 개인의 개별화된 지원요구에 연결되어 있다(AAIDD, 2011 : 40-41).

## 87 — 2022 중등A-7

모범답안

- 다운증후군
- 전반적인 기능성의 향상을 목적으로 한다.
- ㉢ 지역사회 중심 교수
  ㉣ 일반사례교수법

해설

지문 돋보기

- 지역사회에서 사용할 기술을 지역사회 환경에서 직접 가르치는 방법 : 지역사회 중심 교수의 개념
- 시간, 비용, 위험성의 문제로 실제 버스를 타러 가기 전에 우선 교실에서 모의 환경을 만들어 미리 연습 : 지역사회 모의 수업의 장점
- 교실의 모의 환경에서 연습을 하면 실제 환경과 다른 점이 많아서 나중에 제대로 버스를 탈 수 있을까? : 지역사회 모의 수업의 단점 중 하나는 일반화에 한계가 있는 것임을 의미

Check Point

☑ 예방의 종류 및 예방지원의 목적(AAIDD, 2010)

| 예방의 종류 | 개념 | 예방지원의 목적 |
|---|---|---|
| 1차 예방 | 질병이나 조건 및 장애로의 발전을 예방하는 전략 | 건강 상태 증진 |
| 2차 예방 | 현재 조건이나 질병을 가진 개인들이 장애 혹은 그 징후가 나타나는 것을 예방하는 전략 | 위험 요소를 지닌 개인의 판별과 장애 발생을 예방하는 중재의 연계 |
| 3차 예방 | 전반적인 기능성에서 장애의 결과를 (완전히 제거할 수는 없지만) 감소시키는 전략 | 전반적인 기능성의 향상 |

## 88 — 2023 유아A-7

모범답안

| | |
|---|---|
| 2) | 난 또 못 넘어뜨릴 거야. |

해설

2) 학습된 무기력은 어려운 과제에 대하여 아예 포기하거나 문제를 해결하려고 시도하지 않는 것을 말한다. 심지어 그들이 스스로 할 수 있는 과제나 상황에서도 자신들은 할 수 없다고 믿는다.

## 89     2023 초등A-5

모범답안

| 1) | 행동 결과를 (운명이나 행운 또는 다른 사람과 같은) 외부의 힘에 의해 이루어진 것으로 본다. |
|---|---|
| 3) | ① 지역사회 중심 교수<br>② 자기결정 |

해설

1) 통제소재는 성과의 원인관계를 어디에 두느냐의 문제로 어떤 사람이 자신의 긍정적 혹은 부정적 행동 결과를 어떻게 지각하는가를 의미하며 내적 통제소재와 외적 통제소재로 구분된다.

| 내적<br>통제소재 | 긍정적이든 부정적이든 행동 결과를 자신의 것으로 간주하는 것이다. |
|---|---|
| 외적<br>통제소재 | 행동 결과를 운명이나 행운 혹은 다른 사람과 같은 외부의 힘에 의해 이루어진 것으로 보는 것이다.. |

3) ① 지역사회 중심 교수(CBI)란 생태학적 접근을 통해 지역사회에서의 기능을 증진시키기 위하여 사용되는 교수적 접근으로 자연적이고 실제적인 환경에서 기능적이고 의미 있는 기술을 지도하는 것이다. 제시된 내용 중 '현장체험학습을 통해 학교 근처 도서관으로 가서 직접'은 지역사회 중심 교수에 대한 단서가 된다.
   ② [A]의 내용을 자기결정의 주요 특성과 관련지어 살펴보면 다음과 같다.

지문 돋보기

| 내용 | 주요 특성 |
|---|---|
| 도서관에서 다른 사람에게 의존하지 않고 책을 대출함 | 자율성 |
| 그림책을 성공적으로 대출하는 경험을 통해 자기 효능감을 느끼게 함 | 심리적 역량 |
| 자기 자리에 앉아 정해진 시간 동안 큰 소리로 이야기하지 않음 | 자기조절 |

따라서 제시된 내용은 자기결정 행동의 주요 특성인 자율성, 자기조절, 자아실현, 심리적 역량 중 특정한 특성에 관한 것이 아니므로 포괄적인 의미에서 자기결정이라고 답하는 것이 타당하다.

## 90     2023 초등B-2

모범답안

| 1) | ① 수단적 일상생활활동<br>② 일반학생과 활동하고 상호작용하기 위해서이다. |
|---|---|
| 2) | ① 자연적 지원<br>② 영수준의 추측 |
| 3) | 리더십 |

해설

1) ① 일상생활활동의 유형(또는 일상생활 기술)은 기본적 기술을 요구하는 기본적 일상생활활동(ADL)과 더 진보된 문제해결 능력과 사회적 기술, 그리고 더 복잡한 환경적 상호작용을 요구하는 수단적 일상생활활동(IADL)으로 나눌 수 있다.

| 기본적<br>일상생활활동 | 자기관리, 기능적 이동성, 성적 표현, 수면과 휴식 등이 포함된다. |
|---|---|
| 수단적<br>일상생활활동 | 의사소통 도구 사용(휴대전화 사용하기), 건강관리 및 유지, 재정 관리, 음식 준비와 청소하기, 지역사회로의 이동성 등이 포함된다. |

   ② 지적장애 학생의 교육과정은 생활연령에 적합한 내용으로 구성되고 적용되어야 한다. 특히 중도 지적장애 학생은 일반 또래 학생들을 위한 활동에도 참여할 필요가 있다. 그들을 위한 개별화교육 프로그램을 수립하기 위해서는 기능과 연령에 적합한 기술을 고려하는 것이 중요하다. 왜냐하면 지역사회에서도 이러한 기술이 요구되고 일반학생과 활동하고 상호작용하기 위해서는 기능과 연령에 적합한 기술이 필요하기 때문이다(송준만 외, 2022 : 233).
   • 생활연령보다 정신연령에 근거하는 발달론적 접근에서는 또래들이 이미 가지고 있는 숙련된 기술을 장애학생이 습득하기 위해서는 계속해서 연습해야 한다는 이유 때문에 중도장애 학생은 또래학생이 포함된 환경에 참여하지 못할 수도 있다. 또한 실제로 사용되는 일상생활을 고려하기보다는 오직 외형적 기술을 가르치는 경향이 있다(송준만 외, 2022 : 233).

2) ① 지원은 자연적 지원과 서비스를 중심으로 제공되는 지원으로 구분된다.

| 자연적 지원 | 주어진 환경 내에서 자연스럽게 제공될 수 있는 인적 및 물적 자원을 통해 지원되는 것이다. |
|---|---|
| 서비스를<br>중심으로<br>제공되는 지원 | 한 개인의 자연스러운 환경의 일부가 아닌 사람이나 장비 등에 의해 제공되는 지원을 의미한다. |

② 영수준의 추측은 학급에서 배운 기술들이 실제 사회 생활에서 일반화하지 못할 수도 있다는 전제에 기반을 두고, 배운 기술들을 여러 환경에서 일반화할 수 있는지를 시험해 봐야 한다는 개념이다. 일반화가 되지 않을 경우에는 기술이 사용될 실제 환경에서 가르쳐야 한다.

3) 자기옹호의 구성 요소 중 집단의 역동성과 역할, 조직적 참여에 대한 설명이 제시되어 있다.

> **지문 돋보기**
> • 민호가 집단의 구성원으로 협동학습 과정에서 자신의 역할을 제대로 알고 : 집단의 역동성과 역할
> • 집단의 문제해결 과정에 적극적으로 참여 : 조직적 참여

**Check Point**

## ☑ 자기옹호의 구성 요소

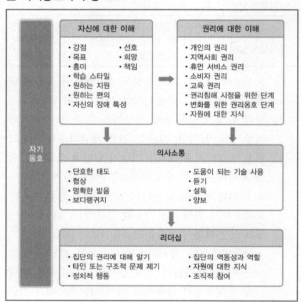

---

# 91 [2023 중등A-7]

**모범답안**
• ㉠ 학습된 무기력
• ㉡ 자기 조정적 문제해결
㉢ 행동계획을 변경하도록 학생을 돕기

**해설**

㉠ 지적장애 아동은 잦은 실패로 인해 환경이나 사건 내에서 스스로 행동을 조절할 수 없다고 느낄 때 자신에 대해서 매우 낮은 기대를 하고, 과제를 열심히 하지도 않고, 과제를 빨리 포기하는 등의 학습된 무기력을 보여 결과적으로 자신의 능력보다 낮은 과제 수행을 보이므로 기대된 실패가 현실로 나타나게 된다.
• (나)에 제시된 학생 B의 지도와 관련한 내용(학생이 성공하는 경험을 할 수 있도록 지도함)은 학습된 무기력을 나타내는 학생을 위한 동기유발 전략에 해당한다.

㉡ 학생 A의 특성 중 '목표를 세워 본 경험이 부족하고, 교사나 부모의 도움을 받아 과제를 수행하려고 함'을 고려할 때 학생 질문은 학업, 사회, 행동, 전환과 같은 어떤 내용영역에서 자기 조정적 문제해결 과정을 지도하기 위한 것이다. 학생 질문들은 각 교수 단계에서 문제해결 순서를 통해 학생을 안내하도록 구성되었다. 네 개의 질문은 각 단계별로 다르지만, 문제해결 순서는 동일한 단계(문제 확인하기 → 문제를 해결하기 위한 잠재적 해결 방법 확인하기 → 문제해결에 관한 방해물 확인하기 → 각 해결 방법의 결과 확인하기)를 거친다.
• 모형에서 학생 질문은 학업, 사회, 행동, 전환과 같은 어떤 내용영역에서 문제해결 계열을 통해 학생을 지시하기 위한 것이다. 학생은 SDLMI의 단계를 통해 각각의 단계에서 제기된 문제에 대한 해결책을 생성하도록 자신을 이끄는 것을 배운다(Wehmeyer et al., 2019 : 366).

㉢ 교사 목표는 학생이 각 단계의 문제를 해결하는 것을 돕기 위한 교수 과정의 길잡이 역할을 한다는 것에 초점을 둔다. 따라서 학생이 행동계획을 확인한 결과, 부적절하다고 대답하였다면 이후 교사는 행동계획을 변경하도록 학생을 돕는 역할을 해야 한다.

**Check Point**

## (1) 자기결정 교수학습 모델의 구성

| 학생 질문 | 학업, 사회, 행동, 전환과 같은 어떤 내용영역에서 자기 조정적 문제해결 과정을 지도하기 위한 것이다. |
| --- | --- |
| 교사 목표 | 학생이 각 단계의 문제를 해결하는 것을 돕기 위한 교수 과정의 길잡이 역할을 한다. |
| 교수적 지원 | 각 단계에서 학생이 학습을 스스로 주도할 수 있게 돕는 역할을 한다. |

(2) SDLMI 3단계

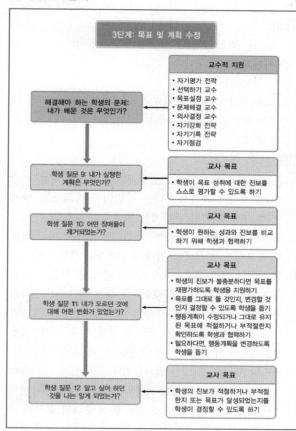

모범답안

- ⓒ 플립러닝

해설

지문 돋보기

- 혼합수업 : 혼합형 학습(Blended Learning), 혼합 학습
- 가정에서 사전 학습을 하고 학교에 와서 심도 있게 수업에 참여하는 학습자 중심의 교수 방법 : 플립러닝의 개념
- 사전 학습을 통해 개념을 충분히 습득함으로써 본 수업에서는 토론이나 활동 수행 시간 등을 충분히 확보할 수 있지요. : 플립러닝의 목적
- 학생이 사전 학습을 수행하지 않으면 본 수업에 차질이 생길 수도 있어 준비가 많이 필요합니다. : 플립러닝의 문제점
- 다른 학생들보다 과제를 더욱 세분화하거나 구체적으로 가르쳐 주세요 : 과제를 작은 단계로 나누어 제시, 과제를 구체적으로 수정
- 학년도 시작 후 2주 이내에 구성되고 : 개별화교육지원팀의 구성 기한
- 학생의 보호자, 특수 교사, 담임 교사, 진로담당 교사 등이 참여 : 개별화교육지원팀의 구성원

ⓒ 플립러닝은 '거꾸로 학습', '역전학습', '역 진행학습', '반전학습'으로 불리기도 하는데, 사전에 온라인 및 디지털 콘텐츠를 활용하여 개별적으로 교수자의 강의를 듣고, 교실에서는 과제를 포함한 다양한 학습 활동을 수행하는 교수방법이다(박성익 외, 2016 : 342).

- 플립러닝은 먼저 학습자가 '사전학습'으로 강의 영상 시청과 활동지 작성 등을 실행하면, '교실 수업'에서는 사전학습의 확인·점검, 개별 및 협력 활동, 학습 정리가 이루어진다. 플립러닝에서 수업을 뒤집는 목적은 기존의 수업방식에서 역으로 수업 전에 수업내용을 먼저 공부하고, 교실에서는 심화학습에 참여하는 것으로, 학생이 또래 및 교사와 함께 있는 동안 최대한 학습에 참여할 수 있도록 하는 것이다(송준만 외, 2022 : 360).

# 93    

**모범답안**

| ㉠ | 개인적 안녕(또는 삶의 질) |
|---|---|
| ㉡ | 일반적인 지원 |

**해설**

㉠ 지원체계는 개인의 발달과 유익을 촉진하고 개인의 기능성과 개인적 안녕을 증진시키는 자원과 전략의 상호 연결된 네트워크이다(AAIDD, 2022 : 107).
 - 지원체계는 한 개인의 발달과 권익을 증진시키고, 그 개인의 기능성과 삶의 질을 향상시키는 상호 연결된 자원 및 전략 네트워크이다(송준만 외, 2022 : 32).

**Check Point**

## ✎ 지원체계의 요소

| 요소 | 설명 |
|---|---|
| 선택 및 개인적 자율성 | • 선택하기와 자기결정을 발휘할 기회<br>• 법 앞에 한 개인으로 인정받고, 비장애인과 함께 동등한 기초에서 법적 능력을 누림<br>• 의사결정 지원을 통해 촉진됨 |
| 통합 환경 | • 장애인과 비장애인이 통합되고 가치 있게 여겨지는 자연적 환경 등<br>• 접근성이 자원, 정보 및 관계에 제공됨<br>• 지원은 성장과 발달을 장려하기 위해 제공됨<br>• 기회는 자율성, 능력 및 관계성과 관련한 심리적인 요구를 충족하기 위해 제공됨 |
| 일반적인 지원 | • 모든 사람이 이용 가능할 수 있는 지원<br>• 자연적 지원<br>• 테크놀로지<br>• 보철<br>• 생애를 통한 교육<br>• 정당한 편의(또는 합리적 조정)<br>• 존엄성과 존중<br>• 개인적 강점/자산 |
| 전문화된 지원 | 교육자, 의학적으로 훈련된 요원, 심리학자, 정신과 의사, 간호사 및 작업·물리 및 언어 치료를 제공하는 종사자들에 의해 제공되는 전문적으로 기반된 중재, 치료 및 전략 |

# 94    

**모범답안**

- ㉠ 다차원적(또는 인간 기능성의 다차원적)
- ㉡ 지원요구척도
  ㉢ 요구 순위
- ⓓ, 하위집단 분류는 지원요구 강도에 기초해야 하기 때문이다(또는 하위집단 분류는 지원요구 강도에 따른 분류가 선호되기 때문이다).

**해설**

㉠ 인간 기능성에 대한 다차원적 모델은 지적장애를 '인간 기능성에서의 제한성'이라는 관점에서 정의하고, 생태학적이며 다면적인 관점에서 장애를 개념화하며, 개인의 기능을 향상시키기 위한 개별화된 지원이 하는 역할의 중요성을 제시하고 있다(송준만 외, 2022 : 28).

㉡ 한 개인의 지원요구는 자기보고나 지원요구척도 등을 통하여 평가될 수 있다. 지원요구에 대한 객관적인 평가를 통해 어느 지원 영역에 어떤 유형의 지원이 얼마나 빈번하게 제공되어야 하는지 등이 분석된 이후에 개별화된 지원계획이 개발되어야 한다(송준만 외, 2022 : 35).
 - 지원정도척도(SIS)는 인쇄용지와 지필 형식, CD-Rom으로 된 전자검사, SIS 온라인 웹기반 검사, 태블릿이나 노트북 또는 데스크용으로 된 표준화된 검사로 지원요구에 대한 객관적인 평가를 통해 어느 지원 영역에 어떤 유형의 지원이 얼마나 빈번하게 제공되어야 하는지 등을 분석한 후 개별화된 지원계획을 수립할 수 있도록 한다(송준만 외, 2022 : 176).
 - 개인의 지원요구의 평가는 현재의 신뢰롭고, 타당하고, 개인적으로 실시되는, 종합적이며 그리고 지적장애인에게 규준화되고 지원요구 백분위점수를 산출하는 표준화된 지원요구 척도를 기반으로 한다(AAIDD, 2022 : 112).

㉢ SIS 점수는 장애인의 개별화지원계획을 수립하는 데 도움을 줄 뿐만 아니라, 개인의 요구 순위 및 필요한 지원 영역을 시각적으로 제공해 줌으로써 서비스 결정을 하는 데 실질적인 정보를 제공한다(송준만 외, 2022 : 176-177).

ⓓ 95% 신뢰구간(즉, 획득한 점수에 측정의 표준오차(SEM)의 두 배를 더하거나 뺀 값)은 개인의 진점수가 속하는 확실성을 확립하는 데 사용되어야 한다(AAIDD, 2021).

ⓒ 적응행동은 다음을 의미한다.

> • 발달적이고 연령에 따라 복잡성이 증가한다.
> • 개념적, 사회적 및 실제적 적응기술들로 구성된다.
> • 연령에 따른 기대 및 특정 맥락들에서의 요구와 관련이 된다.
> • 개인의 가정, 학교, 직장 및 여가에서의 최대 수행이 아닌, 전형적인 수행에 근거하여 평가된다.
> • 동년배 또래에게 전형적인 지역사회 환경들을 참조하여 평가된다.

ⓓ 선호되는 하위집단 분류는 지원요구 강도에 기초한다. 하위 집단 분류의 다른 잠재적인 목적은 개념적, 사회적 및 실제적 적응행동 제한성의 정도를 묘사하거나 혹은 지적 기능성 제한성의 정도를 묘사하는 것이다(AAIDD, 2021).

> • 2021년 AAIDD 지침서에서도 지적장애 영역에서의 분류는 진단 이후에 진행되는 선택사항이고, 분류가 되어야 한다면 지원 정도에 따른 분류체계가 가장 적절하다고 하였다(송준만 외, 2022 : 39).

## 95

**모범답안**

| | |
|---|---|
| 1) | 영수준의 추측 |
| 2) | ① 지역사회 참조 교수<br>② 다음 중 택 1<br>• 시간을 절약하고 위험성 등을 줄일 수 있다.<br>• 위험한 상황에 처할 수 있는 내용 등을 먼저 실행해 볼 수 있다. |
| 3) | ① ㉣, 다양한 자극과 반응이 포함되는 대표적인 예 중에서 최소한의 예를 선정해야 하기 때문이다.<br>② 비교수 상황에서 학습자의 수행이 일반화되었는지 평가한다. |

**해설**

1) 영수준의 추측이란 학급에서 배운 기술을 실제 사회생활에서 일반화하지 못할 수도 있다는 전제에 기반을 두고, 배운 기술을 여러 환경에서 일반화할 수 있는지를 시험해 봐야 한다는 개념이다. 일반화되지 않을 경우에는 기술이 사용될 실제 환경에서 가르쳐야 한다. 지역사회 중심 교수와 기능적 교육과정의 적용이 그 예이다(송준만 외, 2022 : 234).

2) ① 실제 지역사회의 도서실이 아닌 유치원 안에 있는 도서실을 이용하여 기능적 기술을 가르치는 교수방법은 지역사회 참조 교수에 해당한다.
② 지역사회 참조 교수나 지역사회 모의수업 등의 방법은 지역사회 중심 교수보다 시간을 절약하고 위험성을 줄일 수 있다. 또한 지적장애 학생이 준비 없이 외부에서 직접 지역사회 중심 교수를 적용할 경우 위험한 상황에 처할 수 있는 내용 등을 지역사회 참조교수나 지역사회 모의수업 등을 통해 먼저 실행해 보는 이점도 있다(송준만 외, 2022 : 251).

3) ① 교수 영역이 정해지면 그 영역 범위와 관련된 자극과 반응의 다양성의 모든 범위를 조사한다. 교수 전 영역의 자극과 반응 다양성을 조사하여 교수를 실시하기 위하여 공통의 특징을 갖는 자극으로 묶고 일정한 반응으로 나타는지 분류한다. 즉, 교수하고 평가할 사례를 선택한다. 교수 사례를 선택할 때에는 모든 자극 상황과 그때 요구되는 모든 반응이 포함되는 대표적인 사례이면서 최소한의 사례를 선택한다(송준만 외, 2022 : 252).

# 96 　　　　　　　　　　　2024 유아B-4

모범답안

| 1) | 활동 중심 삽입교수 |
|---|---|

해설

**지문 돋보기**

(가)
• 개별화교육계획의 목표행동을 일과/놀이 중에 연습할 기회를 다양하게 제공한다. : 활동 중심 삽입교수의 개념

(나)
• (재희를 보며) 기차놀이 해. : 재희가 한 단어(기차놀이!)로 말한 것에 대하여 두 단어(기차놀이 해)로 말하도록 놀이과정 중에 교수목표(두 단어로 말하기)를 연습시키고 있음

# 97 　　　　　　　　　　　2024 초등A-4

모범답안

| 1) | 궁극적 기능성의 기준 |
|---|---|

해설

1) 지적장애 학생의 교육과정내용을 결정할 때는 궁극적 기능성의 기준을 고려해야 한다. 이는 중도장애 학생을 위한 교육목표로서, 그들이 성인이 되어 일반인과 함께 자신의 잠재력을 최대한 발휘하여 기능할 수 있도록 하기 위한 것이다. 그리고 사회적 · 직업적 · 가정적으로 통합된 성인기 사회환경에서 최대한 생산적이고 독립적으로 활동하기 위해서 개개인이 반드시 소유하고 있어야 할 요소들이다. 이러한 기준은 학생이 성인으로서 또는 다음 해나 5년 후에 궁극적으로 일하게 될 환경에서 학생과 가족의 선호도, 생활연령의 적합성(또래와 비교하기), 문화적 요소를 고려해야 한다는 것이기도 하다. 따라서 지적장애 학생의 교육과정은 '생태학적 접근'에서 논의되어야 한다(송준만 외, 2022 : 233-234).

# 98 　　　　　　　　　　　2024 초등A-5

모범답안

| 1) | ⓒ 사회적 적응기술<br>ⓓ 실제적 적응기술 |
|---|---|
| 3) | ① 생태학적 목록<br>② 과잉일반화 |

3) ① 생태학적 목록은 학생들이 현재와 미래의 생활에서 기능을 발휘하기 위해 필요한 개별 기술을 찾을 수 있는 방법을 제공하는 가치 있는 조사표 혹은 관찰지 또는 평가도구이기도 하다(송준만 외, 2022 : 247).
② 지적장애 학생은 한 가지를 배우면 다른 것에 지나치게 적용하는 과잉일반화의 문제를 나타내기도 한다.
• 특정 행동이 지나치게 포괄적인 자극 범주에 의해 통제된 결과를 일컫는다. 지시 사례나 상황과 어느 정도 유사한 자극이지만 목표행동을 보여서는 안 되는 상황이 있다. 이러한 상황에서 학습자가 그 유사 자극에 반응하여 목표행동을 보인다면 이를 과잉일반화라 한다(Cooper et al., 2018).

## 99                                      2024 초등B-5

**모범답안**

2)
① 부분참여의 원리
② 학생으로 하여금 더 많은 수의 활동들에 참여할 기회를 상실하게 하고 있다.

**해설**

2) ① 부분참여란 중도·중복장애 학생이 어떤 활동이나 과제의 모든 면 또는 단계에 참여하지 못하더라도 그가 할 수 있는 활동의 일부분에라도 최대한 의미 있는 참여를 하게 하는 것을 의미한다.
② 민우가 최대한으로 독립적으로 참여할 수 있도록 하는 데만 초점을 둠으로써 음식 만들기의 다른 활동에 참여할 기회를 잃고 있다. 따라서 ©은 잘못된 부분참여의 원리 적용 유형 중 참여기회 상실에 해당한다.

**Check Point**

### ☑ 잘못된 부분참여의 원리 적용 유형

| | |
|---|---|
| 수동적 참여 | 장애를 가진 학생들이 자연스러운 환경에 배치되었으나 적극적으로 활동에 참여하도록 허락하는 대신에, 또래들이 활동에 참여하는 것을 관찰하는 기회만 제공되는 것 |
| 근시안적 참여 | 교사가 교육과정의 관점들 중 한 가지 혹은 몇 가지만을 좁은 시야로 집중하고, 학생이 학습의 전반적인 기회들로부터 이득을 보지 못하도록 하는 것 |
| 단편적 참여 | 학생이 몇몇 활동들에 부정기적으로 참여하는 것 |
| 참여기회 상실 | 학생이 독립적으로 활동하기 위해 너무 많은 시간과 노력을 기울이게 함으로써 학생으로 하여금 더 많은 수의 활동에 참여할 기회를 상실하게 하는 것 |

## 100                                     2024 중등A-11

**모범답안**

• © 영수준의 추측

**해설**

**지문 돋 보기**

• 바리스타 수업 시간에 카페 관련 직무를 연습 : 카페 관련 직무를 학급에서 배우는 것임
• 일반화가 쉽게 이루어지는 것은 아니니까요. : 학급에서 배운 기술이 일반화되지 못할 수도 있음을 의미

## 101                                      2025 유아B-2

**모범답안**

3)
① 선택하기 기술
② 외부지향성

**해설**

3) ① 동호에게 공룡 가지고 놀기와 집 만들기 중 원하는 것을 고르게 하는 것은 자기결정 행동의 구성 요소 중 선택하기 기술에 해당한다.
• 선택은 두 가지 이상 혹은 그 이상의 대안 중 자신의 선호성에 따라 한 개의 사항을 선택하는 것으로 모든 사람들의 삶에 중요한 권리로 인식되고 있다(정희섭 외, 2013 : 42).
② 동호는 반복된 실패로 인해 학습된 무기력을 보이고 있으며, 이로 인해 자신이 할 수 있음에도 불구하고 주원이에게 의존하려 하고 있다. 이와 같이 외적 단서에 지나치게 의존하는 지적장애의 심리적 특성은 외부지향성이다.
• 실패를 회피함으로써 생기는 또 다른 문제는 외부지향성이다. 이것은 문제를 해결할 때 자신의 내적인 인지능력을 사용하기 이전에 외부에서 단서를 찾으려고 하는 것이다. 지적장애 학생의 경우 해결해야 할 문제가 있을 때 교사나 부모의 도움으로 해결하려는 모습을 종종 보이곤 한다. 외부지향성은 지적장애만의 특성은 아니다. 그렇지만 대부분의 지적장애 학생은 그들의 낮은 능력 때문에 스스로 할 수 없다고 믿어 결과적으로 잦은 실패를 경험하게 된다. 성공했을 경우에도 그들의 힘이 아니라 교사나 부모가 도와주었거나 문제가 쉬웠기 때문이라고 여기기 쉽다. 이와 같은 부적절한 귀인은 학업과 사회성에서 자신감 결여와 같은 부정적인 자아인식을 가져오게 되고, 이는 다시 학업과 사회적 실행에 부정적인 결과를 가져오게 된다(송준만 외, 2022 : 122).

## 102

모범답안

| 2) | ① 부분참여<br>② 근시안적 참여 |

해설

2) ① 지문은 유아가 모든 단계에서 독립적으로 수행할 수 는 없더라도 활동에 참여할 수 있도록 지원해 주는 방법을 무엇이라고 하는지 묻고 있다.
- 신체적 장애로 인해 스스로 하지 못하는 학생은 부분 참여하게 함여 모든 단계의 기술을 독립적으로 수행하지는 못하더라도 각 단계에서 도와주는 사람에게 협조하는 역할을 지도한다(강혜경 외, 2023 : 268).

② 최 교사는 주아에게 전반적인 기회를 제공하지 않고 기능적이지 않은 활동에만 참여하도록 하고 있다. 이는 잘못된 부분참여의 원리 적용 유형 중 근시안적 참여에 해당한다.

Check Point

### ☑ 잘못된 부분참여의 원리 적용 유형

| 수동적 참여 | 장애학생들이 자연스러운 환경에 배치되었으나 적극적으로 활동에 참여하도록 허락하는 대신에, 또래들이 활동에 참여하는 것을 관찰하는 기회만 제공되는 것 |
| 근시안적 참여 | 교사가 교육과정의 관점들 중 한 가지 혹은 몇 가지만을 좁은 시야로 집중하고, 학생이 학습의 전반적인 기회들로부터 이득을 보지 못하도록 하는 것 |
| 단편적 참여 | 학생이 몇몇 활동들에 비정기적으로 참여하는 것 |
| 참여기회 상실 | 학생이 독립적으로 활동하기 위해 너무 많은 시간과 노력을 기울이게 함으로써 학생으로 하여금 더 많은 수의 활동들에 참여할 기회를 상실하게 하는 것 |

## 103

모범답안

| 2) | 기능적 |

해설

2) [B]의 주된 내용은 읽기가 교과 학습을 위한 것이 아니라 지역사회에서 독립적으로 살아가기 위해 요구되는 기술이라는 점이다.
- 기능적 기술은 다양한 환경에서 아동의 삶에 의미 있고 즉시 사용 가능한 기술을 말한다. 자연스러운 환경인 가정, 직장, 지역사회 환경에서 요구되는 기술로, 특히 중도장애 학생이 활동할 것으로 기대되는 환경에서 찾아볼 수 있는 기술을 의미한다(송준만 외, 2022 : 246).

Check Point

### ☑ 발달적 기술과 기능적 기술

| 발달적 기술 | 기능적 기술 |
| --- | --- |
| • 10분 동안 100개의 압정을 보드에 꽂기<br>• 색깔별로 장난감을 정리하기<br>• 인형을 이용하여 눈, 코, 입 찾기<br>• 유아용 프로그램을 보며 율동 따라 하기<br>• 10, 100, 1000, 10000의 단위 알기<br>• 알파벳의 대문자와 소문자 읽기<br>• 구슬 꿰기 | • 동전을 이용하여 자동판매기에서 물건 사기<br>• 세탁을 위해 흰옷과 색깔 옷을 구분하기<br>• 휴지를 사용하여 코 풀기<br>• 또래들에게 인기 있는 최신 음악 듣기<br>• 만 원 이내의 돈 계산하기<br>• 지역사회 내 표지판(화장실, 멈춤) 읽기<br>• 신발 끈 묶기 |

출처 ▶ 강혜경 외(2023 : 87)

## 104

**모범답안**

1)  최소위험가정 기준

**해설**

1) 최소위험가정 기준이란 결정적인 자료가 있지 않는 한, 학생에게 최소한의 위험스러운 결과를 가져오게 해야 한다는 가정에 기반하여 교육적 결정을 내려야 한다는 개념이다. … (중략) … 지적장애 학생이 배우지 못한다는 것이 증명되지 않았기 때문에, 결정적인 증거가 없는 한 아무리 지적장애의 정도가 심하다 할지라도 최선의 시도를 통해 교육 가능성의 신념을 실현해야 한다(송준만 외, 2022 : 234).

**Check Point**

### 📝 지적장애 학생의 교육과정 구성 및 운영을 위한 기본 전제

| | |
|---|---|
| 연령에 적절한 교육과정 | • 지적장애 학생의 교육과정은 생활연령에 적합한 내용으로 구성되고 적용되어야 함<br>• 중도 지적장애 학생 역시 일반 또래 학생들을 위한 활동에도 참여할 필요가 있음<br>• 기능적이고 연령에 적합한 행동들은 자연적인 환경에서 더 쉽게 강화될 것이며, 결과적으로 학습된 행동들은 유지가 용이함 |
| 궁극적 기능성의 기준 | • 중도 장애학생을 위한 교육목표로서, 그들이 성인이 되어 최소제한적 환경에서 일반인들과 함께 자신의 잠재력을 최대한 발휘하여 기능하기 위해 개개인이 꼭 소유하고 있어야 할 요소들<br>• 학생과 가족의 선호도, 생활연령의 적합성, 문화적 요소 고려 |
| 최소위험 가정 기준 | • 결정적인 자료가 있지 않는 한 교사는 학생에게 최소한의 위험스러운 결과를 가져오는 가정에 기반하여 교육적 결정을 내려야 한다는 개념<br>• 한 학생을 교육하기 위해 드는 비용이 향후 보호 혹은 관리를 위해 드는 비용보다 더 크지 않으며, 오히려 교육을 통해 독립성이 향상되고 관리가 쉬워지거나 관리할 부분이 줄어들 수 있도록 하는 기술을 배울 수 있다면 실제로 비용 효과적인 면에서 더 이득이 되는 것임. 따라서 지적장애 학생이 배우지 못할 것이라는 점이 증명된 것이 없기 때문에, 결정적인 증거가 없는 한 아무리 지적장애의 정도가 심하더라도 최선의 시도를 통해 교육 가능성 신념을 실현함 |

| | |
|---|---|
| 영수준의 추측 | • 학급에서 배운 기술들이 실제 사회생활에서 일반화하지 못할 수도 있다는 전제에 기반을 두고, 배운 기술들을 여러 환경에서 일반화할 수 있는지를 시험해 봐야 한다는 개념<br>• 일반화가 되지 않을 경우에는 기술이 사용될 실제 환경에서 가르쳐야 함<br>• 학생들이 기능적 기술들을 자연스럽게 습득할 것이라고 추측하는 대신 지적장애 학생들에게 성인이 된 이후에 필요한 기술들을 가르치는 교육과정 적용 |
| 자기결정 증진 | • 자기결정 : 선택할 수 있는 범위를 고려해서 적절한 결정을 하고, 자율적 의지와 독립성, 그리고 행동에 대한 책임을 가지는 개인의 능력<br>• 자기결정을 잘하는 사람은 질적인 삶을 위해 바람직한 목표를 설정하고 성취할 수 있음<br>• 지적장애 학생은 자기결정의 권리를 가지고 자신의 삶을 통제하고 스스로 옹호할 수 있는 기회와 경험을 가져야 함<br>• 자기결정 증진에 유익한 기술 : 선택하기, 의사결정, 문제해결기술, 목표설정 및 달성, 독립성, 자기평가와 자기강화, 자기교수, 자기옹호와 리더십, 효능성 및 성과 기대에 대한 긍정적 귀인, 자기인식, 자기지식 등 |

## 105

**모범답안**

• ㉠ 개념적 적응기술(또는 개념적 기술)
• ㉢ 파지
  ㉣ 지시를 따르지 않는 동료가 부정적 결과를 받지 않는 것을 관찰한 후에 본인도 지시를 따르지 않는 행동을 한다.

**해설**

㉠ 읽기, 자기지시 및/또는 미래 생활 활동들을 조정하거나 계획하는 데 어려움이 있는 것은 개념적 적응기술에 해당한다.
  • AAIDD의 12차 정의(2021)에는 적응행동의 하위 영역 명칭을 개념적 적응기술(또는 개념적 기술), 사회적 적응기술(또는 사회적 기술), 실제적 적응기술(또는 실제적 기술)로 제시하고 있다.

㉢ 탈금지란 모델이 부정적인 결과를 경험하지 않고 위협적이고 금지된 활동을 수행했을 때 발생하는 것으로 모델이 금지된 행동을 한 후, 보상을 받거나 부정적 결과를 받지 않는 것을 관찰한 후에 평소 억제하고 있던 그 행동을 수행하는 것을 가리킨다(송준만, 2022 : 303). 따라서 모델이 지시를 따르지 않았음에도 보상을 받거나 부정적 결과를 받지 않는 것을 관찰한 후에 관찰자인 학생도 지시를 따르지 않는다는 내용으로 예를 작성해야 한다.

**106** 〔2025 중등A-12〕

**모범답안**
• 삽입교수

**해설**

**지문 돋보기**
• 학생 K에게 필요한 구체적인 의사소통 기술을 파악하고, 학습 목표를 세워요. : 교수목표 점검 및 수정
• 학생 K의 목표 기술 학습을 위한 교수 기회를 구상하고 : 학습 기회 구성
• 그때 사용할 교수 전략도 미리 계획해요. : 삽입교수 계획
• 학생 K가 등교하여 하교할 때까지 자연스러운 일과 내에서 배워서 사용할 수 있는 의사소통 기술을 분산하여 연습할 수 있도록 가르치고 있어요. : 삽입교수 실시
  - 학생 K가 등교하여 하교할 때까지 자연스러운 일과 내에서 : 자연스러운 일과 및 활동 내에서
  - 분산하여 연습할 수 있도록 가르치고 있어요. : 분산시행
• 의미 있는 맥락에서 목표 기술을 즉각적으로 사용할 수 있게 하고, 일반화도 촉진시킬 수 있다는 장점 : 전략의 장점

전략 명칭) 지문은 삽입교수의 실행 절차에 맞춰 기술되어 있으며, 동시에 삽입교수의 장점 두 가지가 제시되어 있다.

**Check Point**

(1) 삽입교수 실행 절차

| 단계 | 절차 | 주요 실행 내용 |
|---|---|---|
| 1단계 | 교수목표 점검 및 수정 | 개별 장애학생의 개별화교육계획 교수목표와 학급에서 진행될 일과와 활동의 교수목표를 검토하여 장애학생의 개별 교수목표를 기존의 일과와 활동 중에 삽입하여 교수할 수 있는 형태로 재서술한다. |
| 2단계 | 학습기회 구성 | 일과와 활동 계획을 분석하여 개별 장애학생의 교수목표를 삽입하여 교수할 수 있는 적절한 학습 기회를 판별한다. |
| 3단계 | 삽입교수 계획 | 개별 장애학생의 교수목표를 판별된 학습 기회에 삽입하여 교수할 수 있도록 교수전략 및 평가 계획을 포함한 구체적인 교수계획을 작성한다. |
| | 삽입교수 실시 | 전 단계에서 수립한 계획에 따라 삽입교수를 실시한다. 일과와 활동이 진행되는 중에 삽입교수가 성공적으로 실시되기 위해서는 교수계획에 대한 교사의 숙지가 반드시 필요하며, 교수 실시에 대한 중재 충실도를 점검하는 것이 좋다. |
| | 삽입교수 평가 | 삽입교수 실시에 대한 평가를 실시한다. 즉, 장애학생이 자신의 교수목표를 성취하였는지에 대하여 교수계획에 포함된 평가 계획에 따라 진도 점검을 실시한다. 이때 진도 점검은 계획에 따라 정기적으로 실시하는 것이 좋으며, 그 결과는 이후에 교수계획을 수정하기 위한 기준 자료로 활용된다. |

출처 ▶ 이소현(2020)

(2) 삽입교수의 장점
① 중도·중복장애 학생이 소속된 학급 운영과 활동 진행에 큰 변화를 요구하지 않는다.
② 중도·중복장애 학생을 별도로 분리해서 교육할 필요 없이 일반적인 학급 운영의 틀 내에서 교수할 수 있다.
③ 학급 내 자연적인 환경에서 교수가 일어나기 때문에 새로 습득한 기술의 즉각적이고도 기능적인 사용 능력을 증진시킬 수 있다.
④ 중도·중복장애 학생의 하루 일과 및 활동 전반에 걸쳐 삽입학습 기회가 체계적으로 제공됨으로써 새롭게 학습한 기술의 사용 능력이 다양한 상황으로 일반화될 수 있다.

## 107

모범답안

• ㉠ 지역사회 모의 수업
• ㉡ 궁극적 기능성의 기준에 근거할 때, 학생 K가 성인이 되어 통합된 환경에서 최대한 독립적이고 생산적으로 활동하기 위해서는 지하철 이용방법을 배워야 하기 때문이다.
• ㉢ 의사소통

해설

㉡ 궁극적 기능성의 기준은 중도장애 학생을 위한 교육목표로서, 그들이 성인이 되어 일반인과 함께 자신의 잠재력을 최대한 발휘하여 기능할 수 있도록 하기 위한 것이다. 그리고 사회적·직업적·가정적으로 통합된 성인기 사회환경에서 최대한 생산적이고 독립적으로 활동하기 위해서 개개인이 반드시 소유하고 있어야 할 요소들이다. 이러한 기준은 학생이 성인으로서 또는 다음 해나 5년 후에 궁극적으로 일하게 될 환경에서 학생과 가족의 선호도, 생활연령의 적합성(또래와 비교하기), 문화적 요소를 고려해야 한다는 것이기도 하다(송준만 외, 2022 : 233).

㉢ 특수교사가 제시한 상황에 따라 단호한 태도를 취하는 법, 다른 사람의 말을 잘 듣고 협의하는 법, 상대방을 설득하거나 때로는 양보하는 기술은 자기옹호의 구성요소 중 의사소통을 구성하고 있는 내용에 해당한다.

지문 돋보기

• 상황에 따라 단호한 태도를 취하는 법 : 단호한 태도
• 다른 사람의 말을 잘 듣고 협의하는 법 : 듣기, 협상
• 상대방을 설득하거나 때로는 양보하는 기술 : 설득, 양보

Check Point

### ✎ 자기옹호의 구성요소

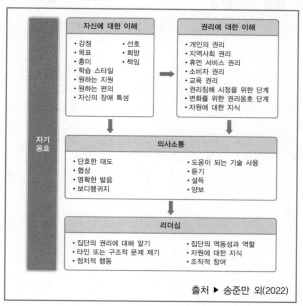

출처 ▶ 송준만 외(2022)

김남진
**KORSET** 특수교육
기출분석 **2**

PART 05

# 학습장애아교육

KORea Special Education Teacher

**01**              2009 유아1-6

정답 ②

해설

ㄷ. 교사는 학생의 인지적 수준에 맞춰 애매하지 않고 분명
하게 질문하여야 한다.

ㅁ. 질문에 대한 아동의 정반응이 증가하면 교사는 언어적
암시를 점차 감소시킨다.

**Check Point**

📝 **직접교수**

직접교수법의 특징은 크게 내용 조직 방식과 교사의 수업
진행 방식에서 찾아볼 수 있다.

① 내용을 조직하고 제시할 때 논리적 위계와 과제 분석
기법 원리를 적용한다. 즉, 직접교수법 주장자들은 기본
적으로 학습장애 아동과 같이 학업부진 아동이 잠재력
이나 현재 학습능력에 있어서 훨씬 불리한 위치에 있다
고 전제한다. 따라서 이들에게는 스스로 원리나 내용을
깨닫도록 하기보다는 교사가 직접 명료하게 가르쳐 주
어야 한다.

② 교사의 수업 진행 방식과 관련하여 직접교수법에서는
기본적으로 자극과 반응 간의 관계에 관한 행동주의적
입장을 취한다. 이에 따르면, 기본적으로 인간은 환경으
로부터 영향을 받기 때문에 환경을 잘 설계하면 얼마든
지 목표로 하는 학습상태에 도달하도록 할 수 있다. 이
때 환경과 학생을 매개하는 것이 바로 교사와 학생 사
이의 의사소통 과정이다. 이 의사소통 과정은 대체로 교
사가 학생에게 내용을 전달해 주는 과정이 중심을 이룬
다. 다분히 행동주의적 사고방식에 토대를 두고 있는 직
접교수법에 따르면, 교사의 의사소통 방식이나 교재가
학생들에게 일차적으로 애매하지 않고 분명해야 한다.
정확하고 뚜렷하게 원하는 행동을 보여주고 학생들로
하여금 실행해 보도록 하는 것이다. 그리고 결국에 가서
는 혼자서도 할 수 있도록 도움을 주는 정도를 점점 줄
여 나간다.

출처 ▶ 이대식 외(2016 : 279-280)

**02**              2009 중등1-11

정답 ⑤

해설

명시적 교수란 분명하고 정확하면서 애매하지 않게 내용을
전달하는 것이다(김동일 외, 2016 : 275). 문제에서 4, +, 2
등은 모두 추상물에 해당한다. 이 중 4와 2에 대한 이해를
좀 더 구체화시키기 위해(또는 분명히 하기 위해) 각각의
숫자 위에 반구체물에 해당하는 동그라미 그림을 추가적으
로 제시하였다.

**Check Point**

(1) **명시적 수업을 위한 요소**

어떤 수업이 명시적이려면 다음과 같은 요소들을 포함해야
한다.

① 문제를 풀거나 과제를 해결해야 하는 상황이라면 교사
가 먼저 그것을 어떻게 풀거나 해결하는지 학생들이 이
해하기 쉽게 시범을 보여 주어야 한다. 이때 중요한 점
은 시범은 어디까지나 학생이 이해하고 따라 할 수 있을
정도로 명쾌하고, 구체적이며, 분명해야 한다는 것이다.

② 시범 후에 곧바로 학생이 문제를 풀거나 과제를 해결하
도록 요구하기보다는 비계설정 원리를 적용하여 점진
적으로 지원을 감소해 나가면서 궁극적으로 학생이 혼
자 해결해 나갈 수 있도록 한다.

③ 초기 학습 단계에서 다른 것과 혼동하거나 정확하게 이
해하지 못하는 일이 없도록 가급적 충분하고 다양한 예
를 동원하여 변별 연습을 확실하게 시킨다.

출처 ▶ 김동일 외(2016 : 275)

(2) **교수매체의 연속적 특성**

① 특수교육 교육과정 중 기본교육과정을 적용받는 학생은
물론 학습장애 학생의 수학과 교육에도 교수매체의 연
속적 특성[구체물(concrete) → 반구체물(semiconcrete)
→ 추상물(abstract)]을 이용한 수업은 효과적이다.

② Ginsberg에 의하면 수학 학습은 단계적인 과정으로 단
계가 점차적으로 증가하는 연속체이므로, 수학 학습이
진행됨에 따라 지식은 구체적인 것에서 추상적인 학습
으로, 불완전한 것에서 완전한 지식으로 그리고 비체계
적인 것에서 체계적인 사고로 구축된다는 것이다.
Rivera와 Bryant 역시 수학 개념을 지도하기 위한 보조
교재 및 교구 등은 일반적으로 구체물 - 반구체물 -
추상물 등의 순서에 따라 사용하는 것이 효과적임을 언
급했다.

③ Miller와 Mercer에 의해 제시된 구체적인 것에서 추상
적인 학습으로의 학생 발달을 도와주기 위한 연속적인
세 단계의 수학교육은 다음과 같다.

⊙ 구체화 단계 : 아동들이 실제적인 학습자료를 이용하는 단계로 환경에서 접할 수 있는 블록, 주사위, 카드나 자리 값 막대기 등을 이용한다. 아동은 신체적으로 만지고 이동하고 수 문제를 해결하기 위하여 이들 물체를 조작한다.

⊙ 반구체화 단계 : 학생이 구체화 단계의 기술을 성취하면 교육은 반구체화나 표현 단계로 진보한다. 학생은 그림이나 종이로 만든 타일을 이용하여 수학 문제의 해결에 필요한 구체적인 물건을 표현한다.

⊙ 추상화 단계 : 이 단계에서 학생들이 수학적 문제를 해결하기 위하여 반구체화 그림이나 타일 없이 단지 수만을 이용한다.

출처 ▶ 김남진 외(2017 : 178)

(3) 기본적인 수학 개념 이해

① 수학 개념을 지도하기 위해서는 일반적으로 구체물 − 반구체물 − 추상물 등의 순서에 따라 보조 교재나 교구 또는 구체물(예 콩, 블록, 나무젓가락, 빨대, 사탕, 모형 과일 등)을 사용하는 것이 효과적이다.

② 수학적 추리 또한 이러한 'CSA' 순서에 따라 지도하는 것이 효과적이다.

③ 하지만 학습장애 아동들은 주의가 산만하고 구체물을 다루는 데 서투르기 때문에 지나치게 주의를 끄는 요소를 갖추었거나 크기나 촉감 때문에 다루기 힘든 것(예 바둑알, 콩알 등) 등은 가급적 사용하지 말아야 한다. 때로는 구체물보다 반구체물을 사용하는 것이 더 효과적인 경우도 있다.

출처 ▶ 김동일 외(2016 : 287)

## 03

정답 ①

해설

• 유창성이란 빠르고(속도) 정확함을 의미한다.

• 기본 연산의 숙달 정도는 보통 10% 이하의 오류를 보이는 경우로 하는 것이 좋다. 일부 학자들은 20%를 주장하기도 하나, 이후 연산에서 기본 연산이 차지하는 중요성에 비추어 봤을 때 적어도 90% 정도는 정확하게 연산을 해야 할 것이다. 보다 복잡한 연산을 위해서는 단순 연산 해결 능력이 유창해야 하지만, 수학학습장애 학생들의 경우 문제해결 전략이나 절차는 훈련이나 연습으로 어느 정도 습득이 가능하더라도 특히 단순 연산을 빠르고 정확하게 처리하는 능력에서 일반학생들과 큰 차이를 보인다(김동일 외, 2016 : 293−294).

## 04

정답 ③

해설

ㄱ. 질문지는 응답 형식에 따라 구조적 질문지와 비구조적 질문지로 나뉜다. 구조적 질문지가 반응이 나올 만한 여러 개의 유목 혹은 선택지를 미리 주어 선택하게 하는 방법이라면, 비구조적 질문지는 주어진 질문에 대해 비교적 자유롭게 반응하도록 하는 방법으로 자유반응형 질문지라고도 불린다(황정규 외, 2020 : 171). 자유반응형은 질문에 자유롭게 응답하는 측정방법으로, 예를 들어 '귀하가 가장 중요시하는 가치가 무엇인지 설명하시오.' 등 질문에 명예라든지, 권력이라든지, 경제력이라든지 등의 의견을 진술하는 질문 형태이다(성태제, 2020 : 145).

보기에 제시된 자기보고법은(서술형)은 서면이나 면대면 인터뷰를 통해 사회적 기술과 관련된 자기 상태를 표현하는 방식이다. 교우도 검사나 평정척도검사 등도 넓은 의미로는 자기보고에 의존하지만, 매우 구조화되어 있다는 점에서 자유서술식의 자기보고나 인터뷰와는 차이가 있다. 서술형 자기보고법은 시행이 간편하고 짧은 시간에 많은 사람을 대상으로 많은 문항을 물어볼 수 있다는 점에서 편리하고 간편하다. 또한 자료를 수량화하여 통계 처리하고 이를 수나 표로 제시할 수 있다. 반면 단점은 사회적 타당도를 보장할 수 없다는 점이다. 행동과 생각의 괴리도 문제다. 특정 상황에서 특정 사회적 기술을 구사해야 한다는 것을 이야기할 수 있다는 것과 실제로 그렇게 하는 것과는 특히 경쟁적인 대안 행동이 가능할 경우에는 별 관련이 없다(이대식 외, 2016 : 322). 따라서 신뢰도와 사회적 타당도를 보장할 수 없다고 하는 것이 적절하다.

ㅁ. 지명도 측정법(또는 또래지명법)은 신뢰도가 높고 타당하기는 하지만, 어떤 아동이 훈련의 결과로 사회적 기술을 갖게 되었어도 실제로 또래들에게 그러한 변화가 감지되기까지는 일정한 시간이 걸린다.

**Check Point**

(1) 질문지법 : 자기보고방법

① 질문지의 특징

⊙ 질문지는 어떤 문제에 관하여 작성된 일련의 질문에 대해 피험자가 대답을 기술하도록 하는 방법이다.

⊙ 장점 : 많은 사람을 대상으로 단시간에 실시할 수 있고 그 결과 또한 비교적 신속하게 처리 가능

⊙ 정의적 특성을 측정하기 위한 예비적 탐색으로 활용 가능

② 질문지의 분류

질문지는 응답 형식에 따라 구조적 질문지와 비구조적 질문지(통 자유반응형 질문지)로 나뉜다.

PART **05**

　ⓐ 구조적 질문지
　　• 반응이 나올만한 여러 개의 유목 혹은 선택지를 미리 주어 선택하게 하는 방법
　　• 장점 : 미리 구체적이고 제한된 선택지를 주기 때문에 결과 처리가 수월
　ⓑ 비구조적 질문지
　　• 주어진 질문에 대해 비교적 자유롭게 반응하도록 하는 방법
　　• 장점 : 반응자가 자유롭게 그리고 창의적으로 반응할 수 있으며, 특히 표출된 행동 뒤에 숨은 잠재적 행동으로의 동기, 흥미, 태도, 가치관, 의견 판단 등에 관한 정보 파악 가능
　　• 질적으로 접근하고자 할 때나 구조적 질문지를 제작하기 위한 사전조사 혹은 탐색조사로서 의의

③ 질문지법의 장점과 결함
　질문지법의 가장 큰 장점은 간편성이다. 다른 방법에 비해 적은 자원으로 많은 자료를 짧은 시간에 얻을 수 있다. 질문자와 응답자의 관계가 비교적 원만히 이루어질 수 있다. 면접이나 관찰에서는 직접 대면하기 때문에 피험자에게 영향을 미쳐서 결과가 왜곡·편파되게 나올 가능성이 많다. 따라서 피험자의 의견, 태도, 감정, 가치관 등과 같은 자아의 심층적인 심리는 질문지가 효과적이다. 질문지는 자기 자신의 감정이나 정서, 태도에 비해 비교적 구사하기 쉬운 언어를 매개로 하기 때문에, 또 익명으로 대답을 요구하는 경우가 많아 잠재적 행동 특성을 측정하기가 용이하다.
　그러나 질문지는 언어능력, 표현능력에 의존하는 바가 크기 때문에 그러한 능력이 신뢰성 없으면 질문지의 결과도 믿을 수 없다. 또한 질문지에 보여 준 의견이 '거짓'인지에 대해서는 확인하기 어렵다.

출처 ▶ 황정규 외(2016 : 171-172)

**(2) 사회적 기술 평가 방법**

| 또래지명법<br>(지명도<br>측정법) | | 대상 아동이 또래에게 어떻게 인지되고 있는지를 알아보는 데 유용한 방법 |
|---|---|---|
| | 단점 | • 신뢰도가 높고 타당하기는 하지만 거부되는 아동의 경우 그 이유가 해당 아동이 사회적으로 무관심하기 때문인지 아니면 적극적으로 배척당하기 때문인지 구별하지 못한다.<br>• 문제행동을 보이는 학생을 신뢰도 높게 추출해 낼 수는 있지만, 교사로 하여금 훈련을 시킬 구체적인 문제행동이나 사회적 기술에 대해서는 정보를 제공해 주지 않는다.<br>• 어떤 아동이 훈련의 결과로 사회적 기술을 갖게 되었어도 실제로 또래들에게 그러한 변화가 감지되기까지는 일정한 시간이 걸린다. |
| 행동평정척도 | | 사회적 기술 소유 정도를 아동 자신, 또래, 부모 혹은 교사로 하여금 평정하게 하는 방법 |
| | 장점 | • 짧은 시간에 많은 항목을 조사할 수 있다.<br>• 연구자나 조사자가 의도한 측면을 적절한 문항 개발을 통해 비교적 구체적으로 자세히 알아볼 수 있다.<br>• 서로 다른 상황이나 집단 내에서 아동의 사회적 기술 상태를 상대적으로 비교해 볼 수 있다. |
| | 단점 | • 실제 특정 환경에서 특정 시간에 피험자가 특정 사회적 기술을 구사할 것인지에 대해서는 거의 알려 주는 바가 없다. : 사회적 기술이 무엇이고 어떻게 해야 하는지 아는 것과 실제로 행하는 것 간에는 차이가 있기 때문<br>• 검사의 결과는 전적으로 피험자의 반응에 의존하기 때문에 피험자의 실제 사회적 기술의 구사보다는 피험자의 주관과 감정 그리고 의도에 따라 결과가 달라질 수 있다.<br>• 평정척도 자체의 특성에서 오는 타당성의 문제이다.<br>**예** 5점 척도 '아주 그렇다'와 '약간 그렇다'(4점), '보통이다'(3점), '약간 그렇지 않다'(2점), '항상 그렇지 않다'(1점)에서 '보통'과 '아주 그렇지 않다' 간 차이는 2점이고 '항상 그렇지 않다'와 '아주 그렇지 않다' 간 차이는 4점이다. 하지만 이것이 후자가 전자의 두 배를 의미한다고 볼 수는 없다. |
| 자기보고법<br>(서술형) | | 서면이나 면대면 인터뷰를 통해 사회적 기술과 관련된 자기 상태를 표현하는 방식 |
| 직접 관찰법 | | • 관찰 상황을 어떻게 구성하느냐에 따라 구조화된 환경에서의 관찰과 비구조화된 환경에서의 관찰로 나눌 수 있다.<br>• 관찰내용은 수량화하거나 유목화할 수 있는 것뿐만 아니라 질적인 사항까지 포함해야 한다.<br>• 관찰의 성공 여부는 관찰도구의 치밀성에 따라 달라진다. |
| 행동 간<br>기능(적)<br>연쇄성<br>분석 | | • 사회적 기술 문제 진단에서부터 문제해결에까지 이르도록 해주는 진단 및 처방 방법<br>• 문제나 지도 방법을 미리 정하지 않고 구체적이고도 종합적인 문제행동과 그 환경 변인의 기능 평가 자료에 근거하여 그때그때 형성된 가설에 따라 문제와 지도 방법을 결정한다. |
| 사회적 거리<br>추정법 | | 일련의 문항을 제시하고 한 명의 학생에 대해 모든 학생들에게 반응하도록 함으로써 특정 개인이 집단을 수용-거부하는 정도는 물론 집단이 특정 개인을 수용-거부하는 정도를 분석할 수 있다. |

**05** |                                    2009 중등1-38

정답 ④

해설

ㄱ. A가 보이는 인지결함 문제를 측정하여 그 기술을 향상
시키는 방법은 인지처리과정 결함 접근법(또는 인지처
리 결함 접근법)에 해당한다.

ㄹ. 중재반응 모델은 학습 문제를 해결하기 위해 일단 효과
적인 개입을 투입하고 본다는 측면에서 문제해결식 접
근이라고도 할 수 있다(이대식, 2020 : 84). 즉, 기존의
학습장애 선별 방법이 특정 시점에서의 또래 간 횡단적
인 자료 분석에 근거하고 있다면, 중재반응 모델은 효과
적인 교육을 투입하고 난 후 서로 다른 두 시점에서 그
영향을 분석 대상으로 하고 있다는 점에서 종단적인 문
제해결식 접근이라고 할 수 있다(김동일 외, 2016 : 60).

ㅁ. 지능지수와 학업성취도의 차이를 확인하는 진단 모델
은 능력-성취 불일치 모델에 해당한다.

**Check Point**

(1) 중재반응 모델
① 개요
　ㄱ 조기선별과 조기중재를 강조한 모델이다.
　ㄴ 교육환경에서 제공되는 다양한 교육적 중재에 대한
　　아동의 반응을 연속적인 과정으로 평가하여 학습장
　　애를 진단하는 모델이다.
　ㄷ 효과적인 교육적 중재를 제공했음에도 불구하고 학
　　생이 중재에 반응하는 정도가 또래 학생들에 비해서
　　현저하게 낮을 때 학생을 학습장애로 진단한다.
　ㄹ 중재에 반응하는 것을 단순히 수행 수준만 보는 것
　　이 아니라 중재에 반응하는 정도를 볼 때 '이중 불일
　　치'를 사용한다.
② 목적
　ㄱ 선별과 예방을 통하여 위기에 처한 아동들을 선별하
　　고 그 진전도를 분석함으로써 조기예방이 가능하도
　　록 한다.
　ㄴ 모든 아동을 위한 일반교육 교육과정이 가능하도록
　　하고 효과적인 중재를 제공함으로써 조기중재를 가
　　능하도록 한다.
　ㄷ 효과적인 중재에 대한 아동의 반응을 통해 학습장애
　　를 결정한다.

③ 유형
　• 3단계 예방모델

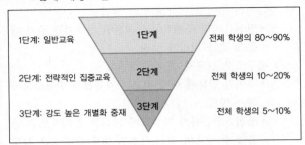

| | |
|---|---|
| 1단계: 일반교육 | 1단계 | 전체 학생의 80~90% |
| 2단계: 전략적인 집중교육 | 2단계 | 전체 학생의 10~20% |
| 3단계: 강도 높은 개별화 중재 | 3단계 | 전체 학생의 5~10% |

(2) 인지처리과정 결함 접근법
① 인지적 처리과정 변인이나 해당 교과 기본 학습 기능에
서의 수행 정도를 바탕으로, 개인 내 혹은 개인 간 여타
기능의 수행 정도와 어떤 차이가 있는지 그리고 그러한
차이가 해당 교과의 학업성취도 차이를 얼마나 설명하
는지 등을 확인하는 방법이다.
② 인지처리과정은 미국 장애인교육법(IDEA 2004)의 정
의에 포함된 '기본적 심리과정'과 동일한 개념으로 학습
장애의 역사를 충실히 반영하고 있다.

(3) 능력-성취 불일치 모델
① 학습장애를 "추정되는 지적 잠재력과 기본적 학습과정
의 실제 학업성취 사이의 현저한 불일치"로 정의한다.
② 능력-성취 불일치 개념은 학습장애가 '기대치 않은 저
성취'를 보인다는 점을 강조하며, 기대치 않은 '저성취'
를 보이는지 여부를 '능력-성취 불일치'를 통해 평가할
것을 제안하였다.
③ 이러한 형식의 진단은 소위 '능력-성취 불일치 모델'이
라고 불리며, 최근까지 학습장애 진단과정에서 가장 많
이 적용되었던 진단 모델이었다.
④ 능력-성취 불일치 모델의 유형에는 학년수준편차에
의한 판별, 기대학령에 의한 판별, 표준점수에 의한 판
별, 회귀공식에 의한 판별 등이 있다.

## 06 [2009 중등1-40]

정답 ②

해설

**지문 돋보기**

- 교재에 있는 그림과 목차를 보면서 자신이 생각하는 것을 말해 보도록 하고: 예측하기
- 학습 과제에 대한 질의: 질문하기
- 학생들에게 한 단락을 읽고, 요약: 요약하기
- 잘못된 내용을 어떻게 수정하고, 평가하는지 명시적으로 보여 주었다.: 교사의 역할
- 토론을 주도하도록 안내하고, 점진적으로 모든 책임을 학생들이 맡아서 진행할 수 있도록 지도하였다.: 비계설정 교수법 강조

③ 과정중심 교수법은 임상적 상황이나 특수학급에서 사용되는 학습전략 프로그램을 일반학급 상황에서 사용할 수 있도록 만들어진 학급통합모형이다.

④ 전략중재 교수법은 주로 중등학교에 재학 중인 학습장애 학생을 위해 개발된 것으로 읽기, 수학, 내용 교과(사회·과학), 시험 준비, 노트필기, 시간관리와 같은 전반적인 학습활동의 성공적 수행을 위해 요구되는 구체적 학습전략을 포함하고 있다.

⑤ 통합전략 교수법은 대부분의 학습전략 프로그램들이 임상 상황이나 특수학급 상황에서 활용하기 위해 개발되었으며, 이러한 '특수한' 상황에서 학습전략 교육이 일어나기 때문에 학습장애 학생들이 일반학급에서 학습전략을 일반화하여 적용하는 데 제한점을 갖는다고 지적한 Ellis가 제안한 학습전략 프로그램이다.

**Check Point**

**(1) 상보적 교수의 개념**

① 상보적 교수(또는 호혜적 교수)는 교사와 학생이 구문과 관련된 토론에 적극적으로 참여함으로써 구문 이해와 이해 모니터링 모두를 촉진할 수 있는 상호작용적인 교수전략이다.

② 예측하기 전략, 질문 만들기 전략, 명료화하기 전략, 요약하기 전략으로 구성된다. 4가지 전략은 순서대로 한 번 사용하고 끝나는 것이 아니라, 문단별(또는 한두 문단별)로 순환적으로 사용한다.

③ 교사와 학생의 글에 대해 구조화된 대화를 통해 학생의 읽기이해력을 향상시키는 것을 목적으로 한다.

④ 학습방법은 교사와 학생의 대화를 통하여 학생의 초인지적인 이해를 촉진시키고, 그 절차를 역할놀이 해 보면서 학생이 익힐 수 있도록 하는 상호교수이다.

⑤ 비계설정 교수법을 강조한다. 즉 교사는 학생과의 대화를 통해 요약하기, 질문 만들기, 명료화하기, 예측하기 전략의 사용을 가르치고, 점차적으로 학생이 대화를 이끌어 갈 수 있도록 돕는다.

**(2) 상보적 교수 구성 전략**

| | |
|---|---|
| 예측하기 | 예측하기는 글을 읽는 목적을 설정하는 데 도움을 준다. 즉, 학생은 자신이 예측한 내용이 맞는지 여부를 점검하면서 글을 읽게 된다. 글을 읽기 전에는 글을 전반적으로 훑어봄으로써 앞으로 읽을 내용에 대해 예측하게 하고, 글을 읽는 중간에는 지금까지 읽은 내용을 바탕으로 앞으로 이어질 내용을 예측하게 한다. |
| 질문 만들기 | 질문 만들기는 학생이 자신이 읽은 글에서 중요한 내용에 집중할 수 있도록 돕는 전략이다. 학생이 해당 문단을 읽으면서, 그 문단의 중요한 내용을 반영한 질문을 만들도록 한다. 이때 질문을 만드는 데 필요한 키워드 등을 사용할 수 있는데, 이러한 키워드는 글의 장르에 따라 달라질 수 있다. |
| 명료화하기 | 명료화하기는 학생이 자신의 글에 대한 이해 여부를 점검하도록 돕는 전략이다. 즉, 학생이 자신이 모르는 단어나 이해하지 못한 내용이 있는지를 점검하고, 자신이 이해하지 못한 부분에 대해 명료화한 후에 다음 문단으로의 읽기를 진행한다. |
| 요약하기 | 요약하기는 학생이 자신이 읽은 글의 내용을 정리하고, 중요한 내용을 기억하는 것을 돕는 전략이다. 즉, 학생은 이야기 글의 경우에는 이야기 문법 요소를 중심으로 내용을 요약하고, 설명글의 경우에는 문단별 중심내용을 중심으로 전체 글의 내용을 요약할 수 있다. |

**(3) 과정중심 교수법**

① 과정중심 교수법은 임상적 상황이나 특수학급에서 사용되는 학습전략 프로그램을 일반학급 상황에서 사용할 수 있도록 만들어진 학급통합모형이다.

② 과정중심 교수법은 전략 계획, 부호화 전략, 협동적 교수-학습, 교과내용을 프로그램의 구성 요인으로 포함하고 있다.

| | |
|---|---|
| 전략 계획 | 성공적인 과제수행을 위한 일련의 행동 계열에 대한 계획 활동으로서, 어떻게 주어진 과제를 성공적으로 수행할 것인가와 관련된 요인이다. |
| 부호화 전략 | 주어진 정보를 처리하는 방식과 관련된 것으로서, 크게 순차적 부호화와 동시적 부호화로 구성된다. |
| 협동적 교수-학습 | 교수-학습활동의 주도권과 책임감을 교사와 학생이 공유하도록 할 것과 점차 학생중심의 학습활동이 이루어질 수 있도록 교수활동이 계획·실행되어야 함을 나타내 준다. |
| 교과내용 | 학습전략 학습과 함께 고려되어야 할 중요한 요인의 하나로서, 다른 세 요인들이 실제 사용되고 있는 교과내용을 통해 적용되어야 함을 의미한다. |

PART 05

**(4) 전략중재모형(전략중재 교수법)**

① 전략중재모형(strategies intervention model)은 미국 캔자스 대학교의 학습장애연구소가 개발한 교과별 학습전략 프로그램으로, 전략중재모형에 대한 경험적 연구 결과는 학습장애 학생들을 위해 학습전략이 효과적으로 가르쳐질 수 있으며, 이 학생들이 일반학급에서 성공적으로 학습활동을 수행하는 데 학습전략 교육이 효과적임을 보여 준다.

② 전략중재모형은 주로 중등학교에 재학 중인 학습장애 학생을 위해 개발된 것으로 읽기, 수학, 내용 교과(사회·과학), 시험 준비, 노트필기, 시간관리와 같은 전반적인 학습활동의 성공적 수행을 위해 요구되는 구체적 학습전략을 포함하고 있다.

③ 전략중재모형에 근거한 학습전략 교육은 8단계로 이루어진다.
   ㉠ 사전평가와 연습
   ㉡ 전략 서술
   ㉢ 전략의 모델링
   ㉣ 구어의 정교화와 시연
   ㉤ 교사의 통제가 있는 연습과 피드백
   ㉥ 심화연습과 피드백
   ㉦ 습득의 확인과 피드백
   ㉧ 일반화

**(5) 통합전략 교수법**

① 대부분의 학습전략 프로그램들이 임상 상황이나 특수 학급 상황에서 활용하기 위해 개발되었으며, 이러한 '특수한' 상황에서 학습전략 교육이 일어나기 때문에 학습장애 학생들이 일반학급에서 학습전략을 일반화하여 적용하는 데 제한점을 갖는다고 지적한 Ellis가 제안한 학습전략 프로그램이다.

② 일반화를 고려한 효과적인 학습전략 교육을 위해서는 일반학급 상황에서 내용학습과 함께 학습전략 학습이 일어날 수 있도록 하는 것이 필요하다고 제안하였다.

③ 통합전략 교수모형은 네 단계로 구성된다.

| | |
|---|---|
| 학습내용에 대한 소개 단계 | 주안점은 학습전략에 대한 학습보다는 교과내용에 대한 학습에 주어진다. 이때 교사는 성공적인 내용학습에 필요한 학습전략이 교수활동을 통해 어떻게 적용되는지 보여 줌으로써 후속 단계에서 이들 학습전략이 어떻게 활용될 수 있는지에 관한 간접 경험을 제공하게 된다. |
| 구조화 단계 | 전 단계에서 교사가 보여 준 학습전략에 대한 구체적 설명 및 어떻게 이를 활용할 수 있는지에 대한 모델링이 교사와 학생 간의 상호작용을 통해 이루어지게 된다. |

| | |
|---|---|
| 적용 단계 | 학습한 내용에 대해 학습전략이 어떻게 적용되는지를 내용-전략 통합의 측면에서 살펴보게 되며, 학생들은 교사의 도움과 협동학습을 통해 학습전략을 실제 교과내용에 적용해 보는 경험을 하게 된다. |
| 확장 단계 | 유사한 다른 교과내용이나 상황에 대해 학습전략들을 확장하여 적용해 볼 수 있는 기회가 주어지게 된다. 이 단계에서의 주안점은 습득된 학습전략의 변형 및 일반화 능력을 향상시키는 데 주어진다. |

④ 통합전략 교수모형은 네 가지 특성을 가지고 있다.
   ㉠ 교수적 학습경험과 구성적 학습경험을 통합하는 학습활동이 강조된다.
      • 이는 학습전략 학습의 주도권이 각 교수 단계가 진행됨에 따라 교사에게서 학생에게로 이행되도록 프로그램이 구성되어 있는 것과 관련된다.
   ㉡ 지시적 설명과 대화적 학습활동이 통합되어 있다.
      • 학습 초기에는 주로 교사가 성공적인 학습활동을 위해 필요한 학습전략을 설명하지만, 단계가 진행됨에 따라 교사와 학생 간, 학생 상호 간 대화를 통해 학습전략에 대한 이해 및 적용 활동이 이루어지게 된다.
   ㉢ 동료학생들 간의 협동학습을 강조한다.
      • 동료학생들 간의 협동학습은 세 번째 단계인 적용 단계에서 주로 이루어지며, 학생들이 상호 자신의 이해와 문제에 대한 정보를 교환함으로써 동기적 측면과 인지적 측면에서 학습활동을 더 성공적으로 이끌 수 있다는 잠재적 장점을 갖는다.
   ㉣ 학습전략에 대한 분석적 활동을 포함하고 있다.
      • 분석적 활동이란 학생들이 습득해야 할 학습전략이 어떻게 구성되어 있으며, 구성 요인들 간의 기능적 관계가 어떻게 이루어졌는지에 대한 인지적 이해를 촉진시키기 위한 활동이다.
      • 분석적 활동은 학습전략에 대한 분명한 인식이 학습전략의 습득, 적용, 일반화에 긍정적인 영향을 미칠 수 있음을 반영하는 것이라고 볼 수 있다.

출처 ▶ 김동일 외(2016 : 374-377), Mercer et al.(2010 : 574)

## 07

정답 ②

해설

> 지문 돋보기
>
> • 첫 번째 그래프는 학급 전체 그리고 소집단 간 수행 수준과 진전도를 비교하는 것으로 소집단이 두 가지 측면 모두에서 낮음을 알 수 있음
> • 두 번째 그래프는 지혜를 제외한 소집단과 지혜의 수행 수준과 진전도를 비교하는 것으로 지혜는 소집단에 비해 수행 수준, 진전도 모두에서 유창성 점수가 낮은 것으로 나타났음. 이와 같이 중재반응 모델은 성취 수준과 진전도 모두를 비교하여 두 가지 측면 모두에서 낮을 때 학습장애로 진단하는 이중 불일치를 사용함

① 지혜에게 기대하는 학업성취 수준과 실제 학업성취 수준 사이에 차이가 발생하면 학습장애로 진단: 능력－성취 불일치 모델에 의한 판별
③ 지혜의 지능지수에 기초하여 설정된 기대 수준 범위에 실제 성취 수준이 포함되어 있지 않으면 학습장애로 진단: 능력－성취 불일치 모델 중 회귀공식에 의한 판별
④ 지혜의 인지적 처리과정 특성을 분석하여 학업성취의 문제가 지혜의 심리처리과정에 의한 것으로 확인되면 학습장애로 진단: 인지처리 결함 접근법
⑤ 지혜의 잠재능력 점수와 성취 수준 점수를 표준점수로 바꾼 후, 그 차이가 1~2 표준편차 이상으로 나타나면 학습장애로 진단: 능력－성취 불일치 모델 중 표준점수에 의한 판별

Check Point

### ☑ 이중 불일치 현상

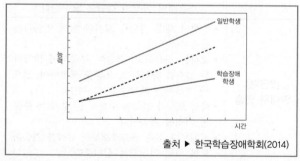

출처 ▶ 한국학습장애학회(2014)

중간의 점선은 일반학생의 발달선과 평행한 선이며 일반학생보다 수행 수준은 낮지만 발달률은 동일한 가상의 선을 의미한다. 시작점을 보면 일반학생과 학습장애 학생이 초기부터 차이를 나타내며 시간이 경과할수록 일반학생에 비해 학습장애 학생의 수행 수준은 발달률도 떨어짐을 알 수 있다. 따라서 학습장애 아동이 이중 불일치 문제를 가지고 있다는 것은 초기 수행 수준의 차이와 발달률의 차이가 있음을 의미한다.

## 08

정답 ④

해설

> 지문 돋보기
>
> • 민수: 날씨에 관한 문장을 읽고, 해당하는 그림을 찾게 하거나 꽃의 모양 변화를 시간의 흐름에 따라 쓴 세 개의 문장을 읽게 하고, 그림 순서를 찾게 하는 활동은 자신의 선행 지식과 제시되는 정보를 연결하여 의미를 형성하였을 때 가능하므로 읽기 이해와 관련됨
> • 은지: 몇 개의 학용품을 제시하고, '지'로 시작하는 것을 찾게 하는 것은 변별이며, '자'와 '추'를 만들 수 있는 네 개의 낱자 카드를 제시하고, '자'를 만들어 보게 하는 활동은 합성에 해당함
> • 주혜: 자신의 이름표를 읽고 신발을 찾게 하는 활동과 교실 상황에서 지켜야 할 규칙에 들어 있는 '조용히'를 지적하고 읽게 하는 활동은 단순히 단어를 읽게 하는 데서 그치는 것이 아니라 단어를 빠르게 소리내어 읽고, 단어의 의미를 파악하는 단어인지(또는 단어재인)에 해당함

Check Point

#### (1) 음운인식
말소리를 식별하는 능력으로 같은 소리로 시작되는 단어와 다른 소리로 시작되는 단어를 인식하는 능력, 단어를 구성하는 음소를 셀 수 있는 능력, 단어를 구성하는 소리들을 합성, 분절 또는 조작할 수 있는 능력 등을 말한다(김애화 외, 2012: 152).

#### (2) 단어인지
단어인지는 단어를 빠르게 소리내어 읽고, 단어의 의미를 파악하는 능력을 의미한다. 단어인지와 음독을 동일한 개념으로 사용하는 경우가 있으나, 음독은 단어인지보다는 좁은 개념이다. 음독은 낱자(군)－소리의 대응관계를 활용하여 낯선 또는 모르는 단어를 읽는 과정을 의미한다. 음독은 단어인지를 위해 반드시 이루어져야 하는 과정이기 때문에, 단어인지 교수에서 음독이 차지하는 비중은 상당히 크다(김애화 외, 2012: 159).

#### (3) 읽기이해
읽기이해는 자신의 선행지식과 글에서 제시되는 정보를 연결하여 의미를 형성해 가는 과정을 의미하며, 이는 읽기 교수의 궁극적인 목적이다(김애화 외, 2012: 191).

## 09 [2010 초등1-28]

정답) ①

해설

도식 조직자(또는 그래픽 조직자, 그래픽 조직도)를 이용하면 텍스트의 구조를 시각화하여 요소들 사이의 관계를 빨리 인식할 수 있으며, 정보를 효과적으로 저장하고 회상할 수 있고, 말로 설명될 수 없는 개념을 명확히 할 수 있는 이점이 있어서 내용 학습에 곤란을 경험하는 학습자들을 위한 교수에서 많이 활용되고 있다(특수교육학 용어사전 : 136).

ㄷ. 직접교수법에 대한 설명이다.

ㄹ. 직접교수법에 대한 설명이다.
  • 과잉학습이란 적정 수준의 기술 수행 습득 후에도 계속 더 연습시키는 방법을 의미한다.

ㅁ. 직접교수법에 대한 설명이다.

Check Point

(1) 그래픽 조직자

① 텍스트와 그림을 결합시켜 개념, 지식, 정보를 구조화하여 제시하는 시각적인 체계이다. 도식 조직자나 도해 조직자로도 불린다.

② 글의 중요한 개념과 이를 설명하고 있는 요소를 그림으로 나타내어 중요 개념과 용어를 지도할 때 유용하다. 글의 내용과 구조를 파악하거나, 학습내용을 오랫동안 기억하고 회상하는 데 효과적이다.

③ 그래픽 조직자는 텍스트의 내용이 어떻게 서로 관련되는가를 나타내는 수형도, 단어의 의미 확장이나 단어 사이의 관계를 나타내며 언어 지식이나 언어 영역의 공통점을 나타내는 벤다이어그램, 하나의 주제를 중심으로 관련되는 어휘나 사실을 열거하고 범주화하는 의미 지도, 내용을 맵(map)으로 정리하여 입체적으로 나타내는 마인드맵 등으로 구분된다.

④ 그래픽 조직자를 이용하면 텍스트의 구조를 시각화하여 요소들 사이의 관계를 빨리 인식할 수 있으며, 정보를 효과적으로 저장하고 회상할 수 있고, 말로 설명될 수 없는 개념을 명확히 할 수 있는 이점이 있어서 내용 학습에 곤란을 경험하는 학습자들을 위한 교수에서 많이 활용되고 있다.

출처 ▶ 특수교육학 용어사전(2018 : 136)

(2) 직접교수법의 특징

① 교수전략으로서는 철저하게 학습 향상을 위한 피드백을 주고, 잘못된 반응을 보일 때는 정확하고 신속하게 이를 교정해 준다.

② 아동들이 지루하지 않게 학습진도를 빠르게 이끌어 나가면서 숙달 정도를 높인다. 그러면서도 아동들의 적극적인 참여를 유도한다.

③ 교사가 이러한 교수활동을 능숙하게 해 나갈 수 있도록 숙달될 때까지 바람직한 교수활동의 시범과 체계적인 보조를 제공한다.

④ 교수활동이 종료되면 지속적으로 학생들의 학업성취 정도를 평가하되, 평가내용은 교수활동에서 다루었던 것과 밀접하게 관련이 있어야 한다. 중요한 것은 실제 아동들이 투여한 시간을 최대한 증가시킴으로써 효율적이고 밀도 있는 학습이 이루어지도록 하는 것이다.

출처 ▶ 김동일 외(2016 : 280)

(3) 직접교수법 실행 절차

| 단계 | 설명 |
| --- | --- |
| [1단계]<br>학습목표 제시 | 학습목표는 관찰 가능하고 측정 가능한 행동, 행동이 발생할 조건, 수용 가능한 행동 수행을 위한 준거를 포함해야 한다. |
| [2단계]<br>교사 시범 | • 학습목표에서 요구하는 행동을 소리 내어 생각말하기(think-aloud) 기법을 활용하여 어떻게 전략을 사용하는지 시범 보인다.<br> － 전략 사용의 이유와 핵심 요소를 제시하고 전략 사용 방법을 직접 시범 보인다.<br>• 교사의 시범 후 교사와 학생의 질문과 대답 활동을 통해 학생의 내용 이해 정도를 확인한다.<br> － 교사는 필요한 경우에 촉진과 피드백을 사용하여 학생의 대답을 요구한다. |
| [3단계]<br>안내된 연습 | • 학생이 해당 기술을 교사와 함께 연습하는 단계이다.<br>• 교사는 질문하고, 연습이 부족하여 발생하는 실수를 확인하고, 오류를 정정하며, 필요한 경우에는 재교수를 실시한다.<br>• 학생 모두가 전략을 수행해 볼 수 있는 충분한 기회를 제공한다.<br>• 실제보다 쉬운 연습과제부터 전략을 연습하도록 하여 자신감을 심어준다. |
| [4단계]<br>독립적 연습 | • 학생은 독립적으로 과제를 수행한다.<br>• 독립적 연습은 안내된 연습에서 높은 성공률(90~100%)을 보일 때 실시한다.<br>• 교사는 교실을 돌아다니며 학생들이 과제를 제대로 수행하는지 점검하고 어려움을 보이는 학생에게 도움을 제공한다.<br> － 독립적 연습 단계에서의 교사 피드백은 안내된 연습에서의 피드백처럼 빠르게 제공되지 않는다. |

## 10                                      2010 초등1-36

정답 ③

해설

ㄱ. 학생에게 알파벳 문자 a, n, t와 음소의 대응관계를 가르친 후 ant를 어떻게 발음하는지 가르치려고 한다. : 음운분석적 접근법(또는 발음 중심 접근법)

ㄴ. 의미 중심 접근법에서는 단어와 문장 전체를 하나의 단위로 하여 의미 이해에 중점을 둔다. 이러한 접근은 읽기 활동과 쓰기 활동을 함께 강조함으로써 균형 있는 학습 활동이 가능하다.

ㄷ. 영어 단어 자체를 문자해독의 단위로 설정하고, 문자해독의 기능을 가르치기 위해 사용되는 단어들을 철자나 발음이 유사한 book, cook, look과 bat, cat, hat으로 구성하려고 한다. : 언어학적 접근법

Check Point

### ✏ 단어인지 지도 방법

① 발음 중심 접근법(또는 해독 중심 접근법) : 음운분석적 접근법(종합적 방법, 분석적 방법), 언어학적 접근법

② 의미 중심 접근법 : 통언어적 접근법, 언어경험 접근법
• 의미 중심 접근법은 단어 해독을 위한 구체적인 기능을 직접 가르치기보다는 말하기, 듣기, 쓰기와 같은 다른 언어 활동과 연계하여 읽기 활동을 실시한다.

## 11                                      2010 중등1-8

정답 ②

해설

ㄱ. 심상화(visualization) : 마음속에 조암광물(석영, 장석, 흑운모 등)의 이미지를 형상화하여 조암 광물의 종류를 기억하도록 도와준다. 심상화란 기억을 향상시키기 위해 마음속에 이미지를 형상화시키는 기억 전략을 의미한다.

ㄷ. '활로 방어한 장군이다'라는 문장을 만들어 광물(활석, 방해석, 장석)의 상대적인 굳기 순서를 기억하도록 도와주는 학습전략은 어구 만들기이다. 핵심어 전략은 목표 어휘와 아동이 이미 알고 있는 단어 중 목표 어휘와 청각적으로 비슷한 어휘, 즉 키워드를 연결하여 목표 어휘를 가르치는 방법이다.

ㄹ. 안내 노트는 교사는 수업 시간에 다룰 중심내용 및 주요 어휘 등에 대한 개요와 학생이 필기할 수 있는 공간을 넣음으로써, 학생이 수업을 들으면서 필기를 하도록 작성된 것이다.

Check Point

### (1) 기억 전략

#### ① 문자전략

| 두문자법 | • 기억하고자 하는 각 단어의 앞 글자를 따서 암기하는 방법이다. <br> • 축소형과 정교형으로 구분된다. | |
|---|---|---|
| | 축소형 | 결과물이 의미 없는 단어인 경우 <br> 예 주요 행성 : 수금지화목토천해 |
| | 정교형 | 결과물이 의미 있는 단어인 경우 <br> 예 미국 5대호 : HOMES(정교형) |
| 어구 만들기 | 기억하고자 하는 각 단어의 앞 글자로 시작하는 단어를 조합하여 어구를 만드는 방법이다. <br> 예 활석, 방해석, 장석 → 활로 방어하는 장군이다. | |

#### ② 핵심어 전략

㉠ 목표 어휘와 아동이 이미 알고 있는 키워드를 연결하여 목표 어휘를 가르치는 방법

㉡ 키워드는 아동이 이미 알고 있는 단어 중, 목표 어휘와 청각적으로 비슷한 어휘일 것

#### ③ 페그워드법

㉠ 순서에 맞게 외워야 하는 내용을 학습할 때 사용하는 것(동 말뚝어 방법)

㉡ 페그워드는 숫자와 비슷하게 발음되는 쉬운 단어들을 의미

㉢ 고정된 정보를 사용하는 것이 핵심으로 순서 혹은 번호가 매겨진 정보 암기에 유용

### (2) 학습 안내지의 종류

| 학습 안내지 | 교과서의 중심내용 및 주요 어휘에 관한 질문으로 구성 |
|---|---|
| 워크시트 | 교과서의 중심내용 및 주요 어휘에 관한 개요 제시 |
| 안내노트 | 중요 사실, 개념 및 관계성 등을 기록하도록 표준 단서와 특정 여백을 남겨두어 아동에게 수업을 안내하도록 하는 교사 제작 인쇄물 |

## 12 · 2010 중등1-16

정답 ①

해설

 지문 돋보기

- 글쓰기 시간에 무엇에 대하여 쓸 것인지를 생각하는 데 오랜 시간이 걸리며 : 계획 단계의 어려움
- 글씨를 쓰는 속도가 느려 : 쓰기 유창성의 문제
- 소리나는 대로 표기되는 낱말을 쓸 때에는 어려움이 없지만 : 음운처리 오류 없음
- 음운변동이 일어나는 낱말을 쓸 때에는 철자의 오류가 많다. : 표기처리 오류 유형이 나타남
- 대부분의 문장이 단순하고 글의 내용도 제한적 : 학습장애 학생의 작문 관련 특성

ㄱ. 글씨를 쓰는 속도가 느려 주어진 시간 내에 글을 쓰는 데 어려움이 있으며 계획 단계에 어려움이 있기 때문에 글쓰기 연습을 할 수 있는 시간과 다양한 기회를 제공하는 것은 바람직하다.

ㄴ. 음운처리에 문제가 있을 경우에는 낱자-음소의 대응 관계에 초점을 두어 철자 교수를 실시하는 것이 효과적이다. 그러나 학생 A에게 나타나는 철자 오류 유형은 표기처리 오류('소리나는 대로 표기되는 낱말을 쓸 때에는 어려움이 없지만, 음운변동이 일어나는 낱말을 쓸 때에는 철자의 오류가 많다.')이므로 음운변동 규칙별로 단어를 묶어서 소개하고, 같은 음운변동 규칙이 적용되는 단어끼리 분류하는 활동을 적용하는 것이 바람직하다.

ㄷ. 초안을 쓸 때는 문법, 철자보다 내용을 생성하고 구성하는 데 초점을 맞춘다. 구두점 찍기, 철자법, 문장구조, 철자 등 어문규정에 맞추어 글쓰기를 하도록 지도하는 것은 편집하기 단계이다.

ㄹ. 학생의 관심 등을 고려하여 다양한 주제를 제공하는 것은 계획하기 단계에서 이루어진다.

ㅁ. 수정 단계에서는 초안의 내용을 보충하고 편집 단계에서는 맞춤법 등의 오류를 교정하도록 지도한다.

Check Point

### 쓰기 과정적 접근의 절차

| 단계 | 내용 |
|---|---|
| 계획하기 | • 글쓰기 주제를 선택한다.<br>• 쓰는 목적(정보제공, 설명, 오락, 설득 등)을 명확히 한다.<br>• 독자를 명확히 한다(또래 학생, 부모, 교사, 외부 심사자).<br>• 목적과 독자에 기초하여 작문의 적절한 유형을 선택한다(이야기, 보고서, 시, 논설문, 편지 등).<br>• 쓰기를 위한 아이디어를 생성하고 조직하기 위한 사전활동을 한다(마인드맵 작성, 이야기하기, 읽기, 인터뷰하기, 브레인스토밍, 주제와 세부항목 묶기 등).<br>• 교사는 학생과 협력하여 글쓰기 활동에 참여한다(내용을 재진술/질문을 한다. 논리적으로 맞지 않는 생각을 지적한다). |
| 초고작성하기 | • 일단 초고를 작성하고, 글을 쓸 때 수정하기 위한 충분한 공간을 남긴다.<br>• 문법, 철자보다 내용을 생성하고 구성하는 데 초점을 맞춘다. |
| 내용수정하기 | • 초고를 다시 읽고, 보충하고, 다른 내용으로 바꾸고, 필요 없는 부분을 삭제하고, 옮기면서 내용을 고친다.<br>• 글의 내용을 향상시키고 다양한 시각을 제안할 수 있도록 또래집단(글쓰기 도우미 집단)을 활용하여 피드백을 제공한다. |
| 편집하기 | • 구두점 찍기, 철자법, 문장구조, 철자 등 어문규정에 맞추어 글쓰기를 한다.<br>• 글의 의미가 잘 전달될 수 있도록 문장의 형태를 바꾼다.<br>• 필요하다면 사전을 사용하거나 교사로부터 피드백을 받는다. |
| 게시하기 | • 쓰기 결과물을 게시하거나 제출한다(학급신문이나 학교문집에 제출한다).<br>• 적절한 기회를 통하여 학급에서 자기가 쓴 글을 다른 학생들에게 읽어 주거나 학급 게시판에 올려놓는다. |

## 13                                      2010 중등1-17

정답 ⑤

해설

① 읽을 내용과 관련하여 학생들이 이미 알고 있는 배경지식을 활성화시킨다. : 읽기 전 전략 중 브레인스토밍 또는 예측하기
② 읽기 전 활동으로 제목 등을 훑어보게 하여 읽을 내용을 짐작하도록 한다. : 읽기 전 전략 중 예측하기
③ 글의 구조(text structure)에 대한 지도를 하여 글의 중요한 내용을 파악하도록 한다. : 읽기 중 전략 중 글 구조에 대한 교수
④ 중심내용과 이를 뒷받침하는 세부 내용을 확인하여 문단의 중요한 내용을 파악하도록 한다. : 읽기 중 전략으로 중심내용 파악하기
⑤ 사실과 의견을 구분할 수 있는 그래픽 조직자를 사용하여 글의 내용을 시각적으로 조직할 수 있도록 한다. : 제시된 글의 유형은 설명글(또는 설명식 글)이며 글의 구조는 비교대조형에 해당한다. 설명글이므로 주관적 의견은 포함되지 않는다. 비교대조형 설명글은 일반적으로 두 개 이상의 사건, 현상, 또는 사물을 서로 비교하는 형식을 취한다. 이때 비교 대상 간에 존재하는 차이점과 공통점이 무엇인지를 파악하는 것이 중요하며, 이러한 활동을 수행하는 데 그래픽 조직자를 사용하면 도움이 될 수 있다.

### Check Point

📝 읽기이해 증진을 위한 교수전략

| 읽기 전 전략 | 읽기 중 전략 | 읽기 후 전략 |
|---|---|---|
| • 브레인스토밍<br>• 예측하기 | • 글 구조에 대한 교수<br>• 중심내용 파악하기 | • 읽기이해 질문에 답하기<br>• 읽기이해 질문 만들기<br>• 요약하기 |

① 브레인스토밍 : 선행지식 생성하기, 선행지식 조직하기, 선행지식 정교화하기의 단계로 진행
② 예측하기 : 글을 읽기 전에 글의 제목, 소제목, 그림 등을 훑어본 다음, 앞으로 읽을 글에 대한 내용을 예측하는 활동
③ 글 구조에 대한 교수 : 대표적인 글의 구조에 대해 명시적으로 가르치는 것. 즉, 이야기 글의 경우에는 이야기 문법에 대한 명시적 교수를 실시하는 것을 의미하며, 설명글의 경우에는 나열형 구조, 비교대조형 구조, 원인결과형 구조 등을 명시적으로 가르치는 것
④ 중심내용 파악하기 : 해당 문단의 중요 내용을 찾고 이를 자신의 말로 표현하는 전략

⑤ 읽기이해 질문에 답하기 : 교사가 읽은 글의 내용에 관한 질문을 만들어 학생에게 제시하고, 학생은 질문에 대한 답을 하는 형식으로 수업을 진행
⑥ 읽기이해 질문 만들기 : 읽기이해 질문에 학생이 답하는 데 그치는 것이 아니라, 학생이 스스로 읽기이해 질문을 만드는 전략
⑦ 요약하기 : 읽은 글의 전체내용을 종합적으로 파악하여 필요 없는 내용은 버리고 중요한 내용에 초점을 맞추어 정리하는 것을 돕는 전략

## 14                                      2010 중등1-18

정답 ③

해설

「장애인 등에 대한 특수교육법 시행령」 제10조의 특수교육대상자 선정 기준에 의하면 학습장애를 지닌 특수교육대상자는 "개인의 내적 요인으로 인하여 듣기, 말하기, 주의집중, 지각(知覺), 기억, 문제해결 등의 학습기능이나 읽기, 쓰기, 수학 등 학업 성취 영역에서 현저하게 어려움이 있는 사람"으로 명시되어 있다.
① 자릿값에 따라 숫자를 배열하는 데 어려움이 있다. : 수학
② 음소를 듣고 구별하거나 조작하는 데 어려움이 있다. : 듣기[미국 장애인교육법에 의하면 듣기 장애는 음소수준(예 말소리 구별 및 음소 조작의 어려움), 어휘 수준, 문장 수준, 의사소통 수준에서의 듣기 문제를 모두 포함], 지각
④ 주의가 쉽게 산만해지고 주의를 지속하는 데 어려움이 있다. : 주의집중
⑤ 수학 알고리즘의 단계를 잊어버리거나 새로운 정보를 기억하는 데 어려움이 있다. : 기억

## 15                                      2011 유아1-11

정답 ①

해설

최 교사가 말하고 있는 관점이란 행동주의 관점을 의미한다.
ㄷ. 구성주의 관점에 해당한다.
ㅁ. 인지주의 관점에 해당하는 내용이다.

# 16　　2011 초등1-17

정답 ④

해설

③ 2008년 개정 특수학교 기본 교육과정에 명시되어 있는 관련 내용은 다음과 같다.

---
Ⅳ. 교육과정 편성 · 운영 지침

1. 기본 지침
　　　　　… (중략) …
나. 기본 교육과정
　　　　　… (중략) …
　(3) 교과는 필요에 따라 통합 교육과정으로 편성 · 운영할 수 있으며, 직업 교과는 고등학교 선택 중심 교육과정 전문 · 직업 교과 중에서 학교의 여건에 맞는 것을 선택적으로 편성할 수 있다.
---

기본 교육과정을 적용하는 학교의 대다수 학생들은 발달상의 장애를 가진 학생들로서 이들은 전이 능력이 부족하고 세분화된 사고 체계를 잘 형성하지 못하여 자기중심적인 사고를 하며, 일반화 능력이 부족하여 전통적으로 구획을 정해 놓은 교과 내에서는 지식과 기능의 습득이 어렵다. 그리고 인지적 발달에 있어서 개념적이고 추상적인 사고 단계에 이르지 못하기 때문에 보고, 듣고, 만져보는 직접적인 경험을 통해서 사고를 더 잘 확장시킬 수 있으며, 자신의 주위 환경에서 일어나는 일들로부터 시작하여 새로운 사실들을 습득하게 되는 경향이 강하기 때문에 생활을 중심으로 한 교육과정의 통합이 필요하다. 따라서 기본 교육과정의 교과는 필요에 따라서 통합교육과정을 편성, 운영하도록 권장하고 있다(특수학교 교육과정 해설Ⅰ, 2009 : 97).

④ 그래픽 조직자를 이용의 이점 중 하나는 말로 설명될 수 없는 개념을 명확히 할 수 있다(특수교육학 용어사전, 2018 : 136)는 것이다. 따라서 추상적 사고가 요구되지 않는다.
- 그래픽 조직자는 내용의 복잡한 관계를 시각적으로 표현하여 정보를 쉽게 이해하게 해준다(2010 초등1-28 기출).

# 17　　2011 초등1-20

정답 ④

해설

　ㄱ. 구술하고 받아쓰기 단계 중 받아쓰기
　ㄴ. 단어학습 단계
　ㄷ. 다른 자료 읽기 단계
　ㄹ. 구술하고 받아쓰기 단계 중 구술하기
　ㅁ. 읽기 단계

**Check Point**

☑ **언어경험 접근법**

① 읽기 활동과 말하기, 듣기, 쓰기 등의 활동을 통합하여 프로그램 구성
② 아동의 학습동기 유발을 통해 적극적인 학습참여 유도
③ 언어경험 접근에서 사용되는 읽기 자료는 학생들이 경험한 이야기를 중심으로 구성
④ 수업절차

| | |
|---|---|
| [1단계]<br>토의하기 | • 교사는 아동들이 최근 경험에 대해 자유롭게 말할 수 있도록 동기를 부여하고, 주제에 대해 함께 토의한다.<br>• 주제는 개인적으로 중요하고 흥미로운 것은 무엇이든 허용한다. |
| [2단계]<br>구술하고<br>받아쓰기 | • 아동이 교사에게 자신의 이야기를 말하면, 교사는 기본 읽기 교재를 만들기 위해 아동의 말을 받아쓴다.<br>• 교사는 아동의 말을 교정하지 않고 그대로 적어 자신감을 손상시키지 않도록 한다. |
| [3단계]<br>읽기 | • 교사는 아동이 말한 대로 정확하게 기록했는지 확인하기 위해 받아 적은 글을 아동에게 읽어주고, 확인이 되면 이야기가 친숙해질 때까지 여러 번 읽도록 하며, 필요하면 도움을 준다.<br>• 읽기를 어려워하는 아동이 있으면 함께 읽고, 다음에 묵독을 통하여 모르는 단어를 표시하고 다시 소리내어 읽는다. |
| [4단계]<br>단어학습 | 언어 경험이야기를 읽은 후 다양한 활동을 통해서 새로 나온 단어나 어려운 단어 또는 배우고 싶은 단어를 학습한다. |
| [5단계]<br>다른 자료<br>읽기 | • 아동들은 자신이 구술한 이야기 읽기에서 다른 이야기책을 읽는 과정으로 나아간다.<br>• 이러한 절차를 통해 아동의 능력과 자신감이 발달한다. |

⑤ 장점
　ⓐ 언어활동의 다양한 측면들을 통합함으로써 아동이 자신의 언어활동, 환경과의 접촉, 일상적 생활경험에 더 민감해지도록 함
　ⓑ 자신의 경험을 중심으로 한 읽기 자료의 구성은 읽기 활동에 대한 학생들의 학습동기를 높여주는 기능 수행
⑥ 단점
　ⓐ 계열성을 갖는 구체적인 읽기 기능에 대한 체계적인 교육을 제공하지 않음
　ⓑ 읽기 활동이 아동의 경험과 어휘력에 의존하는 데 비해, 어휘력 계발을 위한 구체적 프로그램이 존재하지 않음

---

## 18

**정답** ⑤

**해설**

① 표준화된 사회성 기술 검사를 실시하여 평가하므로 제3 유형에 해당한다.
② 자기보고서를 작성하게 하여 평가하므로 제3유형에 해당한다.
③ 역할 놀이를 이용한 평가이므로 제3유형에 해당한다.
④ 수업 시간이나 쉬는 시간, 놀이 활동 시간 등 자연스러운 상황에서 어른을 대하는 태도나 친구들과의 대화예절이 적절한지 관찰하여 평가하는 제2유형에 해당한다.
⑤ 교장 선생님, 부모님, 또래 친구 등 주요 인물들에게 의견을 물어 평가하는 제1유형에 해당한다.

**Check Point**

✍ 사회적 타당성을 기준으로 사회적 기술을 측정하는 방법의 유형(Gresham)

| | |
|---|---|
| 유형 1 | • 본질적으로 사회적 타당성을 확보하고 있는 방법<br>• 사회기관(학교, 정신건강 기관 등)이나 주요 인물들(부모, 교사, 또래)이 평가에 참여<br>• 또래로부터의 수용이나 거절(또래지명법 활용), 친구 관계, 교사나 부모의 판단, 직장 동료나 고용주의 판단, 공식적인 기록 등을 포함<br>• 제한점<br>　- 단기간의 중재효과를 검증하기에는 너무 둔감 (사회적 행위에 얼마나 변화가 있어야 사회적 타인들이 이를 인정할 것인가 하는 문제인데, 대개는 아주 눈에 띄는 변화가 있어야만 타인들이 이를 알아챌 수 있기 때문) |
| 유형 2 | • 본질적으로 사회적 타당성을 완전히 확보하지는 않지만 유용한 정보 제공<br>• 대상자를 자연스러운 환경에서 관찰하는 방법(학교 운동장, 직업 훈련 기관의 쉬는 시간, 지역사회 내 시설 이용 등)<br>• 관찰하고자 하는 상황이 자연적이어야 하겠지만, 의도적으로 상황을 구조화하여 사회적 기술의 특정 측면을 집중적으로 관찰할 수도 있음<br>• 제한점<br>　- 사실적인 정보를 제공해 줄 수 있지만 다양한 정보원 활용의 어려움<br>　- 정보 수집 방법이 한정적임 |
| 유형 3 | • 가장 불완전한 사회적 타당성을 보이는 형태<br>• 측정 결과는 자연적인 상황에서의 행동이나 교사, 부모의 사회적 기술에 대한 판단과 별로 관계가 없음<br>• 역할놀이를 통한 검사, 행동적 역할 수행 검사, 사회적 문제해결 측정, 사회적 인지 측정 등 포함<br>• 자기평가나 자기보고 혹은 자기성찰에 근거한 질문지법 등 포함 |

## 19     2011 초등1-25

정답 ①

**해설**

ㄱ. 받아올림의 개념을 이해하지 못하는 전략오류로, 자릿수를 고려하지 않고 답을 기입하였다.
- 받아올림을 해야 할 숫자를 하나의 자릿수로 써버리는 경우이므로 수모형을 이용한 지도는 적절하다.

ㄴ. 세로 덧셈식은 일의 자리부터 수를 더해야 한다(즉 자릿값을 고려하여 일의 자리부터 수를 더해야 한다)는 개념을 모르는 전략오류(또는 절차상의 오류)로, 자릿값을 고려하지 않고 모든 수를 하나씩 모두 더하고 있다. 따라서 지도 방법으로는 순서에 따라 자릿수를 맞춰 계산하는 것을 돕기 위해 형광펜이나 세로 줄을 표시하여 도움을 주거나, 격자 표시가 된 종이, 가림판을 사용한다.
- 가르기와 모으기 그리고 수직선을 이용한 활동은 덧셈과 뺄셈의 기본 개념을 익히는 데 사용되는 방법에 해당하는 것으로 부적절하다.

ㄷ. 받아내림의 개념을 이해하지 못하는 전략오류로, 받아내림을 하지 않고 큰 수에서 작은 수를 빼고 있다.

ㄹ. 분수를 바르게 이해하지 못하고 있다. 따라서 주어진 전체 크기의 색종이를 동일한 크기로 4개, 6개로 나눈 후에, 그중 빗금 친 색종이의 수가 전체 중 몇인지를 알아보도록 한다.
- '색칠하지 않은 부분이 색칠한 부분의 몇 배인지'는 곱셈 개념과 관련된다.

**Check Point**

### ✎ 오류별 지도 방법

① 받아올림의 오류: 시각적 단서를 제공한다. 순서 방법과 구분선 등의 안내를 제공한 뒤 점차적으로 지원을 감소해가며 일반화를 형성한다.

② 절차상의 오류: 순서 방법과 구분선 등의 안내를 제공한 뒤 점차적으로 지원을 감소시킨다.

③ 받아내림의 생략: 명시적 교수법을 바탕으로 구체물, 반구체물, 추상물의 순서로 십진법의 개념을 형성한 후 피감수와 감수의 관계를 이해하고 뺄셈에서 발생하는 보존의 개념을 습득한다.

④ 분수에 대한 개념 오류: 등분, 멀티큐브를 통해 분수의 개념과 표시 방법을 지도한다.

## 20     2011 중등1-9

정답 ④

**해설**

④ 언어성 학습장애의 특성과 교수 방안이다.

**Check Point**

### (1) 비언어성 학습장애 아동의 특성

| | |
|---|---|
| 신경 생리학적 특성 | • 비언어성 학습장애가 보이는 일차적 문제는 촉각-지각, 시공간적 지각, 심리운동적 협응, 주의력에서 나타나며, 이차적 문제로는 시각적 주의집중, 신체적 기능, 비언어적 정보의 기억, 문제해결 능력을 들 수 있다.<br>• 신경생리학적인 원인으로는 뇌 우반구의 발달 결손으로 추정되며 우반구에 후천적 뇌 손상을 입은 성인들에게서도 비언어성 학습장애를 가진 성인들과 같은 현상을 발견할 수 있다. |
| 의사소통 및 인지적 특성 | • 비언어성 학습장애아의 대다수는 언어적 유창성과 기계적인 언어수용능력, 청각적 정보의 기억능력이 매우 발달되어 있다.<br>• 비언어성 학습장애의 인지적 결손은 특히 시지각적 부분과 공간 지각에서 눈에 띄게 나타나는데, 비언어성 학습장애집단은 비장애집단보다 시각적 정보와 공간 정보의 재생에서 크게 떨어지는 수행 수준을 보인다. |
| 학습적 특성 | 학습적인 측면에서 비언어성 학습장애는 읽기독해, 수학적 논리력과 계산능력, 과학, 쓰기 분야에서 낮은 학업성취를 야기하는 원인으로 작용한다. |
| 사회·정서적 특성 | • 비언어성 학습장애 아동은 학습장애의 다른 유형에 속하는 아동이나 비장애아동에 비해 상대적으로 심각한 사회·정서적 문제를 가질 수 있다.<br>• 학령기의 사회적 기술 발달 및 교우관계 형성 경험이 성인기의 사회적 적응과 밀접한 관계를 가짐을 고려할 때, 이 아동들이 적절한 중재 없이 성인기에 돌입하는 경우 이들에게 반사회적 성향이나 정신질환적 문제, 중등 이상 교육에서의 자퇴 등이 일어날 높은 가능성을 제시하였다. |

### (2) 비언어성 학습장애 아동을 위한 지원 방안

복잡한 과제는 한꺼번에 제공하기보다는 세분화하여 순서별로 나누어 제공한다.

② 교사는 비언어성 학습장애 아동에게 학교 및 지역사회 내에서 지켜야 할 규칙이나 규정에 대해 반복적으로 이야기해준다.

③ 비어언성 학습장애 아동이 비언어적인 정보를 통해 상대방의 감정 및 의도를 파악하는 방법을 습득하도록 게임이나 동영상 등을 활용한다.

④ 효과적인 사회적 기술 목록을 작성하여 직접적으로 교수함으로써 비언어성 학습장애 아동이 습득할 수 있도록 도와준다.

⑤ 수업 중 교사는 수업내용 및 자료에 대한 틀만 제공해주거나 수업 중 중심내용을 제시하는 OHP를 이용한다.

⑥ 하루 일과 일정을 미리 제공해 주어 비언어성 학습장애 아동이 혼동하지 않도록 도와준다.

## 21 ▸

정답 ②

해설

주제와 관련된 내용들 간의 관련성을 고려하여 내용을 조직적으로 구성하여 쓰지 못하고, 주제와 관련된 생각들을 단순히 나열하는 형태의 글을 쓰고 있다(컴퓨터 게임은 나쁘다 → 많다 → 재미있다 → PC방 → 게임을 많이 하면 나쁘다). 이러한 문제점을 개선하기 위해서는 대주제를 바탕으로 글의 구조를 한 눈에 제시하는 그래픽 조직자를 활용한 학습이 효과적이다.

• 제시된 학생 A의 쓰기 특성은 학습장애 학생의 작문 관련 특성에 해당한다.

Check Point

(1) 정밀교수
① 특정한 교수방법이 아닌 아동의 학업 수행을 면밀히 모니터링하기 위한 방법
② 교사는 매일의 평가를 통해 이루어지는 정밀교수를 적용하여 교수기법의 성공과 실패를 기록하고 문서화할 수 있으며, 아동의 진보를 촉진하여 일정 수준의 교육적 향상을 가능하게 할 수 있음
③ 정밀교수는 교수전략이라기보다는 교수적 모니터링 기법으로 여겨야 함

(2) 그래픽 조직자
① 텍스트에 포함된 주요 정보의 조직화를 돕기 위하여 '거미줄(web)'이나 다이어그램을 사용하도록 지도하는 것
② 전략의 특징
    ㉠ 시각적 자료 및 공간적 표현을 활용하여 교과내용을 조직적으로 파악하도록 돕는다.
    ㉡ 정보들이 어떻게 연관되어 있는가를 시각적으로 보여 준다.
    ㉢ 글 내용의 논리적인 구조를 보여 준다.
    ㉣ 다양한 교과내용을 독해하는 데 사용될 수 있다.

> 도식 조직자
>
> 텍스트와 그림을 결합시켜 개념, 지식, 정보를 구조화하여 제시하는 시각적인 체계이다. 그래픽 조직자나 도해 조직자로도 불린다. 글의 중요한 개념과 이를 설명하고 있는 요소를 그림으로 나타내어 중요 개념과 용어를 지도할 때 유용하다. 글의 내용과 구조를 파악하거나, 학습내용을 오랫동안 기억하고 회상하는 데 효과적이다. 도식 조직자는 텍스트의 내용이 어떻게 서로 관련되는가를 나타내는 수형도, 단어의 의미 확장이나 단어 사이의 관계를 나타내며 언어 지식이나 언어 영역의 공통점을 나타내는 벤다이어그램, 하나의 주제를 중심으로 관련되는 어휘나 사실을 열거하고 범주화하는 의미

지도, 내용을 맵(map)으로 정리하여 입체적으로 나타내는 마인드맵 등으로 구분된다. 이러한 도식 조직자를 이용하면 텍스트의 구조를 시각화하여 요소들 사이의 관계를 빨리 인식할 수 있으며, 정보를 효과적으로 저장하고 회상할 수 있고, 말로 설명될 수 없는 개념을 명확히 할 수 있는 이점이 있어서 내용 학습에 곤란을 경험하는 학습자들을 위한 교수에서 많이 활용되고 있다(특수교육학 용어사전 : 136).

(3) 페그워드 기법
① 순서에 맞게 외워야 하는 내용을 학습할 때 사용하는 것으로, 페그워드는 숫자와 비슷하게 발음되는 쉬운 단어들을 의미(동 말뚝어 방법)
② 과학 교과에서 독립적으로 적용되기도 하고, 키워드 전략과 접목하여 함께 사용하기도 함
③ 고정된 정보를 사용하는 것이 핵심으로 순서 혹은 번호가 매겨진 정보(예 지하철 노선도, 요일 순서, 버스 정류장에서 집까지의 랜드마크가 되는 물건이나 장소 등)를 암기하는 데 특히 유용

(4) 심상화 기법
① 심상(imagery, visualization)
    ㉠ 기억전략
    ㉡ 기억을 향상시키기 위해 마음속에 이미지를 형상화시키는 것
② 특수교육에서는 쓰기 및 독해를 향상시키기 위한 전략으로 소개됨

   ※ '심상화 전략', '심상재현 전략', '심상 만들기 교수전략'으로 번역, 사용되고 있음

    ㉠ 낱말 쓰기 능력을 향상시키기 위한 이 방법은 아동들로 하여금 낱말의 낱글자 기억을 위해 적절한 낱말을 마음속에 그려보게 하는 방법이다. 심상화 전략은 다음과 같은 단계를 사용한다(백은희, 2020 : 282).
    • 교사는 아동이 읽을 수는 있으나 칠판이나 쓰는 종이 위에 낱말을 바르게 적을 수 없는 단어를 선정하여 쓴다.
    • 아동은 큰 소리로 단어를 읽는다.
    • 아동은 단어의 낱글자를 읽는다.
    • 아동은 단어를 종이 위에 쓴다.
    • 교사는 아동으로 하여금 눈을 카메라처럼 생각하고 단어를 자세히 관찰하여 이를 마음에 새겨두라고 말한다.
    • 교사는 아동이 눈을 감고 단어의 각 낱글자를 마음속으로 하나씩 떠올리면서 큰소리로 말하도록 한다.
    • 교사는 아동이 단어를 적어보도록 하고 단어가 정확하게 쓰였는지 점검한다.

ⓒ 심상재현 전략은 독자가 텍스트의 주요 내용을 기억하도록 돕기 위하여 마음속으로 이미지를 그리도록 지도하는 것이다. 이 전략의 특징은 다음과 같다(한국학습장애학회, 2014 : 143).

- 글의 내용을 회상할 수 있는 때와 장소를 인출하도록 돕는다.
- 이야기 상황이나 주제어를 시각적 상으로 그려서 기억하도록 돕는다.
- 읽은 글의 내용을 오랫동안 기억하게 한다.
- 효과적으로 주요 내용을 연결하고 요약할 수 있도록 돕는다.
- 글의 내용과 관련된 영상을 마음속에 형성하는 동시에 사실 정보를 명제로서 부호화하도록 돕는다.

(5) 빈칸 채우기
① 불완전한 문장이나 담화를 제시하고 이를 완성하게 하는 활동
② 빈칸 채우기에서는 어휘를 단서로 주는 경우도 있고, 특정한 문법을 활용하도록 지시하는 경우도 있음. 또한 아무 단서 없이 의미가 통하는 문장을 만들도록 하는 경우도 있음

---

- 괄호 안의 어휘를 이용하여 _____에 알맞은 말을 쓰세요.

우리 가족은 아버지, 어머니, 저, 동생 모두 4명입니다. 아버지는 회사에 _____(다니다). 어머니도 _____(회사원이다). 아버지와 어머니는 운동을 _____(좋아하다). 그래서 주말에 운동을 많이 _____(하다). 동생은 _____(고등학생이다). 동생은 기타를 아주 잘 _____(치다).

---

## 22                    2011 중등1-30

[정답] ③

[해설]

 지문 돋보기

(가) 헤게-커크 앤 커크 읽기 교수법
(나) 신경학적 읽기 교수법
(다) '본문을 훑어보고' : 조사하기(Survey)
    '질문을 한 뒤' : 질문하기(Question)
    '본문을 읽고' : 읽기(Reading)
    '찾은 답을 되새기고' : 다시 말하기(Recite)
    '다시 검토' : 복습하기(Review)

① 절차적 촉진은 절차적으로 학생의 발달을 촉진시킨다는 의미로 일종의 비계에 해당한다. 쓰기 과정에 있어 Bereiter 등(1982) 등은 절차적 촉진을 기술하였는데, 이는 학습자가 이미 가지고 있는 지식과 기술을 보다 완전하게 활용하도록 하기 위해 실행할 과제요구를 줄여주는 것이다. 쓰기의 경우에 교사는 과정의 단계를 촉구하거나, 복잡한 과정 전체에 걸쳐 학생이 많은 의사결정을 하도록 도와줌으로써 촉진적 지원을 제공할 수 있다. 절차적 촉진은 계획하기, 문장 만들기 및 편집하기에 적용시킬 수 있다(Schloss et al., 2011 : 301).

④ 정교화 전략은 새로운 정보를 학습할 때 이미 학습한 지식기반을 활용하여 이미 알고 있는 것과 새로운 것을 연결시킴으로써 학습효과를 증가시키는 전략을 말한다. 새로운 지식과 선행 지식, 혹은 다른 교과 내용과 통합하거나 연결하는 활동이 대표적인 정교화 활용 형태이다. 정교화 전략의 활용과정에서는 논리적 추론, 예시의 이용, 세부 사항, 여타 정보 연결, 둘 이상의 항목 연결 심상 형성, 문장 생성 등의 작용이 일어난다. 정교화 전략의 예로는 의역하기, 요약하기, 유추하기, 노트하기, 질의 응답하기 등이 있다(이대식, 2020 : 255).

**Check Point**

(1) 전통적 읽기 교수법

| | |
|---|---|
| 페르날드(Fernald) 읽기 교수법 | 아동들이 가능한 한 많은 감각들을 사용하는 것을 배워 읽기 학습에 있어 부가적인 경험이나 단서들을 갖게 되는 것. 즉, 한 아동이 어떤 특정 감각양식에 취약하다면 다른 양식들이 정보를 얻는 데 도움을 줄 것 |
| 길링햄(Gillingham) 읽기 교수법 | 학생들이 읽기, 철자법, 필기 과제를 할 때 요구되는 모든 감각적 양식들을 동원하여 문자와 그들의 소리를 연결하는 것을 배워야 한다고 제안 ⇨ 학생들은 문자를 보고(시각), 그것을 소리내어 말하고(청각), 그 소리를 듣고(청각), 그것을 쓰는(운동감각) 것 등을 배워야 함 |
| 헤게-커크 앤 커크 (Hegge-Kirk-Kirk) 읽기 교수법 | 광범위한 연습의 제공, 문자와 그 소리 간의 관계를 단순화함으로써 학생들이 음소-자소의 관계를 기억하는 데 도움을 주기 위해 고안됨 |
| 신경학적 각인 읽기 교수법 | 학생들은 읽기 과제 수행 시 자신의 목소리와 타인의 목소리를 함께 들음으로써 유창성과 관련된 읽기 기능을 더 효과적으로 획득할 수 있음 |

## (2) SQ3R 방법

다양한 교과내용을 공부하면서 학생은 효과적인 공부기술을 발달시켜야 한다. Robinson에 의해 고안된 SQ3R 방법은 특히 사회과나 과학과에서 널리 사용되고 있다. 이 방법은 학습문제를 가진 학생들에게 더 나은 공부기술에 대한 체계적인 접근법을 제공하고 다음의 단계를 따른다.

① 조사하기(Survey) : 읽기자료의 개요를 얻기 위해 학생은 전체 과제물을 훑어본다. 이때 앞으로 등장하게 될 주요 사항을 살펴보기 위하여 제목을 보고 도입부나 요약을 읽는다. 또한 지도나 표, 그래프, 그림과 같은 시각적 자료를 조사해야 한다. 이러한 조사하기 방법은 읽기를 통하여 학생이 발전하고 사실을 조직화하는 틀을 제공한다.

② 질문하기(Question) : 주의 깊게 책을 읽게 하기 위하여 학생으로 하여금 대답할 수 있을 만한 문제를 만들어 보게 한다. 질문은 책에 나온 대제목과 소제목을 바꾸어 말하게 할 수 있다.

③ 읽기(Reading) : 질문에 대한 답을 찾을 의도로 책 읽기를 한다. 학생은 책을 찬찬히 읽으면서 메모를 할 수 있다.

④ 다시 말하기(Recite) : 읽기자료와 정리 노트를 멀리 놓고 짧고 간단하게 질문에 대한 답을 한다. 이는 학생이 학습한 것을 확고하게 하고 정보를 기억하도록 도와준다.

⑤ 복습하기(Review) : 학생이 읽기자료를 복습하고 전 단계에서 찾아낸 질문의 답을 확인하기 위하여 자료의 일부나 자신이 작성한 노트를 다시 읽어 내용을 기억하고 있는지를 점검한다. 또한 각 제목하의 핵심 사항에 대해 정리할 수 있다. 이러한 복습과정은 학생이 학습한 것에 대한 강화가 되어 읽기자료의 내용을 보다 잘 기억하는 데 도움을 준다(서선진 외, 2010 : 393-394).

## (3) RIDER 기법

시각적 이미지 전략

| R | Read the sentence<br>(문장 읽기) |
|---|---|
| I | Imagine a picture of it in your mind<br>(문장에 대해 마음속으로 이미지 그리기) |
| D | Describe how the new image differs from old<br>(새로운 이미지가 예전의 것과 어떻게 다른지 기술하기) |
| E | Evaluate to see that the image contains everything<br>(이미지에 모든 것이 포함되어 있는지 평가하기) |
| R | Repeat as you read the next sentence<br>(다음 문장에서도 반복하기) |

출처 ▶ 김자경 외(2007 : 92)

## 23

정답 ⑤

해설

① 제시된 자료만을 통해서는 현지의 어려움이 단기기억력의 결함에 의한 것인지를 알 수 없다.

② 현지는 목표점수에 반응(성취) 점수가 연속적으로 도달하고 있지 못하므로 현재의 증거기반 교수방법을 변경하여 제공하는 것이 바람직하다.

③ 수학 연산학습장애로의 판별 여부는 현지에 대한 개별화된 중재 이후, 중재가 성공적이지 못한 경우 적격성 판정 과정을 거쳐 최종적으로 결정되어야 한다.

④ 이중 불일치를 확인하기 위해서는 은지의 반응 점수를 세 학생의 목표점수(성취수준), 목표점수의 기울기(발달선)와 비교해야 한다.
  • 은지의 반응(성취)점수는 목표점수에도 도달하였을 뿐만 아니라 목표점수의 기울기와도 차이가 없으므로 이중불일치의 조건에 해당되지 않는다.

⑤ 민수는 6주차부터 연속적으로 목표점수를 초과하고 있으므로 개인목표를 재설정하고 현재보다 조금 더 높은 수준의 문제해결 활동을 간헐적으로 제공할 필요가 있다.

## 24

정답 ④

해설

① 주요 어휘 등 학습 내용을 기억하게 하는 데 도움이 된다. : 그래픽 조직자의 특징(장점)

② 지도 과정에서 구어와 위의 조직자를 모두 사용함으로써 학생의 능동적인 참여를 유도한다. : 그래픽 조직자의 특징(장점)

③ 가을 운동회에 관한 글과 사진을 함께 보여주고, 여러 가지 어휘나 개념, 정보를 구조화하여 제시할 수 있다. : 그래픽 조직자의 특징(장점)

④ 선행자극, 학생반응, 귀결사건의 구성을 중요한 원리로 한 교수전략을 적용하고자 한 것이다. : 응용행동분석의 원리에 따른 교수원리(ABC 또는 3요인 유관분석)를 의미한다.

⑤ 가을 운동회와 관련된 중요한 정보(예 장소-샛별학교 운동장)를 선택하도록 하고, 관계가 없는 정보(예 활동-등교하기)를 생략하도록 유도한다. : 그래픽 조직자 활용 시 유의사항

## 25                          2012 중등1-11

정답 ③

해설

(가) 직접교수법은 행동주의 원리를 따른다. 따라서 추상적인 용어를 사용해서는 안 되며 관찰 가능한 용어를 써서 학습목표를 기술하여야 한다. (가)에서 학습목표 제시에 관한 설명은 옳으나 학습 목표(잎 모양 본뜨는 방법을 안다)에서 '안다'는 추상적 용어에 해당한다.
- 행위동사를 사용하여 표현할 경우 '안다', '순서에 맞게 수행할 수 있다' 또는 '순서에 맞게 설명할 수 있다' 등과 같이 수정하는 것이 바람직하다.

(다) 안내된 연습은 학생이 해당 기술을 교사와 함께 연습하는 전략이다. 따라서 학생 A가 답을 하지 못하면 도움(피드백)을 제공하고 안내를 해야 하며 필요한 경우 재교수를 실시해야 한다.

Check Point

(1) 직접교수법의 개념
① 학업에 초점을 맞추어 아동들이 고도로 참여하며, 교사가 구조적으로 위계화한 교재를 사용하는 교사 주도적인 수업이다.
② 또한 원리나 내용의 의미를 깨닫게 하는 것이 아니라 행동주의 이론에 입각하여 연속적이고 구조화된 학습 자료를 명시적이고 반복적으로 제공하여 아동이 자신이 해결하여야 할 과제가 무엇인지 분명히 알게 해주는 교사 중심의 수업이다.

(2) 직접교수법의 특징
① 교수전략으로서는 철저하게 학습 향상을 위한 피드백을 주고, 잘못된 반응을 보일 때는 정확하고 신속하게 이를 교정해 준다.
② 아동들이 지루하지 않게 학습진도를 빠르게 이끌어 나가면서 숙달 정도를 높인다. 그러면서도 아동들의 적극적인 참여를 유도한다.
③ 교사가 이러한 교수활동을 능숙하게 해 나갈 수 있도록 숙달될 때까지 바람직한 교수활동의 시범과 체계적인 보조를 제공한다.
④ 교수활동이 종료되면 지속적으로 학생들의 학업성취 정도를 평가하되, 평가내용은 교수활동에서 다루었던 것과 밀접하게 관련이 있어야 한다. 중요한 것은 실제 아동들이 투여한 시간을 최대한 증가시킴으로써 효율적이고 밀도 있는 학습이 이루어지도록 하는 것이다.

(3) 직접교수법의 실행 절차

| 단계 | 설명 |
|---|---|
| [1단계] 학습목표 제시 | 학습목표는 관찰 가능하고 측정 가능한 행동, 행동이 발생할 조건, 수용 가능한 행동 수행을 위한 준거를 포함해야 한다. |
| [2단계] 교사 시범 | • 학습목표에서 요구하는 행동을 소리 내어 생각말하기(think-aloud) 기법을 활용하여 어떻게 전략을 사용하는지 시범 보인다.<br>　- 전략 사용의 이유와 핵심 요소를 제시하고 전략 사용 방법을 직접 시범 보인다.<br>• 교사의 시범 후 교사와 학생의 질문과 대답 활동을 통해 학생의 내용 이해 정도를 확인한다.<br>　- 교사는 필요한 경우에 촉진과 피드백을 사용하여 학생의 대답을 요구한다. |
| [3단계] 안내된 연습 | • 학생이 해당 기술을 교사와 함께 연습하는 단계이다.<br>• 교사는 질문하고, 연습이 부족하여 발생하는 실수를 확인하고, 오류를 정정하며, 필요한 경우에는 재교수를 실시한다.<br>• 학생 모두가 전략을 수행해 볼 수 있는 충분한 기회를 제공한다.<br>• 실제보다 쉬운 연습과제부터 전략을 연습하도록 하여 자신감을 심어준다. |
| [4단계] 독립적 연습 | • 학생은 독립적으로 과제를 수행한다.<br>• 독립적 연습은 안내된 연습에서 높은 성공률(90~100%)을 보일 때 실시한다.<br>• 교사는 교실을 돌아다니며 학생들이 과제를 제대로 수행하는지 점검하고 어려움을 보이는 학생에게 도움을 제공한다.<br>　- 독립적 연습 단계에서의 교사 피드백은 안내된 연습에서의 피드백처럼 빠르게 제공되지 않는다. |

## 26 ‖

정답 ①

해설

ㄱ. 영희는 받아내림을 하지 않고 큰 수에서 작은 수를 빼는 오류 패턴(2011 초등1-25 기출)을 보이고 있다. 따라서 받아내림 절차의 지도가 필요하다.

ㄴ. '큰 수로부터 이어 세기' 전략은 기초 덧셈 전략이므로 부적절하다. 학생 A의 경우 받아내림에 대한 개념이 없으므로 다음과 같은 전략을 적용하는 것이 적절하다.
 • 수 모형(낱개 모형, 십 모형)을 이용하여 윗자리의 숫자인 피감수를 제시하고, 아랫자리의 숫자인 감수만큼 제거하도록 한다. 이때 일의 자리부터 감수를 제거하도록 하고, 피감수의 낱개 모형 수가 부족하면 십 모형 1개를 낱개 모형 10개로 교환하여 제거하도록 한다.
 • 십의 자리에서 받아내리는 절차를 수식으로 나타내어 계산하는 연습을 하게 한다.

ㄷ. 학생 A의 문제 풀이에 불필요한 정보인 선생님의 수를 문제 풀이에 적용하고 있으므로, 문제 해결에 필요한 정보와 불필요한 정보를 구별할 수 있도록 지도하는 것이 필요하다.
 • 문제 해결에 필요한 정보: 전체 학생 수, 여학생 수, 남학생 수
 • 문제 해결에 불필요한 정보: 선생님의 수

ㄹ. 이 문제의 유형은 결합형에 해당한다.

ㅁ. 문장으로 되어 있는 정보를 그림이나 도식으로 나타내는 표상교수는 문제해결에 필요한 정보를 파악하여 의미 있게 형성할 수 있어, 문제의 유형을 파악할 수 있다.

## 27 ‖

정답 ⑤

해설

㉠ '줄기가'를 '줄기를'이라고 읽는 것은 형식형태소 대치 오류에 해당한다.

㉡ 대치 오류는 글에 있는 것 이외의 낱말로 대치하여 읽는 경우를 말한다(이경화, 2014 : 186). '바람이'를 '밤이'라고 읽는 것과 같은 의미 대치 오류에 해당한다.

㉢ 읽기 유창성을 향상시키기 위해서는 글에 포함된 단어의 약 90% 이상을 정확하게 읽을 수 있는 글을 선택하여 읽기 유창성 교수에 사용한다.

---

**Check Point**

✎ 읽기 유창성 오류 유형

| | |
|---|---|
| 대치 | • 의미 대치(제시된 어절을 다른 의미 단어로 대치하는 경우)<br>예 어머니가 그만 견디다 못해 청개구리를 내쫓았지. → 어머니가 그만 견디다 못해 청개구리를 쫓아냈지.<br>• 무의미 대치(제시된 어절을 무의미 단어로 대치하는 경우)<br>예 아무리 어린 신랑이지만 너무 졸라댔다. → 아무른 어린 신랑이지만 너무 졸라댔다.<br>• 형식형태소 대치(제시된 어절에서 어미, 조사 등 형식 형태소를 다른 형식 형태소로 대치하는 경우)<br>예 하루는 배고픈 여우가 산길을 어슬렁거리고 있었어. → 하루는 배고픈 여우는 산길을 어슬렁거리고 있었어. |
| 생략 | • 전체 어절 생략(제시된 어절의 전체가 생략된 경우)<br>예 죽지 않고 살려는 욕심은 같았나 봅니다. → ( ) 않고 살려는 욕심은 같았나 봅니다.<br>• 형식형태소 생략(제시된 어절에서 어미, 조사 등 형식 형태소가 생략된 경우)<br>예 옛날에 시골 마을에 똥을 빨리 누는 사람이 살았대. → 옛날 시골 마을에 똥을 빨리 누는 사람이 살았대. |
| 첨가 | • 전체 어절 첨가(새로운 단어나 어절이 첨가된 경우)<br>예 산속에서 자라는 익모초 말이에요. → 산속에서 잘 자라는 익모초 말이에요.<br>• 형식형태소 첨가(제시된 어절에 어미, 조사 등 형식 형태소가 첨가된 경우)<br>예 사또, 죄송하지만 잠깐 볼일 좀 보고 오겠습니다. → 사또는, 죄송하지만 잠깐 볼일 좀 보고 오겠습니다. |
| 반복 | • 전체 어절 반복(제시된 어절 전체를 반복하는 경우)<br>예 옛날에 시골 마을에 똥을 빨리 누는 사람이 살았대. → 옛날에 시골 시골 마을에 똥을 빨리 누는 사람이 살았대.<br>• 첫음절 반복(제시된 어절의 첫음절을 반복한 경우)<br>예 하루는 배고픈 여우가 산길을 어슬렁거리고 있었어. → 하 하루는 배고픈 여우가 산길을 어슬렁거리고 있었어.<br>• 부분 어절 반복(제시된 어절의 일부를 반복한 경우)<br>예 캬, 정말이로구나. → 캬, 정말 정말이로구나. |
| 자기 교정 | 오류를 보인 후 자기 스스로 교정하여 정반응하는 경우<br>예 캬, 정말이로구나. → 캬, 장멀, 정말이로구나. |

출처 ▶ 김애화 외(2013 : 176)

## 28 | 2012 중등1-19

정답) ⑤

해설

ㄱ. 쓰기 유창성을 높이는 목적으로 베껴 쓰기 교수를 적용할 경우에는 학생이 제한된 시간 동안 베껴 쓰기를 한 다음, 학생이 베껴 쓴 글자의 수를 기록하게 한다(김애화 외, 2013 : 230). 따라서 학생의 쓰기 유창성을 향상시키기 위해서는 문장을 빠르고 정확하게 베껴 쓰도록 지도할 필요가 있다.

• 쓰기 유창성은 글자와 단어를 알아볼 수 있도록 정확하게 그리고 속도감 있게 쓰는 능력이다. 글씨를 알아볼 수 있게 쓰더라도 철자가 정확하지 않은 경우와 철자가 정확하더라도 글씨를 알아볼 수 없게 쓴 경우 모두 쓰기 유창성 문제를 유발한다. 특히 이들 두 요소는 쓰기의 궁극적 목적이라 할 수 있는 작문과 직간접적으로 연관되어 있으므로 체계적인 분석과 교수가 필요하다(한국학습장애학회, 2014 : 160).

ㄴ. <자료 1>의 경우 글씨가 줄을 따라 바르게 정렬되어 있지 않고 크기도 일률적이지 못하기 때문에 자세, 연필, 공책의 위치를 점검할 필요가 있다.

• 손글씨 쓰기에서는 자세, 연필잡기, 공책의 위치가 중요하다. 많은 교사들은 학생들의 쓰기 구성 요인의 습득에 도움이 되는 자세, 연필, 공책의 위치 전략을 이용하고 있다(정대연, 2020 : 175).

ㄷ. <자료 1>과 <자료 2>에서 구두점의 생략, 띄어쓰기의 오류 등 문법적 오류가 발견된다. 쓰기 능력을 향상시키기 위해 스스로 혹은 또래와 함께 점검할 수 있도록 하는 전략을 지도할 필요가 있다.

ㄹ. <자료 2>의 경우 '찬바람이 불어서 날씨가 춥다.'와 같이 하나의 문장으로 만들 수 있도록 지도한다.

ㅁ. 15분 동안 작성한 글의 양을 고려할 때 도식조직자(그래픽조직자)를 활용하여 주제에 대한 아이디어를 생성하고 조직하여 내용을 충분히 쓸 수 있도록 해야 한다.

## 29 | 2013 초등A-4

모범답안)

| 1) | • 기호와 이유 : ⓒ, 반복 읽기 전략의 주된 목적은 읽기 유창성 능력을 향상시키기 위한 것이기 때문이다.<br>• 기호와 이유 : ⓒ, 반복 읽기 전략을 통해 읽기 유창성이 향상되면, 글을 해독하는 것보다 읽기이해 활동에 더욱 집중할 수 있기 때문이다. |

해설

1) ⓒ 반복 읽기 전략의 주목적은 유창성을 향상시키기 위한 것이다.
   ⓒ 반복 읽기 전략을 통해 독해(또는 읽기이해) 활동에 더욱 집중할 수 있게 된다.

Check Point

### ✅ 읽기 유창성 향상을 위한 교수방법

| 짝과 함께 반복 읽기 | • 읽기 유창성이 좋은 또래 친구와 짝을 이루어 소리 내어 반복 읽기<br>• 구성 요소 및 절차<br>– 짝 정하기(아동 A, 아동 B)<br>– 아동 B의 수준에 적합한 글 선택하기<br>– '짝과 함께 반복 읽기' 절차를 명시적으로 설명하고 연습하기<br>– '짝과 함께 반복 읽기' 적용하기 |
|---|---|
| 끊어서 반복 읽기 | • 끊어 읽기+반복 읽기<br>• 구성 요소 및 절차<br>– 끊어서 반복 읽기 활동에 필요한 읽기 지문 준비하기<br>– 교사가 끊어 읽기 시범 보이기<br>– 아동과 함께 끊어 읽기 연습하기<br>– 아동이 독립적으로 끊어서 반복 읽기 |

**30**

정답 ④

해설

지문 돋보기

| A 영역 | • 일반학생 집단: 평균 범위<br>• IQ 75 이상 읽기부진 집단: 평균 범위 | 비교 불가 |
|---|---|---|
| B 영역 | • 일반학생 집단: 평균 범위<br>• IQ 75 이상, IQ 70~75 미만 읽기부진 집단: 평균 범위 | 비교 불가 |
| C 영역 | • 일반학생 집단: 평균 범위<br>• IQ 75 이상, IQ 70~75 미만 읽기부진 집단: −1표준편차 이하 | 비교 가능 |

T 점수는 평균 50, 표준편차 10의 표준점수이다($T = 10Z + 50$). 따라서 원점수가 평균치와 동일하다면($Z$점수 = 0) T 점수는 50이 된다.

㉠ 일반학생의 T 점수는 A와 C영역에서는 평균 이상, B영역에서는 평균 이하로 나타났다.

㉡ 백분위는 표를 통해서는 정확한 수치 산출이 어렵다. T 점수가 40점이라면 −1표준편차이므로 하위 16%(정상분포 곡선에서 왼쪽 극단에서 −1SD까지 차지하는 면적)임을 추정할 수는 있다. IQ 70 이상 75 미만 읽기 부진 학생들의 A 영역 결과인 34.8은 −1표준편차와 −2표준편차 사이에 위치하므로 하위 16%ile의 범위에 해당한다.

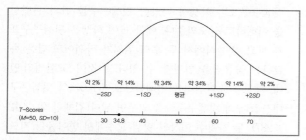

㉢ A~C 영역 점수의 특성과 인지처리과정 결함 접근법과의 관련성은 다음과 같다.

• A 영역: 일반학생 집단의 점수는 평균 범위이며, 읽기부진 집단의 점수는 IQ 수준에 따라 평균 범위와 평균 이하의 범위에 위치하는 것으로 각각 나타났다. 특히 IQ 75 이상 읽기부진 집단의 T점수가 평균 범위 안에 있기 때문에 일반학생 집단과의 비교를 통해 어떠한 인지처리과정 변인이 읽기부진의 문제를 유발시켰는지 파악하는 것을 어렵게 한다.

• B 영역: 일반학생 집단과 (IQ 수준에 상관없이) 읽기부진 집단 모두 T점수가 평균 범위 안에 분포한다. 따라서 두 집단 간 인지처리과정 변인의 차이를 구분하기 어렵다.

• C 영역: 일반학생 집단의 T점수는 평균 범위, 읽기부진 집단은 IQ 수준에 상관없이 평균 범위 이하의 T 점수인 것으로 나타났다. 따라서 일반학생 집단과 읽기부진 집단 간 인지처리 능력 차이를 명확히 파악할 수 있다.

**31**

정답 ①

해설

평가 결과는 학생 A가 읽기 이해 능력이 부족함을 보여주고 있다.

ㄱ. 본문을 읽기 전에 제목을 읽고 글의 내용을 예측하도록 하는 예측하기(또는 예견하기)는 사전지식 활성화에 도움이 되는 전략이다.

ㄴ. 단서를 활용하여 글에서 중심내용을 찾고 이를 자신의 말로 표현하도록 지도하는 중심내용 파악하기는 읽기 이해에 중요한 역할을 하며, 특히 설명글의 이해에서 더욱 중요한 역할을 차지한다.

ㄷ. 일견단어 접근법은 해독 중심이 아닌 의미 중심의 프로그램이다. 제시문의 특성(글의 구조)에 맞는 읽기 프로그램이라고 할 수 없다.

ㄹ. 개념 지도는 목표 어휘의 정의, 예, 예가 아닌 것으로 구성된 그래픽 조직자다(김애화 외, 2013: 186). 이와 같은 그래픽 조직자를 활용하면 비교 대조 형식의 글을 더욱 명확하게 이해할 수 있다.

• 비교 대조를 위해 가장 일반적으로 사용되는 그래픽 조직자 유형은 비교·대조형(⑧ 벤다이어그램)이다.

ㅁ. 보기의 좌측은 설명글의 구조 중 인과관계 형식의 글에, 우측은 나열형 형식의 글에 적합하다. 설명글의 구조 중 비교대조형의 유형 지도에 적합한 그래픽 조직자는 다음과 같다.

| 주제 | 사과와 오렌지의 비교 | | |
|---|---|---|---|
| 비교대상 | 사과 | | 오렌지 |
| 주요개념 | 차이점 | 공통점 | 차이점 |
| 종(種) | | 과일 | |
| 모양 | | 동그랗다 | |
| 색깔 | 연두색,<br>빨간색 | | 주황색 |
| 맛 | | 시거나 달다 | |

**[비교대조형 설명글의 구조 파악을 돕기 위해 사용될 수 있는 내용 조직자]**

## 32 ┃ 2013 중등1-35

정답 ②

해설

(나) 내용 생성의 효율성(즉, 내용 생성)에 초점을 두는 것은 초고 작성 단계이지만, 문법과 철자에 초점을 두는 것은 편집 단계이다.

(라) 학생이 주도적으로 내용을 표현할 수 있도록 하는 것은 초고작성 단계에서 이루어지며, 편집 단계에서는 글의 의미가 잘 전달될 수 있도록 문장의 형태 바꾸기 활동이 이루어지는 데 필요하다면 사전을 사용하거나 교사로부터 피드백 받기가 모두 가능하다.

**Check Point**

### ✎ 쓰기 과정적 접근

| | |
|---|---|
| 글쓰기<br>준비<br>단계 | • 글쓰기 주제 선택하기<br>• 쓰는 목적(정보제공, 설명, 오락, 설득 등)을 명확히 하기<br>• 독자를 명확히 하기(또래 학생, 부모, 교사, 외부 심사자)<br>• 목적과 독자에 기초하여 작문의 적절한 유형 선택하기(이야기, 보고서, 시, 논설문, 편지 등)<br>• 쓰기를 위한 아이디어를 생성하고 조직하기 위한 사전활동하기(마인드맵 작성, 이야기하기, 읽기, 인터뷰하기, 브레인스토밍, 주제와 세부항목 묶기 등)<br>• 교사는 학생과 협력하여 글쓰기 활동에 참여(내용을 재진술/질문하기, 논리적으로 맞지 않는 생각 지적하기) |
| 초고<br>작성<br>단계 | • 초고 작성, 글을 쓸 때 수정하기 위한 충분한 공간 남기기<br>• 문법, 철자보다 내용을 생성하고 구성하는 데 초점 맞추기 |
| 수정<br>단계 | • 초고를 다시 읽고, 보충하고, 다른 내용으로 바꾸고, 필요 없는 부분을 삭제하고, 옮기면서 내용 고치기<br>• 글의 내용을 향상시키고 다양한 시각을 제안할 수 있도록 또래집단(글쓰기 도우미 집단)을 활용하여 피드백 제공하기 |
| 편집<br>단계 | • 구두점 찍기, 철자법, 문장구조, 철자 등 어문규정에 맞추어 글쓰기<br>• 글의 의미가 잘 전달될 수 있도록 문장의 형태 바꾸기<br>• 필요하다면 사전을 사용하거나 교사로부터 피드백 받기 |
| 쓰기<br>결과물<br>게시<br>단계 | • 쓰기 결과물을 게시하거나 제출하기(학급신문이나 학교문집에 제출)<br>• 적절한 기회를 통하여 학급에서 자기가 쓴 글을 다른 학생들에게 읽어 주거나 학급 게시판에 올려놓기 |

출처 ▶ 김동일 외(2016 : 240)

## 33 ┃ 2013 중등1-36

정답 ②

해설

**지문 돋보기**

(연산 결과)

| 학생 A | | 공통적으로 받아올림을 잊어버린 받아올림 오류로 요소기술 오류에 해당함 |
|---|---|---|
| 학생 B | | 공통적으로 받아올림을 잊어버린 받아올림 오류로 요소기술 오류에 해당함 |
| 학생 C | 62-47 | 두 가지 오류를 모두 생각할 수 있음<br>• 큰 수에서 작은 수를 빼는 형태의 받아내림 오류로 전략오류에 해당함<br>• 받아내림을 하지 않은(잊어버린) 받아내림 오류로 요소기술 오류에 해당함 |
| | 35-7 | 받아내림을 하지 않은 받아내림 오류로 요소기술(잊어버린) 오류에 해당함 |

(대화)

• C는 받아내림을 한 후 십의 자리에서 뺄셈을 틀리게 하고 있어요. : '62-47', '35-7'의 공통된 오류 유형은 요소기술 오류로, 받아내림을 한 후 십의 자리에서 받아내림한 사실을 반영하고 있지 않음

㉠ 학생 A는 자릿수를 고려하여 덧셈을 하고는 있으나 일의 자리에서 받아올림을 한 수를 십의 자리에서 더하지 않고 답을 기입하였다는 것이다. 이는 받아올림 오류에 해당한다.

㉡ 덧셈구구표는 학생이 다양한 덧셈구구들 간의 관련성을 이해하도록 도와준다. 예를 들어 학생은 덧셈구구표를 보고, 덧셈식에서 두 수의 위치가 바뀌어도 답은 똑같다는 공통점을 발견할 수 있다. 이것이 '교환법칙'인데, 학생은 교환법칙을 이해함으로써 100개의 덧셈구구 대신 55개의 덧셈구구만을 외우면 된다(김애화 외, 2012 : 287). 두 자릿수 이상의 덧셈 교수에서 받아올림 지도는 받아올림을 해야 하는 계산식에서 답을 적는 곳에 □칸을 제공한다. 또는 자릿수를 맞춰 계산하는 것을 돕기 위해 형광펜이나 세로 줄을 표시하여 도움을 주거나, 격자 표시가 된 종이를 사용한다.

㉢ 34 곱하기 6에서 일의 자리값은 올바르게 표시되어 있으나 십의 자리에서는 6과 30의 곱한 값만 나오고 일의 자리에서 올림한 20은 더하지 않았음을 알 수 있다. 따라서 받아올림 오류에 해당한다.

ⓒ 곱셈에서의 받아올림을 지도하기 위해서는 상위 자릿수로의 받아올림을 한 수와 상위 자릿수의 곱을 진행한 후 덧셈을 하도록 하는 방법 혹은 부분 곱을 사용하여 계산하도록 하는 방법을 적용한다.

- 시각적 표상교수는 문장제 문제를 해결하기 위하여 사용하는 시각적 전략 교수로 학생의 오류와 관련이 없다.
- 수 계열은 연속되는 수에 관한 것(예 빠진 수 채워 넣기)으로 수감각 증진을 위해 적용할 수 있으나 학생의 오류와는 관련이 없다.

ⓜ 일의 자리까지 뺄셈을 할 때 작은 수에서 큰 수를 빼지 못하기 때문에 앞의 십의 자리에서 10을 빌려와 빼는 과정과 십의 자리에서 빌려 주고 남은 수를 표시하는 것이 빠져 있어 답에서 오류가 생길 수 있으므로 시각적 단서인 □칸을 넣어 풀이하는 과정을 눈으로 볼 수 있도록 하였다.

# 34 [2013추시 초등B-1]

[모범답안]

| 1) | 문제 해결에 필요한 정보와 불필요한 정보를 구별하지 못하였다. |
|---|---|
| 2) | 오리와 거위를 그림이나 선과 같은 반구체물을 이용하여 제시한다. |
| 3) | 비교형 |

[해설]

[지문 돋보기]

- "연못에 오리 4마리와 거위 3마리가 있습니다. 오리 2마리가 연못으로 들어왔습니다. 오리가 모두 몇 마리인지 알아보세요.": 변화형 문장제 문제
- 오리와 거위 모형 : 구체물의 활용
- 문장제 문제 유형을 알고 도식을 활용하여 풀이하는 방법 : 표상교수

1) '오리 4마리＋오리 2마리'를 '오리 4마리＋거위 3마리＋오리 2마리'로 풀이하였다. 이는 '오리'에 더욱 주의를 기울여야 했음에도 불구하고 그렇지 못한 것을 의미한다. 결과적으로 오리 4마리＋거위 3마리＋오리 2마리의 답을 9로 제시한 것은 단순연산 오류는 없음을 나타낸다.

2) CSA 순서란 명시적 교수의 수준으로 구체물 – 반구체물 – 추상물의 순서로 제시하는 것을 의미한다(2009 중등1－11 기출).

3) 문장제 문제의 유형으로는 덧셈과 뺄셈을 적용하는 변화형, 결합형, 비교형과 곱셈과 나눗셈을 적용하는 배수비교형과 변이형이 대표적이다.

[Check Point]

## ✎ 표상교수

① 표상이란 문제를 읽고 문제의 유형을 파악하는 것을 의미하며, 일반적으로 이 과정에서 그림이나 도식 활용

② 도식을 적용하기 위해 도식 확인 → 표상 → 계획 → 문제 해결과 같은 네 가지 문제해결 절차 적용

③ 문장제 문제해결을 위한 표상교수에서 문장제 문제 유형에 대한 표상을 명시적으로 교수하고, 이를 다양한 문제에 적용하도록 지도하는 데 초점을 둘 것

④ 덧셈, 뺄셈이 적용되는 문장제 문제의 유형 : 변화형, 결합형, 비교형

⑤ 곱셈, 나눗셈이 적용되는 문장제 문제의 유형 : 배수비교형, 변이형

| 덧셈, 뺄셈이 적용되는 문장제 문제의 유형 | 곱셈, 나눗셈이 적용되는 문장제 문제의 유형 |
|---|---|
| 변화형 : 어떤 대상의 수가 변화하는 형태의 문제로, 시작, 변화량, 결과의 관계를 파악해야 하는 문제 | 배수비교형 : 목적 대상을 비교 대상의 배수 값과 관련지어야 하는 문제로, 목적 대상, 비교 대상, 대상과 비교의 관계를 파악해야 하는 문제 |
| 결합형 : 대상 간의 관계가 상위/하위 관계 형태의 문제로, 상위 개념, 하위 개념 1, 하위 개념 2의 관계를 파악해야 하는 문제 | 변이형 : 두 대상 간의 관계가 인과관계로 진술되어 있고, 이 둘 사이 인과관계 값 중 하나를 파악해야 하는 문제 |
| 비교형 : 두 대상 간의 차이를 비교하는 형태의 문제로, 비교 대상 1, 비교 대상 2, 차이의 관계를 파악해야 하는 문제 | |

# 35

**모범답안**

| | |
|---|---|
| 2) | ㉣ 목표어휘와 학생이 이미 알고 있는 키워드를 연결하여 목표어휘를 가르치는 방법이다.<br>㉤ 순서에 맞게 외워야 하는 내용을 숫자와 비슷하게 발음되는 쉬운 단어들을 사용하여 학습하는 방법이다.<br>• 차이점 : 핵심어법은 학생이 이미 알고 있는 단어 중 목표어휘와 청각적으로 비슷한 어휘를 사용하고 페그워드법은 숫자와 비슷하게 발음되는 쉬운 단어를 이용한다. |

# 36

**모범답안**

| | |
|---|---|
| 1) | ㉠ 음절 변별<br>㉡ /드-아-을/을 합쳐서 말하면 무슨 단어인가요? |
| 2) | 읽기 이해 지도 |
| 3) | 심상 만들기 교수전략(또는 심상재현 전략) |
| 4) | 음운인식 능력은 읽기 능력과 높은 상관이 있으며, 향후 읽기 능력을 예측하는 강력한 변인이기 때문이다. |

**해설**

**지문 돋보기**

(가)
• 민호 : 해독과 단어인지에 어려움이 있다고 볼 수 있음
 ‒ ‘노래방’이라는 간판을 보고 자신에게 친숙한 단어인 ‘놀이방’이라고 읽음 : 단어인지의 어려움
 ‒ ‘학교’라는 단어는 읽지만 ‘학’과 ‘교’라는 글자를 따로 읽지는 못함 : 표면적으로는 단어인지가 되는 것처럼 보이지만 실질적으로는 해독에 어려움이 있음
• 영주 : 또래에 비해 읽기 수준이 낮은 특성을 보임
(나)
• 민호 : 문제의 전반적인 맥락을 통해 볼 때 민호가 ‘노래방’을 ‘놀이방’이라고 읽은 것, ‘학교’라는 단어는 읽을 수 있지만 ‘학’과 ‘교’라는 글자는 따로 읽지 못하는 것과 관련하여 특수학급 김 교사가 다양한 읽기 지도 방법 중 음운인식 지도 방법을 선택하여 지도한 이유는 음운인식이 읽기 능력과 높은 상관이 있으며, 더 나아가 향후 읽기 능력(단어인지, 읽기 유창성, 읽기 이해 포함)을 예측하는 강력한 변인임을 고려하였기 때문이라고 볼 수 있음. 즉 음운인식 훈련을 통해 ‘노래방’과 ‘놀이방’은 서로 다른 말소리임을 식별할 수 있는 능력을 길러줄 수 있으며, ‘학교’를 ‘학’과 ‘교’로 분절 혹은 합성하는 훈련을 통해 추후 단어인지에 도움을 줄 수 있음을 반영하였다고 볼 수 있음

**Check Point**

✍ **읽기 이해 증진을 위한 교수법**

| 교수법 | 내용 |
|---|---|
| 관련 지식 자극하기 | 학생들이 읽기 자료의 주요 내용들을 논리적이고 의미 있게 서로 연결하고, 글의 내용을 중심으로 적절한 추론을 내릴 수 있도록 학생들을 도와주는 역할 수행 |
| 질문하기 | 학생들이 글의 주요 내용에 주의를 기울이도록 유도하고, 글의 전체 내용을 단계적으로 요약할 수 있도록 도와주고, 학생 스스로가 글을 읽는 동안 글의 내용에 대한 자신의 이해를 점검해 볼 수 있도록 도와주는 기능 수행 |
| 심상 만들기 | • 학생들이 주요 내용을 효과적으로 연결·요약할 수 있도록 도와주기 위해 주로 활용<br>• 심상 만들기 교수전략의 예<br> ‒ 학생들에게 글을 읽는 동안 마음속에 글의 내용에 대한 심상을 만들어 보도록 요구하기<br> ‒ 글을 읽고 난 후 글의 내용을 대표할 수 있는 그림을 그리도록 요구하기<br> ‒ 글을 읽는 동안 글 속에 들어 있는 삽화를 보면서 글의 내용과 관련지을 수 있도록 유도하기 |
| 효과적인 학습동기 교수 전략 | • 효과적인 학습동기 교수전략의 사용은 학생들이 읽기활동에 적극적으로 참여하도록 유도함으로써 궁극적으로 학생들의 읽기 능력 향상에 도움을 주는 기능 수행<br>• 학생들의 읽기활동에 참여하는 동기는 내재적 동기요인과 외재적 동기요인으로 구분<br> ‒ 내재적 동기요인 : 글의 내용에 대한 관심, 새로운 내용에 대한 학습 호기심 등<br> ‒ 외재적 동기요인 : 교사의 요구에 순응하기, 교사로부터 인정받기, 친구들과 경쟁하기 등 |

# 37                    2014 중등A-5

**모범답안**

의미특성분석

**해설**

**지문 돋보기**

- 목표 어휘: 경도, 위도
- 목표 어휘의 주요 특성
  - 지구 표면의 주소
  - 세로로 그어진 줄
  - 가로로 그어진 줄
- 목표 어휘와 목표 어휘의 주요 특성 간 관계 표시 방법: 그래픽 조직자에 '+' 또는 '−'로 표시
- 다음과 같은 유형의 그래픽 조직자를 사용했음을 의미함

| 목표어휘<br>주요특성 | 경도 | 위도 |
|---|---|---|
| 지구표면의 주소 | + | + |
| 세로로 그어진 줄 | + | − |
| 가로로 그어진 줄 | − | + |

의미특성분석은 목표 어휘와 그 어휘들의 주요 특성들 간의 관계를 격자표로 정리하는 방법으로, 학생들은 각 개념이 각 특성과 관련이 있는지(+ 표시) 없는지(− 표시)를 분석하여 해당 개념의 의미를 폭넓게 이해할 수 있다.

# 38                    2014 중등A-7

**모범답안**

큰 가수를 기준으로 이어세기(또는 큰 수로부터 이어세기)

**해설**

**지문 돋보기**

- (가)에서 학생 A의 덧셈 특성을 보면 세 자리 수의 덧셈 문제를 풀 수는 있으나, 문제를 푸는 데 시간이 오래 걸리고, 주어진 시간 내에 문제를 풀려고 할 때, 오답 비율이 높아지기 때문에 정해진 시간 내에 문제를 효율적으로 풀 수 있는 전략이 필요함을 알 수 있음
- (나)의 풀이 과정을 보면 학생 A는 두 수의 크기와 상관없이 앞의 수를 기준으로 '이어세기'를 하고 있는 것으로 나타남

효율적인 기초 덧셈 전략으로 큰 가수를 기준으로 이어세기, 부분인출 및 직접인출 등이 있으나, 부분인출이나 자동인출은 전략에서 제외하고 답할 것을 요구하고 있다.

**Check Point**

## ✍ 효율적인 기초 덧셈 전략

| 큰 가수를<br>기준으로<br>이어세기 | 큰 가수를 기준으로 이어세기를 하기 위해서는 다음과 같은 선행지식과 기술이 필요하다.<br>• 덧셈식의 순서와 상관없이 효율적인 순서로 연산을 할 수 있다는 것을 알아야 한다.<br>• 두 수 중 큰 수를 변별할 수 있어야 한다.<br>• 1이 아닌 곳에서 시작하여 셀 수 있다. |
|---|---|
| 부분인출<br>및<br>직접인출 | • 부분인출 및 직접인출을 통해 덧셈의 기본셈(덧셈구구)을 빠르고 정확하게 할 수 있도록 도와주어야 한다.<br>• 덧셈구구 교수 단계 |

| | 1단계 | 학생이 덧셈구구의 기본 개념을 이해하도록 가르친다. |
|---|---|---|
| 부분인출<br>및<br>직접인출 | 2-1단계 | 사칙연산구구표를 이용하여 학생이 다양한 덧셈구구들 간의 관련성을 이해하도록 도와준다. |
| | 2-2단계 | 덧셈구구표를 점진적으로 소개하여 학생이 이를 효율적으로 학습할 수 있도록 도와준다. |
| | 3단계 | 학생들이 2단계에서 학습한 사칙연산구구를 자동화할 수 있도록 반복·누적하여 연습할 수 있는 기회를 제공하여야 한다. |

| 두 자릿수<br>이상의<br>덧셈 교수 | 한 자릿수 덧셈 계산이 유창하게 되면, 두 자릿수 이상의 덧셈 교수를 실시한다. |
|---|---|

# 39

**모범답안**

읽기 유창성, 읽기이해

**해설**

**지문 돋보기**

- (가) 낱말 읽기 평가 결과 20점 만점 중 19점을 획득할 정도로 개별 단어인지에는 문제가 거의 없는 것으로 나타남
- (나) 학생 A는 음독 과정에서 대치, 첨가 등의 오류를 보이는 것으로 나타남
- (다) 읽은 글의 주요 내용에 대해 묻는 교사의 질문에 대해 학생 A는 바르게 답하지 못하는 것으로 나타남

- (가)를 통해 음운변동이 적용되는 낱말 읽기('묻어'), 낱자와 소리의 대응관계를 이용한 낱말 읽기('환자') 등 단어인지에는 이상이 없음을 알 수 있다.
- 단어인지에는 큰 문제가 없는 학생 A가 (나)와 같이 문장을 소리에서 읽는 과정에서는 대치, 첨가 등의 오류를 여러 차례 보이므로 읽기 유창성에 문제를 보이고 있다고 할 수 있다. (가)와 (나)의 결과를 종합적으로 살펴보면 학생 A는 개별단어 수준에서는 단어인지 능력에 문제가 없으나 글 수준에서의 읽기 유창성에는 어려움을 보이고 있다.

**Check Point**

## ☑ 읽기 유창성과 단어인지

『National Reading Panel』(2000) 보고서가 발표되기 전까지 읽기 유창성의 결함은 단어인지의 결함에서 기인한다고 가정하여, 읽기 유창성 향상을 위해 읽기 유창성 교수를 실기하기보다는 단어인지 교수에 초점을 두는 경우가 많았다. 그러나 단어인지 교수와 읽기 유창성 교수가 읽기 유창성에 미치는 영향을 비교한 연구 결과를 통해 읽기 유창성이 읽기 교수의 중요한 요소로 평가되기 시작했다. 여러 연구에서 단어인지 교수가 단어인지 능력 향상에는 효과적이었으나 읽기 유창성 향상을 이끌지 못하는 것으로 보고되었다. 또한 개별 단어 수준에서의 유창성을 강조한 교수와 글 수준에서의 읽기 유창성을 강조한 교수의 효과를 비교한 연구에서도 글 수준에서의 읽기 유창성을 강조한 교수가 읽기유창성 향상에 더 효과적임을 보고하였다(김애화 외, 2013 : 172).

# 40

**모범답안 개요**

| | |
|---|---|
| ㉠ | • 쓰는 목적을 명확히 하기<br>• 작문을 위한 아이디어를 생성하고 조직하기 위한 사전 활동하기 |
| ㉡ | 낱자와 소리의 대응관계를 제대로 적용하지 못하고 있기 때문에 음운처리 중심 교수법이 필요하다. |

**해설**

㉠ 학생 A가 쓴 글의 특징은 다음과 같다.

**지문 돋보기**

- 글의 주제가 명확하지 않다. TV와 신문의 공통점과 차이점이 명확히 드러나 있지 않다. : TV와 신문의 공통점과 차이점을 쓰도록 하였으나 해당 내용이 명확히 드러나 있지 않음
- 주제와 관련되지 않은 내용이 포함되어 있다. : 학생 A가 좋아하는 것은 글의 내용과 관련이 없음
- 관련 내용이 부족하다. : 제시된 내용이 부족함
- 철자 오류가 있음

학생 A가 쓴 글의 특징을 볼 때 계획하기 단계에서는 글을 쓰는 목적을 명확히 하고 마인드맵 작성, 주제와 세부항목 묶기 등의 사전 활동이 이루어져야 한다.

㉡ '멸로'(별로), '왜야하면'(왜냐하면), '여능'(예능), '스포즈'(스포츠), '귀즈'(퀴즈) 등과 같이 오류가 발견된 단어들은 음운처리에 오류가 있음을 보여준다. 즉 낱자와 소리 대응관계에 맞춰 소리나는 대로 표기하면 되는 단어들을 잘못 쓴 경우에 해당한다. 따라서 음운처리 중심 교수법을 적용한다.

**Check Point**

## (1) 철자의 오류 유형

| 음운처리<br>오류 | 소리 나는 대로 표기되는 단어를 쓸 때, 소리가 다른 단어로 잘못 쓰는 오류 |
|---|---|
| 표기처리<br>오류 | 소리 나는 대로 표기되지 않는 단어를 정확하게 쓰지 못하는 오류 |
| 형태처리<br>오류 | 단어를 구성하는 형태소에 대한 인식이 부족하여 나타나는 오류 |

## (2) 철자 특성에 따른 철자 교수법

| | |
|---|---|
| 음운처리 중심 교수법 | • 낱자-소리 대응관계를 활용한 파닉스 교수법을 적용한 철자 교수법<br>• 기본 자음(단자음)과 기본 모음(단모음) ⇨ 이중 모음 ⇨ 겹자음 순으로 가르치기<br>• 주의: 시각적인 형태나 발음이 비슷한 낱자를 동시에 가르치지 않기 |

⇩

| | |
|---|---|
| 표기처리 중심 교수법 | • 한글 철자 오류에서 가장 빈번하게 나타나는 것 : 한글의 음운변동 현상 때문<br>① 음운변동(7종성, 연음, 비음화, 설측음화, 구개음화, 된소리되기, 축약, ㅎ탈락, 겹받침) 규칙별로 단어를 묶어서 소개하는 방법<br>② 문장 안에서 단어의 쓰임을 인식할 수 있도록 하는 방법 |

⇩

| | |
|---|---|
| 형태처리 중심 교수법 | • 어간-어미(어근-접사), 시제, 동음이의어를 고려한 철자 교수법<br>① 용언의 기본형과 활용형을 연결하여 교수하는 방법<br>② 문장 안에서 단어의 쓰임을 인식할 수 있도록 하는 방법 |

## 41

**모범답안**

| 교수방법 | 상보적 교수법 |
|---|---|
| 용어 | 명료화하기 |

**Check Point**

### (1) 상보적 교수법

구문과 관련된 토론에 적극적으로 참여함으로써 구문 이해와 이해 모니터링 모두를 촉진할 수 있는 상호작용적인 교수전략

① 비계설정 교수법 강조

② 학습방법을 교사와 학생의 대화를 통하여 대화하면서 학생의 초인지적인 이해를 촉진시키고, 그 절차를 역할놀이 해 보면서 학생이 익힐 수 있도록 하는 상호교수

③ 교사와 학생이 글에 대해 구조화된 대화를 통한 학생의 읽기 이해력 향상이 목적

### (2) 상보적 교수의 4가지 전략

| | |
|---|---|
| 예측하기 | • 예측하기는 글을 읽는 목적을 설정하는 데 도움을 준다.<br>• 글을 읽기 전에는 글을 전반적으로 훑어봄으로써 앞으로 읽을 내용에 대해 예측하게 하고, 글을 읽는 중간에는 지금까지 읽은 내용을 바탕으로 앞으로 이어질 내용을 예측하게 한다. |
| 질문하기 | • 질문 만들기는 학생이 자신이 읽은 글에서 중요한 내용에 집중할 수 있도록 돕는 전략이다.<br>• 학생이 해당 문단을 읽으면서, 그 문단의 중요한 내용을 반영한 질문을 만들도록 한다. 이때 질문을 만드는 데 필요한 키워드 등을 사용할 수 있는데, 이러한 키워드는 글의 장르에 따라 달라질 수 있다. |
| 명료화하기 | • 명료화하기는 학생이 자신의 글에 대한 이해 여부를 점검하도록 돕는 전략이다.<br>• 학생이 자신이 모르는 단어나 이해하지 못한 내용이 있는지를 점검하고, 자신이 이해하지 못한 부분에 대해 명료화한 후에 다음 문단으로의 읽기를 진행한다. |
| 요약하기 | • 요약하기는 학생이 자신이 읽은 글의 내용을 정리하고, 중요한 내용을 기억하는 것을 돕는 전략이다.<br>• 학생은 이야기 글의 경우에는 이야기 문법 요소를 중심으로 내용을 요약하고, 설명글의 경우에는 문단별 중심 내용을 중심으로 전체 글의 내용을 요약할 수 있다. |

(3) 상보적 교수 단서 카드의 예시

| 〈예측하기〉<br>나는 _____에 대해 읽게 될 것이<br>라고 생각한다. | 〈질문 만들기〉<br>누가?<br>무엇을?<br>언제?<br>어디서?<br>왜?<br>어떻게?<br>만일? |
| --- | --- |
| 〈명료화하기〉<br>• 어려운 단어<br>　- 다시 읽기<br>　- 어려운 단어가 포함된 문장,<br>　　앞 문장과 뒤 문장 읽기<br>　- 단어형태 분석해 보기<br>　- 사전 찾기<br><br>• 이해가 되지 않는 내용<br>　- 다시 읽기<br>　- 문맥의 뜻을 파악하기 위해<br>　　앞 문장과 뒤 문장을 읽어<br>　　보기<br>　- 친구 또는 교사와 이야기<br>　　하기 | 〈요약하기〉<br>이 글의 내용은 _____<br><br>_____<br><br>_____<br><br>_____ |

출처 ▶ 김애화 외(2013)

# 42 2015 중등A-8

모범답안

| (가) | 또래지명법(또는 지명도측정법) |
| --- | --- |
| (나) | FAST 전략 |

해설

(나) 상황 맥락 중재는 학교, 가정, 또래관계 등의 상황 맥락 안에서 필요한 사회적 기술을 선택하고, 선택된 상황 맥락에서 사회적 기술을 가르칠 것을 강조한다. 여기에는 FAST 전략과 SLAM 전략 등이 있다. FAST 전략은 다음과 같은 4단계에 따라 지도한다.

- 일단 행동을 멈추고 생각 : Freeze and Think(멈추고 생각하기)
- 다양한 대안을 모색 : Alternative(대안 모색하기)
- 최적의 해결 방안일지 선택 : Solution Evaluation (최적의 대안 찾기)
- 수행 : Try it(대안 수행하기)

Check Point

(1) 사회적 기술 평가 방법

| 자기보고법<br>(서술형) | | 서면이나 면대면 인터뷰를 통해 사회적 기술과 관련된 자기 상태를 표현하는 방식 |
| --- | --- | --- |
| 또래<br>지명법<br>(지명도<br>측정법) | | 대상 아동이 또래에게 어떻게 인지되고 있는지를 알아보는 데 유용한 방법 |
| | 단점 | • 신뢰도가 높고 타당하기는 하지만 거부되는 아동의 경우 그 이유가 해당 아동이 사회적으로 무관심하기 때문인지 아니면 적극적으로 배척당하기 때문인지 구별하지 못한다.<br>• 문제행동을 보이는 학생을 신뢰도 높게 추출해 낼 수는 있지만, 교사로 하여금 훈련을 시킬 구체적인 문제행동이나 사회적 기술에 대해서는 정보를 제공해 주지 않는다.<br>• 어떤 아동이 훈련의 결과로 사회적 기술을 갖게 되었어도 실제로 또래들에게 그러한 변화가 감지되기까지는 일정한 시간이 걸린다. |
| 행동평정<br>척도 | | 사회적 기술 소유 정도를 아동 자신, 또래, 부모 혹은 교사로 하여금 평정하게 하는 방법 |
| | 장점 | • 짧은 시간에 많은 항목을 조사할 수 있다.<br>• 연구자나 조사자가 의도한 측면을 적절한 문항 개발을 통해 비교적 구체적으로 자세히 알아볼 수 있다.<br>• 서로 다른 상황이나 집단 내에서 아동의 사회적 기술 상태를 상대적으로 비교해 볼 수 있다. |

| | 단점 | • 실제 특정 환경에서 특정 시간에 피험자가 특정 사회적 기술을 구사할 것인지에 대해서는 거의 알려 주는 바가 없다. : 사회적 기술이 무엇이고 어떻게 해야 하는지 아는 것과 실제로 행하는 것 간에는 차이가 있기 때문<br>• 검사의 결과는 전적으로 피험자의 반응에 의존하기 때문에 피험자의 실제 사회적 기술의 구사보다는 피험자의 주관과 감정 그리고 의도에 따라 결과가 달라질 수 있다.<br>• 평정척도는 자체의 특성에서 오는 타당성의 문제이다. |
|---|---|---|
| 직접<br>관찰법 | | • 관찰 상황을 어떻게 구성하느냐에 따라 구조화된 환경에서의 관찰과 비구조화된 환경에서의 관찰로 나눌 수 있다.<br>• 관찰 내용은 수량화하거나 유목화할 수 있는 것뿐만 아니라 질적인 사항까지 포함해야 한다.<br>• 관찰의 성공 여부는 관찰도구의 치밀성에 따라 달라진다. |
| 행동 간<br>기능적<br>연쇄성<br>분석 | | • 사회적 기술 문제 진단에서부터 문제해결까지 이르도록 해주는 진단 및 처방 방법<br>• 문제나 지도 방법을 미리 정하지 않고 구체적이고도 종합적인 문제행동과 그 환경 변인의 기능평가 자료에 근거하여 그때그때 형성된 가설에 따라 문제와 지도 방법을 결정한다. |
| 사회적<br>거리<br>추정법 | | 일련의 문항을 제시하고 한 명의 학생이 모든 학생들에게 반응하도록 함으로써 특정 개인이 집단을 수용－거부하는 정도는 물론 집단이 특정 개인을 수용－거부하는 정도를 분석할 수 있다. |

**(2) 학습장애 아동의 사회적 기술지도**

| FAST<br>전략 | 목적 | 문제 상황에서 반응하기 전에 학생이 문제를 주의 깊게 생각하고, 대안을 모색하여 각 대안의 결과를 예측함으로써 최선의 대안을 선택할 수 있도록 한다. |
|---|---|---|
| | 전략 | • Freeze and Think(멈추고 생각하기)<br>• Alternative(대안 모색하기)<br>• Solution Evaluation(최적의 대안 찾기)<br>• Try it(대안 수행하기) |
| SLAM<br>전략 | 목적 | 타인에게 부정적 피드백을 들을 때, 적절하게 받아들이는 것을 돕는다. |
| | 전략 | • Stop whatever you are doing. (지금 하고 있는 일을 멈춰라.)<br>• Look the person in the eye. (상대방의 눈을 바라보라.)<br>• Ask the person a question to clarify what he or she means. (상대방이 말한 것이 어떤 의미인지 명확하게 말해 줄 것을 요청하라.)<br>• Make an appropriate response to the person. (상대방에게 적절한 반응을 하라.) |

**모범답안**

| (가) | 정밀교수 |
|---|---|
| (나) | 자기교정법 |

**해설**

(가) 정답과 오답의 수를 표로 작성, 매일 측정된 결과의 변화를 A에게 보여주기, 그래프와 표로 자신의 진전을 확인할 수 있어서 학습 목표를 달성하는 데 도움 등과 같은 표현은 모두 정밀교수의 과정을 보여주고 있다.
  • 교육과정 중심 사정(CBA) 중 한 가지 방법 : 교육과정 중심 측정, 정밀교수, 포트폴리오 사정은 CBA의 세 가지 예이다(Prater, 2011 : 164).

(나) '학생 B의 학습 특성상 학생이 주도적으로 학습할 수 있는 방법', '자기 점검과 자기교수법을 변형시킨, 철자법을 스스로 확인하는 방법'을 단서로 활용한다.

**Check Point**

**(1) 교육과정 중심 사정**

① 교육과정 중심 사정(CBA)을 사용하는 교사는 그들이 가르치는 교육과정 또는 교육 내용과 사정도구를 연계시킨다.

② CBA에서 교수를 위해 사용되는 실제 교육과정 자료는 사정을 위해 활용되고, 직접 관찰과 학생 수행의 기록은 교수적 결정을 내리기 위해 활용된다.

| 교육과정<br>중심측정<br>(CBM) | • CBA의 형식적 유형<br>• CBM을 사용하는 교사는 시간제한 검사와 학생 수준의 도표화를 포함한 표준 절차 적용<br>• 다음 요소에 의해 다른 교실 사정과 구분됨<br>　- CBM은 표준화된 것임. 측정되는 행동과 측정하는 동안의 절차는 구체적으로 정해져 있음<br>　- CBM은 검사 과정과 자료가 지속적으로 남으면서 장기간 사용될 수 있음<br>　- 매주 검사는 학년 말에 기대되는 수행을 반영하는 내용 포함 |
|---|---|

| | |
|---|---|
| 정밀교수 | • CBM과 유사점<br>　- 시간제한 검사를 통한 유창성과 자료 비율,<br>　　학생 수행 결과를 도표화하고 평가한다.<br>　- 필요한 경우 교육과정 또는 교수 변화가 이<br>　　루어진다.<br>• CBM과의 차이점(편저자 주: 역서에는 교육<br>　과정 중심 사정과의 차이로 되어 있으나 내용<br>　상 CBM으로 보는 것이 타당함)<br>　- CBM 검사는 연간 교육과정에 포함된 모든<br>　　기술을 사정하지만, 정밀교수는 작은 단위<br>　　(예 구구단의 2단에만 해당)를 사정한다.<br>　- 정밀교수는 오로지 기준 성취 차트만 사용<br>　　한다[기준 성취 차트는 자료점을 절대적으<br>　　로 보여주기 보다는 비례적으로 보여줌.<br>　　예를 들어, 학생의 곱셈 문제 풀기 비율이<br>　　분당 10단위에서 20단위로 향상되었다면,<br>　　변화비율(2배)은 같은 시간 동안 1분에 5<br>　　단위에서 10단위로 향상된 학생과 같다는<br>　　의미]. |
| 포트폴리오<br>사정 | • 포트폴리오를 만드는 일반적인 목적<br>　- 학생 최고의 작품을 전시하기 위해<br>　- 학생의 성장이나 진전을 보여주기 위해<br>　- 목표기준의 수행을 증명하기 위해 |

출처 ▶ Prater(2011 : 164-167) 요약 정리

(2) 자기교정법

① 아동 자신이 쓴 단어와 정답을 비교하여, 자신이 잘못 철자한 단어를 확인하여 수정한 후, 단어를 바르게 베껴 쓰는 방법

② 가리고, 기억하여 쓰고, 비교하기 포함

| 정답 | 아동이 기억하여<br>쓰기 | 자기교정 | 자기교정 | 자기교정 |
|---|---|---|---|---|
| 무릎 | 무릅 | 무릎 | 무릎 | 무릎 |
| 닮았다 | 닯았다 | 닮았다 | 닮았다 | 닮았다 |

• 표 설명 : 첫째 칸에는 정답을 제시하고, 둘째 칸에는 정답을 먼저 살펴본 다음 정답을 가리고 기억하여 단어를 쓰도록 한다. 그다음 정답과 비교하여 틀린 부분에 체크하고, 셋째 칸에는 올바른 철자를 자기교정하여 쓰도록 한다. 이와 같은 과정을 넷째 칸과 다섯째 칸에 반복한다.

## 44

**모범답안**

| (가) | ㉢, 고체, 액체, 기체 사이의 순환적 변화를 이해하는 데 적절한 그래픽 조직자의 유형은 순환형(순환도)이기 때문이다. |
|---|---|
| (나) | • K : 용해와 용해에 대해 알고 있는 것을 기록하게 한다.<br>• W : 용해와 용해에 대해 알고 싶은 내용을 기록하게 한다.<br>• L : 용해와 용해에 대해 알게 된 사실을 요약하게 한다. |

**해설**

㉢ 의미특성분석표는 격자표를 사용하여 '+', '-'를 표시하는 방법이다.

**Check Point**

(1) 그래픽 조직자의 종류

| 유형 | 그래픽 조직자의 형태 | 활용 가능한 내용의 예시 |
|---|---|---|
| 순환형<br>(순환도) | | • 물질의 순환<br>• 먹이사슬 |
| 연속형<br>(순서도) | | • 역사적 사건의 발발 및 촉발 요인<br>• 문제해결 과정 |
| 계층형<br>(흐름도) | | • 동식물의 종 분류<br>• 정부 조직도 |
| 비교·<br>대조형<br>(벤다이<br>어그램) | | • 식물과 동물의 유사성과 차이점<br>• 원인류와 영장류의 특징 비교 |
| 개념형 | | • 이야기 속 인물 간 관계<br>• 과학의 관련 개념 연결 |
| 매트<br>릭스<br>형 | | • 과학실험 결과의 기록<br>• 역사적 사건의 영향력 기술 |

출처 ▶ 한국학습장애학회(2014)

(2) K-W-L 전략

K-W-L 전략은 3단계로 구성된다.

① 읽을 글의 제목에 대해 자신이 이미 알고 있는 것에 대해 기록한다(K: what I Know).

② 앞으로 글을 읽음으로써 배우고 싶은 내용을 기록한다 (W: what I Want to know).

③ 글을 다 읽은 후, 자신이 글을 통해 배운 것을 요약한다. 특히 요약을 할 때는 글의 중심내용에 초점을 맞춘다(L : what I Learned).

## 45

**모범답안**

| | |
|---|---|
| 2) | ㉠ 일의 자리와 십의 자리에 대한 자릿값 개념은 있으나, 시간, 분, 초 단위별로 자릿값에 맞춰 계산하지 못하였다.<br>㉡ 자릿값 개념은 있으나 초단위 계산 과정에서 받아내림을 하지 않았다. |
| 3) | 받아내림을 할 때, 일의 자리에 있는 값은 '10'이 늘어나고, 십의 자리에 있는 값은 '1'이 줄어든다는 것에 대한 시각적 단서를 제공한다. |

**해설**

2) ㉠ 시·공간 지각의 어려움으로 인해 시간 단위를 고려하지 못한 채 시와 분(10시와 1분), 분과 초(30분과 19초)를 같은 자리에 써서 계산하고 있음을 확인할 수 있다. 무조건적으로 자릿값만 맞췄음을 의미한다.

3) 빈칸을 이용하는 것은 시공간 지각에 어려움이 없는 순서의 특성을 이용한 것이다. 시각적 촉진 방법으로 '반구체물을 활용', '가림판을 이용' 등도 가능하다.

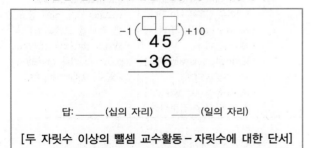

답: _____(십의 자리) _____(일의 자리)

[두 자릿수 이상의 뺄셈 교수활동 – 자릿수에 대한 단서]

## 46

**모범답안**

| 명칭 | 시험전략(또는 시험보기 전략) |
|---|---|
| 기술 | 다음 중 택 1<br>• 쉬운 것을 먼저 한다.<br>• 어려운 질문은 넘어간다. |
| 기호와 이유 | ㉠, 전략 사용의 이유와 핵심 요소를 제시하고 전략 사용 방법을 직접 보인 후 설명을 끝내는 것이 아니라 교사와 학생이 질문과 대답 활동을 통해 학생의 내용 이해 정도를 확인해야 하기 때문이다.<br>㉢, 연습과제에서 학생이 전략을 잘못 사용했을 때 교정적 피드백을 통해 오류를 정정하고 필요한 경우 재교수를 실시하여야 오류를 반복할 가능성이 낮아지기 때문이다. |

**해설**

**지문 돋보기**

| 교수활동 | 직접교수의 단계 |
|---|---|
| • 이전 시간에 배운 내용을 점검한다.<br>• 수업 목표를 진술한다. | 학습목표 제시 |
| • 선다형 문항을 풀이하는 전략을 설명한다.<br>• 전략을 촉진하면서 전략을 사용하여 문제 푸는 방법을 시범 보인다. | 교사 시범 |
| 학생이 배운 대로 전략을 연습해 볼 수 있도록 과제를 제시하고, 교사는 전략 사용을 촉진한다. | 안내된 연습 |
| 전략을 다시 확인하고 주어진 시간 동안 독립적으로 전략 사용을 연습하게 한다. | 독립된 연습 |

기술) 학생 A의 문제는 "한 시간 내내 끙끙거리며 잘 모르는 문제만 풀고 있는 것 같았어요."란 대화 내용에 근거하여 유추할 수 있다. 따라서 쉬운 것을 먼저 하게 하거나 어려운 질문은 넘어가는 기술을 적용할 수 있다.

• 적용 가능한 하위 전략의 명칭을 묻는 문제가 아니다.

기호와 이유)

㉠ 직접교수법은 설명하기, 시범 보이기, 질문하기, 활동하기의 단계로도 소개된다. 처음에 교사는 언어적으로 설명하고 시범 보이고, 교수학습에서 이차적인 책임을 진다. 질문하기 단계에서는 교사와 학생이 내용 파악을 위한 질문과 대답 활동이 주를 이룬다. 그리고 활동하기 단계에서는 점차 독자 혼자서 연습함으로써, 학습의 책임권이 교사 책임에서 교사/학생 책임으로 공유되고, 점차 완전한 학생 책임으로 이행된다(이경화, 2014 : 292).

㉢ 전략을 잘못 사용하였을 때 교정적 피드백 없이 같은 문제를 다시 제공할 경우 오류를 반복할 가능성이 높다. 따라서 오류를 정정하고 필요한 경우에는 재교수를 실시해야 한다.

**Check Point**

(1) 일반적 시험전략

모든 목적에 적합한 또는 일반적 시험전략에는 ① 학업적 준비, ② 물리적 준비, ③ 태도 개선, ④ 불안 감소, ⑤ 동기 개선이 있다(Prater, 2011 : 273-274).

| | |
|---|---|
| 학업적 준비 | 학생들이 언제 그리고 무엇을 공부해야 하는지에 대해 설명한다. 특히 학생은 어떤 내용을 공부해야 하는지 알아야 한다. 교사는 학생이 시험 치게 될 기술과 지식에 대해 명시적이어야 한다. 학생은 또한 사용될 시험 질문의 유형(예 논술, 참/거짓, 선긋기, 선다형)을 알아야 한다. |
| 물리적 준비 | 학생이 특히 시험을 치기 전에 건강하고, 적절하게 음식을 섭취하고, 밤에 충분히 휴식을 취해야 함을 의미한다. |
| 태도 개선 | 학생은 시험을 치는 것에 대해 건강하고 긍정적이고 확신에 찬 태도를 가져야 한다. 교사는 학생의 시험 태도를 평가해야 하고, 그 결과에 근거하여 중재해야 한다. 예를 들어, 학생이 자신의 표준을 너무 높게 설정한다면 합리적인 수준의 개선 목표를 설정하도록 도와준다. 만약 학생이 부정적인 시험 결과를 받는 것에 대해 두려워한다면 노력에 대해 강화해 주고 지원하는 환경을 조성해 주어야 한다. |
| 불안 감소 | 불안은 자주 학생의 시험 수행을 방해할 수 있다. Scruggs 등은 불안 감소를 위한 전략을 다음과 같이 제시한다.<br>• 다양한 시험 형식을 경험하게 한다.<br>• 시험 치는 기술을 가르친다.<br>• 시험이 시행되는 동안 행해지는 평가적인 언급을 줄인다.<br>• 학생이 작업에 임하고 자신들의 시간을 현명하게 사용하도록 과제수행 행동의 자기 점검법을 가르친다.<br>• 긴장을 푸는 데 자기 점검 절차를 사용한다. |
| 동기 개선 | 노력에 대한 외적 강화를 제공하는 것, 적절한 귀인을 가르치고 격려하거나 또는 성공/실패가 학생의 통제 밖의 힘에 의한 것이 아니라 개인의 노력에 기인하게 하는 것, 학생이 시험을 치는 상황에서 성공하도록 그들 자신이 통제하는 전략을 사용하게끔 격려하는 것에 의해 성취될 수 있다. |

(2) 특정 시험전략

특정 시험전략은 주로 두문자어로 만들어지는데, 이는 학생이 성공적으로 시험을 치기 위해 완수해야 할 전략 단계를 가르친다.

| | | |
|---|---|---|
| 시험 준비 | FORCE(Wehrung-Schaffner & Sapona, 1990)<br>• Find out(찾아낸다. : 시험에서 다루게 될 것과 질문의 유형이 무엇인지)<br>• Organize(정리한다. : 공부에 필요한 모든 자료를 수집함으로써)<br>• Review the material(자료를 복습한다.)<br>• Concentrate and make a cue sheet(집중하고 큐시트를 만든다.)<br>• Early exam(예행시험 : 반복하거나 짝이 질문하게 함으로써 연습한다.) | |
| 시험 치는 동안 | DETER(Strichart & Mangrum, 2002)<br>• Directions, read them(지시사항을 읽는다.)<br>• Examine the test(시험지를 살펴본다.)<br>• Time, check it(시간을 점검한다.)<br>• Easy ones first(쉬운 것을 먼저 한다.)<br>• Review my work(나의 답안을 검토한다.) | PIRATES(Hughes & Schumaker, 1991)<br>• Prepare to succeed(성공하도록 준비한다.)<br>• Inspect the instruction(지시사항을 점검한다.)<br>• Read, remember, reduce(질문을 읽고, 정보를 기억하고, 줄인다.)<br>• Answer or abandon(질문에 답하거나 포기한다.)<br>• Turn back(다시 돌아간다.)<br>• Estimate(답을 추정한다.)<br>• Survey(답을 제대로 하였는지 훑어본다.) |
| | SCORER(Carman & Adams, 1984)<br>• Schedule time(시간을 계획한다.)<br>• Clue words, look for(단서를 주는 단어를 찾는다.)<br>• Omit difficult questions(어려운 질문은 넘어간다.)<br>• Read carefully(주의 깊게 읽는다.)<br>• Estimate answers(정답을 추정한다.)<br>• Review your work(자신의 답안을 검토한다.) | SNOW(Scruggs & Mastropieri, 1992)<br>• Study the question(질문을 숙독한다.)<br>• Note important points(중요한 점을 메모한다.)<br>• Organize important information before writing(쓰기 전에 중요한 정보를 조직화한다.)<br>• Write directly to the point of the question(질문의 요지에 따라 쓴다.) |

## 47     2017 초등B-2

**모범답안**

| | |
|---|---|
| 2) | 다음 중 택 1<br>• 안전띠(또는 착용)라는 단어의 뜻을 알아보기 위해 글을 다시 읽기<br>• 안전띠(또는 착용)라는 단어가 포함된 문장, 앞 문장과 뒤 문장 읽기<br>• 안전띠(또는 착용)의 단어형태 분석해 보기 |

**해설**

2) 어려운 단어를 이해하기 위한 방법 중 '사전 찾기'는 (가)의 내용('사전 찾기를 포함하여')에 포함되어 있으므로 제외한다.

- 어려운 단어에 대한 명료화를 위한 방법으로는 '다시 읽기', '어려운 단어가 포함된 문장, 앞 문장과 뒤 문장 읽기', '단어형태 분석해 보기', '사전 찾기' 등이 있다.
- 이해가 되지 않는 내용에 대한 명료화 방법으로는 '다시 읽기', '문맥의 뜻을 파악하기 위해 앞 문장과 뒤 문장을 읽어보기', '친구 또는 교사와 이야기하기' 등이 있다.

**Check Point**

### 📝 상보적 교수 단서 카드의 예시

| 〈예측하기〉 | 〈질문 만들기〉 |
|---|---|
| 나는 _____에 대해 읽게 될 것이라고 생각한다. | 누가?<br>무엇을?<br>언제?<br>어디서?<br>왜?<br>어떻게?<br>만일? |
| **〈명료화하기〉** | **〈요약하기〉** |
| • 어려운 단어<br>  – 다시 읽기<br>  – 어려운 단어가 포함된 문장, 앞 문장과 뒤 문장 읽기<br>  – 단어형태 분석해 보기<br>  – 사전 찾기<br>• 이해가 되지 않는 내용<br>  – 다시 읽기<br>  – 문맥의 뜻을 파악하기 위해 앞 문장과 뒤 문장을 읽어보기<br>  – 친구 또는 교사와 이야기하기 | 이 글의 내용은 _____<br>_____<br>_____<br>_____ |

출처 ▶ 김애화 외(2013)

## 48     2017 초등B-3

**모범답안**

| | |
|---|---|
| 3) | ① 준수는 수업내용을 요약하는 데 어려움이 있기 때문에 안내노트를 이용하면 수업내용을 조직하고 이해를 증진시키는 데 도움이 된다.<br>② 준수는 글자를 쓰는 데 많은 노력이 필요하기 때문에 안내노트를 이용하면 노트필기의 정확성과 효율성을 향상시킬 수 있다. |
| 4) | 결합지식 수준의 준수에게 목표 어휘와 관련된 다양한 어휘들 간의 관계를 파악할 수 있게 함으로써 어휘의 의미를 깊이 있게 이해할 수 있도록 하기 때문이다(또는 결합지식 수준의 준수가 자신의 선행지식과 연결하여 새로운 어휘를 이해하고 어휘력을 확장시키는 데 효과적이기 때문이다). |

**해설**

4) '단어와 정의를 연결할 수 있음', '어휘의 의미를 깊이 이해하는 데 어려움이 있음' 등의 특징은 준수의 어휘지식 수준이 현재 결합지식 수준임을 나타낸다. 따라서 의미 지도의 이용은 어휘 간의 관련성을 이해하도록 도와주며, 또한 완성된 의미 지도에 대한 활발한 논의는 의미 지도의 효과를 극대화하여 어휘지식 수준을 이해지식 수준으로 향상시킬 수 있다.

- 의미 지도는 학생이 자신의 선행지식과 연결하여 새로운 어휘의 의미를 이해하고 어휘력을 확장하는 데 유용한 방법이다(김애화 외, 2013 : 186).

**Check Point**

(1) 내용 강화법
① 내용 교과의 정보를 더 잘 조직, 이해, 기억하도록 하기 위해 교사가 주요 교과 내용을 잘 전달하는 데 중점을 두고 사용하는 폭넓은 기법들을 통칭하여 부르는 용어
② 내용강화법의 종류 : 안내노트, 그래픽 조직자, 기억증진 전략, 학습전략(상보적 교수, 직접교수법, 정밀교수 등) 등

(2) 학습 안내지
① 교과서의 중심내용이나 주요 어휘 등의 학습을 돕기 위해 제작한 학습지
② 목적에 따라 학습 안내지, 워크시트, 안내 노트로 구분

| 학습 안내지 | 교과서의 중심내용 및 주요 어휘에 관한 질문으로 구성 |
|---|---|
| 워크시트 | 교과서의 중심내용 및 주요 어휘에 관한 개요 제시 |
| 안내노트 | 중요 사실, 개념 및 관계성 등을 기록하도록 표준 단서와 특정 여백을 남겨두어 아동에게 수업을 안내하도록 하는 교사 제작 인쇄물 |

(3) 어휘지식 수준에 따른 교수법

| 결합지식<br>교수법 | • 사전적 정의<br>• 키워드 기억 전략<br>• 컴퓨터 보조 교수 |
|---|---|
| 이해지식<br>교수법 | • 의미 지도<br>• 개념도<br>• 개념 다이어그램<br>• 의미 특성 분석<br>• 어휘 관련시키기 활동<br>• 질문-이유-예 활동 |
| 생성지식<br>교수법 | • 빈번한, 풍부한, 확장하는 어휘교수<br>• 다양한 장르의 책을 다독 |

## 49    2017 중등A-12

**모범답안**

| ○ | • 일견단어 교수법 : 반복적인 노출을 통해 주어진 단어의 시각적 형태를 기억하도록 하고, 단어의 시각적 형태와 음과 의미를 서로 연합시키도록 하는 방법<br>• 이유 : 단어를 사진과 함께 반복적으로 노출시킴으로써 단어의 시각적 형태와 음 그리고 사진을 통한 의미를 서로 연합시키면 메뉴판 읽기가 가능하기 때문이다. |
|---|---|
| © | 사회적 타당도 |

**해설**

**지문 돋보기**

> 일반사례분석 : 일반사례분석은 전통적인 과제분석 절차를 확장하여 수행 상황에서의 단계와 자극 변인을 나타낸 개념이다. 예를 들면, 현금 인출기는 장소나 위치에 따라 각양각색이다. 은행에 따라 다를 수 있고, 기계 종류에 따라 다를 수 있다. 그러나 교사가 지역 내에 있는 모든 현금 인출기에 대한 과제분석과 훈련을 하기보다는 상황에서 가장 일반적인 변인이 될 은행을 골라 훈련하면 훨씬 쉽게 접근할 수 있을 것이다(김형일, 2014 : 193-194).

○ 일견단어 교수법은 낱말을 구성하는 말소리 체계에 대한 분석 없이 글자를 빠르게 읽을 수 있도록 지도하는 방법으로도 정의할 수 있다.
  • 메뉴판에서 음식명 읽고 선택하기 활동에 적합한 이유 : 학생 N은 시각적 단서를 구별할 수 있기 때문에 사진과 글자를 구별할 수 있다. 따라서 글자와 그림을 동시에 반복적으로 노출시킴으로써 학생 N은 단어의 시각적 형태와 음 그리고 사진에 의한 의미를 서로 연합시킬 수 있게 되는 것이다.

© 사회적 타당도는 어떤 연구 목적이나 교수방법이 연구자나 개발자 개인뿐만 아니라 다른 사람들에게서 공감을 얻을 수 있는지 평가하여 객관화하는 것을 말한다(2019 초등A-1 기출).

**Check Point**

(1) 일견단어
낱말재인 시 낱말을 흘낏 보는 것만으로도 그 의미를 파악할 수 있는 단어이다. 일견단어는 낱말을 구성하는 말소리 체계에 대한 분석 없이 글자를 빠르게 읽어 내는 것으로, 글자의 모양을 통해 식별되는 것이 아니라 그 낱말을 구성하는 모든 정보가 눈에 익어서 단번에 정확하게 그 낱말을 확인하게 한다(특수교육학 용어사전, 2018 : 359).

(2) 통문자 학습
의미를 지닌 덩어리를 중심으로 가르치는 교수방법이다. 음소나 글자를 중심으로 언어를 가르치는 것과 대조적이다. 언어의 기본 단위는 의미이며 의미의 구성은 사고의 행위로 본다. 따라서 언어활동이 의미 이해의 과정이 되도록 아동의 사고력을 신장시키는 데 중점을 둔다. 말하고, 듣고, 쓰고, 읽는 행위는 의미구성 과정이므로 언어의 말하기, 듣기, 읽기, 쓰기를 총제적이고 통합적으로 지도한다(특수교육학 용어사전, 2018 : 347).

# 50 ⟨2017 중등B-5⟩

**모범답안**

| 오류 | ① 문제해결에 필요한 정보와 불필요한 정보를 구별하지 못한다(또는 중요한 정보를 선택하지 못하는 선택적 주의집중력의 부족을 보인다). ② 곱셈식을 먼저 계산한 후 덧셈 계산을 해야 하는데 덧셈 후 곱셈을 하였다. |
|---|---|
| ㉠ | 문제해결 계획 세우기 |
| ㉡ | 필요한 단계와 연산기호를 결정하자. |

**해설**

(가) 문제해결을 위한 식을 세울 때, 여학생 수의 3배인데 남학생 수의 3배로 식을 세웠다. 사칙연산의 연산 순서에 맞춰 제시된 문제를 풀이하면 다음과 같은 순서로 이루어져야 한다.

$$(66 + 365 \times 3)$$
$$= 66 + 1,095$$
$$= 1,161$$

**Check Point**

**(1) 문장제 문제해결 전략**

| 핵심어 전략 | • 일반적으로 문장제 문제에 많이 등장하는 단어들에 연산을 연계시켜 문제를 해결하도록 하는 방법 <br> • 자칫 과잉일반화를 초래하여 학생들이 문제의 전체 맥락을 파악하는 대신 특정 단어에만 지나치게 주의를 집중할 경우 오답에 도달하게 만들 가능성이 있다. |
|---|---|
| 시각적 표상화 전략 (표상교수) | 제시된 문제 상황을 그림이나 도식으로 나타내어 문제해결을 시도하는 방법 |
| 인지 전략의 훈련 (전략교수) | • 문장제 문제해결에 소요되는 과정을 단계별로 나누어 이행해 나가는 과정과 방법상의 절차에 관한 훈련 방법 <br> • 인지 전략을 자발적이고 자율적으로 활용할 수 있도록 하기 위해서는 자기점검 전략이나 자기교수 전략과 같은 메타인지 전략을 활용하여 자발적으로 활용할 수 있는 능력을 키워주는 것이 중요하다. |
| 문제 자체의 조절 | • 방법 1: 문장제 응용문제의 소재를 일상생활에서 일어나는 사례를 중심으로 구성하는 방법 <br> • 방법 2: 문장제 응용문제의 구조와 용어를 조절함으로써 문제의 난이도를 낮추는 방법 <br> • 궁극적으로 학생들에게 다양한 문장제 응용문제를 해결할 수 있는 능력을 형성시키는 것에 초점을 두어야지, 문제 자체를 조절함으로써 난이도를 낮추어 학습성취를 향상시키는 방법은 적절하지 않다. |

| 컴퓨터 보조 수업 | • 컴퓨터 보조 학습의 효과는 사용된 전략과 그 전략의 훈련 방식 그리고 교수 설계상의 특징에 의해 달라진다. <br> • 아울러 비용 문제, 교사의 프로그램 개발 능력, 장비 구비 현황, 학생들의 준비 정도 등도 고려되어야 한다. |
|---|---|

**(2) 인지 전략과 자기조절 초인지 전략을 적용한 전략 교수**

| 인지 전략 단계 | 자기조절 초인지 전략 | | |
|---|---|---|---|
| | 말하기 (자기교수) | 묻기 (자기질문) | 점검하기 (자기점검) |
| 1. 문제 읽기 | "문제를 읽자. 이해하지 못하면 다시 읽자." | "문제를 읽고 이해했는가?" | 문제를 풀 수 있을 만큼 이해했는지 점검하기 |
| 2. 문제를 자신의 말로 고쳐 말하기 | "중요한 정보에 밑줄을 긋자. 문제를 나의 말로 다시 말해 보자." | "중요한 정보에 밑줄을 그었는가? 문제가 무엇인가? 내가 찾는 것은 무엇인가?" | 문제에 있는 정보 확인하기 |
| 3. 그림이나 다이어그램으로 문제를 표상하기 | "그림이나 다이어그램을 만들자." | "그림이 문제에 적합한가?" | 그림이 문제 속 정보와 비교하여 어긋나는지 점검하기 |
| 4. 문제해결 계획 세우기 | "필요한 단계와 연산기호를 결정하자." | "만약 내가 ~을 한다면 답을 얻을 수 있는가? 다음에 해야 할 것은 무엇인가? 몇 단계가 필요한가?" | 계획이 잘 세워졌는지 점검하기 |
| 5. 답을 어림해 보기 | "어림수를 찾아 머릿속으로 문제를 풀고 어림값을 쓰자." | "올림과 내림을 했는가? 어림수를 썼는가?" | 중요한 정보를 사용하였는지 점검하기 |
| 6. 계산하기 | "정확한 순서대로 계산하자." | "내가 한 답은 어림값과 비교하여 어떠한가? 답이 맞는가? 기호나 단위를 잘 썼는가?" | 모든 계산이 올바른 순서대로 이루어졌는지 점검하기 |
| 7. 모든 과정이 옳은지 점검하기 | "계산을 점검하자." | "모든 단계를 점검했는가? 계산을 점검했는가? 답은 맞는가?" | 모든 단계가 맞는지 점검하기, 만약 틀렸다면 다시 하기, 필요한 경우 도움을 요청하기 |

## 51 　2017 중등B-7

**모범답안**

| ㉠ | 비교·대조형(또는 벤다이어그램) |
|---|---|
| ㉡ | 연속형(또는 순서도) |

## 52 　2018 유아A-4

**모범답안**

| 2) | ㉡ 탈락(또는 음소탈락)<br>㉢ 대치(또는 음소대치) |
|---|---|

**해설**

2) ㉡ 음운인식 단위는 음소이며 음운인식 과제 유형은 탈락이다.
　㉢ 음운인식 단위는 음소이며 음운인식 과제 유형은 대치에 해당한다.

## 53 　2018 초등B-4

**모범답안**

| 2) | ① 핵심어 전략<br>② 건너뛰며 세기 |
|---|---|
| 3) | 단순연산 오류 |

**해설**

2) ② 건너뛰며 세기는 덧셈, 곱셈에서 사용할 수 있다. 몇씩 건너뛰며 몇 번을 세는지 알아보기, 같은 수를 여러 번 더하여 전체 수를 알아보는 활동은 덧셈에서 곱셈으로 자연스럽게 넘어가는 경험을 제공한다. 건너뛰며 세기는 곱셈의 기초가 된다.

3) 410m + 230m의 경우 백의 자리에서의 연산오류, 740m + 320m의 경우도 백의 자리에서 연산오류가 발생하였는데 받아올림이나 자릿값의 오류에 따른 결과가 아닌 4+2, 7+3을 바르게 연산하지 못한 결과이다.
　• 다음과 같은 풀이 과정에서 공통적으로 나타난 오류 유형을 쓰게 하는 문제라고 할 수 있다.

```
    4 1 0            7 4 0
  + 2 3 0          + 3 2 0
  ─────────        ─────────
    7 4 0          1 1 6 0
```

## 54 　2018 중등A-7

**모범답안**

| (가) | 표기처리 오류 |
|---|---|
| ㉠ | 시간 지연법 |

**해설**

(가) '가미'(감이), '가믈'(감을), '두리서'(둘이서), '마싰게'(맛있게), '머겄습니다'(먹었습니다)는 모두 소리나는 대로 표기한 예에 해당한다.

㉠ 문제에서 '가리고 베껴 쓰기' 전략을 적용한다고 이미 제시되어 있다. 따라서 큰 틀에서의 교수법이 아닌 교수법을 실행하는 데 있어 적용된 시간지연 절차를 파악하는 것이 적절하다. 전략을 적용함에 있어 최초에 단어를 가린 후 '5초 동안' 기다리도록 했고, 틀린 경우 교정적 피드백을 제공한 후에도 '5초 동안' 기다렸음은 가리고 베껴쓰기를 적용함에 있어 시간 지연법을 적용했음을 의미한다. 하나의 회기 내에서의 과정과 시간만 제시되어 있을 뿐 후속 회기에 적용할 시간에 대해서는 구체적인 언급이 없으므로 시간 지연법의 하위 유형으로 구분하여 제시하는 것은 불가능하다.

**Check Point**

(1) 음운변동의 종류

| 대치<br>(교체) | 어떤 음운이 다른 음운으로 바뀌는 현상 | (1) 음절의 끝소리 규칙<br>(2) 비음화(비음동화), 'ㄹ'의 비음화<br>(3) 유음화<br>(4) 두음 법칙('ㄹ', 'ㄴ'의 두음 법칙)<br>(5) 된소리되기(경음화)<br>(6) 구개음화<br>(7) 'ㅣ'모음 역행 동화(전설모음화) |
|---|---|---|
| 축약 | 두 음운이 하나의 음운으로 줄어드는 현상 | (1) 모음 축약(반모음화)<br>(2) 자음 축약[거센소리되기(유기음화)] |
| 탈락 | 두 음운 중에서 어느 하나가 없어지는 현상 | (1) 자음군 단순화<br>(2) 모음 탈락<br>(3) 자음 탈락 |
| 첨가 | 형태소가 합성될 때 그 사이에 음운이 덧붙는 현상 | (1) 'ㄴ'첨가<br>(2) 'ㅅ'첨가 |

출처 ▶ 김홍범 외(2021 : 224)

(2) 점진적 시간 지연과 지속적 시간 지연

① 점진적 시간 지연

0초 시간 지연 간격을 활용한 초기 교수를 한 후에, 교수자는 정반응이 습득되었다면 해당 학습자가 독립적으로 반응할 수 있도록 하고, 정반응이 아직 습득되지 못했다면 촉진을 기다릴 수 있게 하면서, 서서히 회기 전반에 걸쳐 시간의 양을 점차 더 많이 늘리는 방향으로 시간 지연의 간격을 늘린다.

② 지속적 시간 지연

지속적 시간 지연 절차와 함께 사용되는 지연 간격은 단 두 가지이다.

㉠ 초기 교수가 첫 회기에 발생할 때의 0초 시간 지연 간격이다.

㉡ 교수자가 유창성을 위해 규명한 마지막 지연(3초)으로 모든 후속 회기들에 사용된다.

## 55

**모범답안**

• ㉢ 두문자법

**해설**

㉢ '안무여고'를 의미 없는 단어로 볼 것인지 또는 의미 있는 단어로 볼 것인지에 따라 축소형과 정교형으로 구분할 수 있으나, 이에 대한 명확한 단서가 제시되어 있지 않으므로 두문자법으로 답하는 것이 적절하다.

## 56

**모범답안**

• ㉠ 표현력

• ㉡ 단어인지

• ㉢ 글을 읽을 때 개별 단어를 해독하고 단어의 의미를 파악하는 데 인지적 자원을 많이 사용하기 때문에 상대적으로 읽기이해에 사용할 인지적 자원이 부족하기 때문이다.

• ㉣ 학생 J는 읽기 유창성에 문제가 있으므로 새로운 자료보다는 학생이 90% 이상을 정확하게 읽을 수 있는 글을 선택하여 반복하여 읽도록 하는 것이 효과적이기 때문이다.

• ㉥ 학생 J는 주변 소리에 대해 주의가 산만해지므로 배경 효과음이 없는 것을 사용해야 글 읽기에 집중할 수 있기 때문이다.

**해설**

**지문 돋보기**

(가)

다음과 같은 측면에서 학생 J는 읽기 유창성에 문제가 있다고 할 수 있음

• 글을 읽을 때 알고 있는 단어가 나와도 주저하면서 느리게 읽는 모습을 보임 : 속도의 문제

• 글을 빠르게 읽을 때 음운변동이 일어나는 단어들을 자주 틀리게 읽거나 대치 오류를 보임 : 정확도의 결함

• 특정 단어나 문장을 강조하며 글을 읽는 데 어려움이 있음 : 표현력의 문제

• 어법이나 의미를 고려하며 글을 읽는 데 어려움이 있음 : 표현력의 문제

㉣ 학생 J는 읽기 유창성에 문제가 있다는 특성에 근거하여 이유를 제시한다.

㉥ 학생 J는 글을 읽을 때 주위에서 소리가 나면 소리가 나는 방향으로 고개를 자주 돌리고 주의가 산만해진다는 특성에 근거하여 이유를 제시한다.

### ✍ 효과적인 읽기 유창성 교수의 일반적인 특성 및 유형

| 특성 | • 동일한 글을 소리 내어 반복하여 읽도록 한다.<br>• 유창하게 읽는 사람이 시범을 보인다.<br>• 체계적인 오류 교정 절차를 적용하여 오류를 교정한다.<br>• 일주일에 세 번 이상의 교수를 실시한다.<br>• 글에 포함된 단어의 약 90% 이상을 정확하게 읽을 수 있는 글을 선택하여 읽기 유창성 교수에 사용한다. | |
|---|---|---|
| 교수<br>유형 | 짝과 함께<br>반복 읽기 | • 읽기 유창성이 좋은 또래 친구와 짝을 이루어 소리 내어 반복 읽기<br>• 구성 요소 및 절차<br> – 짝 정하기(아동 A, 아동 B)<br> – 아동 B의 수준에 적합한 글 선택하기<br> – '짝과 함께 반복 읽기' 절차를 명시적으로 설명하고 연습하기<br> – '짝과 함께 반복 읽기' 적용하기 |
| | 끊어서<br>반복 읽기 | • 끊어 읽기 + 반복 읽기<br>• 구성 요소 및 절차<br> – 끊어서 반복 읽기 활동에 필요한 읽기 지문 준비하기<br> – 교사가 끊어 읽기 시범 보이기<br> – 아동과 함께 끊어 읽기 연습하기<br> – 아동이 독립적으로 끊어서 반복 읽기 |

※ 읽기 유창성 교수 유형 중 짝과 함께 반복읽기는 짝(동료)과 함께, 그리고 끊어서 반복읽기는 교사와 같이 이루어진다. 두 교수 유형 모두 동일한 글을 소리 내어 반복하여 읽도록 하는 특성이 있다.

---

## 57

**모범답안**

| 2) | ① ⓑ, 주로 유창하게 읽는 학생과 덜 유창하게 읽는 학생이 짝이 되게 하여 서로 돌아가면서 읽게 한다(또는 주로 읽기 유창성이 좋은 사람과 짝을 이루어 반복하여 읽게 한다).<br>② ⓒ, 묵독보다는 음독 읽기 연습을 충분히 제공한다. |
|---|---|
| 3) | 반복 측정을 통해 중재에 대한 학생들의 진전도를 지속적으로 모니터링해야 하기 때문이다(또는 반복 측정을 통해 진전도를 파악해야 하기 때문이다). |
| 4) | ⓐ 과학적으로 검증된(또는 이론에 기반한, 증거 기반의) 반복읽기 전략 중재에 대하여 학급 전체 학생들의 평균 음절수가 증가하는 적절한 반응을 보였기 때문이다.<br>ⓑ 과학적으로 검증된 반복읽기 전략 중재가 하위 10%에 해당하는 학생들의 특성과 맞지 않았기 때문이다. |

**해설**

2) ⓒ 음독보다는 묵독 읽기 연습을 충분히 제공한다. : 묵독 시 오류를 발견할 수 없기 때문에 음독(소리내어 읽기) 읽기 연습이 이루어져야 한다.

3) CBM의 장점 중 하나는 진전도 모니터링을 위한 CBM 검사의 유용성이다. 규준에 기반한 전통적인 학업성취도 검사들은 상당히 짧은 기간에 실시된 교수전략이 효과적인지를 평가하기 위한 목적으로 사용될 수 없다. 왜냐하면 그러한 검사들은 시간이 지나더라도 변화가 적은 검사점수를 제공하기 위한 목적으로 개발되었기 때문이다(한 검사에서 학생의 점수는 짧은 기간에는 변화하지 않는다는 것을 가정한다). 또한 그러한 전통적인 검사들은 반복적으로 검사가 가능한 충분한 동형검사의 문항을 갖고 있지 않다. CBM을 통해 진전도 모니터링을 할 수 있는 이유는 반복적인(그것이 매일이라고 할지라도) 측정형식으로 인하여 난이도가 동등한 검사지를 사용할 수 있기 때문이다(여승수 외, 2015 : 23).

4) ⓐ 전체 학생을 대상으로 이루어지는 1단계에 적용된 중재에서 학급 학생들은 제공된 중재에 대하여 적절한 반응을 보였음을 알 수 있다.

ⓑ 문제에서는 평균 음절수가 증가하지 않은 이유를 묻고 있다.

• 하위 10% 학생의 경우는 제공된 중재에 대하여 적절한 반응을 보이지 않고 지속적으로 낮은 성취 수준을 보여주고 있다. 이는 제공된 중재가 학생들의 특성과 맞지 않음을 의미하는 것이므로 2단계에서는 새로운 중재방법을 적용시켜야 한다.

**Check Point**

(1) 교육과정중심측정
① 특징
　㉠ 특수아동들의 수업활동에서 활용되고 있는 읽기 자료들을 사용해 개발할 수 있기 때문에 수업활동과 그 결과를 직접적으로 반영할 수 있다.
　㉡ 교육과정중심측정은 주별 또는 격주별로 검사를 반복적으로 실시함으로써 아동의 상대적인 서열보다는 교육 프로그램 제공에 따른 학습기능의 성장을 평가하는 것에 관심을 갖는다.
　㉢ 특수아동의 성장에 대한 평가 결과는 현재 특수아동에게 제공되고 있는 교육 프로그램의 효과성에 대한 형성적 평가 자료로서 활용된다.
　㉣ 지금까지의 경험적 연구들은 교육과정중심측정 검사가 평균 .90 이상의 높은 신뢰도와 .70 이상의 준거지향 타당도를 가지고 있는 것으로 보고하고 있다.
② 실행 단계

| 측정할 기술 확인하기 | 어떤 기술을 측정할 것인가를 결정해야 하는데 아동의 필요에 따라 한 가지 이상 기술을 측정할 수도 있다. |
| --- | --- |
| 검사지 제작하기 | • 측정할 기술이 결정되면 그 기술과 관련된 향후 1년간의 교육과정을 대표할 수 있는 검사지를 제작한다.<br>• CBM 기간에 실시할 검사의 횟수와 동일한 숫자의 동형검사를 제작한다.<br>• 읽기, 철자법, 셈하기의 핵심적 기법을 고려하여 검사지를 제작한다. |
| 검사의 실시 횟수 결정하기 | • CBM은 향후 1년간 해당 기술영역에서의 아동의 진전을 점검하게 되는데 이 과정에서 주 2회 검사를 실시할 것이 권장된다.<br>• 주당 2회, 최소 7회 이상 검사하는 것이 바람직하다. |
| 기초선 점수 결정하기 | • 기초선 점수를 결정하기 위해 3회의 검사점수가 필요하며 3회의 점수 중 중앙값이 기초선 점수가 된다.<br>• 기초선 점수는 아동의 진전 여부를 결정하는 데 기초가 되는 시작 점수이다. |
| 목표 설정하기 | 해당 학년이 끝날 때 기대되는 목표점수를 결정한다. |
| 목표선 설정하기 | • 목표선: 현 기초선 단계의 수행 수준과 일정 기간 후 도달해야 할 성취 수준을 연결하는 선<br>• 기초선 설정 이후 아동의 진전을 점검할 때 근거가 된다.<br>• 목표선 대신에 진전선을 그릴 수도 있다. |

(2) 중재반응 모델의 3단계 예방 모델

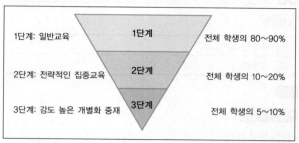

| 1단계: 일반교육 | 1단계 | 전체 학생의 80~90% |
| 2단계: 전략적인 집중교육 | 2단계 | 전체 학생의 10~20% |
| 3단계: 강도 높은 개별화 중재 | 3단계 | 전체 학생의 5~10% |

| 1단계 | ① 일반 아동의 학습능력보다 낮은 성취수준과 느린 성장속도를 보이는 학생을 선별하는 단계<br>② 일반교육환경에서는 모든 학생들이 일반교사로부터 과학적으로 검증된 교수법을 통해 중재 받음 |
| --- | --- |
| 2단계 | ① 교육과정에서 기대된 기준을 성취하지 못한 학생들에게 그들의 학습능력과 특성을 고려하여 전략적으로 집중교육 제공<br>② 전략적 집중교육에서는 학생들의 요구에 맞추어 중재계획을 세워야 하고 중재 결과는 CBM을 통해 적절한 간격으로 평가하고 진전도 모니터링 실시<br>③ 1단계보다 더 자주 진전도 모니터링을 하고 한 달에 적어도 두 번 이상은 평가 실시 |
| 3단계 | ① 1단계와 2단계에서 중재에 대한 반응이 없었거나 기대된 기준을 성취하지 못한 학생들에게 특수교육 서비스와 같은 강도 높은 개별화 중재 제공<br>② 중재는 1단계에서 제공했던 것과 2단계에서 지원되었던 전략적인 중재를 더 향상해서 제공할 수도 있고, 중재 빈도와 지속시간을 증가시켜서 제공하여 학생의 수행 수준과 발달률을 촉진시킬 수도 있음<br>③ 특별히 훈련된 일반교사, 특수교사 등이 교수 담당<br>④ 표준화된 평가, CBM, 오류분석, 면접, 관찰, 기능적 행동평가 등 모두가 포함되며, 직접평가에 의해 측정하여 학생이 어느 면에서 결함이나 부족함이 있는지 평가 |

## 58 　　　　　　　　　　　　2019 중등A-7

**모범답안**

| ㉠ | 시공간 능력 |
|---|---|
| ㉡ | 자동화 |

**해설**

**지문 돋보기**

(가) 학생 G
- 102, 51, 48중 가장 큰 수를 제외한 두 수의 최대공약수를 구하도록 하고 있으나 학생 G는 주어진 세 수의 최대공약수를 구하고 있음. 이는 선택적 주의집중력이 부족함을 의미함
- 풀이 과정이 상당히 복잡하게 정리되어 있으며, 16을 17로 옮겨 적는 등 숫자를 잘못 기입하고 있음

(나) 학생 H
- 제시된 모든 문제를 정확히 풀었음: 정확도에 이상이 없음을 나타냄
- 문제를 집중하여 풀었으나, 시간이 오래 걸림: 속도에 문제 있음을 의미함
- ※ 위의 두 가지 사항에 근거할 때 학생 H는 기본 셈의 유창성에 문제가 있음을 알 수 있음
- ( ㉡ )이/가 부족하여, 기본 셈의 유창성에 영향을 줄 수 있으므로 반복·누적된 연습기회를 제공할 필요가 있음: 계산이 틀려 스스로 수정한 3문항(7×8, 7×9, 8×3)이 모두 곱셈구구 임에 주목하고, 그 원인을 추측하고 있음
  - 기본셈이 유창하지 못한 것은 ㉡의 부족에서 기인한 것일 수도 있으며 ㉡은 반복·누적된 연습기회를 통해 획득될 수 있음을 언급하고 있음
- 작업기억을 효율적으로 사용하지 못하는 이유일 수도 있으므로: 곱셈 연산이 유창하지 못한 것은 작업기억을 효율적으로 사용하지 못하기 때문일 수도 있다는 가능성 제시

㉠ 학생 G가 보이는 숫자의 복잡성, 문제를 푸는 위치의 상실 등은 수학학습장애 학생의 인지적 특성 중 시공간 능력의 결여를 의미한다.

㉡ 유창성을 위해서는 반복·누적된 연습기회의 제공을 통해 곱셈연산 구구를 자동화할 필요가 있다.
- 학생들은 간단한 덧셈과 뺄셈의 경우 반복적인 학습을 통해 수식과 풀이과정을 장기기억에 저장하며, 이를 다른 문제를 해결할 때 자동적으로 인출해서 사용하게 된다. Geary는 이러한 자동화된 처리과정이 복잡한 문제의 해결을 보다 빠르게 해결할 수 있게 하며, 오류를 최소화할 수 있다고 하였다. 그러나 만약 인출 오류가 발생하게 되면 연산능력의 발달에 문제가 발생한다(한국학습장애학회, 2014 : 224).

- 곱셈구구의 궁극적 목적은 학생이 계산 과정을 거치지 않고 바로 장기기억에서 답을 인출할 수 있도록 하는 것이다. 이를 위해 곱셈의 개념, 곱셈식, 몇 배 개념 등을 이해하도록 하고, 그다음 충분한 연습을 통해 곱셈구구의 기본셈을 빠르고 정확하게(즉, 유창하게) 할 수 있도록 이끌어 내야 한다(김애화 외, 2012 : 296). 곱셈구구 교수 단계별 구체적 내용은 'Check Point (2) 곱셈구구 교수 단계' 참조.

- 기본 연산의 숙달 정도는 보통 10% 이하의 오류를 보이는 경우로 하는 것이 좋다. 일부 학자들은 20%를 주장하기도 하나 이후 연산에서 기본 연산이 차지하는 중요성에 비추어 봤을 때 적어도 90% 정도는 정확하게 연산을 해야 할 것이다. 받아내림과 받아올림이 필요하고 계산 결과가 10을 초과하는 덧셈이나 뺄셈 그리고 이를 기반으로 하는 곱셈이나 나눗셈의 과제는 수 세기나 손가락 셈으로는 한계가 있다. 가장 중요한 것은 기본 연산이 빠르고 정확하게 이루어지도록 자동화시키는 것이다. 보다 복잡한 연산을 위해서는 단순 연산 해결능력이 유창해야 하지만, 수학학습장애 학생들의 경우 문제해결 전략이나 절차는 훈련이나 연습으로 어느 정도 습득이 가능하더라도 특히 단순 연산을 빠르고 정확하게 처리하는 능력에 있어서 일반학생과 큰 차이를 보인다. 일단 기본 연산이 어느 정도 가능하면 시각적 촉진이나 언어적 촉진, 보조선 등을 사용하여 필요한 절차나 단계를 정확하게 밟아 나가도록 한다(김동일 외, 2016 : 293-294).

**Check Point**

## (1) 수학 학습장애 아동 특성

### ① 인지적 특성

| 기억 능력 | 수학 학습장애 아동은 일반아동에 비해 작동기억에 결함이 있다. |
|---|---|
| 언어 능력 | 낮은 언어 능력은 문장제 문제해결에 어려움을 겪는 수학 학습장애 아동들이 보이는 대표적인 특성이다. |
| 시공간 능력 | • 시공간 능력은 수학 연산을 수행하고, 수의 크기 개념을 형성하고, 정신적으로 표상된 수직선과 같은 공간적인 형태에서 정보를 표상하고 조작하기 위해 필요하다.<br>• 그래프 읽기, 자릿값에 따라 숫자 정렬하기, 도표를 해석하고 이해하기, 기하학적 그림 이해하기 등의 수학 활동을 할 때 시공간 능력이 요구된다.<br>• 시공간 능력의 결여는 수학 학습장애 아동의 수학적 특성으로 언급되기는 하지만, 시공간 능력이 수학 학습장애 아동의 수학 능력에 미치는 영향에 대한 검증은 추후 연구를 통해 보다 많이 이루어져야 한다. |
| 주의집중 능력 | • 주의집중 능력은 기초적인 수 세기부터 간단한 연산, 여러 단계를 거쳐야 하는 복잡한 연산문제를 해결하는 데까지 요구된다.<br>• 문장제 문제를 해결할 때도 관련 없는 정보를 걸러내고 필요한 정보에만 집중하는 능력이 필요하다.<br>• 특히 주의집중 능력은 연산 능력에 유의한 영향을 미치는 것으로 보고되었다.<br>• 수학 학습장애 아동은 일반아동에 비해 주의집중에 어려움을 보인다. |
| 처리 속도 | • 처리 속도는 수학문제를 해결하는 데 걸리는 시간과 밀접하게 관련이 있다.<br>• 처리 속도는 정확성과 유창성을 구성 요소로 한다.<br>• 느린 처리 속도는 연산 능력에 유의한 영향을 미치는 것으로 보고되었다.<br>• 느린 처리 속도는 수학 학습장애 아동의 특성 중 하나이다. |

### ② 수학 영역별 특성

| 영역 | 특성 |
|---|---|
| 수학 개념 이해 | • 취학 전 기본적인 수학개념(크기, 양, 대소, 순서 등)의 습득 정도가 미약하다.<br>• 취학 이후에 학습하게 되는 좀 더 고차원적이고 추상적인 수학 개념(집합, 확률, 함수 등) 이해와 학습에 어려움을 겪는다. |
| 문장제 응용문제 | • 문제를 읽고 이해하는 데 필요한 기본 읽기 능력, 기본 계산 능력, 그리고 단기기억능력이 부족하다.<br>• 주어진 응용문제를 수학적으로 해결하기에 용이하도록 표상하는 능력이 부족하다.<br>• 보통 아동들보다 훨씬 비효과적인 문제해결 전략을 이용한다. |
| 도형 및 공간 지각 | • 공간 시각화 능력이 취약하다.<br>• 공간, 거리, 크기, 순서 등을 지각하는 능력이 상대적으로 취약하다.<br>• 공간지각상의 어려움은 이차적으로 자리 수 정렬, 수의 방향 인식 등에 어려움을 야기할 가능성이 있다.<br>• 숫자를 도치하여 읽는다거나(예 6과 9, 41과 14 등) 숫자의 크기를 균형 있게 맞추지 못해 자릿수를 배열하지 못하는 등의 특성을 보인다.<br>• 미세한 시지각 기능이 요구되는 수학적 기호를 잘못 보거나 빠뜨릴 수 있다.<br>• 지각-운동 협응능력의 결함으로 인해 숫자를 균형 있게 쓰지 못하거나 연산과정에서 보조 숫자나 보조선을 미숙하게 활용하는 등의 특징을 보인다. |

## (2) 곱셈구구 교수 단계

| 1단계 | 곱셈의 개념, 곱셈식, 몇 배 개념 등을 학생이 이해하도록 가르쳐야 한다. |
|---|---|
| 2-1단계 | 곱셈연산 구구표를 이용하여 학생들이 다양한 구구 간의 관련성을 이해하도록 도와야 한다. |
| 2-2단계 | • 곱셈연산 구구표를 점진적으로 소개하여 학생이 이를 효율적으로 학습하도록 도와야 한다.<br>• 학생이 곱셈구구를 한꺼번에 외우는 것이 아니라, 더 쉽게 외워지는 순서에 따라 점진적으로 외우게 하는 것이 좋다. |
| 3단계 | • 학생이 2단계에서 학습한 곱셈연산 구구를 자동화할 수 있도록 반복, 누적된 연습기회를 제공하여야 한다.<br>• 사칙연산 구구의 자동화를 위해 연습을 할 때, 교사는 다음의 세 가지 절차를 활용하는 것이 좋다.<br> - 첫째, 새로 학습한 구구를 집중적으로 반복하기<br> - 둘째, 새로 학습한 구구와 이전에 학습한 구구를 섞어서 누적 반복하기<br> - 셋째, 새로 학습한 구구의 숙달 정도를 평가하기 |

# 59 | 2019 중등A-12

**모범답안**

- ⓒ 최적의 대안 찾기
- ⓒ 교사(또는 부모)를 대상으로 구조화된 면담(또는 비형식적 면담)을 실시한다.
  또래를 대상으로 또래 지명법을 실시한다.

**해설**

ⓒ 상황 맥락 중재는 학교, 가정, 또래관계 등의 상황 맥락 안에서 필요한 사회적 기술을 선택하고, 선택된 상황 맥락에서 사회적 기술을 가르칠 것을 강조한다. 여기에는 FAST 전략, SLAM 전략 등이 있으며 FAST 전략은 '멈추고 생각하기-대안 모색하기-최적의 대안 찾기-대안 수행하기'의 순으로 진행된다.

ⓒ 한국판 적응행동검사(K-SIB-R)는 부모(또는 양육자)를 대상으로 이루어지는 검사도구로 사회적 타당도에 따른 사회적 기술 측정 방법 유형 3에 해당한다. 따라서 사회적 타당도를 높이기 위해서는 유형 1 또는 유형 2에 해당하는 방법을 제시하는 것이 타당하다. 즉 사회기관이나 중요한 타인들로부터 정보를 입수하는 방법, 사회적 행위를 관찰하는 방법을 고려할 수 있다. 단, 부모(또는 교사)와 같이 중요한 타인을 대상으로 면담을 실시하거나 또래를 대상으로 하는 또래 지명법과 같이 문제에서 요구하는 바에 맞춰 각 유형은 정보 제공자와 평가 형태를 모두 포함하고 있어야 한다.

- 사회적 타당도란 어떤 연구 목적이나 교수방법이 연구자나 개발자 개인뿐만 아니라 다른 사람들에게서 공감을 얻을 수 있는지 평가하여 객관화하는 것이다.

**Check Point**

📝 **사회적 타당성을 기준으로 사회적 기술을 측정하는 방법의 유형(Gresham)**

| | |
|---|---|
| 유형 1 | • 본질적으로 사회적 타당성을 확보하고 있는 방법<br>• 사회기관(학교, 정신건강 기관 등)이나 주요 인물들(부모, 교사, 또래)이 평가에 참여<br>　- 부모나 교사들에게 구조화된 면담이나 비형식적인 면담을 통해 아동들의 사회적 기술에 대한 정보를 다양하게 입수<br>　- 또래로부터의 수용이나 거절(또래지명법 활용), 친구 관계, 교사나 부모의 판단, 직장 동료나 고용주의 판단, 공식적인 기록 등을 포함<br>• 제한점<br>　- 단기간의 중재효과를 검증하기에는 너무 둔감 (사회적 행위에 얼마나 변화가 있어야 사회적 타인들이 이를 인정할 것인가 하는 문제인데, 대개는 아주 눈에 띄는 변화가 있어야만 타인들이 이를 알아챌 수 있기 때문) |
| 유형 2 | • 본질적으로 사회적 타당성을 완전히 확보하지는 않지만 유용한 정보 제공<br>• 대상자를 자연스러운 환경에서 관찰하는 방법(학교 운동장, 직업 훈련 기관의 쉬는 시간, 지역사회 내 시설 이용 등)<br>• 관찰하고자 하는 상황이 자연적이어야 하겠지만, 의도적으로 상황을 구조화하여 사회적 기술의 특정 측면을 집중적으로 관찰할 수도 있음<br>• 제한점<br>　- 사실적인 정보를 제공해 줄 수 있지만 다양한 정보원 활용의 어려움<br>　- 정보 수집 방법이 한정적임 |
| 유형 3 | • 가장 불완전한 사회적 타당성을 보이는 형태<br>• 측정 결과는 자연적인 상황에서의 행동이나 교사, 부모의 사회적 기술에 대한 판단과 별로 관계가 없음<br>• 역할놀이를 통한 검사, 행동적 역할 수행 검사, 사회적 문제해결 측정, 사회적 인지 측정 등 포함<br>• 자기평가나 자기보고 혹은 자기성찰에 근거한 질문지법 등 포함 |

## 60 | 2019 중등B-1

**모범답안**

- ㉠ 사전적 정의를 찾는 방법은 목표 어휘의 의미를 표면적인 수준에서 이해할 수 있도록 하는 정도이기 때문에 충분한 이해 수준으로 이끌 수 있도록 지도한다(또는 사전적 정의를 찾는 방법은 해당 어휘를 어떻게 활용할 것인가를 가르치는 데 한계가 있으므로 해당 어휘를 다양한 상황에서 활용할 수 있도록 지도한다).
- ㉡ 사실적 이해 질문(또는 문자 그대로의 이해 질문, 내용에 대한 문자적 이해 질문)
- ㉢ 베먼 할아버지는 왜 존시를 위해 그림을 그렸을까요?

**해설**

㉠ 사전적 정의를 찾는 방법은 목표 어휘의 의미를 간단하게 이해하는 데는 도움이 되지만, 여기서의 어휘이해 정도는 다소 표면적인 수준이고, 충분한 이해 수준을 이끄는 데는 한계를 지닌다. 또한 이 방법은 실제로 해당 어휘를 '어떻게 활용할 것인가'를 가르치는 데 한계가 있다(김애화 외, 2012 : 183).

㉡ 사실적 이해 질문은 '누가', '무엇을', '어디서', '언제' 등과 같이 내용이 표면적으로 드러나는 부분을 이해했는지를 파악하는 질문 유형이다.

㉢ 추론적 이해 질문(또는 해석적 이해 질문)은 '왜', '어떻게'와 관련된 질문이다.

**Check Point**

(1) 어휘의 의미 파악 지도 방법

① 어휘의 의미 파악 지도 방법의 첫 번째 단계는 해당 어휘의 의미를 국어사전에서 찾지 않고, 앞뒤 문장과 해당 어휘가 있는 문장의 문맥상으로 추측해 내는 단계이다.

② 두 번째 단계는 국어사전에서 찾아 어휘의 의미를 파악하는 단계인데, 가장 고전적이고도 확실한 방법이다. 이때에는 문맥을 보고 그 가운데서 적절한 뜻을 찾아 알아내야 한다.

③ 세 번째 단계는 의미를 파악한 어휘를 기억하고 또 잘 활용하기 위한 단계이다. 이 단계에서는 해당 어휘가 들어 있는 문장이나 텍스트를 여러 개 준비해 읽거나 듣고 여러 담화 환경에서 그 어휘가 사용되는 경우를 알아 그 뜻을 명확하게 인지하도록 한다.

출처 ▶ 초등학교 국어(3-1) 교사용지도서(교육부, 2019 : 300)

(2) 어휘지식 수준에 따른 교수법

① 결합지식 교수법

| 사전적 정의 | • 교사가 학생에게 목표 어휘의 사전적 의미를 찾아보도록 하는 방법으로, 전통적인 어휘 교수법 중 하나<br>• 사전적 정의를 찾는 방법은 목표 어휘의 의미를 간단하게 이해하는 데는 도움이 되지만, 어휘이해 정도는 다소 표면적인 수준이고, 충분한 이해 수준을 이끄는 데는 한계<br>• 학생이 실제로 해당 어휘를 '어떻게 활용할 것인가'를 가르치는 데 한계 |
|---|---|
| 키워드 기억전략 | • 목표 어휘와 학생이 이미 알고 있는 키워드를 연결하여 목표 어휘를 가르치는 방법<br>• 키워드: 학생이 이미 알고 있는 단어 중에서 목표 어휘와 청각적으로 유사한 어휘 |
| 컴퓨터 보조 교수 | • 컴퓨터를 어휘지식 습득에 활용하는 방법<br>• 컴퓨터를 어려운 어휘의 정의를 제공하거나, 어려운 어휘를 쉬운 어휘로 바꿔주는 등의 방법에 활용 가능 |

② 이해지식 교수법

| 의미 지도 | • 목표 어휘를 중심으로 이와 관련되는 어휘를 열거하고, 그 어휘들을 그래픽 조직자를 활용하여 범주화하고, 각각의 범주에 명칭을 부여하는 방법<br>• 학생이 자신의 선행지식과 연결하여 새로운 어휘의 의미를 이해하고 어휘력을 확장하는 데 유용한 방법 |
|---|---|
| 개념도 | 목표 어휘의 정의, 예, 예가 아닌 것으로 구성된 그래픽 조직자 |
| 개념 다이어그램 | 개념 비교표를 만들어서 아동이 개념의 특성(반드시 갖추어야 하는 특성, 가끔 갖추고 있는 특성, 절대 갖추고 있지 않은 특성), 예와 예가 아닌 것 등을 비교함으로써 목표 개념을 이해하도록 도와주는 방법 |
| 의미 특성 분석 | • 목표 어휘와 그 어휘들의 주요 특성들 간의 관계를 격자표로 정리하는 방법<br>• 목표: 목표 어휘를 관련 어휘 및 학습자의 선행지식과 연결함으로써 학습자의 어휘에 관한 이해의 정도를 확장시키는 것 |
| 어휘 관련시키기 활동 | 이미 학습한 어휘의 의미를 강화하고 확장시키는 방법으로, 유의어, 반의어 및 유추 어휘를 찾는 형식으로 구성 |
| 질문-이유 -예 활동 | 해당 어휘를 사용한 이유를 이야기하고, 해당 어휘와 관련된 자신의 경험을 예로 들어 이야기해 보는 활동 |

③ 생성지식 교수법

| 빈번한,<br>풍부한,<br>확장하는<br>어휘교수 | • 풍부한 어휘교수: 단순히 어휘의 정의를 제시하는 것 이상의 교수로서, 목표 어휘의 다양한 의미를 이해하고 관련 어휘 및 학습자의 선행지식과 연결 짓도록 하는 것<br>• 확장하는 어휘교수: 학생이 수업 시간에 학습한 어휘를 다양한 상황에서 활용할 수 있도록 하는 교수를 의미<br>• 목적: 학생이 어휘를 다양한 맥락에서 반복적으로 접함으로써 단순히 정의를 아는 것에 그치는 것이 아니라, 목표 어휘와 관련 어휘의 관계 및 다양한 맥락에서의 의미를 파악함으로써 점차적으로 어휘에 관한 '소유권'을 갖도록 하는 것 |
| --- | --- |
| 다양한<br>장르의<br>책을 다독 | 학생이 책을 읽다가 모르는 어휘가 나오면 스스로 파악할 수 있도록 돕는 전략 |

(3) 읽기 활동을 통한 내용 이해

읽기 활동을 통한 내용 이해는 크게 단어 이해, 내용에 대한 문자적 이해, 추론적 이해, 평가적 이해, 감상적 이해로 나누어 볼 수 있다(김동일 외, 2016 : 157).

① 단어 이해

읽기 자료의 전체 내용을 이해하는 데 중요한 기초가 되며, 내용에 대한 기억에도 중요한 역할을 수행

② 문자적 이해

읽기 자료에 쓰인 내용을 있는 그대로 의미화할 수 있는 능력

③ 추론적 이해

㉠ 읽기 자료에 나타난 정보를 있는 그대로가 아닌 개인적 경험, 지식, 직관을 이용해 가설화할 수 있는 능력

㉡ 예를 들어 지금까지의 내용을 중심으로 앞으로 계속될 이야기를 예상해 보는 것, 자료 읽기를 통해 배운 내용을 다른 상황에 어떻게 적용할 수 있는지 가설화해 보는 것 등

④ 평가적 이해

독자의 지식, 경험, 가치 체계를 중심으로 읽기 자료에 포함된 내용의 정확성, 저자의 의도, 정보의 유용성 등을 판단하는 것

⑤ 감상적 이해

㉠ 읽기 활동 자체를 통해 심미적 만족을 갖게 되는 상태

㉡ 예를 들어 성경과 같은 경전 읽기를 통해 삶의 모습이나 진리를 발견해 가는 과정

(4) 읽기 이해 질문의 유형

읽기 이해 질문의 유형 혹은 질문의 유형은 학자에 따라 다양하게 제시되는데, 읽기 수준에 따른 읽기 이해 질문의 유형은 다음과 같다.

① 사실적 사고를 요하는 질문(나오는 인물은 누구인가?)

② 추론적 사고를 요하는 질문(그 인물은 다음에 어떻게 되었을까?)

③ 비판·평가적 사고를 요하는 질문(그 인물이 한 행동은 옳은 것인가?)

출처 ▶ 초등학교 국어(3-1) 교사용지도서(교육부, 2019 : 79)

## 61 | 2020 초등B-3

**모범답안**

| 1) | 다음 중 택 2<br>㉡ 학습장애는 지능이 정상이어야 하기 때문이다.<br>㉢ 다른 장애로 인해 학습문제가 유발되었을 때는 해당 학생을 학습장애로 판별할 수 없기 때문이다.<br>㉣ 특수교육대상자의 선정 및 배치는 (특수교육운영위원회의 심사를 거쳐) 교육장 또는 교육감이 결정하기 때문이다. |
| --- | --- |
| 2) | ① 중재반응 모델<br>② 다음 중 택 1<br>• 학습장애를 조기에 판별할 수 있다.<br>• 학습장애를 과잉 혹은 잘못 판별하는 것을 감소시킬 수 있다. |

**해설**

1) ㉠ 장애인 등에 대한 특수교육법 제16조 제4항: 진단·평가의 과정에서는 부모 등 보호자의 의견진술의 기회가 충분히 보장되어야 한다.

㉡ 학습장애로 판별하기 위해서는 지능이 정상이어야 함을 기본으로 한다.

㉢ 지능이 평균 이상임에도 낮은 학업성취도를 보인다고 해서 모두 학습장애로 판별해서는 안 된다. 감각장애로 인해 낮은 학업성취도를 보이는 경우 또는 환경적, 문화적, 경제적 실조에 의해 학습문제가 유발되었을 때는 해당 아동을 학습장애로 판별할 수 없다.

㉣ 장애인 등에 대한 특수교육법 제36조 제1항: 특수교육대상자 또는 그 보호자는 다음 각 호(특수교육대상자의 선정, 교육지원 내용의 결정 사항, 학교에의 배치, 부당한 차별)의 어느 하나에 해당하는 교육장, 교육감 또는 각급학교의 장의 조치에 대하여 이의가 있을 때에는 해당 시·군·구 특수교육운영위원회 또는 시·도 특수교육운영위원회에 심사청구를 할 수 있다.

2) ① '학급의 모든 학생을 대상으로 하는 첫 번째 단계', '소집단 활동', '진전도를 지속적으로 살펴봐야 할 것 같다' 등은 중재반응 모델을 설명하는 단서에 해당한다.
② 학습장애 적격성 판별 측면에 해당하는 장점만 기술하도록 한다.

**Check Point**

**(1) 학습장애 정의의 공통 요소**

**① 평균 이하의 학업성취도**
㉠ 읽기와 쓰기 그리고 셈하기에서 평균 이하의 학업성취도를 보이는 아동이 모두 학습장애를 갖고 있다고는 할 수 없다.
㉡ 반대로 평균 이상의 학업성취도를 보이는 아동이 학습장애로 판별될 가능성은 없다.

**② 개인 내 차이**
㉠ 평균 이하의 학업성취도가 학업과 관련된 전 영역에 걸쳐 나타나는 것은 아니다.
㉡ 이는 곧 많은 영역에서 평균 이상의 성취도를 보이지만 특정 영역에 대해서는 평균 이하의 성취를 보임을 의미한다.

**③ 중추신경계의 이상**
㉠ 지능이 정상임에도 불구하고 특정 영역에 있어서만 평균 이하의 성취도를 보이는 이유는 명확하지 않으나 여러 가지 상황들을 고려했을 때 학습장애가 나타내는 특성들은 중추신경계의 이상에 의한 것으로 유추하고 있다.
㉡ 흔히 중추신경계의 이상은 그 장소와 범위를 명확히 파악할 수 없을 만큼 너무나 미약하다는 의미에서 미세뇌기능장애라고도 불린다.

**④ 심리적 과정의 문제**
㉠ 심리적 과정: 우리가 정보를 받아들이고 장기기억에 저장하기까지 그리고 장기기억에 저장된 정보를 인출하고 표현하기까지의 일련의 과정
㉡ 심리적 과정의 문제를 의심하는 이유: 정보의 습득 및 처리에 있어 중추적인 역할을 담당하고 있는 중추신경계의 이상은 인간이 정보를 습득하고 처리하는 과정에 이상을 유발하고 이로 인해 성취에 어려움을 보인다고 생각하기 때문이다.

**⑤ 다른 장애의 배제**
㉠ 지능이 평균 이상임에도 낮은 학업성취도를 보인다고 해서 모두 학습장애로 판별해서는 안 된다.
㉡ 감각장애로 인해 낮은 학업성취도를 보이는 경우 또는 환경적, 문화적, 경제적 실조에 의해 학습문제가 유발되었을 때는 해당 아동을 학습장애로 판별할 수 없다.

**(2) 중재반응 모델의 장점과 문제점**

**① 장점**
㉠ 장애 위험이 있는 학생들을 불일치 모델보다는 조기에 발견하여 교육하기 때문에 실패할 때까지 기다리는 것을 최소화한다.
㉡ 학습장애를 과잉 혹은 잘못 판별하는 것을 감소시킬 수 있다. 사회, 경제, 문화적 요인으로 학업문제를 가진 학생들이 학습장애로 판별될 가능성을 감소시킬 수 있으며 조기중재가 이루어지기 때문에 학습장애로 판별되는 것을 감소시킨다.
㉢ 문화적으로나 언어적으로 다른 소수민족 아동들에 대한 장애아동으로의 과잉판별을 줄일 수 있다.
㉣ 아동의 결함에 초점을 맞추는 것이 아니라 아동을 더 성공하도록 하는 방법을 찾는 데 초점을 맞춘다.
㉤ 교육과정중심평가와 아동의 진전에 대한 지속적인 모니터링을 통하여 아동 판별의 전통적인 방법보다 더 수업에 관련된 자료를 제공한다.
㉥ 교육을 하고 평가를 하여 학생들의 수행 수준과 진전도를 점검하고 교육에 반영하기 때문에 교육-평가-교육계획을 서로 유기적으로 연계시킬 수 있다.

**② 문제점**

| 문제점 | 내용 |
|---|---|
| 특정학습장애의 조기 판별에 따른 문제와 '실패대기모델(wait-to-fail)'의 재생산 | • 조기 판별이 되지 않는 학생이 있음(지능이 높으면서 또래 아동 수준의 성취인 경우)<br>• 비언어성 학습장애의 판별이 어려움<br>• 기본언어과정 학습장애는 평생에 걸쳐 계속됨(기본 언어과정 외에 다른 중재를 받지 못한다면 중대한 실패에 봉착하게 되어 결과적으로 또 다른 wait-to-fail이 됨) |
| 신뢰성 및 타당성을 위한 학문성 구축 문제 | • 낮은 타당도<br>• 증거에 바탕을 둔 것이 무엇을 의미하는지, 어떤 준거가 적용되는지가 문제<br>• 특정 학습장애의 조기 발견에만 집중, 특정 학습장애 아동을 위한 포괄적/장기적 안목의 서비스와 평가 경시 |
| 거짓-긍정으로 불어나는 학습장애 아동 수의 문제 | 유치원의 초기 수준에서 하는 측정은 유치원 말기나 초등학교 수준에서 하는 것보다 훨씬 더 부정확하므로 필요가 없는 학생에게 집중적인 중재를 하게 되는 것이 심각한 문제가 됨 |

## 62 · 2020 중등A-10

**모범답안**

- ㉡ 예측하기
  ㉢ 계층형 그래픽 조직자(또는 그래픽 조직자)

**해설**

**지문 돋보기**

〈읽기 전〉
- 읽을 글에 대해 알고 있는 내용을 생성하고, 조직화한 후, 정교화하기 : 브레인스토밍은 크게 선행지식 생성하기, 선행지식 조직하기, 선행조직 정교화하기의 단계로 진행

〈읽기 중〉
- 수준별 읽기 자료 예시
  - 글의 유형 : 설명글
  - 글의 구조 : 나열형
- ㉢ 그래픽 조직자의 종류 : 계층형

㉡ 예측하기는 글을 읽기 전에 글의 제목, 소제목, 그림 등을 훑어본 다음, 앞으로 읽을 글에 대한 내용을 예측하는 활동이다(김애화 외, 2013 : 193).

**Check Point**

(1) 브레인스토밍

| 선행지식 생성하기 | 학생은 앞으로 읽을 글에 대한 제목을 보고, 제목에 대해 이미 알고 있는 것을 자유스럽게 말하고, 교사는 이를 그래픽 조직자 등의 형식을 사용하여 시각적으로 조직한다. |
|---|---|
| 선행지식 조직하기 | 학생이 다 말하고 난 후에 교사는 학생과 함께 학생이 말한 내용을 비슷한 내용끼리 분류한다. |
| 선행지식 정교화하기 | 학생이 정리된 내용을 보고, 더 추가할 내용이 있는지를 확인하고 필요할 경우 새로운 내용을 추가한다. |

(2) 예측하기 전략(미리보기 전략)
① 미리보기는 글을 읽기 전에 제목이나 차례, 소개문이나 요약문, 도표나 삽화 등을 미리 살펴보는 것을 말한다.
② 미리보기 활동은 글의 내용을 대략적으로 파악하는 데 유용하다.
③ 글의 내용과 관련된 배경 경험이나 배경지식을 떠올리면서 관심을 가질 수 있게 한다.

출처 ▶ 초등학교 국어(3-1) 교사용지도서(2019 : 75)

## 63 · 2020 중등B-2

**모범답안**

| ㉠ | 쓰기 유창성 |
|---|---|
| ㉡ | 직접교수법 |

## 64 · 2021 유아A-5

**모범답안**

| 2) | ① 대상 학생이 또래들에게 어떻게 인지되고 있는지를 알아보는 것이다[또는 (긍정적 교실 지명과 부정적인 교실 지명 모두로부터 결합된 정보를 통해) 또래들 사이에서 사회적 위치 향상을 목표로 하는 중재가 필요한 학생을 선별하기 위한 것이다].<br>② 짝이 되었으면 하는 친구 3명과 짝을 하기 싫은 친구 3명을 적어 보세요. |
|---|---|

**해설**

2) ① 또래지명법은 대상 아동이 또래들에게 어떻게 인지되고 있는지를 알아보는 데 유용한 방법이다(김동일 외, 2016 : 322).

**Check Point**

✎ **또래지명법**
① Moreno가 제안한 것으로 가장 보편적으로 사용되고 있는 사회성 측정 기법
② 지명도 측정법, 교우도 검사라고도 함
③ 대상 아동이 또래에게 어떻게 인지되고 있는지를 알아보는 데 유용한 방법
④ 방법 : 조사자는 응답자에게 그들이 함께 공부하고 싶고, 놀고 싶고, 옆에 앉고 싶은 학급 친구를 적게 하는 방식
⑤ 단점
  ㉠ 신뢰도가 높고 타당하기는 하지만 거부되는 아동의 경우 그 이유가 해당 아동이 사회적으로 무관심하기 때문인지 아니면 적극적으로 배척당하기 때문인지 구별하지 못함
  ㉡ 문제행동을 보이는 학생을 신뢰도 높게 추출해 낼 수는 있지만, 교사로 하여금 훈련을 시킬 구체적인 문제행동이나 사회적 기술에 대해서는 정보를 제공해 주지 않음
  ㉢ 어떤 아동이 훈련의 결과로 사회적 기술을 갖게 되었어도 실제로 또래들에게 그러한 변화가 감지되기까지는 일정한 시간이 걸림

## 65

**모범답안**

| 1) | ① 교사는 학생이 이야기한 것을 그대로 받아쓴다(또는 학생이 교사에게 자신의 이야기를 말하면, 교사는 학생의 이야기를 받아쓴다).<br>② 다른 학생의 이야기(또는 다른 이야기책, 다른 자료) |
|---|---|

**해설**

1) ① 학생과 교사의 역할이 분명히 드러나도록 답안을 작성한다.
   • 언어경험 접근법은 일반적으로 '토의하기 – 구술하고 받아쓰기 – 읽기 – 단어학습 – 다른 자료 읽기'의 과정으로 이루어진다(2011 초등1 – 20 기출).

**Check Point**

### ☑ 언어경험 접근법 수업절차

| [1단계]<br>토의하기 | • 교사는 아동들이 최근 경험에 대해 자유롭게 말할 수 있도록 동기를 부여하고, 주제에 대해 함께 토의한다.<br>• 주제는 개인적으로 중요하고 흥미로운 것은 무엇이든 허용한다. |
|---|---|
| [2단계]<br>구술하고<br>받아쓰기 | • 아동이 교사에게 자신의 이야기를 말하면, 교사는 기본 읽기 교재를 만들기 위해 아동의 말을 받아쓴다.<br>• 교사는 아동의 말을 교정하지 않고 그대로 적어 자신감을 손상시키지 않도록 한다. |
| [3단계]<br>읽기 | • 교사는 아동이 말한 대로 정확하게 기록했는지 확인하기 위해 받아 적은 글을 아동에게 읽어주고, 확인이 되면 이야기가 친숙해질 때까지 여러 번 읽도록 하며, 필요하면 도움을 준다.<br>• 읽기를 어려워하는 아동이 있으면 함께 읽고, 다음에 묵독을 통하여 모르는 단어를 표시하고 다시 소리내어 읽는다. |
| [4단계]<br>단어학습 | 언어 경험이야기를 읽은 후 다양한 활동을 통해서 새로 나온 단어나 어려운 단어 또는 배우고 싶은 단어를 학습한다. |
| [5단계]<br>다른 자료<br>읽기 | • 아동들은 자신이 구술한 이야기 읽기에서 다른 이야기책을 읽는 과정으로 나아간다.<br>• 이러한 절차를 통해 아동의 능력과 자신감이 발달한다. |

## 66

**모범답안**

| 1) | 의미특성분석(또는 의미특성분석표) |
|---|---|
| 2) | ① 먼저, 다음으로, 마지막으로<br>② 나열형(또는 열거식 구조) |
| 3) | 해당 문단의 중요 내용을 찾고 이를 자신의 말로 표현하도록 한다. |

**해설**

1) 의미특성분석은 목표 개념과 그 개념의 주요 특성 간의 관계를 격자표로 정리하는 방법으로, 학생들은 각 개념이 각 특성과 관련이 있는지(+ 표시) 없는지(– 표시)를 분석하여 해당 개념의 의미를 폭넓게 이해할 수 있게 한다(김애화 외, 2013 : 334).

2) ① 설명글의 특성을 보여주는 말을 찾는 문제로, 나열형 설명글은 여러 가지 중요 사실들을 동등한 수준에서 제시하고 이를 설명하는 형식을 갖는다. 비교대조형의 경우는 '이와 비슷하게, 둘 다, 모두, 그리고, 반면, 하지만, 그런, ~보다, ~와는 반대로' 등의 비교대조 구조를 이해하는 데 도움이 되는 단서 단어(김애화 외, 2012 : 194 – 195)를 가르친다.

3) 학생이 작성한 활동 결과는 갯벌의 이로움을 설명하는 중심 생각이 아니라 부연 설명에 해당한다. 따라서 문단의 중심내용을 파악하기 위한 활동이 필요하다.
   • 중심내용 파악하기는 해당 문단의 중요 내용을 찾고 이를 자신의 말로 표현하는 전략이다.

**지문 돋보기**

• 각 문단별 중심 내용은 다음과 같음

| 1 | 어민들에게 경제적 이익을 준다. |
|---|---|
| 2 | 오염물질을 정화하여 깨끗한 환경을 만든다. |
| 3 | 큰 비가 오면 빗물을 흡수해 홍수를 막아 준다. |

• 제시된 〈활동 결과〉를 통해 학생은 중심 내용 파악하기에 어려움이 있음을 알 수 있음

Check Point

## (1) 설명글의 구조

| 나열형 | • 여러 가지 중요 사실들을 동등한 수준에서 제시하고 이를 설명하는 형식을 가진다.<br>• 일반적으로 이 유형의 설명식 글은 전체 글의 주제, 주요 개념 설명에 포함된 세부 개념들로 구성된다고 할 수 있으며, 도식을 이용하여 학습자가 구성요소들을 파악하면서 글을 읽게 되면 글에 대한 이해와 기억이 촉진될 수 있다. |
|---|---|
| 비교<br>대조형 | • 일반적으로 두 개 이상의 사건, 현상 또는 사물을 서로 비교하는 형식을 취한다.<br>• 비교 대상 간에 존재하는 차이점과 공통점이 무엇인지를 파악하는 것이 중요하며, 이러한 활동을 수행하는 데 시각 보조도구를 사용하면 도움이 될 수 있다. |
| 원인<br>결과형 | • 현상이나 사건이 촉발되게 한 원인과 그로 인해 발생한 결과를 설명하는 형식으로 구성된다.<br>• 각 결과를 확인하고 그 결과와 관련된 원인 요인들을 파악하는 것이 글을 이해하는 데 중요한 부분을 차지하게 된다. |

## (2) 중심내용 파악하기

① 해당 문단의 중요 내용을 찾고 이를 자신의 말로 표현하는 전략

② 글을 읽고 중심내용을 찾는 것은 읽기이해에 중요한 역할을 하며, 특히 설명글의 이해에서 더욱 중요한 역할 차지

③ 중심내용을 파악하는 전략은 중심내용을 찾는 방법에 초점을 맞추어 교수 진행

---

**문단에서 중심 문장 찾기**

중심 문장이란 그 문단에서 가장 중심이 되는 문장을 말한다. 한 문단에서 중심 문장을 조직하는 방법에는 다섯 가지가 있다.

• 중심 문장이 문단의 처음에 오는 경우: 필자는 문단의 첫 문장에서 핵심적인 메시지를 이야기하고 관련 정보를 가지고 부연 설명을 한다.

• 중심 문장이 문단의 끝에 오는 경우: 필자는 주제에 대해 상세한 세부 내용을 제시한 다음, 끝에 가서 중심 생각을 진술한다.

• 중심 문장이 처음과 끝에 오는 경우: 필자는 첫 문장에서 중심 생각을 말하고, 세부 내용을 제시한 뒤에 마지막 문장에서 중심 문장을 한 번 더 강조한다.

• 중심 문장이 문단 중간에 오는 경우: 상세한 정보를 제시한 뒤에 중심 생각, 다시 세부적인 내용을 추가한다.

• 중심 문장이 직접 진술되어 있지 않은 경우: 단서를 이용해 중심 생각이 무엇인지를 찾아내어 독자 자신의 말로 그것을 표현해 낼 수 있어야 한다.

출처 ▶ 초등학교 국어(3-1) 교사용 지도서(교육부, 2018 : 337)

---

④ 일반적으로 3단계로 구성

| 1단계 | 각 문단이 '무엇' 또는 '누구'에 관한 내용인가를 파악하기 |
|---|---|
| 2단계 | 각 문단에서 '무엇' 또는 '누구'에 관해 가장 중요한 내용 파악하기 |
| 3단계 | 1~2단계에서 파악한 내용을 10어절 이내의 문장으로 표현하기 |

## 67

2021 초등B-2

모범답안

| 1) | ㉠ 평균<br>㉡ 표준 |
|---|---|
| 3) | ① 학급 전체 학생의 CBM 평균 점수(또는 학급 전체 학생의 평균 정답 문항 수)<br>② 학급 전체 학생과의 비교에서 성취도(또는 정답 문항 수)와 진전도가 모두 낮은 경우 중재에 반응하지 않은 것으로 평가한다. |

해설

1) 표준점수 비교 공식은 학년수준편차 공식과 기대학령 공식의 측정적 비판을 어느 정도 상쇄시키는 반면, 여전히 평균으로의 회귀현상의 문제를 내포하고 있다. 평균으로의 회귀현상은 두 측정값이 완전한 상관이 아닐 때 나타나는 현상이다. 표준점수 비교 공식은 지능과 학업성취 값이 완벽한 상관이라는 것을 가정한다. 즉, 지능지수가 100인 학생은 학업성취 점수도 100, 지능지수가 85인 학생은 학업성취 점수도 85일 것으로 가정한다. 그러나 지능지수와 학업성취 점수가 완전한 상관이 아닐 때, 지능지수가 100 이상인 학생의 학업성취 점수가 지능지수보다 낮게 나타나는 경향을 보이는 반면, 지능지수가 100 이하인 학생의 학업성취 점수는 지능지수보다 높게 나타나는 경향을 보인다. 이러한 평균으로의 회귀현상으로 인해 표준점수 비교 공식은 지능이 높은 학생을 과잉 판별하고 지능이 상대적으로 낮은 학생은 과소 판별하는 문제가 있다(김애화 외, 2013 : 115).

지문 돋보기

• 능력-성취 불일치 모형에서는 영호를 학습장애로 과잉 진단할 수 있어요. : 평균으로의 회귀현상으로 인해 표준점수 비교에 의한 판별은 지능이 높은 학생을 과잉판별할 수 있음

• 중재반응모형: 학습장애 진단 모델 명칭

• 이 모형에서는 교육과정중심측정을 사용하여 학생의 반응을 지속적으로 점검해요. : RTI를 이용한 진단 방법

• 과잉진단의 문제점을 어느 정도 예방할 수 있어요. : 중재반응 모형의 장점

3) 중재반응모형 1단계에서 영호의 중재반응 수준을 평가하기 위해서는 모든 학생들을 대상으로 실시한 CBM 점수가 필요하다. 이를 통해 전체집단과 영호의 진전도 비교가 가능하기 때문이다. 전체 집단과 영호의 수행수준과 진전도를 분석한 후 전체 집단보다 낮은 성취도를 보이는 동시에 진전도가 낮은 경우 중재에 반응하지 않은 것으로 평가하고 2단계로 넘어가기 위해 선별된다.

- 다음의 그래프는 중재반응모형 1단계의 결과(2019 초등B-3 기출)를 보여준다.

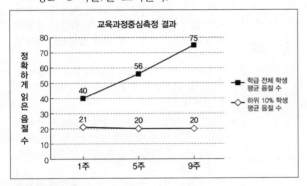

**Check Point**

### ☑ 이중 불일치

① 이중 불일치란 학생이 중재에 반응하는 정도에 있어 같은 반 학생들보다 낮은 성취수준을 보이면서 동시에 학습 진전도가 낮은 경우를 학습장애로 진단하는 것으로, 학습의 수행 수준과 발달 속도를 모두 고려하는 것이다.

② 이중 불일치 현상을 그래프를 통해 살펴보면 다음과 같다.

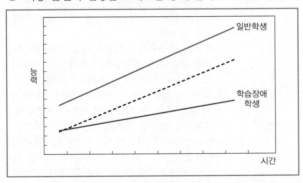

- ㉠ 중간의 점선은 일반학생의 발달선과 평행한 선이며 일반학생보다 수행 수준은 낮지만 발달률은 동일한 가상의 선을 의미한다.
- ㉡ 시작점을 보면 일반학생과 학습장애 학생이 초기부터 차이를 나타내며 시간이 경과할수록 일반학생에 비해 학습장애 학생의 수행 수준은 물론 발달률도 떨어짐을 알 수 있다.
- ㉢ 따라서 학습장애 아동이 이중 불일치 문제를 가지고 있다는 것은 초기 수행 수준의 차이와 발달률의 차이가 있음을 의미한다.

---

## 68

**모범답안**

- ㉠ 해독(또는 음독)
- ㉡ 소리내어 반복읽기(또는 반복읽기)
- ㉢ 교사 시범
  ㉣ 교사는 학생과 함께 오디오북에서 나온 단어나 문장을 읽는 것을 연습한다.

**해설**

**지문 돋보기**

> - 문자를 보고 말소리와 연결하여 의미를 이해하는 능력이 부족함 : 단어인지의 어려움
> - 일견단어(sight words)의 수가 부족함 : 단어인지의 어려움이 예견됨
> - 문장을 읽을 때 모르는 단어를 종종 빼 먹음 : 유창성 부족, 생략 오류 발생

㉠ 해독(또는 음독)이란 낱자(군)-소리의 대응관계를 활용하여 낯선 또는 모르는 단어를 읽는 과정을 의미하며, 단어인지(또는 단어재인)란 단어를 빠르게 소리내어 읽고, 단어의 의미를 파악하는 능력을 말한다. (가)에서 '문자를 보고 말소리와 연결'은 해독을, '문자를 보고 말소리와 연결하여 의미를 이해하는 능력'은 단어인지에 해당한다.

㉡ 학생들이 반복해서 구두 읽기를 연습할 수 있는 방법에는 학생-성인 읽기, 함께 읽기, 테이프 활용하여 읽기, 짝과 읽기, 역할수행 등이 있다(한국학습장애학회, 2014 : 137-139).

㉢ 제시된 내용(오디오북 지원 읽기)에 맞춰 교사의 활동 내용을 작성하는 것이 적절하다.

- 안내된 연습 단계에서는 학생이 배운대로 전략을 연습해 볼 수 있도록 과제를 제시하고, 전략 사용을 촉진한다(2016 중등A-11 기출).
- 안내된 연습은 학생이 해당 기술을 교사와 함께 연습하는 전략이다. 교사는 질문하고, 연습이 부족하여 발생되는 실수를 확인하고, 오류를 정정하고, 필요한 경우 재교수함으로써 학생을 지원하는 데 쉽게 적용될 수 있다(한국학습장애학회, 2014 : 276).

**Check Point**

(I) 학생이 소리내어 반복읽기를 할 수 있는 방법

① 학생-성인 읽기

- ㉠ 학생은 성인과 함께 일대일로 읽는다.
- ㉡ 성인은 교사, 부모, 보조교사, 개인교사 등이 될 수 있다.
- ㉢ 성인이 먼저 본문을 읽으면서 유창하게 읽는 시범을 보인다. 이때 학생은 성인의 도움과 격려를 받으면서 같은 내용을 읽는다. 아주 유창하게 읽을 수 있을 때까지 학생은 반복해서 읽는다.

② 함께 읽기
  ㉠ 학생은 교사(또는 유창하게 읽는 성인)와 함께 읽는다.
  ㉡ 너무 길지 않고 학생들 대부분이 독립적으로 읽을 수 있는 수준의 책을 선택하는 것이 좋다. 아동이 내용을 예측할 수 있는 책은 특히 함께 읽기에 유용하다.
  ㉢ 학생들은 교사와 함께 전체를 세 번에서 다섯 번은 읽어야 한다. 그 후 학생은 독립적으로 책을 읽을 수 있어야 한다.

③ 테이프 활용하여 읽기
  ㉠ 학생은 테이프를 활용하여 읽기를 통해 유창하게 읽는 내용을 들으면서 책을 읽게 된다.
  ㉡ 교사는 학생의 독립적 읽기 수준에서 책을 선택하고, 유창하게 읽는 책의 테이프 기록을 준비해야 한다. 이때 테이프는 음향 효과나 음악이 함께 나와서는 안 된다.
  ㉢ 먼저 테이프에서 나오는 소리를 들으면서 각 단어를 지적하고, 다음으로 학생은 테이프를 따라 읽기를 시도해야 한다. 테이프의 도움 없이 학생이 독립적으로 읽을 수 있을 때까지 테이프를 따라 읽는다.

④ 짝과 읽기
  ㉠ 짝과 읽기는 짝이 된 학생들이 돌아가면서 서로서로 큰 소리로 책을 읽는다.
  ㉡ 더 유창하게 읽는 학생이 덜 유창하게 읽는 학생과 짝이 된다(반드시 더 유창하게 읽는 학생과 유창하게 잘 읽지 못하는 학생이 서로 짝이 될 필요는 없다. 교사의 지도를 받은 이야기를 반복해서 읽기 위해 같은 읽기 수준의 학생이 짝이 될 수도 있다).
  ㉢ 더 잘 읽는 학생이 유창하게 읽는 시범을 보인다. 그러면 다른 학생이 같은 내용을 큰 소리로 읽는다. 유창하게 읽는 학생은 다른 학생의 단어 인지를 돕고 피드백을 제공한다. 유창하게 독립적으로 읽을 수 있을 때까지 읽기를 반복한다.

⑤ 역할수행
  ㉠ 역할수행에서 학생들은 또래나 다른 사람들과 함께 책 속에서 주어진 역할을 연습하고 수행한다.
  ㉡ 학생들은 대화가 많은 책 속의 내용을 먼저 읽는다. 학생들은 말을 하면서 주인공 역할을 하게 된다. 여기에서는 내용을 반복해서 유창하게 읽도록 해야 한다.

(2) 직접교수의 구성 요소

| | |
|---|---|
| 수업목표 | • 교사 주도적 수업은 학생의 기대되는 결과를 제시해야 하고 수업 목표는 관찰 가능하고 측정 가능한 행동, 행동이 발생할 조건, 수용 가능한 행동 수행을 위한 기준의 세 가지 요소를 포함해야 한다.<br>• 예를 들어, 교사가 철자 쓰기 목록의 단어를 읽어 주면(행동발생 조건) 수민이는 10개의 단어 철자를 100% 정확하게(성취기준) 쓸 것이다(행동)라는 수업목표를 세운다. |
| 주의집중 단서 | • 수업 시작 전, 교사는 주의집중 단서를 이용하여 학생의 관심을 얻어야 한다. 학생은 수업내용과 교사의 설명을 보고 듣고 집중하는 상황에 참여해야 한다.<br>• 따라서 교사는 지도하고 있는 내용과 학생의 능력, 경험, 주의집중 행동 등에 근거하여 주의집중 단서를 선택한다. |
| 예상 단계 | • 성공적인 수업은 예상 단계에서부터 시작된다. 예상 단계를 통해 학생의 사전지식을 연결하고 새로운 수업을 촉진할 기억 또는 연습들을 유발할 수 있다.<br>• 학생들은 자신의 관심을 그날의 학습에 집중할 수 있다. |
| 검토, 선행학습 확인 및 목표 진술 | • 교사는 이전에 학습한 자료를 복습하고 사전에 필요한 요소를 확인하고 학습 목적을 제시하거나 유도한다. 이 세 가지 구성 요소는 다른 순서로 이루어질 수 있으며 때로는 유사하거나 중복될 수 있다.<br>• 특히 목표 진술은 수업에 대한 개요를 제공하는데, 이는 학생에게 수업 시간 동안 무엇을 배울지 예상할 수 있는 '생각의 틀'을 제공한다. |
| 교수와 모델링 | • 교수목표에서 요구하는 행동을 구체적으로 제시하는 것이다.<br>• 모델링은 행동주의적 모델링과 인지주의적 모델링을 포함한다. 행동주의적 모델링은 기술의 실제 시연을 의미하고, 인지주의적 모델링은 시범 보이는 사람의 사고과정을 이해하는 데 있어서 학생을 도울 수 있는 자기대화를 포함한다.<br>• 자기대화를 제공할 때, 교사는 학생이 과제를 수행하는 동안에 그들이 생각하는 것을 명확히 이야기한다. 이는 교사로 하여금 과제뿐만 아니라 과제를 완수하는 데 사용된 전략도 함께 보일 수 있도록 한다. 교사는 필요한 때 촉진과 피드백을 사용하여 학생들의 대답을 요구해야 한다. |
| 안내된 연습 | • 교사가 행동을 시범 보이면(예 해당 수업의 행동목표) 학생은 직접적인 감독하에 수업목표를 학습할 기회를 가지게 된다.<br>• 안내된 연습은 학생이 해당 기술을 교사와 함께 연습하는 전략이다. 교사는 질문하고, 연습이 부족하여 발생되는 실수를 확인하고, 오류를 정정하고, 필요한 경우 재교수함으로써 학생을 지원하는 데 쉽게 적용될 수 있다. |

| 독립연습 | • 학생이 독립적으로 과제를 수행하도록 기대되며 교사의 피드백이 안내된 연습에서처럼 빠르게 제공되지는 않는다. 전통적 교수에서는 독립연습이 숙제의 형태로 제시되는 경우가 있다.<br>• 독립연습은 학생이 안내된 연습에서 높은 성공률(90~100%)을 보이기 전까지 시작되어서는 안 된다. |
|---|---|
| 마무리 | • 교사는 학습내용을 요약하고 검토하고 이를 이전에 학습한 내용 또는 경험과 통합함으로써 수업을 마무리한다.<br>• 교사가 시간의 흐름을 잃거나 수업을 끝내는 데 필요한 시간을 잘못 판단하여 마무리 시간을 제공하는 데 실패하는 경우가 있으므로 타이머를 활용하는 방법 등을 통해 수업내용을 통합할 수 있는 기회를 갖도록 한다. |

출처 ▶ 한국학습장애학회(2014 : 274-276)

**(3) 직접교수법의 실행 절차**

| 단계 | 설명 |
|---|---|
| [1단계]<br>학습목표 제시 | 학습목표는 관찰 가능하고 측정 가능한 행동, 행동이 발생할 조건, 수용 가능한 행동 수행을 위한 준거를 포함해야 한다. |
| [2단계]<br>교사 시범 | • 학습목표에서 요구하는 행동을 소리 내어 생각말하기(think-aloud) 기법을 활용하여 어떻게 전략을 사용하는지 시범 보인다.<br>　- 전략 사용의 이유와 핵심 요소를 제시하고 전략 사용 방법을 직접 시범 보인다.<br>• 교사의 시범 후 교사와 학생의 질문과 대답 활동을 통해 학생의 내용 이해 정도를 확인한다.<br>　- 교사는 필요한 경우에 촉진과 피드백을 사용하여 학생의 대답을 요구한다. |
| [3단계]<br>안내된 연습 | • 학생이 해당 기술을 교사와 함께 연습하는 단계이다.<br>• 교사는 질문하고, 연습이 부족하여 발생하는 실수를 확인하고, 오류를 정정하며, 필요한 경우에는 재교수를 실시한다.<br>• 학생 모두가 전략을 수행해 볼 수 있는 충분한 기회를 제공한다.<br>• 실제보다 쉬운 연습과제부터 전략을 연습하도록 하여 자신감을 심어준다. |
| [4단계]<br>독립적 연습 | • 학생은 독립적으로 과제를 수행한다.<br>• 독립적 연습은 안내된 연습에서 높은 성공률(90~100%)을 보일 때 실시한다.<br>• 교사는 교실을 돌아다니며 학생들이 과제를 제대로 수행하는지 점검하고 어려움을 보이는 학생에게 도움을 제공한다.<br>　- 독립적 연습 단계에서의 교사 피드백은 안내된 연습에서의 피드백처럼 빠르게 제공되지 않는다. |

**69** 　　　　　　　　　　　2021 중등B-2

**모범답안**

| ㉠ | 중재반응 모델 |
|---|---|
| ㉡ | 기초학습기능검사 |

**해설**

**지문 돋보기**

• '효과가 검증된 교수법' : 증거기반 혹은 과학적으로 검증된, 이론에 기반한
• '학생의 성취 정도에 진전을 보이지 않거나' : 진전도 파악
• '또래들에 비해 성취 정도가 심각하게 낮게 나타나는 경우' : 성취수준 파악

**Check Point**

✎ **특수교육대상자 선별검사 및 진단·평가 영역(장애인 등에 대한 특수교육법 시행규칙 제2조)**

| 구분 | | 영역 |
|---|---|---|
| 장애 조기 발견을 위한 선별검사 | | 1. 사회성숙도검사<br>2. 적응행동검사<br>3. 영유아발달검사 |
| 진단·평가 영역 | 시각장애·청각장애 및 지체장애 | 1. 기초학습기능검사<br>2. 시력검사<br>3. 시기능검사 및 촉기능검사(시각장애의 경우에 한함)<br>4. 청력검사(청각장애의 경우에 한함) |
| | 지적장애 | 1. 지능검사<br>2. 사회성숙도검사<br>3. 적응행동검사<br>4. 기초학습검사<br>5. 운동능력검사 |
| | 정서·행동장애 및 자폐성장애 | 1. 적응행동검사<br>2. 성격진단검사<br>3. 행동발달평가<br>4. 학습준비도검사 |
| | 의사소통장애 | 1. 구문검사<br>2. 음운검사<br>3. 언어발달검사 |
| | 학습장애 | 1. 지능검사<br>2. 기초학습기능검사<br>3. 학습준비도검사<br>4. 시지각발달검사<br>5. 지각운동발달검사<br>6. 시각운동통합발달검사 |

**70**            2021 중등B-5

[모범답안]

- ㉠ 핵심어 전략
  학생들이 전체 맥락을 파악하는 대신 특정 단어에만 지나치게 주의를 집중하여 오답에 도달하게 될 가능성이 있다.
- ㉡ $4 \times 3 = ?$

[해설]

㉠ 일반적으로 많이 쓰이는 핵심어 전략은 문제에 빈번히 등장하는 일련의 특정 단어들(⬛ '모두', '얼마나 더', '각각' 등)과 같은 가감승제 중 하나의 계산법을 연합시킨다. 예를 들어, '모두'라는 말이 나오면 덧셈을 하도록 학생들을 지도하고, 문제를 이해할 때 우선 그러한 단어들을 찾아내도록 훈련하는 것이다. 그러나 핵심어 전략을 이런 식으로 지도할 경우는 학생이 문제에 포함된 다른 정보는 무시한 채 숫자나 핵심어에만 집중하는 등 교사가 의도하지 않은 결과가 나타날 수 있다(한국학습장애학회, 2014 : 236). 핵심어 전략은 자칫 과잉일반화를 초래하여 학생들이 문제의 전체 맥락을 파악하는 대신 특정 단어에만 지나치게 주의를 집중할 경우 오답에 도달하게 만들 가능성이 있다(김동일 외. 2016 : 298).

㉡ CSA 순서를 묻는 것으로 CSA 순서란 구체물-반구체물-추상물의 순서로 제시하는 것을 의미한다(2013추시 초등B-1 기출).

**71**            2022 유아A-7

[모범답안]

| 3) | ① 대치<br>② 탈락 |
|---|---|

[해설]

3) 음운인식의 하위 기술은 음운인식 단위와 음운인식 과제 유형으로 구분할 수 있다. 음절 수준에서의 음운인식 과제 유형은 변별, 합성, 분리, 분절, 탈락, 대치로 구분된다.

---

**Check Point**

✍ **음운인식 하위 기술(음절)**

| 음운인식의 하위 기술 | | 예시 과제 |
|---|---|---|
| 음운인식 단위 | 음운인식 과제유형 | |
| 음절 | 변별<br>(sound matching) | 앞에 있는 종이에 그림들이 있어요. ('사자, 두부, 버섯, 고추' 그림을 각각 손으로 짚으면서) 이 그림은 '사자, 두부, 버섯, 고추'예요. ○○가 /두/로 시작하는 그림을 찾으세요. [답: 두부] |
| | 분리<br>(isolation) | • 선생님을 따라 하세요. /버섯/(학생이 '버섯'이라고 따라 한다.) /버섯/에서 첫소리가 무엇이죠? [답: 버]<br>• 선생님을 따라 하세요. /선풍기/(학생이 '선풍기'라고 따라 한다.) /선풍기/에서 가운뎃소리가 무엇이죠? [답: 풍] |
| | 분절<br>(segmenting) | • 선생님을 따라 하세요. /두부/(학생이 '두부'라고 따라 한다.) 이번에는 ○○가 /두부/를 따로따로 나눠서 말해 주세요. [답: 두-부]<br>• 선생님을 따라 하세요. /고양이/(학생이 '고양이'라고 따라 한다.) 이번에는 ○○가 /고양이/를 따로따로 나눠서 말해 주세요. [답: 고-양-이] |
| | 합성 | • 선생님이 단어를 따로따로 나눠서 말할 거예요. 그러면 ○○가 듣고, 합쳐서 말하는 거예요. /고-추/ [답: 고추]<br>• 선생님이 단어를 따로따로 나눠서 말할 거예요. 그러면 ○○가 듣고, 합쳐서 말하는 거예요. /지-우-개/ [답: 지우개] |
| | 탈락 | • 선생님을 따라 하세요. /고추/(학생이 '고추'라고 따라 한다.) 이번에는 /고/를 빼고 말해 보세요. [답: 추]<br>• 선생님을 따라 하세요. /자전거/(학생이 '자전거'라고 따라 한다.) 이번에는 /자/를 빼고 말해 보세요. [답: 전거] |
| | 대치 | • 선생님을 따라 하세요. /공부/(학생이 '공부'라고 따라 한다.) 이번에는 /부/를 /기/로 바꾸어 말해 보세요. [답: 공기]<br>• 선생님을 따라 하세요. /무지개/(학생이 '무지개'라고 따라 한다.) 이번에는 /지/를 /니/로 바꾸어 말해 보세요. [답: 무니개] |

## 72 2022 초등A-4

**모범답안**

| | |
|---|---|
| 1) | ① 단어인지 읽기장애<br>② 예측하기 |
| 3) | ① 타악기에는 어떤 악기가 있나요?<br>② 나열형 |

**해설**

**지문 돋보기**

(가)
- /북/에서 /ㅂ/를 /ㄱ/로 바꾸어 말하면 /국/이 되는 것을 알지 못함: 음소 수준의 음운인식 과제 유형(대치)에 어려움을 보임
- /장구/를 /가구/로 읽고 의미를 이해하는 데 어려움이 있음: 단어인지의 어려움

(나)
- 글을 읽기 전에 미리 보기: 읽기 전 전략
- 글을 읽고 중심 내용 파악하기: 읽기 중 전략의 중심내용 파악하기
  - 글의 유형: 설명글
  - 글의 구조: 나열형
- 글의 구조에 대해 알기: 읽기 중 전략의 글 구조에 대한 교수
  - 그래픽 조직자 제시하기: 글의 구조를 파악하는 활동을 돕기 위해 그래픽 조직자 활용
  - 그래픽 조직자의 종류: 계층형
- 읽기 이해 질문 만들기 / 요약하기: 읽기 후 전략

1) ① 읽기장애는 단어인지 읽기장애, 읽기 유창성 읽기장애, 읽기이해 읽기장애로 구분된다. 이와 같은 읽기장애의 하위 유형 중 단어인지 읽기장애는 개별 단어를 정확하게 읽는 데 어려움을 갖는 장애를 의미한다.
   - 음운인식은 읽기 능력과 높은 상관이 있으며, 더 나아가 향후 읽기 능력(단어인지, 읽기 유창성, 읽기이해 포함)을 예측하는 강력한 변인으로 밝혀졌다(김애화 외, 2013 : 155).
   - 단어인지는 단어를 빠르게 소리내어 읽고, 단어의 의미를 파악하는 능력을 의미한다(김애화 외, 2013 : 159).

3) 질문하기 교수전략은 학생들의 글에 대한 이해력을 증진시키기 위해 주로 사용되는 교수방법으로, 학생들이 글의 주요 내용에 주의를 기울이도록 유도하고, 글의 전체 내용을 단계적으로 요약할 수 있도록 도와주고, 학생 스스로가 글을 읽는 동안 글의 내용에 대한 자신의 이해를 점검해 볼 수 있도록 도와주는 기능을 수행한다(김동일 외, 2016 : 209-210).

**Check Point**

### 📖 질문하며 읽기

① 읽기 시기별 질문
  ㉠ 읽기 전에는 읽기 목적에 대한 질문, 글의 내용을 예측하는 것과 관련된 질문, 글의 내용에 대해 배경지식을 활성화하는 것에 대한 질문이 주를 이룬다.
  ㉡ 읽기 중에는 글의 내용에 대한 질문이 주가 되는데, 글에서 중요한 내용이 무엇인지에 대한 질문, 빠진 내용(추론)은 무엇인지에 대한 질문, 연상이나 상상을 위한 질문 등이다. 또한 읽기 전에 예측한 것이 맞는지, 글의 내용과 관련된 배경지식을 활성화하는 것도 읽기 중 질문의 내용이다.
  ㉢ 읽기 후에는 주로 글의 중심 내용이나 주제, 줄거리 등을 정리해 보는 것과 관련된 질문, 읽은 글에 대한 활용(적용)에 대한 질문 등이 중심이다.

② 읽기 수준별 질문
  ㉠ 사실적 사고를 요하는 질문
     **예** 나오는 인물은 누구인가?
  ㉡ 추론적 사고를 요하는 질문
     **예** 그 인물은 다음에 어떻게 되었을까?
  ㉢ 비판·평가적 사고를 요하는 질문 등
     **예** 그 인물이 한 행동은 옳은 것인가?

③ 질문의 성격에 따른 분류
  ㉠ 주어진 글의 내용에 대한 질문
     **예** 인물이 한 일은 무엇인가?
  ㉡ 글을 읽는 방법에 대한 질문
     **예** 차례를 보고 내용을 예상해 볼까?
  ㉢ 자신의 인지 행위에 대한 질문 등
     **예** 줄거리를 잘 이해하며 읽고 있는가?

출처 ▶ 초등학교 국어(3-1) 교사용 지도서(2019 : 79)

# 73          2022 중등A-6

**모범답안**

- ㉠ 내용 수정하기
- ㉢ 내용 수정하기는 글의 내용에 중점을 두어 다듬는 것이고, 편집하기는 어문규정에 맞추어 교정하는 것이다(또는 내용 수정하기는 글의 내용에 중점을 두어 다듬는 것이고, 편집하기는 맞춤법, 문장구조, 구두점 등을 수정하고, 글의 의미가 잘 전달되도록 문장의 형태를 바꾸는 것이다).
- 음운처리 오류
  - ㉣ 16

**해설**

㉠ 내용 수정하기(또는 교정하기)는 초안 형태의 글을 수정하는 것으로 내용, 어휘, 문장구조, 아이디어 배치 등을 교정한다. 초안을 읽고 내용을 보충하거나, 바꾸거나, 불필요한 부분을 삭제한다.

㉢ 편집하기는 맞춤법과 문법을 수정하는 과정으로, 맞춤법, 문장구조, 구두점 등을 수정하고, 글의 의미가 잘 전달되도록 문장의 형태를 바꾼다(한국학습장애학회, 2014 : 181).

철자 오류 유형) '토요일', '일요일', '쉬고' 등과 같이 소리 나는 대로 표기하는 단어의 철자에서 오류를 보이는 음운처리 오류 유형이다.

㉣ 단어 속에서의 글자, 문장과 문단 속에의 글자, 산문 내에서의 단어에 관한 유창성은 제한된 시간 안에 쓰인 글을 대상으로 하여 맞게 쓴 총 단어 수, 정확한 단어 수, 정확한 음절 수, 정확한 철자 수, 순서에 맞는 단어 수로 보기도 한다(김동일, 2016 : 231). 따라서 음절 단위로 쓰기 유창성 값을 산출할 경우 전체 19개의 음절 중 3개 음절에서 오류가 발견되었으므로 쓰기 유창성 값은 16이 된다.

# 74          2022 중등B-1

**모범답안**

- 또래지명법(또는 지명도측정법, 교우도 검사)
- ㉢ - ㉣ - ㉠ - ㉤

**해설**

[A] 또래지명법은 대상 아동이 또래에게 어떻게 인지되고 있는지를 알아보는 데 유용한 방법이다. 예컨대, 피험자들은 특정 집단에서 가장 좋아하는 친구와 가장 싫어하는 친구 몇 명을 우선순위에 따라 지목하고, 그 결과를 통해 교우도를 작성하는 것이다. 측정 결과에 따라 학급 내의 아동들은 인기 아동, 거부되는 아동, 논란의 여지가 있는 아동 그리고 무관심한 아동으로 구별될 수 있다. 이 방법은 신뢰도가 높고 타당하기는 하지만 거부되는 아동의 경우 그 이유가 해당 아동이 사회적으로 무관심하기 때문인지 아니면 적극적으로 배척당하기 때문인지 구별하지 못한다는 단점이 있다. 또한 문제행동을 보이는 학생을 신뢰도 높게 추출해 낼 수는 있지만, 교사로 하여금 훈련을 시킬 구체적인 문제행동이나 사회적 기술에 대한 정보를 제공해 주지 않는다(김동일, 2016 : 322).

**Check Point**

✍ SLAM

① 목적 : 타인에게 부정적 피드백을 들을 때, 적절하게 받아들이는 것을 돕는다.

② 전략

㉠ Stop whatever you are doing. (지금 하고 있는 일을 멈춰라.)

㉢ Look the person in the eye. (상대방의 눈을 바라보라.)

㉣ Ask the person a question to clarify what he or she means. (상대방이 말한 것이 어떤 의미인지 명확하게 말해 줄 것을 요청하라.)

㉤ Make an appropriate response to the person. (상대방에게 적절한 반응을 하라.)

## 75

**모범답안**

- ㉠ 선행 조직자
  ㉡ 어구 만들기
- ㉢ 시연 전략
- ㉣ 스콜, 고상 가옥, 플랜테이션은 열대기후의 특징으로, 사막, 오아시스, 관개농업은 건조기후의 특징으로 묶어서 제시한다.

**해설**

㉠ 그래픽 조직자 또는 도식 조직자는 학생들에게 개념과 사실에 관련된 사항을 시각적으로 제시해 주며, 특정 개념/사실과 관련된 정보와 정보들 간의 연관성을 알기 쉽게 전달하기 위해 사용된다. 그래픽 조직자는 언제, 어떤 용도로 사용하느냐에 따라 선행 조직자, 수업 조직자, 마무리 조직자로 나뉘기도 한다(한국학습장애학회, 254-255).

㉡ 글자 전략은 열거된 개념이나 내용을 기억하는 데 사용되는 전략으로, 일반적으로 두문자법 혹은 각 행의 첫 글자를 따서 문장을 만드는 어구 만들기 전략이 이에 해당한다(김애화 외, 2013 : 330-331).

㉢ 시연 전략은 나중에 회상해 낼 것을 생각하고 미리 기억해야 할 대상이나 정보를 눈으로 여러 번 보아 두거나 말로 되풀이해 보는 것으로, 기억력을 증진시키는 데 사용되는 전통적인 전략이다(특수교육학 용어사전, 2018 : 88).

㉣ 조직화 전략은 제시된 기억 자료를 그것이 가지고 있는 속성에 따라 의미 있는 단위로 묶어서 기억하는 방법을 말하는데, 군집화(chunking)와 범주화(categorization)가 대표적인 전략이다(특수교육학 용어사전, 2018 : 88).

**Check Point**

### ✎ 그래픽 조직자의 종류

| 선행 조직자 | • 교수계열에서 수업 준비를 위해 활용되는데, 수업을 본격적으로 시작하기 전에 제시되고 교수에 대한 정보를 제공해 준다.<br>• 이전 차시와 본 수업내용 간의 연결에 초점을 둔다.<br>• 보통 다음과 같은 활동을 포함한다.<br> － 이전 차시에 대한 정보 제공<br> － 이미 학습한 개념과 새로운 개념 간의 관련성 제시<br> － 해당 수업에서 다룰 내용에 대한 소개<br> － 수행해야 할 과제나 교수 원리에 대한 설명<br> － 주요한 어휘나 개념에 대한 소개 |
|---|---|
| 수업 조직자 | • 수업 중 제시하는 내용의 구조와 핵심사항을 강조하기 위하여 사용될 수 있다.<br>• 개념도와 같은 표나 그래픽, 학습지침의 형태를 활용할 수도 있다. |
| 마무리 조직자 | • 교수의 계열상 마지막에 제공된다.<br>• 해당 수업에서 다룬 핵심사항을 정리하거나 학생의 이해 정도를 평가하는 자료로 사용될 수 있다. |

## 76

**모범답안**

| 2) | 작문 쓰기장애 |
|---|---|
| 3) | ① 내용 수정하기<br>② 다음 중 택 1<br>• 구두점 찍기, 철자법, 문장 구조, 철자 등 어문규정에 맞추어 교정하세요.<br>• 글의 의미가 잘 전달될 수 있도록 문장의 형태를 바꾸세요.<br>• 필요하다면 사전을 사용하거나 선생님으로부터 피드백을 받으세요.<br>• 친구와 서로 바꾸어 읽어보고 철자, 구두점 등을 표시하여 교정하도록 하세요. |

**해설**

**지문 돋보기**

(나)
• [B] : 수아가 작문을 함에 있어 계획하기, 글의 구성, 글의 내용, 관련 어휘 떠올리기, 글의 논리적 전개 등 활동 전반에 어려움이 있음을 보여주며, 이와 같은 문제점에 대한 중재 방안으로 과정중심 글쓰기 중재 전략을 적용하고 있음

3) ① 쓰기 과정적 접근은 계획하기, 초고 작성하기, 내용 수정하기, 편집하기, 게시하기의 단계로 이루어진다.
② 교정(즉 편집하기) 단계에서의 주된 활동은 다음과 같다.
• 구두점 찍기, 철자법, 문장구조, 철자 등 어문규정 (즉, 쓰기의 기계적 측면)에 맞추어 교정한다.
• 글의 의미가 잘 전달될 수 있도록 문장의 형태를 바꾼다.
• 필요하다면 사전을 사용하거나 교사로부터 피드백을 받는다.
• 또래교수를 사용한 편집하기 전략을 적용할 수도 있다(서로의 글을 읽고 철자, 구두점, 완전한 문장인지 여부, 문단 들여쓰기 여부 등을 표시하여 교정하기).

### ✎ 학습장애의 하위 유형(미국 장애인교육법)

| 하위 유형 | 포함되는 장애 유형 |
|---|---|
| 읽기장애 | • 단어인지 읽기장애<br>• 읽기 유창성 읽기장애<br>• 읽기이해 읽기장애 |
| 쓰기장애 | • 철자 쓰기장애<br>• 작문 쓰기장애 |
| 수학장애 | • 연산 수학장애<br>• 문제해결 수학장애 |
| 구어장애 | • 듣기 장애<br>• 말하기 장애 |
| 사고장애 | • 실행기능의 경험 및 인지전략 사용 능력의 부족<br>• 자기조절 능력의 결함 |

## 77

2023 중등A-4

**모범답안**

| ㉠ | 등분제 |
|---|---|
| ㉡ | 문제 읽기 |

**해설**

㉠ 등분제는 어떤 수를 똑같이 몇으로 나누는가를 구하는 것으로 '개수'의 개념이다. 등분제 개념이 담긴 문제에는 '똑같이 나누면'과 같은 어휘가 많이 제시된다. 등분제의 개념은 분수의 개념이 되므로 이에 대한 철저한 이해가 필요하다. 이에 반해 포함제는 어떤 수 안에 다른 수가 몇 이나 포함되어 있는가를 구하는 것으로 '횟수'의 개념이다. 포함제 나눗셈 개념을 묻는 문제에는 일반적으로 '~씩'이라는 어휘가 들어간다(김애화 외, 2013 : 300−301).

### (1) 사칙연산의 의미

| 덧셈<br>(+) | • 합병<br>**예** 빨간 구슬 5개와 흰 구슬 2개를 합하면 얼마인가?<br>• 첨가 **예** 꽃병에 꽃이 5송이 있다. 2송이를 더 꽂으면 꽃은 모두 몇 송이인가? |
|---|---|
| 뺄셈<br>(−) | • 구잔(덜어내기 : take-away)<br>**예** 사과 7개에서 5개를 먹으면 몇 개 남는가?<br>• 구차(비교하기 : comparison)<br>**예** 귤 7개와 사과 5개 중 어느 것이 얼마나 많은가? |
| 곱셈<br>(×) | • 두 집합의 순서쌍으로 나타나는 곱집합의 원소의 수: $a×b=n(A×B)$<br>− 자연수에만 가능<br>**예** 세 가지 다른 모양의 티셔츠와 두 가지 다른 바지를 입을 수 있는 경우의 수(3 곱하기 2)<br>• 동수 누가(반복된 덧셈, repeated addition)<br>**예** 사과 세 개씩 두 봉지가 있다. 사과는 모두 몇 개인가? |
| 나눗셈<br>(÷) | • 등분제(fair sharing)<br>**예** 사과 15개를 3사람에게 똑같이 나누어 줄 때 한 사람이 몇 개를 차지하는가?<br>• 포함제(반복된 뺄셈, repeated subtraction)<br>**예** 사과 15개를 한 사람에게 3개씩 주면 몇 사람에게 줄 수 있는가? |

출처 ▶ 남윤석 외(2021 : 278)

### (2) 단순계산을 돕기 위한 학습전략 : DRAW 전략 **예** 17 × 4 = □

| D | 계산 기호 확인(Discover the sign) : 어떤 계산 활동을 요구하는 문제인지 수학 기호를 확인하라.<br>**예** 요구되는 계산 활동이 곱셈임을 기호(×)를 보고 확인한다. |
|---|---|
| R | 문제 읽기(Read the problem) : 문제를 읽으라.<br>**예** 17 곱하기 4는? |
| A | 문제 풀기(Answer or draw and check) : 직접 답을 구하거나 다른 대안적 방법을 이용하여 답을 구하라.<br>**예** 계산식을 통해 답을 아는 경우 다음 단계로 넘어가고, 모르는 경우 그림(17개의 물건이 4묶음 있는 그림에서 전체 개수 구하기)을 통해 답을 구하는 활동을 한다. |
| W | 최종 답 쓰기(Write the answer) : 최종적인 답을 답란에 기입하라.<br>**예** 문제에 주어진 □에 자신이 구한 답을 적는다. |

출처 ▶ 김동일 외(2016 : 383). 내용 요약정리

## 78

[모범답안]

- ㉠ 명료화하기
- ⓐ, 교사와 학생은 구조화된 대화를 통해 읽기이해 능력을 향상시키도록 한다.
- ㉡ 일반화
  ㉢ 다른 환경에서도 그래픽 조직자 전략의 사용을 확실하게 한다.

[해설]

[지문 돋보기]

※ 해결 방안
- 다시 읽기, 어려운 단어가 포함된 문장의 앞·뒤 문장 읽기, 사전 찾기: 어려운 단어에 대한 해결 방안
- 다시 읽기, 선생님과 이야기하여 내용을 이해하고 다음 문단으로 넘어가기: 이해가 되지 않는 내용에 대한 해결 방안

※ 상보적 교수 활용 시 유의사항
- ⓒ 예측하기의 활동 내용은 글을 읽기 전, 글을 읽는 중으로 구분할 수 있음
  - 글을 읽기 전의 경우: 학생들에게 글의 제목을 보고 글의 내용을 예측하게 하는 활동(2015 중등A-5 기출)
  - 지문에 제시된 내용은 글을 읽는 중간에 대한 것임

ⓐ 상보적 교수는 비계 설정 기법을 대표하는 접근으로, 읽은 글에 관한 교사와 학생 사이의 구조화된 대화를 통해 학생의 초인지적 이해를 향상하는 것을 목적으로 한다(한국학습장애학회, 2014 : 294).

ⓒ 예측하기는 글을 읽기 전에는 글을 전반적으로 훑어봄으로써 앞으로 읽을 내용에 대해 예측하게 하고, 글을 읽는 중에는 지금까지 읽은 내용을 바탕으로 앞으로 이어질 내용을 예측하게 한다(한국학습장애학회, 2014 : 295).

ⓓ 키워드는 글의 장르에 따라 달라질 수 있다. 예를 들어, 이야기 글의 경우에는 누가, 언제, 어디서, 무엇을, 어떻게, 왜 등의 키워드를 사용할 수 있다(한국학습장애학회, 2014 : 295).

[Check Point]

### ☑ 전략중재모형

① 전략중재모형은 미국 캔자스 대학교의 학습장애연구소에서 수년간의 경험적 연구 결과를 근거로 개발한 교과별 학습전략 프로그램이다. 전략중재모형에 대한 경험적 연구 결과는 학습장애 학생들을 위해 학습전략이 효과적으로 가르쳐질 수 있으며, 이 학생들이 일반학급에서 성공적으로 학습활동을 수행하는 데 학습전략 교육이 효과적임을 보여 준다.

② 이 프로그램을 개발한 연구자들은 학습전략 프로그램의 효과적 구성을 위해서는 ㉠ 내용학습과 관련된 선수지식이나 기능에 대한 교육, ㉡ 장기적이고 집중적인 학습전략 훈련, ㉢ 내적인 사고과정을 보여 줄 수 있는 설명과 실연의 효과적 활용, ㉣ 개인적 노력을 강조할 수 있는 정의적 요인, ㉤ 다양한 상황에서의 학습전략의 일반화에 대한 강조와 관련된 교수전략들이 포함되어야 한다고 제안한다.

③ 전략중재모형의 단계는 다음과 같다.

| 단계 | 목적 |
|---|---|
| [1단계]<br>사전평가와 약속 | 학생이 새로운 전략을 학습하도록 동기화하고 교수를 위한 기초선을 수립한다. |
| [2단계]<br>전략 서술 | 새로운 전략의 명시적, 내재적 과정 및 단계를 명확하게 보여 준다. |
| [3단계]<br>전략의 모델링 | 전략의 사용에 관련된 인지적인 행동과 신체적인 행동을 시연한다. |
| [4단계]<br>구어의 정교화와 시연 | 전략의 이해를 명확히 하고 학생의 개입을 촉진한다. |
| [5단계]<br>교사의 통제가 있는 연습과 피드백 | 통제된 자료에서 연습하며 자신감과 유창성을 수립하고 점진적으로 전략 사용의 책임을 학생에게로 넘겨준다. |
| [6단계]<br>심화연습과 피드백 | 좀 더 발전된 자료(예 일반교실이나 과제와 관련된 자료)와 상황들에서 연습을 제공하고 점진적으로 전략 사용과 피드백에 대한 책임을 학생에게로 옮겨 간다. |
| [7단계]<br>습득의<br>확인 및 일반화 약속 | 숙달을 문서화하고 자기 조절적 일반화의 근거를 수립한다. |
| [8단계]<br>일반화 | 다른 환경에서도 전략의 사용을 확실하게 한다. |

출처 ▶ 김동일 외(2016 : 375-376), Mercer et al.(2010 : 574)

## 79

[모범답안]

| 1) | 일견단어 교수법 |
|---|---|

[해설]

1) 아동의 문자 해독 기능을 향상시키기 위해 통언어적 접근에서 사용하는 방법은 일견단어 교수방법이라고 할 수 있다. 즉, 반복적인 노출을 통해 주어진 단어의 시각적 형태를 기억하도록 하고, 단어의 시각적 형태와 음과 의미를 서로 연합시키도록 하는 것이다(김동일, 2016 : 204).

## 80

모범답안

| 1) | ① 읽기 유창성<br>② 반복읽기 |
|---|---|
| 2) | ① 표상교수(또는 시각적 표상화 전략)<br>② 동물원에는 25마리의 말이 있습니다. 이 중 8마리를 다른 곳으로 옮기면 몇 마리가 남습니까? |
| 3) | 일 모형 15개 중 10개를 십 모형 1개로 바꿔 십의 자리 1과 더할 수 있음을 지도한다(또는 일 모형 10개를 십 모형 1개로 바꿔 더할 수 있음을 지도한다). |

해설

지문 돋보기

(가)
〈현재 학습수행수준〉
• ㉠ 글에서 단어를 읽을 수는 있으나 또래에 비해 빈번하게 띄어 읽어서 뜻이 잘 드러나도록 자연스럽게 읽지 못함: 단어인지는 가능하지만 표현력 있게 글을 읽을 수 있는 읽기 유창성이 부족함
〈목표 설정을 위한 내용〉
• ㉡ 동일한 글을 자연스럽고 능숙하게 읽을 때까지 소리 내어 수차례 읽는 연습: 반복읽기를 통해 읽기 유창성을 향상시키고자 함

(나)
• 국어과 띄어 읽기 결과: 의미가 통하는 구나 절 단위로 끊어서 읽지 못하므로 의미 전달이 불명확함. 읽기 유창성 요소 중 표현력에 결함이 있음을 보여줌
• [B]: 문장제 문제를 그림으로 나타내어 문제 해결을 시도하고 있음
• [C] 〈문제 1〉 풀이, 〈문제 2〉 풀이에 나타난 공통된 오류: 십의 자리에서 받아올림한 값을 더하지 않는 받아올림 오류(요소기술 오류)

1) ① ㉠은 표현력 부족으로 인해 의미를 명확하게 전달하고 있지 못함을 의미한다.
  • 읽기 유창성이란 글을 빠르고 정확하게, 그리고 적절한 표현력을 가지고 읽는 능력을 의미한다. 즉, 읽기 유창성은 정확도, 속도 및 표현력이라는 세 가지 특성을 포함하는 개념이다(김애화 외, 2013: 171).
  ② 읽기 유창성 중재연구를 종합적으로 분석한 결과에 따르면, 동일한 글을 소리 내어 반복하여 읽는 것이 읽기 유창성 향상에 효과적인 것으로 나타났다(김애화 외, 2013: 172).

2) ② 변화형이란 어떤 대상의 수가 변화하는 형태의 문제로, 시작, 변화량, 결과의 관계를 파악해야 하는 문제이다(김애화 외, 2013: 307). 따라서 시작에 해당하는 전체 말의 수에서 변화량에 해당하는 내용(조랑말 17마리 또는 얼룩말 8마리)을 빼주는 형식을 갖추어 제시하는 것이 바람직하다.

Check Point

✎ 읽기 교수 영역

| 영역 | 내용 |
|---|---|
| 읽기 선수 기술 | • 향후 읽기 능력을 갖추기 위해 필요한 선수 기술<br>• 활자지식, 자모지식, 음운인식, 듣기이해를 포함하는 개념 |
| 단어인지 | 단어를 빠르게 소리 내어 읽고, 단어의 의미를 파악하는 능력 |
| 읽기 유창성 | 글을 빠르고 정확하고 표현력 있게 읽는 것 |
| 어휘 | 개별 단어에 대한 지식뿐 아니라 문맥에서 단어의 의미를 유추하고, 단어와 단어 사이의 연관성 이해 및 문맥에 적절한 단어를 활용하는 능력을 포함 |
| 읽기이해 | • 글과의 상호작용을 통해 글의 의미를 파악하는 능력<br>• 읽기 교수의 궁극적인 목적 |

## 81

모범답안

• ㉠ 비교대조
• ㉡ 개념비교표
• ㉢ 한가운데의 형태소를 분석해 보세요.
• ㉣ K-W-L 전략

해설

지문 돋보기

(가)
• 글을 읽을 때 음운상의 오류를 보이지 않음: 음독 오류 없음
• 글을 빠르게 막힘이 없이 읽을 수 있음: 글을 읽을 때 음운상의 오류를 보이지 않는다는 점을 동시에 고려할 때 읽기 유창성에는 문제가 없다고 할 수 있음
• 읽은 내용을 이해하는 데 어려움이 있음: 읽기이해의 문제
(나)
• 글의 유형: 설명글
• 글의 구조: 비교대조형(글의 구조를 보여주는 말: '이에 반해')
(다)
• 글의 구조 파악하기: 읽기 중 전략
• 글을 읽고 그래픽 조직자로 표현하기: 글의 구조를 파악하는 활동을 돕기 위해 그래픽 조직자 활용
• 어려운 내용과 단어 파악하기: 학생 A가 책을 읽다가 모르는 어휘가 나오면 스스로 파악할 수 있도록 돕는 문맥 분석 전략과 단어 형태 분석 전략 이용
• 글의 내용 파악하기: K-W-L 전략 사용

㉠ 글의 유형은 이야기 글, 설명글로 구분되며, 설명글의 구조는 나열형, 비교대조형, 원인결과형 구조로 구분된다. (나) 읽기 자료에 제시된 내용을 보면 고체와 액체를 서로 비교하고 있음을 알 수 있기 때문에 글의 구조는 비교대조형으로 분류된다.

㉢ 단어 형태 분석 전략은 단어를 구성하는 형태소를 파악하여 모르는 어휘의 뜻을 파악하도록 돕는 것을 의미한다(김애화 외, 2013 : 191). 따라서 교사의 발화는 형태소 분석(파악)에 초점을 두어 제시되어야 한다.

**Check Point**

📝 **문맥 분석 전략과 단어 형태 분석 전략**

① 학생이 책을 읽다가 모르는 어휘가 나오면 스스로 파악할 수 있도록 돕는 전략을 가르쳐야 한다. 이러한 전략들의 예로는 문맥 분석 전략과 단어 형태 분석 전략 등을 들 수 있다.

② 문맥 분석 전략은 모르는 어휘가 포함된 문장을 읽거나, 앞뒤 문장을 읽으면서 어휘의 뜻을 유추하도록 돕는 것을 의미한다.

③ 단어 형태 분석 전략은 단어를 구성하는 형태소(예 어근/접사, 어간/어미)를 파악하여 모르는 어휘의 뜻을 파악하도록 돕는 것을 의미한다.

출처 ▶ 김애화 외(2013 : 191)

# 82

**모범답안**

| ㉠ | 시공간 |
|---|---|
| ㉡ | 자기교수 전략(또는 자기교시, 말하기) |

**해설**

**지문 돋보기**

• 분수 덧셈 문제를 해결하기 위해 여러 단계를 거치는 동안 학생 B가 스스로 문제 해결 과정을 점검해 보도록 하고 있어요.
: 자기조절 초인지 전략의 사용
• 문제를 해결하는 사고 과정을 큰 소리로 학생 B에게 보여 주고
: 소리내어 생각 말하기 기법의 활용
• 학생 B가 이를 관찰 : 학생은 교사가 소리내어 생각 말하기를 통해 자기교수하는 것을 관찰하고 추후 이를 스스로 수행하며 문제를 해결할 수 있어야 함

㉡ 자기조절 초인지 전략 중 소리내어 생각 말하기 전략을 사용하는 것은 자기교수(또는 말하기)에 해당한다.
• 자기조절 초인지 전략은 인지 전략의 각 단계에 자기교수(말하기, 자기교시), 자기질문(묻기), 자기점검(점검하기)과 같은 자기조절 전략을 적용하여 문제를 해결하는 방법이다.

# 83

**모범답안**

| 1) | ① 음소변별 |
|---|---|
| | ② 낱자와 소리를 연결하여 정확하게 소리내어 읽을 수 있는지를 파악하기 위한 것이다. |
| 2) | ① 이해지식 수준 |
| | ② 읽기유창성 |
| 3) | 다음 중 택 1 |
| | • 우리나라 동쪽 끝에 위치한 섬은 무엇인가요? |
| | • 독도는 우리나라의 어느 쪽에 위치한 섬인가요? |

**해설**

1) ① 음운인식의 하위 기술은 음운인식 단위 및 음운인식 과제 유형에 따라 구분할 수 있는데, [A]의 경우 음운인식 단위는 음소, 음운인식 과제 유형은 변별에 해당한다. 문제에서는 음운인식의 하위 기술을 쓰도록 하고 있으므로 음운인식 단위와 음운인식 과제 유형을 같이 제시하는 것이 바람직하다.

② 창수는 2음절 단어를 교사를 따라 소리내어 읽을 수 있으며 자기가 좋아하는 캐릭터 이름을 여러 단어들 중에서 찾을 수는 있다. 이에 무의미 단어 검사를 통해 낱자와 소리를 정확하게 연결하여 소리내어 읽을 수 있는 정도를 파악하고 있다.

• 친숙한 단어는 단어 전체를 장기기억에 저장된 음운부호에 대응시키는 시각 읽기가 가능하므로 순수한 낱자─소리 대응기술을 측정하는 도구로 사용할 수 없다. 그러므로 무의미 단어는 음운처리 능력을 보다 정확하게 측정하게 될 것이다. 또한, 읽기에 문제가 있는 아동은 무의미 단어 읽기에 많은 오류를 범하며 이는 읽기 수준과 상당히 상관이 높고, 독해력과 매우 밀접한 관련이 있다(송종용, 1999; 정운기 외, 2003 재인용).

2) ① [B]는 섬이라는 목표어휘의 정의에 맞춰 관련 어휘를 적절한 예와 적절하지 않은 예로 범주화할 수 있음을 보여주고 있다. 따라서 이에 해당하는 어휘지식 수준은 이해지식 수준이 된다.

3) 사실적 질문이란 사실적 사고를 요하는 질문으로, 답이 글 속에 분명히 명시되어 있어서 답은 글 속의 단어(또는 문장)를 거의 그대로 옮기면 되는 질문이다.

Check Point

(1) 어휘지식의 수준

| 결합지식 | • 목표 어휘의 단순한 정의를 아는 수준<br>• 단일 맥락에서 어휘 의미 이해 |

⇩

| 이해지식 | • 목표 어휘의 다양한 의미 이해<br>• 목표 어휘를 관련 어휘와 연결지어 범주화할 수 있는 수준 |

⇩

| 생성지식 | • 여러 상황에서 어휘를 적절하게 적용하는 수준<br>• 비슷한 어휘들 간의 구분<br>• 다양한 어휘 범주 이해 |

(2) 질문의 유형

| 사실적 이해 질문 | 사실적 사고를 요하는 질문 |
| 추론적 이해 질문 | 추론적 사고를 요하는 질문 |
| 비판·평가적 이해 질문 | 비판·평가적 사고를 요하는 질문 |

# 84     2025 초등B-2

모범답안

| 1) | ① 불일치 모델(또는 능력−성취 불일치 모델)<br>② 학습장애로 판별되기 이전에 중재를 제공할 수 있다 (또는 학습장애로 판별되기 이전에 중재가 이루어지기 때문에 학습장애로 판별되는 것을 감소시킨다).<br>③ 학습장애는 개인의 내적 요인으로 인한 것이어야 하기 때문이다. |
| 2) | ① 받아내림(또는 전략, 받아내림을 하지 않고 큰 수에서 작은 수를 빼는)<br>② 받아내림을 해야 하는 뺄셈 연산 문제가 주어지면, 80% 이상 정확하게 문제를 풀 수 있다. |

해설

1) ① 능력과 학업성취의 차이에 기초한 학습장애 진단 모형은 불일치 모델이다.

  ② 중재반응 모형은 1단계에서부터 3단계에 이르는 연속적 과정을 통해 중재가 제공되며, 제공된 중재에 반응하지 않을 때 학습장애 판별을 의뢰하게 된다. 즉 문제해결접근방법을 통해 조기 중재가 이루어지기 때문에 학습장애로 판별되는 것을 감소시킬 수 있다.

• 중재반응 모델은 다음의 두 가지 장점을 가진다. 첫째, 불일치 모델과는 달리 진단 자체보다는 교육을 강조함으로써 최대한 빨리 학습장애 위험군 학생을 선별하여 적절한 교육적 지원을 해 줌으로써 학생의 학업 성취도를 극대화할 수 있다. 즉, 불일치 모델에서는 학습장애로 진단될 때까지 일반교육 이외에 교육적 지원을 받지 못하는 반면, 중재반응 모델에서는 일단 학업 문제가 확인되면 즉시 교육적 지원이 제공된다(김애화 외, 2013 : 120).

• 불일치 접근과 비교해 볼 때 이 방법은 몇 가지 장점을 지니고 있다. 첫째, 이미 나타난 결함을 판별하기보다는 장애 위험이 포착되는 시점에서부터 학생을 추적할 수 있다. 둘째, 결과적으로 학습장애 학생을 조기에 판별해 낼 수 있다. 즉, 학생이 학습실패를 보일 때까지 기다리지 않아도 된다. 불일치 기준을 적용하기 위해서는 일단 학생이 학업부진을 보여야 한다(김동일 외, 2016 : 61).

③ 「장애인 등에 대한 특수교육법 시행령」에 규정되어 있는 학습장애를 지닌 특수교육대상자의 정의는 다음과 같다.

> 개인의 내적 요인으로 인하여 듣기, 말하기, 주의집중, 지각, 기억, 문제해결 등의 학습기능이나 읽기, 쓰기, 수학 등 학업 성취 영역에서 현저하게 어려움이 있는 사람을 말한다.

2) ① 네 문제 중 오류를 보인 세 문제(72−33, 65−57, 31−18)는 모두 받아내림을 하지 않고 큰 수에서 작은 수를 빼는 오류를 보이고 있다. 이와 같이 큰 수에서 작은 수를 빼는 것은 받아내림에 대한 개념이 없는 것으로 볼 수 있기 때문에 전략 오류의 유형에 해당한다.

• Stein 등(2017)은 '전략 오류'로 분류하며, 2011년 초등1−25 기출의 경우는 '받아내림을 하지 않고 큰 수에서 작은 수를 뺌'으로 제시하고 있다.

② 메이거(Mager)의 행동목표는 조건, (수락)기준, 행동의 세 가지 요소를 포함한다. 문제가 요구하는 조건에 맞춰 행동적 목표에는 받아내림과 관련된 내용이 반드시 반영되어야 한다.

| 조건 | (수락) 기준 | 행동 |
|---|---|---|
| 받아내림을 해야 하는 뺄셈 연산 문제가 주어지면 | 80% 이상 정확하게 | 문제를 풀 수 있다. |

## 85

**모범답안**

- 철자
- ㉠, 연음규칙(또는 연음법칙)이 적용되는 단어 '절약'과 '분야'
- ㉢ 생각 꺼내기
  ㉫ 다음 중 택 1
  - 교사는 질문하고, 연습이 부족하여 발생하는 실수를 확인하고, 오류를 정정하며, 필요한 경우 재교수를 실시한다.
  - 학생 모두가 전략을 수행해 볼 수 있는 충분한 기회를 제공한다.

**해설**

쓰기 영역) 쓰기 영역은 글씨 쓰기/손으로 쓰기, 철자, 작문/쓰기표현을 포함한다(김애화 외, 2013 : 225). [A]에는 소리 나는 대로 적으면 안 되는 단어를 정확하게 쓰지 못하는 표기 처리 오류가 나타나고 있음이 제시되어 있다. 표기 처리 오류는 철자 오류의 한 유형이다.

- 철자는 쓰기의 또 다른 하위 요소로 단어를 맞춤법에 맞게 쓰는 것을 의미한다. … (중략) … 철자 능력에 영향을 주는 변인으로는 음운처리와 표기처리, 형태처리를 들 수 있으며 철자 오류의 유형은 음운처리 오류, 표기처리 오류, 형태처리 오류로 구분할 수 있다(김애화 외, 2013 : 230−231).

㉠ 절약과 분야는 각각 /저략/과 /부냐/로 발음되며, 학생 D는 소리나는 대로 쓰기를 하였다. 이는 연음규칙이 적용되는 단어를 그대로 쓴 경우에 해당한다.

- 경음화(⑧ 된소리되기)는 'ㄱ, ㄷ, ㅂ, ㅅ, ㅈ'과 같은 예사소리가 'ㄲ, ㄸ, ㅃ, ㅆ, ㅉ'과 같은 된소리로 바뀌어 소리 나는 현상을 말한다(김홍범 외, 2021 : 228).

㉢ POW+WWW What 2 How 2는 자기조절 전략 교수 중 이야기 글쓰기에 적용되는 기억 전략에 해당한다.

㉫ 안내된 연습 단계에서 전략 사용을 촉진하기 위한 교사의 지원 내용을 제시해야 한다.

- 안내된 연습은 학생이 해당 기술을 교사와 함께 연습하는 전략이다. 교사는 질문하고, 연습이 부족하여 발생되는 실수를 확인하고, 오류를 정정하고, 필요한 경우 재교수함으로써 학생을 지원하는 데 쉽게 적용될 수 있다(한국학습장애학회, 2014 : 276).

### (1) 음운변동

| | | |
|---|---|---|
| 대치<br>(교체) | 어떤 음운이 다른 음운으로 바뀌는 현상 | (1) 음절의 끝소리 규칙<br>(2) 비음화(비음동화), 'ㄹ'의 비음화<br>(3) 유음화<br>(4) 두음 법칙('ㄹ', 'ㄴ'의 두음 법칙)<br>(5) 된소리되기(경음화)<br>(6) 구개음화<br>(7) 'ㅣ' 모음 역행 동화(전설모음화) |
| 축약 | 두 음운이 하나의 음운으로 줄어드는 현상 | (1) 모음 축약(반모음화)<br>(2) 자음 축약[거센소리되기(유기음화)] |
| 탈락 | 두 음운 중에서 어느 하나가 없어지는 현상 | (1) 자음군 단순화<br>(2) 모음 탈락<br>(3) 자음 탈락 |
| 첨가 | 형태소가 합성될 때 그 사이에 음운이 덧붙는 현상 | (1) 'ㄴ'첨가<br>(2) 'ㅅ'첨가 |

출처 ▶ 김홍범 외(2021 : 224)

(2) 자기조절 전략 교수

| 논의하라 | 교사는 전략을 명시적으로 소개하고, 전략의 목적과 전략의 장점 등을 명시적으로 제시한다. |
|---|---|
| 시범을 보여라 | 교사는 전략을 어떻게 사용하는지 정확하게 시범을 보인다. |
| 외우도록 하라 | 학생은 기억 전략을 사용하여 전략 사용의 단계를 외운다.<br>• 자기조절 전략 교수에서 사용하는 기억 전략의 종류 |

<table>
<tr><td rowspan="2">외우도록<br>하라</td><td>이야기<br>글쓰기</td><td>POW+<br>WWW<br>What 2<br>How 2</td><td>• Pick my idea(쓸 내용에 대한 생각을 꺼내라.)<br>• Organize my notes (생각을 조직하라.)<br>• Write and say more(생각을 추가하면서 써라.)<br>• Who(누가에 대해 써라.)<br>• When(언제에 대해 써라.)<br>• Where(어디서에 대해 써라.)<br>• What 2(무엇을 원했는지, 무슨 일이 일어났는지에 대해 써라.)<br>• How 2(어떻게 끝났는지, 어떤 느낌이었는지에 대해 써라.)</td></tr>
<tr><td>주장<br>하는<br>글쓰기</td><td>POW+<br>TREE</td><td>• Pick my idea(쓸 내용에 대해 생각을 꺼내라.)<br>• Organize my notes(생각을 조직하라.)<br>• Write and say more(쓰면서 더 생각을 꺼내라.)<br>• Topic sentence(주장 문장을 제시하라.)<br>• Reasons(주장에 대한 근거를 제시하라.)<br>• Explain(근거를 설명하라.)<br>• Ending(결론을 써라.)</td></tr>
</table>

| 지원하라 | 교사는 학생이 전략 사용 단계에 따라 전략을 적용하는 데 필요한 지원을 한다. |
|---|---|
| 독립적으로 사용하게 하라 | 학생은 궁극적으로 교사의 지원 없이 전략을 독립적으로 사용한다. |

(3) 직접 교수법 실행 절차

| 단계 | 설명 |
|---|---|
| [1단계]<br>학습목표<br>제시 | • 학습목표는 관찰 가능하고 측정 가능한 행동, 행동이 발생할 조건, 수용 가능한 행동 수행을 위한 준거를 포함해야 한다. |
| [2단계]<br>교사 시범 | • 학습목표에서 요구하는 행동을 소리 내어 생각말하기(think-aloud) 기법을 활용하여 어떻게 전략을 사용하는지 시범 보인다.<br>  - 지도하고자 하는 개념/과정에 대한 과제분석을 실시하고, 논리적으로 계열화한 후 그 절차에 따라 시범 보인다.<br>  - 전략 사용의 이유와 핵심 요소를 제시하고 전략 사용 방법을 직접 시범 보인다.<br>• 교사의 시범 후 교사와 학생의 질문과 대답 활동을 통해 학생의 내용 이해 정도를 확인한다.<br>  - 교사는 필요한 경우에 촉진과 피드백을 사용하여 학생의 대답을 요구한다. |
| [3단계]<br>안내된 연습 | • 학생이 해당 기술을 교사와 함께 연습하는 단계이다.<br>  - 안내된 연습의 주된 목적은 학생이 오류를 범하지 않도록 하기 위해 부정확한 반응을 수정하는 것이다.<br>• 학생이 배운 대로 전략을 연습해 볼 수 있도록 과제를 제시하고, 교사는 전략 사용을 촉진한다.<br>  - 교사는 질문하고, 연습이 부족하여 발생하는 실수를 확인하고, 오류를 정정하며, 필요한 경우에는 재교수를 실시한다.<br>  - 학생 모두가 전략을 수행해 볼 수 있는 충분한 기회를 제공한다.<br>• 실제보다 쉬운 연습과제부터 전략을 연습하도록 하여 자신감을 심어준다. |
| [4단계]<br>독립적 연습 | • 주어진 시간 동안 학생이 독립적으로 전략 사용을 연습하게 한다.<br>  - 독립적 연습은 안내된 연습에서 높은 성공률(90~100%)을 보일 때 실시한다.<br>  - 독립적 연습의 목적은 아무런 물리적, 언어적, 시각적 안내 없이도 기술을 수행할 수 있는지 밝히는 것이다.<br>• 교사는 교실을 돌아다니며 학생들이 과제를 제대로 수행하는지 점검하고 어려움을 보이는 학생에게 도움을 제공한다.<br>  - 독립적 연습 단계에서의 교사 피드백은 안내된 연습에서의 피드백처럼 빠르게 제공되지 않는다. |

## 86 | 2025 중등B-10

**모범답안**

- ㉠ 학습 안내지
- 개념조직도(또는 개념도)
  학습할 내용 중 주요한 개념을 구성하고 있는 주요 정보 간의 관계를 보여 준다.
- ㉡ 각 문단이 '무엇' 또는 '누구'에 관한 내용인가를 파악하기

**해설**

**지문 돋보기**

- 과학 교과: 내용교과
- 수업에서 다룰 교과서의 중심 내용과 주요 어휘 등으로 구성된 활동지: (넓은 의미의) 학습 안내지의 개념
- [B] 그래픽 조직자: 내용 강화법의 일환으로 사용

㉠ 학습 안내지는 교과서의 중심 내용이나 주요 어휘 등의 학습을 돕기 위해 제작한 학습지를 의미한다(김애화 외, 2013: 331).

- 제시된 내용은 학습 안내지의 하위 유형이 아닌 학습 지침 또는 학습 가이드라고도 하는 학습 안내지(study guide)와 워크시트 그리고 안내 노트를 모두 포함하는 학습 안내지에 대한 개념에 해당한다.
- 학습 안내지는 목적에 따라, 첫째 교과서의 중심 내용 및 주요 어휘에 관한 질문으로 구성된 학습 안내지(study guide), 둘째 중심 내용 및 주요 어휘에 관한 개요를 제시하는 워크시트, 셋째 수업시간에 학생들의 필기를 돕기 위한 안내 노트로 나뉠 수 있다(김애화 외, 2013: 331).

그래픽 조직자 유형) 개념 조직도는 학습할 내용 중 주요한 개념을 구성하고 있는 주요 정보 간의 관계를 보여주는 데 주로 활용된다(한국학습장애학회, 2014: 256).

- 개념 조직도(편저자 주: 원서에는 '개념도'로 되어 있음)는 관련 있는 개념들이 서로 어떤 관련성을 지니는지를 시각적으로 표현하여 제시하는 그래픽 조직자의 한 유형이다. 일반적으로 여러 개념이 상위개념과 하위개념의 관계로 연관되어 있을 때 많이 활용된다(김애화 외, 2013: 334).

---

**Check Point**

**✎ 중심내용 파악하기**

일반적으로 중심내용 파악하기 전략은 3단계로 구성된다.

| 1단계 | 각 문단이 '무엇' 또는 '누구'에 관한 내용인가를 파악하기 |
|---|---|
| 2단계 | 각 문단에서 '무엇' 또는 '누구'에 관해 가장 중요한 내용 파악하기 |
| 3단계 | 1~2단계에서 파악한 내용을 10어절 이내의 문장으로 표현하기 |

김남진
**KORSET** 특수교육
기출분석 **2**

PART 06

# 정서·행동장애아교육

KORea Special Education Teacher

## 01                     2009 유아1-14

정답 ①

해설

① 건우는 건강문제로 인하여 병원에 입원해 있으며, 병원과의 직접적인 상호작용이 이루어지므로 미시체계에 해당한다.

② 건우와 건우 부모, 건우와 순회교사의 관계는 미시체계에 해당하며, 건우 부모와 순회교사와의 관계는 미시체계들 간의 상호 관계이므로 중간체계에 해당한다.

③ 건우 가족에게 도움을 주는 종교단체는 외체계에 해당된다.

④ 건우가 현장학습을 갈 지역사회 동물원은 외체계에 해당된다.

⑤ 건우가 받는 순회교육의 법적 근거인 현행 장애인 등에 대한 특수교육법은 거시체계에 해당된다.

### Check Point

📝 브론펜브레너(U. Bronfenbrenner)의 생태학적 모델

| 환경체계 | 특징 |
|---|---|
| 미시체계<br>(소구조) | • 물리 및 사회적 환경 내에서 개인이 직접 경험하는 활동, 역할 및 관계<br>• 아동의 근접 환경<br>• 미시체계는 아동의 성장하면서 변화함<br>예 가정/가족, 아동양육기관, 아동을 돌봐주는 가정 병원 |
| 중간체계<br>(중간구조) | • 미시체계들 간의 상호관계, 즉 환경들과의 관계<br>• 부모와 교사 간의 관계, 형제관계, 이웃친구와의 관계 등<br>예 부모-의사 관계, 부모-교사 관계, 부모-치료사 관계, 전문가-전문가 상호작용 |
| 외체계<br>(외부구조) | • 아동이 직접 참여하지는 않지만 아동에게 영향을 미치는 사회적 환경<br>• 정부기관, 사회복지기관, 교육위원회, 대중매체, 직업세계 등<br>예 이웃 및 지역사회 조직, 교통 수단, 대중매체, 교회 |
| 거시체계<br>(대구조) | • 미시체계, 중간체계, 외체계에 포함된 모든 요소에 개인이 살고 있는 문화적 환경까지 포함<br>• 신념, 태도, 전통을 통해 아동에게 영향을 미침<br>• 거시체계는 일반적으로 다른 체계보다 더 안정적이지만, 때로는 사회변화에 따라 변할 수 있음<br>예 법률, 판례, 보편적인 사회적 태도, 윤리적/도덕적 원리 |

## 02                     2009 초등1-29

정답 ⑤

해설

자기교수 훈련 절차에 사용되는 용어는 각론서, 임용 출제 연도마다 상이하므로 한 가지를 선택하여 학습하는 것이 바람직하다.

### Check Point

📝 자기교수 훈련 절차

| 단계 | 설명 |
|---|---|
| [1단계]<br>인지적 모방 | • 교사는 큰 소리로 과제 수행 단계를 말하면서 시범을 보인다.<br>• 아동은 이를 관찰한다. |
| [2단계]<br>외적 모방 | • 교사는 아동이 과제를 수행하는 동안 큰 소리로 과제 수행 단계를 말한다.<br>• 아동은 교사의 지시에 따라 교사가 말하는 자기교수의 내용을 큰 소리로 따라 말하면서 교사가 수행한 것과 똑같은 과제를 수행한다. |
| [3단계]<br>외적 자기<br>안내 | • 아동은 큰 소리로 과제 수행 단계를 말하면서 같은 과제를 수행한다.<br>• 교사는 관찰을 하며 피드백을 제공한다. |
| [4단계]<br>외적 자기<br>안내의 제거 | • 아동은 작은 목소리로 과제 수행 단계를 속삭이면서 과제를 수행한다.<br>• 교사는 관찰하고 피드백을 제공한다. |
| [5단계]<br>내적 자기교수 | 아동은 소리내지 않고 내적 언어를 사용하며 과제를 수행한다. |

## 03

정답 ①

해설

ㄷ. 인지 능력에 비하여 언어 수용 및 표현 능력이 낮아 학습에 어려움이 있는 사람: 의사소통장애

ㄹ. 사회적 상호작용과 의사소통에 결함이 있어 학교생활 적응에 어려움이 있는 사람: 자폐성장애의 특징

Check Point

### 📝 정서·행동장애를 지닌 특수교육대상자(장애인 등에 대한 특수교육법)

> 장기간에 걸쳐 다음의 어느 하나에 해당하며, 특별한 교육적 조치가 필요한 사람
> 가. 지적·감각적·건강상의 이유로 설명할 수 없는 학습상의 어려움을 지닌 사람
> 나. 또래나 교사와의 대인관계에 어려움이 있어 학습에 어려움을 겪는 사람
> 다. 일반적인 상황에서 부적절한 행동이나 감정을 나타내어 학습에 어려움이 있는 사람
> 라. 전반적인 불행감이나 우울증을 나타내어 학습에 어려움이 있는 사람
> 마. 학교나 개인 문제에 관련된 신체적인 통증이나 공포를 나타내어 학습에 어려움이 있는 사람

## 04

정답 ④

해설

④ 반항성장애(oppositional defiant disorder)란 적대적 반항장애를 의미한다. 적대적 반항장애는 분노/과민한 기분, 논쟁적/반항적 행동, 보복적 특성이 지속적·파괴적으로 나타나는 품행장애의 하나이다.

지문 돋보기

- 2008년 1월부터 현재까지: 최소 6개월간 지속
- 부모나 교사가 주의를 줄 때마다 그들과 말다툼을 하거나: 권위적인 사람 또는 성인과 자주 말싸움을 함
- 성질을 부리면서: 자주 다른 사람에 의해 쉽게 기분이 상하거나 신경질을 부림
- 화를 낸다.: 자주 화를 내고 크게 분개함
- 자신이 실수를 하거나 나쁜 행동을 하고도 다른 친구 때문이라고 그 친구들을 비난하는 일이 잦다.: 자신의 실수나 비행을 다른 사람의 탓으로 자주 돌림

Check Point

### 📝 DSM-5의 적대적 반항장애 진단기준

> A. 분노/과민한 기분, 논쟁적/반항적 행동, 보복적 행동이 최소 6개월간 지속되고, 형제가 아닌 다른 사람 1인 이상과의 상호작용에서 다음 항목 중 적어도 네 가지 증후를 보인다.
>
> 분노/과민한 기분
> 1. 자주 화를 낸다.
> 2. 자주 다른 사람에 의해 쉽게 기분이 상하거나 신경질을 부린다(짜증을 낸다).
> 3. 자주 화를 내고 쉽게 화를 낸다.
>
> 논쟁적/반항적 행동
> 4. 권위적인 사람 또는 성인과 자주 말싸움(논쟁)을 한다.
> 5. 권위적인 사람의 요구에 응하거나 규칙 따르기를 거절 또는 무시하는 행동을 자주 보인다.
> 6. 의도적으로 다른 사람을 자주 괴롭힌다.
> 7. 자신의 실수나 비행을 다른 사람의 탓으로 자주 돌린다.
>
> 보복적 특성
> 8. 지난 6개월간 두 차례 이상 다른 사람에게 악의에 차 있거나 보복적인 행동을 한 적이 있다.
>
> 주의점: 행동의 지속성과 빈도에 따라 장애의 증후적인 행동과 정상적인 제한 내에서의 행동을 구별해야 한다. 5세 이하의 아동을 대상으로 적용할 때에는 최소한 6개월 동안 일상생활의 대부분 시간에 행동이 나타나지 않을 경우 진단을 내리지 않는다. 5세 이상의 경우, 최소한 6개월 동안 일주일에 적어도 한 차례 나타나야 준거에 부합하는 것이다. 이러한 빈도준거는 증후를 판별하는 데 적용할 수 있는 최소한의 빈도 수준으로, 행동의 빈도와 강도는 개인의 발달수준, 성별·문화별로 수용될 수 있는 기준이 다름을 감안해야 한다.
>
> B. 행동의 장애가 개인의 사회적 맥락(예 가정, 또래집단, 직장 동료)에서 개인 또는 다른 사람에게 고통을 주는 것과 관련이 있거나 사회적·학업적·직업적 또는 다른 중요한 기능수행 영역에 부정적인 영향을 미친다.
> C. 행동이 정신병적 장애, 물질사용장애, 우울장애, 양극성 장애에 의해 주로 나타나는 것이 아니다. 또한 준거는 파괴적 기분조절장애에 부합하지 않는다.

## 05                                          2009 중등2A-2

모범답안 개요

| 구분 | 내용 |
|---|---|
| 인지론적 접근의 근거 | • 인지론적 접근에 의하면 정서와 행동은 경험한 사건에 대한 해석의 결과라고 말할 수 있으므로 임상적 개선은 사고의 변화에 의해 결정된다고 본다.<br>• 대화 내용 중 인지론적 접근을 뒷받침하는 근거는 다음과 같다.<br> − (김 교사) 영수가 친구들의 행동을 이유 없이 부정적으로 해석하는 것이 더 큰 문제<br> − (김 교사) 그 과정에서 서서히 자신의 생각이 잘못되었다는 사실을 깨닫게 될 것 |
| 인지론적 접근 보완 방법 | • 미시체계: 영수와 교사, 영수와 할머니/아버지, 영수와 또래들 간의 직접적인 상호작용이 영수의 문제행동에 영향을 수 줄 수 있음을 고려한다.<br>• 중간체계: 교사와 할머니/아버지 간 또는 교사와 또래들 간의 상호작용이 영수의 문제행동에 영향을 줄 수 있음을 고려한다. |

해설

지문 돋보기

• 최 교사: 영수의 공격적 행동은 가정환경의 영향을 받았다는, 즉 아버지의 폭력적 행동을 모방했다고 보는 행동주의 모델의 입장

• 김 교사: 행동은 경험한 사건에 대한 해석의 결과라고 말할 수 있으며, 임상적 개선은 사고의 변화에 의해 결정된다는 인지주의 모델의 입장
 − 영수가 친구들의 행동을 이유 없이 부정적으로 해석하는 것이 더 큰 문제라고 생각합니다.
 − 그 과정에서 서서히 자신의 생각이 잘못되었다는 사실을 깨닫게 될 것입니다.

Check Point

☑ 생태학적 체계

| 미시체계 | 물리 및 사회적 환경 내에서 개인이 직접 경험하는 활동, 역할 및 관계를 의미한다. 미시체계 내의 환경은 가정, 놀이터, 학교 등과 같이 사람들이 면대면으로 마주하여 상호작용하는 상황이다. 직접적인 상호작용을 하는 부모가 자녀의 교육에 무관심하고 방임을 하면 학생의 발달에 부정적인 영향을 미쳐 정서·행동 문제를 보일 가능성이 크다. |
|---|---|
| 중간체계 | 개인이 참여하는 환경들 간의 상호작용을 의미한다. 개인이 직접적으로 상호작용을 하는 미시체계 간의 상호작용으로, 학생의 부모와 교사 간의 상호작용, 가정과 또래 간의 상호작용이 그 예가 된다. 이들의 상호작용이 직접적으로 영향을 미치지는 않지만 간접적으로 학생에게 영향을 미친다. |
| 외체계 | 개인이 직접적으로 참여하지는 않지만 개인이 속한 환경에 영향을 주고받는 상황을 의미한다. 부모 |

의 직장, 형제의 학교, 지역사회 기관, 교회, 병원, 부모의 친구, 친척 등이 이에 포함될 수 있다. 예를 들면, 부모의 일시적 부재 시 학생을 돌볼 수 있는 친척 또는 지역사회 기관의 활용 여부가 학생의 발달에 영향을 미칠 수 있다.

| 거시체계 | 문화적 가치 및 태도, 정치적 환경, 대중매체, 법 등과 같이 하위체계(미시체계, 중간체계, 외체계)에서 일관되게 나타나는 것을 의미한다. 문화적 가치 및 태도가 보다 수용적인 나라에서는 아동 및 청소년의 정서·행동 문제가 적게 나타날 수 있다. |
|---|---|
| 시간체계 | 전 생애에 걸쳐 일어나는 변화와 사회역사적인 환경을 포함하는 체계이다. 개인에게 영향을 미치는 환경의 시기와 상호작용의 시기는 개인 발달에 중요한 변수가 된다. 즉, 환경 변화를 경험하는 시기가 아동의 발달에 중요한 영향을 미친다는 것이다. |

## 06                                          2010 유아1-4

정답 ③

해설

지문 돋보기

| 영규의 말 | 귀인 | 안정성 | 원인의 소재 | 통제성 |
|---|---|---|---|---|
| ㉠ | 능력 | 안정 | 내적 | 통제 불가능 |
| ㉡ | 행운 | 불안정 | 외적 | 통제 불가능 |
| ㉢ | 과제 난이도 | 안정 | 외적 | 통제 불가능 |
| ㉣ | 타인의 도움 | 불안정 | 외적 | 통제 가능 |
| ㉤ | 노력 | 불안정 | 내적 | 통제 가능 |

Check Point

☑ 귀인이론

① 귀인은 일상생활에서 경험하는 사건의 원인에 대해 학생이 생각하는 신념으로, 수행에 대한 성공이나 실패의 원인이 어디에 있는지를 설명

② 사건의 원인을 개인의 내부 혹은 외부 요인 중 어디에 귀인하는가에 따라, 영속성에 따라, 개인의 의도에 의한 통제 여부에 따라 내적/외적, 안정적/불안정적, 통제 가능/통제 불가능 차원으로 범주화

| 귀인 | 소재성 | 안정성 | 통제성 |
|---|---|---|---|
| 능력 | 학습자 내부 | 안정 | 통제 불가능 |
| 노력 | 학습자 내부 | 불안정 | 통제 가능 |
| 운 | 학습자 외부 | 불안정 | 통제 불가능 |
| 과제 난이도 | 학습자 외부 | 안정 | 통제 불가능 |
| 타인의 도움 | 학습자 외부 | 불안정 | 통제 가능 |

# 07 [                    ] 2010 유아2A-1

**모범답안 개요**

| | |
|---|---|
| 1) | • 초인지 전략의 결함<br>• 일반화의 결함<br>• 중앙응집 기능의 결함 |
| 2) | • 계속되는 사고과정을 스스로 통제할 수 있기 때문에 적극적인 점검을 할 수 있게 된다.<br>• 훈련 방법을 오랫동안 유지하고 일반화할 수 있다.<br>• 외현적 자기교수를 통해 전체를 볼 수 있는 방법을 지도할 수 있다. |
| 3) | • B. 외현적 자기교수: 민수는 교사의 지도 내용을 소리내어 따라 말하면서 퍼즐 맞추기 과제를 수행한다.<br>• C. 내적 자기교수(또는 내재적 자기교수): 민수는 소리내지 않고 내적 언어를 사용하여 퍼즐 맞추기 과제를 수행한다. |

**해설**

1) (나)에 제시된 민수의 문제점은 다음과 같다.

**지문 돋보기**

• 자신의 퍼즐을 맞추는 과정이 올바른지, 퍼즐을 잘 맞추었는지 확인하지 않는다. : 초인지 전략의 결함
• 한 종류의 동물그림 퍼즐은 맞출 수 있으나, 다른 동물그림 퍼즐을 맞추지 못한다. : 일반화의 결함
• 동물 형태를 보고 퍼즐을 맞추도록 배웠으나, 퍼즐 조각의 연결부분만을 맞추려고 하여 퍼즐을 완성하지 못한다. : 중앙응집 기능의 결함

2) 자기교수 훈련의 궁극적 목적은 학생이 언어적 촉진을 내재화함으로써 일상생활에서 부딪히는 다양한 상황에서 이러한 촉진을 사용할 수 있도록 하는 데 있다.

**Check Point**

### ☑ 자기교수의 장점

① 학생이 마음속으로 과제 수행을 계속 반복하기 때문에 자신감이 증가하게 된다.
② 계속되는 사고과정을 스스로 통제할 수 있기 때문에 적극적인 점검을 할 수 있게 된다.
③ 이해 과정을 통해 학생의 수동적 행동을 적극적 행동으로 바꿀 수 있게 된다.
④ 훈련 방법을 오랫동안 유지하고 일반화할 수 있다.

# 08 [                    ] 2010 초등1-9

**정답** ③

**해설**

**지문 돋보기**

• 관찰 내용은 모두 ADHD의 진단 기준 중 과잉행동 및 충동성에 해당함
• 과잉행동 및 충동성이 나타나는 이유와 관련하여 Barkley는 ADHD와 관련한 4개의 실행기능(작업기억, 정서·동기·각성의 자기조절, 내면화된 언어, 재구성) 제안
  – ③: Barkley가 제안한 4개 실행기능 중 내면화된 언어에 해당

① 인지적 능력 증진은 인지주의적 접근인 데 반해 행동계약 전략은 행동주의적 접근이다.
② 주의집중 지속시간을 증가시키는 방법에는 과제를 세분화하여 번갈아 가면서 제시하기, 인지 학업과제와 신체 활동과제를 번갈아 제시하기, 아동에게 흥미로운 물건(사건) 제시 등이 있다. 모델링은 행동의 습득 단계에 이용하는 전략이다.
④ 단기기억을 증진시키기 위한 방법에는 저장 시간의 한계를 극복하기 위한 시연 활동과 처리 정보량의 한계를 극복하기 위한 청킹/자동화/분산처리 활동 등이 있다. 자기교수는 초인지 전략에 해당한다.
⑤ 주기적 전략이란 3일 혹은 1주일 정도의 주기적인 간격을 두고 전략을 사용하여 통제하는 방법이다. 자신의 행동을 통제하는 데 매일이 아닌 주기적인 방법은 부적절하다.

**Check Point**

### ☑ Barkley의 통합모형

Barkley는 ADHD와 관련한 4개의 실행기능으로 작업기억, 정서·동기·각성의 자기조절, 내면화된 언어, 재구성의 4개 요인을 제안하였다.

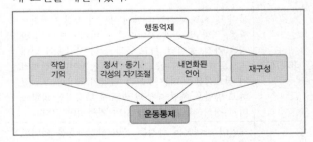

| 작업기억 | 정보를 마음속에 온라인 상태로 유지시켜 주는 기억체계의 일부로서, 뒤에 올 반응을 통제하는 데 사용될 수 있다. |
|---|---|
| 정서·동기·각성의 자기조절 | 정서와 동기를 조절할 수 있게 해주는 처리과정들을 포함한다. |
| 내면화된 언어 | 행동지침으로 내재화된 규칙과 지시를 마음속으로 생각할 수 있게 해준다. |
| 재구성 | 재구성은 새롭고 창조적인 행동 또는 일련의 그러한 행동들을 할 수 있게 해준다. |

## 09 _____ 2010 중등1-19

정답 ②

해설

ㄱ. 정신내적 과정상의 기능장애는 정신역동적 모델, 자기점검은 인지주의 모델, 행동형성 절차는 행동주의 모델과 관련된다.

ㄴ. 문제행동의 원인을 잘못된 학습에 의한 것으로 보고, 문제행동과 관련된 환경적 변인을 파악하고, 이를 조작하여 학생들의 행동 변화를 이끌어 낸다. : 행동주의 모델

ㄷ. 문제행동은 개인의 기질 등에 기인하나 이러한 문제가 환경적 요인으로 발현될 수 있다고 보고, 문제행동을 직접 중재하기보다는 의사 등 관련 전문가에게 의뢰한다. : 신체생리적 모델

ㄹ. 문제행동이 사고, 감정, 행동 간 상호작용에 의해 발생하는 것으로 보는 것은 인지주의 모델이다. 그러나 자신의 욕구와 갈등을 표현할 수 있도록 환경을 지원하여 건강한 성격발달이 이루어지도록 하는 것은 정신역동적 모델과 관련된다.

Check Point

(1) 신체생리적 모델
① 장애란 생물학적 소인이 환경적 요인에 의해 발현된 결과이거나 몇 가지 생물학적 결함이 복합적으로 나타난 것이라고 본다.
② 모델 개요

| 원인 | 평가절차 | 중재법 |
|---|---|---|
| • 유전적 요인<br>• 뇌와 신경생리학적 요인<br>• 기질적 요인 | • 발달력 조사<br>• 신경학적 평가<br>• DNA 검사<br>• 기능적 행동분석 | • 유전공학<br>• 정신약물(약물치료)<br>• 영양요법(비타민요법, 식이요법) |

(2) 정신역동적 모델
① 정신내적 기능의 정상·비정상적 발달과 개인의 요구에 초점을 둔다.
② 모델 개요

| 원인 | 평가절차 | 중재법 |
|---|---|---|
| • 무의식적 충동과 의식적 욕구 간의 갈등<br>• 개인과 사회적 가치 간의 갈등<br>• 방어기제의 과도한 사용<br>• 생물학적(심리성적) 혹은 대인관계(심리사회적) 발달상의 위기 해소 실패 | • 투사적 기법(로샤흐 검사, 아동용 주제통각검사 등)<br>• 인물화 검사<br>• 문장완성검사<br>• 자기보고식 평정척도 | • 현실치료<br>• 심리치료(미술, 음악, 놀이치료 등)<br>• 정서교육 |

(3) 행동주의적 모델
① 인간의 모든 행동, 즉 장애행동이나 정상행동 모두가 학습된 것이라고 보며, 장애행동과 정상행동의 차이는 행동의 빈도, 강도, 사회적 적응성에 의해 설명될 수 있다고 한다.
② 모델 개요

| 원인 | 평가절차 | 중재법 |
|---|---|---|
| • 수동적(고전적) 조건화<br>• 조작적 조건화<br>• 사회적 학습(관찰학습, 모델링) | • 검목표(체크리스트)<br>• 행동평정척도<br>• 행동기록법<br>• 기능적 행동평가 | • 행동 증가 기법(강화자극 사용, 유관계약, 토큰 체제 등)<br>• 행동 감소 기법(차별강화, 타임아웃, 벌, 신체적 구속) |

## (4) 인지주의적 모델

① 정서와 행동은 경험한 사건에 대한 해석의 결과라고 말할 수 있으므로 임상적인 개선은 사고의 변화에 의해 결정된다.

② 모델 개요

| 원인 | 평가절차 | 중재법 |
|---|---|---|
| • [인지결함] 자기관리 또는 자기규제 기술의 결함<br>• [인지왜곡] 부정적 사고는 부정적 기대, 평가, 귀인 그리고 비합리적인 신념으로 나타남<br>• 사회인지이론 | • 자기보고식 질문지법<br>• 사고목록 기록법<br>• 발성사고 기법<br>• 면담 | • [인지결함] 인지전략, 자기교수, 사회적 문제해결 전략<br>• [인지왜곡] 귀인 재훈련, 합리적 정서행동치료, 분노대처 프로그램<br>• 모델링을 이용한 중재 |

③ 이승희(2017)의 문헌에서는 인지적 모델을 다음과 같이 요약하여 제시하고 있다.

| 문제의 원인 | 방법 | 기법 | 구분 | |
|---|---|---|---|---|
| 인지적 왜곡 | 인지적 재구조화 | 합리적 정서–행동치료 | 인지적 치료 | 인지적 행동 치료 |
| | | 인지적 치료 | | |
| 인지적 결함 | 인지적 대처기술 훈련 | 문제해결 훈련 | — | |
| | | 자기교수 훈련 | | 인지적 중재 |
| 자기통제의 결여 | 자기관리 훈련 | 자기점검 | — | — |
| | | 자기평가 | | |
| | | 자기강화 | | |

## (5) 생태학적 모델

① 학생의 개인적인 특성뿐만 아니라 학생의 행동에 대한 환경과의 상호작용 요소가 일탈행동의 발생 및 지속에 영향을 미친다고 본다.

② 모델 개요

| 원인 | 평가절차 | 중재법 |
|---|---|---|
| 생태체계 내의 장애 | • 교실 교수 요구 분석<br>• 행동평정 프로파일-2<br>• 교수환경척도<br>• 기능적 행동평가 | • 긍정적 행동지원<br>• Re-ED 프로젝트<br>• 랩어라운드 서비스 |

③ 생태학적 체계

| | |
|---|---|
| 미시체계 | • 물리 및 사회적 환경 내에서 개인이 직접 경험하는 활동, 역할 및 관계를 의미한다.<br>• 미시체계 내의 환경은 가정, 놀이터, 학교 등과 같이 사람들이 면대면으로 마주하여 상호작용하는 상황이다. 직접적인 상호작용을 하는 부모가 자녀의 교육에 무관심하고 방임을 하면 학생의 발달에 부정적인 영향을 미쳐 정서·행동 문제를 보일 가능성이 크다. |
| 중간체계 | • 개인이 참여하는 환경들 간의 상호작용을 의미한다.<br>• 개인이 직접적으로 상호작용을 하는 미시체계 간의 상호작용으로, 학생의 부모와 교사 간의 상호작용, 가정과 또래 간의 상호작용이 그 예가 된다. 이들의 상호작용이 직접적으로 영향을 미치지는 않지만 간접적으로 학생에게 영향을 미친다. |
| 외체계 | • 개인이 직접적으로 참여하지는 않지만 개인이 속한 환경에 영향을 주고받는 상황을 의미한다.<br>• 부모의 직장, 형제의 학교, 지역사회 기관, 교회, 병원, 부모의 친구, 친척 등이 이에 포함될 수 있다. |
| 거시체계 | 문화적 가치 및 태도, 정치적 환경, 대중매체, 법 등과 같이 하위체계(미시체계, 중간체계, 외체계)에서 일관되게 나타나는 것을 의미한다. |
| 시간체계 | • 전 생애에 걸쳐 일어나는 변화와 사회역사적인 환경을 포함하는 체계이다.<br>• 개인에게 영향을 미치는 환경의 시기와 상호작용의 시기는 개인 발달에 중요한 변수가 된다. 즉, 환경 변화를 경험하는 시기가 아동의 발달에 중요한 영향을 미친다는 것이다. |

## 10

정답 ⑤

해설

① 자주 죽고 싶다고 말하기도 한다. 따라서 이완훈련으로 충동 조절을 할 수 있도록 지도한다.

② 친구들과 함께 있을 때에도 대부분 혼자서 무관심하게 시간을 보낸다. 따라서 멘토를 지정해 사회적 관계를 확대하고 교우관계의 범위를 넓혀가도록 지도한다.

③ 자신에 대해 지나친 죄책감을 지니고 있는 것으로 나타났다. 따라서 부정적인 자동적 사고에 대한 신념을 논박하고 왜곡된 사고를 재구조화할 수 있도록 지도한다.

⑤ 정동홍수법은 불안에 대한 중재 전략으로 중재 초기에 불안을 일으키는 정도가 가장 심한 자극에 아동을 오랫동안 노출시키는 절차이다. 따라서 주어진 과제 완수 및 학업성취도 향상을 위한 중재전략과는 무관하다.

## 11

정답 ④

해설

지문 돋보기

• 영기
 – 심한 교통사고를 당함: 외상성 사건
 – 자동차를 보면 몹시 초조해하고 집 앞 도로를 혼자 다니지 못한다.: 외상성 사건과 관련된 고통스러운 기억·생각 또는 느낌을 상기시키는 외부적인 자극을 회피하거나 회피하려고 노력
 – 혼자서 장난감 자동차 충돌을 재연하며 논다.: 외상성 사건과 관련된 놀이의 반복
• 인수
 – 화재로 심한 화상을 입음: 외상성 사건
 – 자주 악몽을 꾼다.: 외상성 사건의 내용과 정서에 대한 반복적이고 괴로운 꿈
 – 텔레비전에서 불이 나오는 장면만 보면 심하게 울면서 안절부절못하며 엄마에게 안긴다.: 외상성 사건과 유사하거나 상징적인 내적 또는 외적 단서에 노출되었을 때 심각한 심리적 고통

① 손 씻기와 같은 반복적인 행동이 적어도 하루에 한 시간 이상 나타난다.: 강박장애

② 여러 사건이나 활동에 대한 과도한 불안이나 걱정이 적어도 6개월 이상, 최소한 한 번에 며칠 이상 일어난다.: 범불안장애

③ 말을 해야 하는 특정한 사회적 상황에서 말을 할 수 있음에도 불구하고 1개월 이상 지속적으로 말을 하지 않는다.: 선택적 함구증

④ 외상과 관련된 사건의 재경험, 그 사건과 관련된 자극의 회피, 일반적인 반응의 마비, 각성 상태의 증가가 1개월 이상 지속적으로 나타난다.: 외상 후 스트레스장애(PTSD)
 • 외상 후 스트레스장애는 한 번 경험한 또는 반복된 치명적인 사건을 재경험하며 지속적으로 강한 불안 증상을 나타내는 것이다. 주요한 특성은 충격적 사건에 대한 회상과 악몽 등을 재경험하며, 충격적 사건과 관련된 장소나 대상을 회피하고 충격적 사건에 대한 각성상태가 지나치게 높다는 것이다.

⑤ 애착이 형성된 사람으로부터 분리되는 것에 대해 부적절하고 과다하게 반응하며, 이러한 반응은 4주 이상 지속되고 18세 이전에 나타난다.: 분리불안장애
 • DSM-IV-TR에 의하면 분리불안장애는 18세 이전에 발병해야 함이 기준으로 되어 있으나 DSM-5에는 구체적인 연령이 제시되어 있지 않으며, 성인의 경우 6개월 이상 지속되어야 한다는 진단 기준이 명시되어 있다.

## 12 　　　　　　　　　　　2011 유아2A-2

**모범답안 개요**

| 구분 | 내용 |
|---|---|
| 장애 진단명 | • 건희 : 주요 우울장애<br>• 성호 : 품행장애 |
| 합리적<br>정서행동치료 | • ⓐ 괜찮아, 누구나 게임에 질 수 있어.<br>• ⓑ 괜찮아, 다른 친구 생일에 초대받으면 되잖아. |
| 대인 간<br>문제해결 | • ⓒ 관심 취하기(또는 대안 분석) : 대안 1과 대안 2가 친구들에게 어떤 영향을 미칠지를 각각 분석한다.<br>• ⓓ 수단-방법 사고 : 대안 1과 대안 2 중 하나를 선택하고 그것의 단계를 목록화한다. |
| 중재전략 | • 건희 : 늘 부정적으로 사고하는 인지적 왜곡이 있음. 따라서 인지 재구조화를 통해 자신의 부정적 사고에 대해 생각해보고 긍정적으로 재구조하도록 도움<br>• 성호 : 문제해결 능력과 관련된 인지적 결함으로 상대방에게 공격행동을 보임. 따라서 대인 간 문제해결하기를 통해 문제해결 능력을 위한 가르침 |

**해설**

• (나)는 인지 왜곡, (다)는 인지 결함과 관련된다.
• 대인 간 문제해결하기에서 관심 취하기(또는 대안 분석)의 활동을 예를 들어 살펴보면 친구에게 기분이 나쁘잖아라고 말하는 경우와 선생님에게 고자질을 하는 경우 어느 것이 가장 효과적인 대안인지 결정하는 것이다. 그리고 수단-방법 사고의 활동 예로는 친구에게 기분이 나쁘다고 말하는 것을 선택하고 어떤 상황에서 어떤 방법으로 말할 것인지를 모색하는 것이다.
• 건희에게 적용한 중재는 잘못된 신념을 올바른 신념으로 바꾸는 인지적 중재 방법에 대해 묻고 있다. 인지재구조화는 자동적, 비합리적, 역기능적 사고에 직면한 아동과 부모들을 돕기 위한 교육적 기법이다. 이 기법은 아동에게 이론을 요약해서 설명해 주고, 그의 부적절한 감정과 행동을 변화시키기 위해 자동적 사고와 신념을 확인시켜주어 변화시키도록 가르친다. 인지 재구조화 기법은 자동적 사고에 초점을 두고 있으며 귀인 재훈련, 이완 훈련, 주장 훈련, 사고평가, 자기효율성 훈련, 문제해결 치료 등에도 널리 적용되고 있다(윤점룡 외, 2017 : 71-72).

---

**Check Point**

**(1) 주요 우울장애**

> A. 다음 증상 가운데 다섯 가지(또는 그 이상) 증상이 연속 2주 기간 동안 지속되며, 이러한 상태가 이전 기능으로부터의 변화를 나타내는 경우 ; 위의 증상 가운데 적어도 하나는 (1) 우울 기분이거나, (2) 흥미나 즐거움의 상실이어야 한다.

**(2) 품행장애**

> A. 연령에 적합한 주된 사회적 규범 및 규칙 또한 다른 사람의 권리를 위반하는 행동을 반복적이고 지속적으로 보이며, 아래의 항목 중에서 세 가지 이상을 12개월 동안 보이고 그중에서 적어도 한 항목을 6개월 동안 지속적으로 보인다.

**(3) 인지행동중재와 인지적 재구조화**

① 인지행동중재는 다양한 행동적 또는 인지행동적 전략들을 사용하여 아동이나 청소년의 불안장애를 감소시키는 것으로, 모델링, 체계적 둔감법, 정동홍수법, 재노출요법, 인지적 재구조화, 자기통제 기술, 이완훈련 등을 포함한다(방명애 외, 2014 : 250).

② 인지행동중재의 구성 요소 중 하나인 인지적 재구조화는 학생으로 하여금 자신의 부정적인 사고에 대해 생각해보고 긍정적으로 재구조화하도록 돕는 것이다. 부정적 사고는 학생의 부정적인 귀인 양상의 일부로서 학생의 사고에 깊이 배어 있어서, 학생은 다양한 상황에서 깊이 생각해보지도 않고 자동적으로 부정적인 말을 한다. 인지적 재구조화를 적용할 경우에, 임상가는 학생으로 하여금 자동적으로 부정적 자기대화를 촉진하는 경향이 있는 특정 상황을 분석하고, 생활사건을 재구조화하도록 돕는다(Kauffman, 2020 : 321-322).

• 인지적 재구조화에는 재귀인훈련, 이완 훈련, 적극적 상상절차, 사고 평가, 역할 역전놀이와 재구성 사고, 자기효능 훈련 그리고 문제해결 치료 등이 포함된다(Webber et al., 2013 : 176).

• 인지적 재구조화는 비합리적이거나 역기능적인 사고를 합리적 사고로 대치하는 데 초점을 맞추는 것으로서 Ellis의 합리적 정서행동치료와 Beck의 인지적 치료가 있다(이승희, 2017 : 305).

• 인지심리학자들은 인지적 재구조화 기법과 인지행동치료(CBT)를 통해 세상에 대한 지각과 인지과정을 변화시킴으로써 정서장애가 줄어들 수 있다고 제안한다. 인지행동치료는 인지적 재구조화와 행동적 기술 훈련 기법을 통합시킨 것이다(Webber, 2013 : 199).

## 13

정답 ②

해설

지문 돋보기

• 친구의 농담이나 장난을 적대적으로 해석하여 친구와 자주 다툰다. : 사람과 동물에 대한 공격성
• 행위의 결과에 대한 고려 없이 자주 타인의 물건을 훔치고 거짓말을 한다. : 사기 또는 절도
• 부모와 교사에게 매우 반항적이며, 최근 1년 동안 가출이 잦고 학교에 무단결석하는 일이 빈번해졌다. : 심각한 규칙 위반
• 부모의 금지에도 불구하고 자주 밤늦게까지 거리를 돌아다니며 : 심각한 규칙 위반
• 주차된 자동차의 유리를 부수고 다닌다. : 재산/기물 파괴
• 자신의 학업성적이 반에서 최하위권에 머무는 것을 공부 잘하는 급우 탓으로 돌리며 신체적 싸움을 건다. : 사람과 동물에 대한 공격성

ㄱ. 학생 A의 행동은 DSM-IV-TR의 진단 준거에 따르면 품행장애이다.

ㄹ. 인지처리과정의 문제를 다루는 인지행동적 중재는 내적 변인을 통제한다. 인지행동 중재에 의하면 행동은 사고, 신념 등과 같은 인지적 사상에 따라 수정된다(인지적 사상의 변화가 행동의 변화를 가져온다).

## 14

정답 ①

해설

지문 돋보기

• 평소/지난 달 초부터는 : 모든 특성이 한 달 이상은 지속되고 있음
• 증상 : 집중력 감소, 부적절한 죄책감, 흥미 상실, 피로, 식욕 감소

ⓒ '자신의 무능함' : 특정한 행동이나 결과의 원인이 개인 내부에 있다고 보고 있다.

ⓒ '언제나' : 시간의 흐름에 따라 요인이 변하지 않을 것으로 보고 있다.

ⓔ '학급의 모든 활동' : Kelly의 공변 모형에 의해 설명 가능하다. 학급의 특정 활동에서만 나타나는 특성이라면 '특이성'이 높다고(특정적) 할 수 있으나 민지는 학급의 모든 활동에서 동일한 특성을 보이므로 '일관성'이 높다고(전체적) 할 수 있다.

Check Point

(I) 주요 우울장애의 증상

1. 하루의 대부분, 그리고 거의 매일 지속되는 우울한 기분이 주관적인 보고(에 슬프거나 공허하게 느낀다)나 객관적인 관찰(에 울 것처럼 보인다)에서 드러난다.
   주의점 : 소아와 청소년의 경우는 초조하거나 과민한 기분으로 나타나기도 한다.
2. 모든 또는 거의 모든 일상 활동에 대한 흥미나 즐거움이 하루의 대부분 또는 거의 매일같이 뚜렷하게 저하되어 있을 경우(주관적인 설명이나 타인에 의한 관찰에서 드러남)
3. 체중조절을 하고 있지 않은 상태(에 1개월 동안 체중 5% 이상의 변화)에서 의미있는 체중 감소나 체중 증가, 거의 매일 나타나는 식욕 감소나 증가가 있을 때
   주의점 : 소아의 경우 체중 증가가 기대치에 미달되는 경우 주의할 것
4. 거의 매일 나타나는 불면이나 과다 수면
5. 거의 매일 나타나는 정신 운동성 초조나 지체(주관적인 좌불안석 또는 처진 느낌이 타인에 의해서도 관찰 가능)
6. 거의 매일 피로나 활력 상실
7. 거의 매일 무가치감 또는 과도하거나 부적절한 죄책감을 느낌(망상적일 수도 있으며, 단순히 병이 있다는 데 대한 자책이나 죄책감이 아님)
8. 거의 매일 나타나는 사고력이나 집중력의 감소, 또는 우유부단함(주관적인 호소나 관찰에서)
9. 반복되는 죽음에 대한 생각(단지 죽음에 대한 두려움뿐만 아니라 특정한 계획 없이 반복되는 자살 생각 또는 자살 기도나 자살 수행에 대한 특정 계획)

PART 06

(2) 켈리의 공변 모형

귀인이론을 개발한 Heider 이후의 귀인이론은 Kelly에 의해 공변 모형으로 발전했다. 공변 모형은 특정 원인이 있거나 없을 때 그 행동이 발생하는지, 또는 발생하지 않는지를 고려하여 행동의 원인을 귀인하는 과정을 설명하며, 이때 '합치성(consensus)', '특이성(distinctiveness)', '일관성(consistency)' 정보를 종합적으로 고려한다고 설명한다. 합치성은 판단하고자 하는 대상 외에 '다른 사람들도 특정 자극에 대해 동일한 반응을 보이는지'에 대한 정보를 말한다. 특이성은 판단 대상의 행동이 '특정한 자극뿐만 아니라 다른 자극들에도 동일한 반응을 보이는지'에 대한 정보를 말한다. 마지막으로 일관성은 '판단 대상의 행동이 다른 상황, 다른 때에도 동일하게 반응하는지'에 대한 정보를 말한다. 공변 모형에 따라, 영희가 특정 개그맨을 보고 웃는 행동을 귀인하는 과정을 살펴보자. 우리는 다른 사람들은 웃지 않고 영희만 특정 개그맨을 보고 웃으며(합치성 낮음), 다른 개그맨을 볼 때에도 영희가 웃는 행동(특이성 낮음)을 자주 관찰했다면(일관성 높음), 영희의 웃는 행동에 대해 '영희는 잘 웃는 사람이구나(내적 요소)'라고 내적 귀인을 하게 된다. 반면에 영희가 아닌 다른 사람들도 특정 개그맨을 보고 웃으며(합치성 높음), 영희는 특정 개그맨이 아닌 다른 개그맨에 대해서는 웃지 않는 행동(특이성 높음)이 자주 관찰되었다면(일관성 높음), 영희의 행동에 대해 '저 개그맨이 굉장히 재미있는 개그맨이구나(외적 요소)'라는 외부 귀인을 하게 될 것이다.

출처 ▶ [네이버 지식백과](심리학용어사전) 귀인이론

## 15

정답 ②

해설

ㄱ. 적대적 반항장애가 품행장애의 전조이다.

ㄴ. 품행장애는 만 10세를 기준으로 아동기 발병형과 청소년기 발병형으로 구분한다. 18세 이상의 경우, 반사회성 성격장애의 준거에 부합하지 않아야 한다.

ㄹ. 품행장애의 진단 준거는 사람과 동물에 대한 공격성, 재산/기물파괴, 사기 또는 절도, 심각한 규칙 위반 등으로, 방화는 재산/기물 파괴의 세부 행동에 포함된다.

## 16

정답 ④

해설

① (가)는 신체생리학적 모델을 근거로 의사가 병원에서 약물요법을 실행하였다.
   • 신체생리학적 모델에서 교사의 역할은 관련 전문가에게 의뢰를 하고 추후 관계를 유지하는 등 비교적 제한적으로, (가)에서 교사는 약물요법에 의한 학생의 교실 행동을 점검한 것이다.
② (나)는 생태학적 모델에 대한 설명이다.
   • 일어날 수 있는 사건에 대한 체크리스트를 만드는 것은 생태학적 체계에 관한 정보를 수집하는 생태학적 사정을 실행한 것이다.
   • 분노통제 훈련(또는 분노조절 훈련)은 학생에게 자기교수를 통해 분노와 공격행동을 자제하거나 조절하는 것을 지도하는 인지행동중재이다.
③ (다)는 '문제 정의 → 대안모색 → 의사결정 → 수행 및 확인'의 단계로 실행되는 '사회적 문제해결 전략' 절차를 적용한 인지주의적 모델에 대한 설명이다.
⑤ (마)는 정신역동적 모델을 근거로 집단중재를 적용한 것이다.
   • 자기교수는 인지주의적 중재 방법이다.

## 17     

정답) ③

해설

(다) DSM-5에서는 DSM-Ⅳ-TR의 만성적 주요 우울장애
와 기분부전장애를 통합하여 지속적 우울장애로 명명
한다.

• 기분부전장애는 주요 우울장애의 여러 증상들이 덜
심각한 형태로 나타나지만, 더 오래 만성적으로 나
타나는 장애를 말한다. 기분부전장애 아동 및 청소
년들은 대부분의 시간을 행복해하지 않거나 성마르
게 보낸다. 이런 증상들은 만성적이긴 하지만 주요
우울장애 아동들보다는 덜 심각하다. 기분부전장애
아동들은 주요 우울장애 아동들에 비해 일반적으로
기질적인 우울 양상의 비율이 낮고, 쾌감손실과 사
회적 위축 등이 거의 나타나지 않으며, 또한 집중곤
란, 죽음에 대한 생각, 신체적 불편감 등도 덜 흔하
다. 기분부전장애 아동은 지속되는 슬픔, 사랑받지
못하고 버림받은 느낌, 자기-경시, 자존감 저하, 불
안, 성마름, 분노, 분노폭발 등을 포함하여 자신들의
정서를 잘 조절하지 못하는 특징이 있다(윤점룡 외,
2013 : 261-262).

Check Point

(1) 지속적 우울장애

① 지속적 우울장애는 최소한 2년(아동이나 청소년의 경우
최소한 1년) 동안 우울한 기분이 하루의 대부분 지속되
는 것

② 주요 우울장애 삽화가 지속적 우울장애보다 앞서 나타
날 수도 있고 동시에 나타날 수도 있음

③ 주요 우울장애에 비해 지속적 우울장애는 불안장애와
약물사용 장애 등과 공존할 위험성이 큼

④ 지속적 우울장애가 어린 시기에 발생한 경우에 인격장
애와 연관

⑤ DSM-5의 지속적 우울장애의 진단기준

> 지속적 우울장애는 DSM-Ⅳ의 만성적 주요 우울장애와 기분
> 부전장애를 통합한 것이다.
>
> A. 본인의 주관적 설명이나 다른 사람의 관찰에 따르면, 최
> 소한 2년 동안 우울한 기분이 하루의 대부분 지속되었다.
> 주의 : 아동이나 청소년의 경우, 최소한 1년 동안 짜증을
> 내는 것으로 나타날 수도 있다.

> B. 우울할 때 다음 여섯 가지 중 두 가지 이상의 증상을 나타
> 낸다.
> 1. 식욕 저하 또는 과식
> 2. 불면증 또는 수면 과다
> 3. 활기 저하와 피곤
> 4. 낮은 자존감
> 5. 집중력과 의사결정 능력 저하
> 6. 절망감
>
> C. 우울장애를 나타낸 2년(아동과 청소년은 1년) 동안 한 번
> 에 2개월 이상 진단기준 A와 B의 증상을 나타내지 않은
> 기간이 없다.
>
> D. 주요 우울장애의 진단기준을 2년 동안 지속적으로 나타
> 낸다.
>
> E. 조증이나 경조증 삽화가 나타난 적이 없으며, 순환성 기
> 질장애의 진단기준에 부합하지 않는다.
>
> F. 이러한 증상들은 분열정동장애, 정신분열증, 정신분열형
> 장애, 망상장애, 또는 정신분열 스펙트럼과 정신장애에 의
> 해 더 잘 설명되지 않는다.
>
> G. 이러한 증상들이 어떤 약물이나 다른 의학적 상태(예 갑상
> 선 기능 저하증)의 생리적 효과에 기인하지 않는다.
>
> H. 이러한 증상들이 사회적, 직업적 및 다른 중요한 기능 영
> 역에서 임상적으로 심각한 고통이나 손상을 초래한다.

(2) 기분부전장애의 진단기준

> A. 적어도 2년 동안, 거의 하루 종일 우울한 기분이 주관적으
> 로 느껴지거나 타인에 의해 관찰된다.
> 주의 : 아동과 청소년의 경우 성마른 기분이 적어도 1년
> 이상 나타남
>
> B. 우울증이 있는 동안 다음 두 가지 이상의 증상이 나타난다.
> 1. 식욕부진 또는 과식
> 2. 불면 또는 수면과다
> 3. 기력의 저하 또는 피로감
> 4. 자존감 저하
> 5. 집중력 저하
> 6. 무력감
>
> C. 장애가 있는 2년 동안(아동과 청소년은 1년), 진단기준 A
> 와 B의 증상이 동시에 2개월 이상 나타난다.
>
> D. 장애가 있던 처음 2년 동안(아동과 청소년은 1년) 주요 우
> 울증 에피소드가 나타나지 않는다.
>
> E. 조증/혼재성/또는 경조증 에피소드가 없어야 하고, 순환
> 성 장애의 진단기준을 충족시키지 않아야 한다.
>
> F. 이 장애는 정신분열증이나 망상장애와 같은 만성 정신장
> 애의 기간에만 발생하는 것이 아니다.
>
> G. 증상이 물질(예 약물남용·투약) 또는 일반적인 의학적 상
> 태(예 갑상선기능저하증)의 직접적인 생리적 효과로 인한
> 것이 아니다.
>
> H. 증상은 사회, 직업, 기타 중요한 기능 영역에서 임상적으
> 로 심각한 고통이나 장애를 일으킨다.

## 18    2013 초등B-3

모범답안

| | |
|---|---|
| 1) | • 무단결석을 자주 한다.<br>• 친구들의 학용품이나 학급 물품을 부순다. |

**Check Point**

✎ **품행장애**

**사람과 동물에 대한 공격성**
1. 다른 사람을 괴롭히거나 위협하거나 협박한다.
2. 신체적 싸움을 먼저 시도한다.
3. 다른 사람에게 심각한 손상을 입힐 수 있는 무기(예 방망이, 벽돌, 깨진 병, 칼, 총 등)를 사용한다.
4. 사람에 대해 신체적으로 잔인한 행동을 한다.
5. 동물에 대해 신체적으로 잔인한 행동을 한다.
6. 강도, 약탈 등과 같이 피해자가 있는 상황에서 강탈을 한다.
7. 성적인 행동을 강요한다.

**재산/기물 파괴**
8. 심각한 손상을 입히고자 의도적으로 방화를 한다.
9. 다른 사람의 재산을 방화 이외의 방법으로 의도적으로 파괴한다.

**사기 또는 절도**
10. 다른 사람의 집, 건물, 차에 무단으로 침입한다.
11. 사물이나 호의를 얻기 위해 또는 의무를 회피하기 위해 자주 거짓말을 한다.
12. 피해자가 없는 상황에서 물건을 훔친다.

**심각한 규칙 위반**
13. 부모의 금지에도 불구하고 밤늦게까지 자주 집에 들어오지 않는다. 이러한 행동이 13세 이전부터 시작되었다.
14. 부모와 함께 사는 동안에 적어도 두 번 이상 밤늦게까지 들어오지 않고 가출한다.
 (또는 장기간 집에 돌아오지 않는 가출을 1회 이상 한다.)
15. 학교에 자주 무단결석을 하며 이러한 행동이 13세 이전부터 시작되었다.

## 19    2013 중등1-30

정답 ④

해설

① 주의력결핍 과잉행동장애는 DSM-Ⅳ-TR 기준으로 만 7세 이전(DSM-5는 12세 이전)에 나타나야 한다(2018 중등A-11 기출 참조).
② 흔히 질문이 채 끝나기 전에 성급하게 대답하는 증상(g)은 과잉행동 및 충동성에 포함된다.
③ 흔히 다른 사람이 직접적으로 말을 할 때 경청하지 않는 것처럼 보이는 증상(c)은 부주의에 포함된다.
⑤ 복합형은 지난 6개월 동안 진단기준 A의 1[부주의 관련 증상들 중 여섯 가지(또는 그 이상)가 발달 수준에 적합하지 않고, 사회적 활동과 학업적/직업적 활동에 적극적으로 부정적인 영향을 미칠 정도로 적어도 6개월 동안 지속]과 A의 2[과잉행동 및 충동성 관련 증상들 중 여섯 가지(또는 그 이상)가 발달수준에 적합하지 않고, 사회적 활동과 학업적/직업적 활동에 직접적으로 부정적인 영향을 미칠 정도로 적어도 6개월 동안 지속] 모두에 부합되는 경우이다.

**Check Point**

✎ **DSM-5의 주의력결핍 과잉행동장애 진단기준**

A. 1 그리고/또는 2와 같은 특징을 가진 부주의 그리고/또는 과잉행동-충동성의 지속적인 패턴이 기능이나 발달을 저해한다.
 1. 부주의: 다음 증상들 중 여섯 가지(또는 그 이상)가 발달 수준에 적합하지 않고, 사회적 활동과 학업적/직업적 활동에 적극적으로 부정적인 영향을 미칠 정도로 적어도 6개월 동안 지속된다.
  **주의점**: 증상이 과제나 교수를 이해하는 데 있어 단지 적대적 행동, 반항, 적개심 또는 실패를 표현하는 것이 아니다. 청소년과 성인(17세 이상)에게는 적어도 다섯 가지 증상이 요구된다.
  a. 흔히 세부적인 면에 대해 면밀한 주의를 기울이지 못하거나 학업, 직업 또는 다른 활동에서 부주의한 실수를 저지른다.
   예 세부적인 것을 간과하거나 놓친다. 일을 정확하게 하지 못한다.
  b. 흔히 일 또는 놀이를 할 때 지속적인 주의집중에 어려움이 있다.
   예 수업, 대화 또는 긴 문장을 읽을 때 지속적으로 집중하기 어렵다.
  c. 흔히 다른 사람이 직접적으로 말을 할 때 경청하지 않는 것처럼 보인다.
   예 분명한 주의산만이 없음에도 생각이 다른 데 있는 것 같다.

d. 흔히 지시를 따르지 못하고, 학업, 잡일 또는 직장에서의 임무를 수행하지 못한다.
- 예 과제를 시작하지만 빨리 집중력을 잃고, 쉽게 곁길로 빠진다.

e. 흔히 과업과 활동 조직에 어려움이 있다.
- 예 순차적 과제 수행의 어려움, 물건과 소유물 정돈의 어려움, 지저분하고 조직적이지 못한 작업, 시간관리 미숙, 마감시간을 맞추지 못함

f. 흔히 지속적인 정신적 노력을 요하는 과업에의 참여를 피하고, 싫어하고, 저항한다.
- 예 학업 또는 숙제, 청소년과 성인들에게는 보고서 준비, 서식 완성, 긴 논문 검토

g. 흔히 과제나 활동에 필요한 물건들을 분실한다.
- 예 학교 준비물, 연필, 책, 도구, 지갑, 열쇠, 서류, 안경, 휴대폰

h. 흔히 외부자극에 의해 쉽게 산만해진다(청소년과 성인에게는 관련 없는 생각이 포함된다).

i. 흔히 일상생활에서 잘 잊어버린다.
- 예 잡일하기, 심부름하기, 청소년과 성인에게는 전화 회답하기, 청구서 납부하기, 약속 지키기

2. 과잉행동 및 충동성: 다음 증상들 중 여섯 가지(또는 그 이상)가 발달수준에 적합하지 않고, 사회적 활동과 학업적/직업적 활동에 직접적으로 부정적인 영향을 미칠 정도로 적어도 6개월 동안 지속된다.
주의점: 증상이 과제나 교수를 이해하는 데 있어 단지 적대적 행동, 반항, 적개심 또는 실패를 표현하는 것이 아니다. 청소년과 성인(17세 이상)에게는 적어도 다섯 가지 증상이 요구된다.

a. 흔히 손발을 가만히 두지 못하거나 의자에 앉아서도 몸을 움직거린다.

b. 흔히 앉아 있도록 기대되는 교실이나 기타 상황에서 자리를 뜬다.
- 예 교실, 사무실이나 작업장, 또는 자리에 있어야 할 다른 상황에서 자리를 이탈한다

c. 흔히 부적절한 상황에서 지나치게 뛰어다니거나 기어오른다.
- 예 청소년이나 성인에게는 주관적 안절부절못함으로 제한될 수 있다.

d. 흔히 여가활동에 조용히 참여하거나 놀지 못한다.

e. 흔히 끊임없이 움직이거나 마치 자동차에 쫓기는 것처럼 행동한다.
- 예 식당, 회의장과 같은 곳에서 시간이 오래 지나면 편안하게 있지 못한다, 지루해서 가만히 있지 못하거나 지속하기 어렵다는 것을 다른 사람들이 경험한다.

f. 흔히 지나치게 수다스럽게 말한다.

g. 흔히 질문이 채 끝나기 전에 성급하게 대답한다.
- 예 다른 사람의 말에 끼어들어 자기가 마무리한다, 대화에서 차례를 기다리지 못한다.

h. 흔히 차례를 기다리지 못한다.
- 예 줄 서서 기다리는 동안

i. 흔히 다른 사람의 활동을 방해하고 간섭한다.
- 예 대화, 게임 또는 활동에 참견함, 요청이나 허락 없이 다른 사람의 물건을 사용함, 청소년이나 성인에게는 다른 사람이 하는 일에 간섭하거나 떠맡음

B. 몇몇 부주의 또는 과잉행동—충동 증상이 만 12세 이전에 나타난다.

C. 몇몇 부주의 또는 과잉행동—충동 증상이 두 가지 이상의 장면에서 나타난다.
- 예 가정, 학교 또는 직장에서, 친구 또는 친척들과 함께, 다른 활동들에서

D. 증상이 사회, 학업 또는 직업 기능에 방해를 받거나 질적으로 감소하는 명백한 증거가 있다.

E. 증상이 조현병 또는 기타 정신증 장애의 경과 중에만 발생하지 않으며, 다른 정신장애에 의해 더 잘 설명되지 않는다.
- 예 기분장애, 불안장애, 해리장애, 성격장애, 물질중독 또는 위축

다음 중 하나를 명시할 것
- 복합형: 지난 6개월 동안 진단기준 A1(부주의)과 진단기준 A2(과잉행동—충동성)를 모두 충족한다.
- 주의력결핍 우세형: 지난 6개월 동안 진단기준 A1(부주의)은 충족하지만 A2(과잉행동—충동성)는 충족하지 않는다.
- 과잉행동/충동 우세형: 지난 6개월 동안 진단기준 A2(과잉행동—충동성)는 충족하지만 A1(부주의)은 충족하지 않는다.

# 20

정답 ⑤

해설

① 문제 발생 시 즉각 개입한다.

② 3차적 예방은 변화가능성이 낮은 만성적 반사회적 행동의 부정적 효과를 조정하거나 저하시키는 것이다. 나타난 반사회적 행동을 조기에 판별하여 중재하거나 개선하는 것은 2차적 예방의 활동 내용에 해당한다.

③ 교직원들에게 적절하지 못한 행동보다는 적절한 행동을 통해 더 많은 관심을 받을 수 있다는 것을 알도록 하고 새로운 행동을 지도한다. 즉 공격성 수준을 낮추는 것이 아니라 문제행동을 예방할 수 있도록 지도한다.
  • 그럼에도 불구하고 반사회적 행동을 하는 학생들에 대해서는 ⑤와 같은 방법으로 조치를 취한다.

④ 1차적 예방은 모든 학생을 대상으로 반사회적 행동이 나타나는 것을 예방하는 것으로 집중적인 행동 지도가 아닌 보편적인 행동지도를 시행한다.

Check Point

✎ 예방의 차원

Walker 등은 예방의 차원을 일차원 예방, 이차원 예방, 삼차원 예방으로 크게 세 차원으로 나누고 있다(이성봉 외, 2015: 340-341).

① 일차원 예방은 반사회적 행동이 나타나는 것을 예방하는 것으로 모든 학생을 대상으로 한다.

② 이차원 예방은 나타난 반사회적 행동을 조기에 판별하여 중재하거나 개선하는 것이다.

③ 삼차원 예방은 변화 가능성이 낮은 만성적 반사회적 행동의 부정적 효과를 조정하거나 저하시키는 개별화된 중재를 적용하는 것이다.

# 21

정답 ②

해설

ㄱ. 행동적·차원적 분류는 교육적 분류(또는 경험적 분류)를 의미하며 정서·행동장애를 내재화 장애와 외현화 장애로 분류한다. 내재화 장애(요인)는 과잉통제, 외현화 장애(요인)는 통제결여라고 부른다. 반항과 불복종은 외현화 장애, 불안은 내재화 장애로 분류할 수 있다.

ㄹ. 의학적 분류체계 혹은 임상적, 범주적 분류는 교육적 분류체계에 비해 낙인의 영향이 크다(교육적 분류체계가 의학적 분류체계에 비해 낙인의 문제를 줄일 수 있다).

Check Point

✎ 교육적 분류(차원적 분류)

| 내재화 장애 (요인) | • 과잉통제라고 부르며, 우울, 위축, 불안 등과 같이 내면적인 어려움을 야기하는 상태<br>• 우울장애와 불안장애 등이 이에 속함 |
|---|---|
| 외현화 장애 (요인) | • 통제결여라고 부르며, 공격성이나 반항행동 등과 같이 타인이나 환경을 향해 표출되는 상태<br>• 주의력결핍 과잉행동장애와 품행장애 등이 이에 속함 |

① 교육적 분류는 의학적 분류에 비해 낙인을 줄일 수 있으며, 좀 더 구체적이고 세분화된 중재를 제공할 수 있다는 이점이 있다.

② 교육적 중재는 내재화와 외현화의 문제를 동시에 보이는 아동들을 어떻게 분류할 것인지에 대한 방법이 명확치 않다.

## 22

**모범답안**

| 1) | ① 과제 수행의 시범을 보인다.<br>② 작은 소리로 자기교수의 내용을 말하면서 교사가 보여준 것을 그대로 한다. |
|---|---|
| 2) | • 유형: 순한 기질, 까다로운 기질, 느린 기질(또는 더딘 기질) |
| 3) | • 모델: 정신역동적 모델 |
| 4) | • 장애: 뚜렛장애 |

**해설**

3) 정신역동적 모델의 중재 중 심리치료는 내담자의 부정적인 증상을 줄이고 적응적이고 친사회적인 기능을 향상시키기 위하여 고안된 중재로서 특정 치료 계획에 따라 치료자와 내담자 간의 상호작용, 상담 및 활동을 포함한다(이성봉 외, 2022).

4) 운동 틱(눈을 깜빡이거나 코를 찡그리고)과 음성 틱(코를 킁킁거려서)이 함께 나타나며 2년 전 자신을 키워 준 할머니가 돌아가신 후부터 지속되고 있으므로 뚜렛장애에 해당한다.

**Check Point**

(1) 기질

① 성인기 성격의 토대가 되는 심리적인 특성으로 행동 양식과 정서적 반응 유형을 의미(≒ 성격 특성)

② 기질의 유형

| 순한 기질 | • 대상 아동의 약 40% 수준<br>• 욕구불만에 대한 높은 인내력을 갖고 있고, 생리적으로 균형적이며, 새로운 자극에 적극적으로 반응한다. |
|---|---|
| 까다로운 기질 | • 대상 아동의 약 10% 정도<br>• 흔히 부정적인 태도와 강한 정서를 나타내며, 생리적 기능이 불균형적이다. |
| 느린 기질<br>(더딘 기질) | • 대상 아동의 약 15% 수준<br>• 순한 기질과 까다로운 기질이 혼합된 상태<br>• 새로운 상황과 변화에 대해 늦지만 궁극적으로는 긍정적으로 적용한다. |

(2) 뚜렛장애 진단기준(DSM-IV-TR)

1. 다발성의 근육 틱과 한 가지 또는 그 이상의 음성 틱이 질병의 경과 중에 나타난다. 그러나 이 두 종류의 틱이 반드시 동시에 존재할 필요는 없다(틱이란 갑작스럽고, 빠르고, 반복적이며, 리듬이 없고, 상동적으로 나타나는 근육의 움직임 또는 소리냄을 의미한다).

2. 틱은 거의 매일 많은 횟수로 나타나는데, 1년 이상 지속되며 이 기간 동안에 틱이 나타나지 않는 기간이 3개월을 초과하여서는 안 된다.

3. 이러한 틱 증상으로 인하여 사회적, 직업적 또는 다른 중요한 기능적 측면에서 뚜렷한 장애가 있어야 한다.

4. 발병연령은 18세 이전이어야 한다.

5. 이러한 틱 증상이 중추신경 흥분제 등 약물에 의하거나 일반적인 내과질환(헌팅턴씨 병 또는 바이러스성 뇌염)에 수반된 것은 아니어야 한다.

## 23

**모범답안**

| 1) | ① 능력<br>② 불안정(바꿀 수 있음)<br>③ 학습자 외부 |
|---|---|

**Check Point**

✎ Weiner의 귀인이론

① 성공과 실패의 원인에 대한 학습자의 믿음과 이러한 믿음이 어떻게 학습동기에 영향을 미치는지에 대해 체계적인 설명을 시도하는 동기에 대한 인지이론

② 사건의 원인을 개인의 내부 혹은 외부 요인 중 어디에 귀인하는가에 따라, 영속성에 따라, 개인의 의도에 의한 통제 여부에 따라 내적/외적, 안정적/불안정적, 통제 가능/통제 불가능 차원으로 범주화

| 소재성<br>(인과성의 소재) | 원인의 출처, 즉 특정한 행동이나 결과의 원인이 개인 내부에 있는가 아니면 외부에 있는 다른 요인과 관련이 있는가 하는 것 |
|---|---|
| 안정성 | • 지속성을 근거로 원인을 구별하는 것<br>• 시간의 흐름에 따라 그 요인이 변화하느냐 혹은 변화하지 않으냐 하는 것 |
| 통제성<br>(통제 가능성) | 행위자가 그 원인을 통제할 수 있느냐 없느냐의 문제 |

③ 귀인 유형

| 귀인 | 소재성 | 안정성 | 통제성 |
|---|---|---|---|
| 능력 | 학습자 내부 | 안정 | 통제 불가능 |
| 노력 | 학습자 내부 | 불안정 | 통제 가능 |
| 운 | 학습자 외부 | 불안정 | 통제 불가능 |
| 과제 난이도 | 학습자 외부 | 안정 | 통제 불가능 |
| 타인의 도움 | 학습자 외부 | 불안정 | 통제 가능 |

## 24 · 2014 유아B-2

**모범답안**

| 3) | ① 신념(또는 사고)<br>② 떨어진 공을 주워 공놀이에 참여한다. |
|---|---|

**Check Point**

(1) ABC 모델

| A<br>선행사건 | B<br>신념 | C<br>후속결과 |
|---|---|---|
| 공을<br>떨어뜨렸다. | 나는 바보다(비합리적). | 울면서 공놀이에<br>참여하지 않는다<br>(극도의 불안감). |
|  | 괜찮아, 누구나 실수로<br>공을 떨어뜨릴 수<br>있어(합리적). | 떨어진 공을 주워<br>공놀이에 참여한다<br>(약간의 불안감, 자신감). |

(2) 합리적 정서행동치료(REBT)

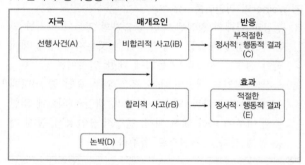

## 25 · 2014 초등B-1

**모범답안**

| 1) | ① 내가 너무 이상하게 생겼기 때문이다.<br>② 논박<br>③ 비합리적 신념<br>④ 합리적 신념 |
|---|---|

**해설**

합리적 정서행동치료의 초점은 학생의 신념을 비합리적인 것에서 합리적인 것으로 전환시키는 인지 재구조화에 있다. 교사는 학생의 비합리적 신념을 논박하여 인지 재구조화를 촉진한다. 논박 기법은 비합리적 신념의 논리, 증거, 유용성이 부족하다는 것을 설명한다. 이 논박이 성공적이라면, 인지 재구조화는 정서·행동장애에서 나타나는 사고 체계를 변화시킨다.

## 26 · 2015 유아A-3

**모범답안**

| 3) | ㉢ 애착 유형 : 회피 애착<br>㉣ 안전기지(또는 안전기저) |
|---|---|

**Check Point**

✎ **애착**

① 애착이란 생애 초기 영아와 양육자 사이에 형성되는 친밀한 정서적 유대감을 의미한다.
② 에인스워드(Ainsworth)는 애착을 크게 안정 애착과 불안정 애착으로 구분하고, 불안정 애착을 다시 회피 애착, 저항 애착, 혼란 애착으로 구분하였다.

## 27 · 2015 초등B-6

**모범답안**

| 1) | 문제의 정의 |
|---|---|
| 2) | 지우의 수행을 관찰하고 피드백을 제공한다. |

**Check Point**

✎ **자기교수 절차**

| [1단계]<br>인지적 모방 | • 교사는 큰 소리로 과제 수행의 단계를 말하면서 시범을 보인다.<br>• 아동은 교사가 하는 것을 관찰한다.<br>(교사의 교수와 시범) |
|---|---|
| [2단계]<br>외적 모방 | • 아동은 교사의 지시에 따라 교사가 말하는 자기교수의 내용을 그대로 소리 내어 따라 말하면서 교사가 수행하는 것과 같은 똑같은 과제를 수행한다. 즉, 1단계에서 관찰한 내용을 교사의 지시에 따라 그대로 따라하는 것이다.<br>• 교사는 아동이 과제를 수행하는 동안 큰소리로 과제 수행 단계를 말한다.<br>(교사의 외현적 지도) |
| [3단계]<br>외적 자기 안내 | • 아동은 혼자서 큰 소리를 내어 교사가 한 것과 똑같은 자기교수를 하면서 과제를 수행한다. 즉, 2단계를 교사의 지시 없이 스스로 해 보는 것이다.<br>• 교사는 아동을 관찰하며 피드백을 제공한다. |
| [4단계]<br>외적 자기<br>안내의 제거 | • 아동은 자기교수를 속삭이면서 과제를 수행한다. 즉, 3단계를 중얼거리며 하는 것이다.<br>• 교사는 아동을 관찰하며 피드백을 제공한다. |
| [5단계]<br>내적 자기교수 | 아동은 내적 언어로 자기에게 수행을 안내하면서 과제를 수행한다. |

## 28

**모범답안**

| 학생 A | 만성 음성 틱장애 |
| --- | --- |
| 학생 B | 뚜렛장애 |

**Check Point**

📝 **만성 운동 또는 음성 틱장애의 진단기준(DSM-Ⅳ-TR)**

1. 단발성 또는 다발성의 근육 또는 음성 틱이 나타나는데, 이 두 종류의 틱 중 한 가지만 나타난다.
2. 틱은 거의 매일 나타나거나 또는 간헐적으로 나타나기도 하는데 지속기간은 1년 이상이며, 이 기간 동안에 틱 증상이 나타나지 않는 기간이 3개월을 초과해서는 안 된다.
3. 이러한 틱 증상으로 인하여 사회적, 직업적 또는 다른 중요한 기능적인 측면에서 뚜렷한 장애가 있어야 한다.
4. 발병연령은 18세 이전이어야 한다.
5. 이러한 틱 증상이 중추신경흥분제 등 약물에 의하거나 또는 일반적인 내과적인 질환(헌팅턴병 또는 바이러스성 뇌염)에 수반된 것은 아니어야 한다.
6. 이상의 진단기준이 뚜렛 증후군의 진단기준을 만족시켜서는 안 된다.

## 29

**모범답안**

| 1) | ㉠ 정신역동적 모델<br>㉡ 생태학적 모델 |
| --- | --- |

**해설**

1) ㉠ 정신내적 기능의 비정상적 발달을 의미한다.
   ㉡ 현수와 직·간접적으로 연결되어 있는 다양한 환경 맥락과 상황 속에서 이해하는 것은 생태학적 접근을 의미한다.

## 30

**모범답안**

| 1) | ㉠ 사회적 규범의 위반<br>㉡ 타인 권리의 침해 |
| --- | --- |

**해설**

1) 품행장애는 연령에 적합한 주된 사회적 규범 및 규칙 또는 다른 사람의 권리를 위반하는 행동을 반복적, 지속적으로 보인다.

## 31

**모범답안**

| (가) | 합리적 정서행동치료 |
| --- | --- |
| (나) | 모델링 |

**해설**

(가) 합리적 정서행동치료의 초점은 학생의 비합리적 신념('정말 되는 일이 하나도 없어. 역시 나는 정리도 못해.')을 합리적 신념('화분은 깨질 수도 있는 거야. 다음부터 조심해야지.')으로 전환시키는 인지 재구조화에 있다.

**지문 돋보기**

(가)
- 정말 되는 일이 하나도 없어. 역시 나는 정리도 못해. : 비합리적 신념
- 이렇게 생각하니까 기분이 별로야... 어떡하지? 음, 다시 생각해 보자. : 논박
- 화분은 깨질 수도 있는 거야. 다음부터 조심해야지. : 합리적 신념

(나) 모델링은 두려움을 야기하는 사물이나 상황에서 다른 사람들이 불안해하거나 두려워하지 않고 바람직하게 행동하는 것을 보여 주는 것으로, 아동과 청소년의 불안과 공포를 감소시키는 데 폭넓게 사용된다.

## 32

**모범답안**

| 2) | ① 외적 통제소재(또는 외적 귀인 성향)<br>② 영우는 인지 왜곡의 문제를 갖고 있는데 자기기록(또는 자기점검)은 인지 결함을 위한 중재 방법이기 때문이다(또는 왜곡된 귀인 성향으로 인해 객관적인 자기기록/자기점검이 어렵기 때문이다). |
| --- | --- |
| 3) | 귀인 재훈련 |

**해설**

2) ① 귀인이론의 중심 개념은 통제소재로, 개인의 귀인 성향을 나타낸다. 외적 통제소재를 가진 사람은 행운, 과제 난이도, 또는 다른 사람의 행동과 같은 다른 요인들이 성공 또는 실패의 원인이라고 믿는다.

3) 귀인이론에 근거한 귀인 재훈련은 긍정적 귀인을 가진 아동은 성공이 자신의 노력과 능력에 따른 것이며 실패는 노력이 부족했기 때문이라고 여긴다고 보고, 부정적 귀인을 긍정적 귀인으로 대체하여 과제 수행의 지속성을 높이고자 하는 것이다.

# 33

**모범답안**

| 1) | 지속시간 |
|---|---|

**해설**

1) ㉠에 들어갈 용어는 특별히 어떤 이론에 의한 것이 아니라 특수 교사가 「장애인 등에 대한 특수교육법」을 기준으로 일반 교사에게 정서·행동장애를 설명하고 있는 것으로 보는 것이 옳다. 예를 들어 「장애인 등에 대한 특수교육법」에서 '장기간에 걸쳐'는 지속시간을, '학습상의 어려움을 지닌 사람'은 교육적 성취의 어려움을, 마지막으로 Check Point (1)의 가~마의 항목에 사용된 '설명할 수 없는', '어려움', '부적절한', '전반적인', '통증', '공포' 등은 빈도나 강도를 표현한다.
   • 행동의 양상(차원)이란 빈도, 지속시간, 지연시간, 위치, 형태, 강도를 의미한다.

**Check Point**

(1) 「장애인 등에 대한 특수교육법」상 정서·행동장애의 정의
장기간에 걸쳐 다음의 어느 하나에 해당하며, 특별한 교육적 조치가 필요한 사람
가. 지적·감각적·건강상의 이유로 설명할 수 없는 학습상의 어려움을 지닌 사람
나. 또래나 교사와의 대인관계에 어려움이 있어 학습에 어려움을 겪는 사람
다. 일반적인 상황에서 부적절한 행동이나 감정을 나타내어 학습에 어려움이 있는 사람
라. 전반적인 불행감이나 우울증을 나타내어 학습에 어려움이 있는 사람
마. 학교나 개인 문제에 관련된 신체적인 통증이나 공포를 나타내어 학습에 어려움이 있는 사람

(2) 정서·행동장애에 대한 판단기준의 다양성
① 정서·행동장애 아동들이 보이는 거의 모든 행동들은 일반 아동들에게서도 관찰되기 때문에 장애의 유무를 판단하기 위해서는 다음과 같은 기준들을 고려하게 된다(이승희, 2017 : 30-31).
   ㉠ 행동의 빈도, 강도, 및 지속시간
   ㉡ 성별
   ㉢ 연령
   ㉣ 상황
   ㉤ 문화
   ㉥ 다른 사람들의 역할
   ㉦ 관점의 변화

② 문제아동이 되었다면, 이 아동의 행동은 일반아동보다 빈도와 강도에서 차이가 난다는 것을 알아야 한다. 문제아동이 나타내는 대부분의 일탈행동은 일반아동이 하는 행동과 크게 다르지 않다. 다만, 그 행동이 장소나 시간에 부적절하게 나타나기 때문에 일탈아동으로 그리고 일탈행동으로 간주된다. 또한 교사가 그러한 이상행동에 대해서 가지고 있는 포용범위도 다르다. … (중략) … 교사의 포용력에 영향을 미치는 4개 요소는 문제행동의 빈도, 심각성, 지속시간, 복합성 등이다(윤점룡 외, 2017 : 22).

(3) 행동의 차원
① 행동의 관찰과 측정이 가능하기 위해 조작적 정의를 하려면, 행동을 여섯 가지 차원으로 설명할 수 있어야 한다.
② 행동은 어떤 차원을 가지고 조작적 정의를 하느냐에 따라서 다양한 방법으로 관찰되고 측정되며 요약된다.

| 차원 | 개념 |
|---|---|
| 빈도 | 일정 시간 동안 행동이나 사건이 일어난 횟수 |
| 지속시간 | 행동이 시작되는 시간부터 마치는 시간까지 걸리는 시간 |
| 지연시간 | 선행사건(또는 변별자극이 주어지는 시간)으로부터 그에 따르는 행동(또는 반응)이 시작되는 시간까지 걸리는 시간 |
| 위치 | 행동이 일어난 장소 |
| 형태 | 반응 행동의 모양 |
| 강도 | 행동의 세기, 에너지, 노력의 정도 |

# 34

**모범답안**

| 김 교사 | 정신역동적 모델 |
|---|---|
| 박 교사 | 행동주의 모델 |

**해설**

**지문 돋보기**

• 김 교사 : '영아기 때 정서적 박탈을 경험하면서 불안정한 심리와 정서를 갖게 되었고, 유아기 때 안정애착이 형성되지 않아서'는 정신역동적 측면에서 정신내적 기능의 비정상적 발달을 의미
• 박 교사 : '영유아기에 자신이 한 행동에 적절한 반응을 받지 못한 것 같아요.'는 행동주의 측면에서 자극에 대한 반응의 부재를 의미

# 35

**모범답안**

| 1) | ① 자기교수법<br>② 민수가 큰 목소리로 "책을 꽂아요."라고 말하고, 책을 제자리에 꽂는다. |
|---|---|

**Check Point**

## ✎ 자기교수

① 특징

　㉠ 자신이 행하고 있는 생각과 행동을 언어화시킴

　㉡ 충동적인 아동들을 위한 좋은 중재. 충동적인 아동은 반응 억제 능력과 인지적 문제해결 능력이 낮아서 어떤 자극이 주어지면 즉각적이고 거의 전 자동적인 행동 반응을 보이는데, 내적 언어화를 요구하는 자기교수는 아동에게 반응하기 전에 생각하는 것을 촉진

② 자기교수 훈련 절차

| [1단계]<br>인지적 모방 | • 교사가 소리 내어 혼잣말을 하면서 과제를 수행하고, 아동은 그것을 관찰한다.<br>• 교사의 역할: 시범<br>• 아동의 역할: 관찰 |
|---|---|
| [2단계]<br>외적 모방 | • 아동은 교사의 지시에 따라 교사가 말하는 자기교수의 내용을 그대로 소리 내어 따라 말하면서 교사가 수행하는 것과 같은 똑같은 과제를 수행한다. 즉, 1단계에서 관찰한 내용을 교사의 지시에 따라 그대로 따라하는 것이다.<br>• 교사의 역할: 외현적 지도 |
| [3단계]<br>외적 자기 안내 | • 아동은 혼자서 큰 소리를 내어 교사가 한 것과 똑같은 자기교수를 하면서 동일 과제를 수행한다. 즉, 2단계를 교사의 지시 없이 스스로 해 보는 것이다.<br>• 교사의 역할: 아동의 수행 관찰 |
| [4단계]<br>외적 자기 안내의 제거 | 아동은 자기교수를 속삭이면서 과제를 수행한다. 즉, 3단계를 중얼거리며 하는 것이다. |
| [5단계]<br>내적 자기교수 | 아동은 내적 언어로 자기에게 수행을 안내하면서 과제를 수행한다. |

# 36

**모범답안**

| 1) | 외현화 장애(또는 외현화 요인) |
|---|---|

**Check Point**

## ✎ 교육적 분류(차원적 분류)

| 내재화 장애<br>(요인) | • 과잉통제라고 부르며, 우울, 위축, 불안 등과 같이 내면적인 어려움을 야기하는 상태<br>• 우울장애와 불안장애 등이 이에 속함 |
|---|---|
| 외현화 장애<br>(요인) | • 통제결여라고 부르며, 공격성이나 반항행동 등과 같이 타인이나 환경을 향해 표출되는 상태<br>• 주의력결핍 과잉행동장애와 품행장애 등이 이에 속함 |

# 37

**모범답안**

| ㉠ | 실제상황 둔감법(또는 체계적 둔감법) |
|---|---|
| ㉡ | 비디오 모델링 |

**해설**

㉠ 체계적 둔감법과 실제상황 둔감법은 기원에 있어서 체계적 둔감법은 '상상', 실제상황 둔감법은 '실제'라는 차이를 보이지만, 많은 경우 혼용되고 있다.

# 38

**모범답안**

• ㉠ 부주의 또는 과잉행동-충동 증상이 나타나는 연령이 7세 이전에서 12세 이전으로 변경되었다.
청소년과 17세 이상 성인의 진단기준 항목 수를 다섯 가지로 제시하는 것이 포함되었다.

# 39    2019 유아A-5

**모범답안**

| 2) | 대리강화 |
|---|---|
| 3) | ㉣ 두려운 자극을 상상하기 때문에 그것과 직접 접촉하는 것보다 쉽고 용이하다.<br>㉤ 실제로 두려운 자극과 접촉하게 만든다. |

**해설**

2) 직접적인 강화를 받은 것은 친구이지만 그것을 관찰한 유아도 강력하게 동기화되는 대리강화를 의미한다.
- 대리강화는 다른 사람이 강화받는 것을 본 잠재적 학습자의 행동이 증가할 때 일어난다. 예를 들면 친구가 수학시험에서 100점을 받고 부모님께 자전거를 선물받은 것을 본 아동이 갑자기 수학 공부를 열심히 하는 경우가 이에 해당된다고 볼 수 있다. 직접적인 강화를 받은 것은 친구이지만 단지 그것을 관찰한 아동도 마치 강화를 직접 받은 것처럼 강력하게 동기화되는 것이다(김남순, 2002; 차수인, 2018 : 18에서 재인용).

**Check Point**

(1) 사회학습이론
① 사회학습이론은 행동주의 학습 이론의 전통에서 생겨난 주요 이론이다. Bandura에 의해 발전된 사회학습이론은 행동주의 이론의 원리를 대부분 받아들였지만 행동에 대한 사고, 그리고 사고에 대한 행동의 영향을 강조하면서 행동에 대한 단서와 내적 정신 과정의 영향에 더 많은 초점을 맞추었다(강갑원 외, 2013 : 137).
② 사회학습이론(social learning theory)은 다른 사람들의 행동과 그 행동의 결과를 관찰함으로써 학습이 이루어진다고 주장한다. 사회학습은 간접학습의 일종으로, 다른 사람을 관찰함으로써 일어나는 학습이기 때문에 관찰학습(동 모델링) 혹은 대리학습이라 불리기도 한다(김정섭 외, 2010 : 151).
③ Bandura는 스키너 학파 학자들이 행동의 결과가 미치는 영향을 강조하는 데 있어 관찰학습 현상(동 모델링, 다른 사람들의 행동을 모방하기)과 대리적 경험(다른 사람들의 성공이나 실패에서 배우는 것)을 거의 무시하는 데 주목하였다(강갑원 외, 2013 : 137-138).
   ㉠ 관찰학습에 대한 Bandura의 분석은 주의, 파지, 운동재생, 동기화라고 하는 네 단계로 이루어진다.
   ㉡ 대부분의 관찰학습이 모델이 하는 것을 옳게 모방하면 강화를 받을 수 있다는 기대에 의해 동기화되지만, 또한 다른 사람들은 다른 사람들이 어떤 행동을 한 것에 대해 강화를 받는지 아니면 벌을 받는지를 봄으로써 학습된다는 것에 유의하는 것도 중요하다.

(2) 대리효과
① Bandura의 모델링 과정에서의 주의, 파지, 재생은 새로운 행동 습득과 관련 있으나, 동기는 이론적으로 행동 습득에 포함시키지 않는다. 그러나 동기 과정은 어떠한 환경하에서 모델을 관찰한 결과에 따라 아동의 행동이 변화했는가와 관련 있다. 모델 관찰 결과로 아동의 행동이 변화하였다면 이를 '대리효과'라 부른다.
② 대리효과는 모델 행동의 관찰 결과에 따라 아동의 행동이 더 나타나기도 하고 덜 나타나기도 하는 것이다. 모델 행동으로부터 좋은 결과를 습득하면, 아동은 그 행동을 모방할 것이다. Bandura는 이것을 아동의 행동이 '대리강화'되었다고 하였다. 모델 행동으로부터 좋지 않은 결과를 얻었다면, 아동은 모델과 비슷하게 행동하지 않을 것이다. 즉, 아동의 모방행동이 대리적인 벌로 작용한 것이다. 어떠한 경우든 모델링은 아동에게 새로운 행동을 습득시켜 주지는 못한다. 대신에 대리효과는 아동에게 행동에 뒤따르는 결과를 알려준다. 이것이 대리효과가 행동을 수행하게끔 하는 동기에 영향을 주는 이유다(이성봉 외, 2014 : 176).

(3) 불안장애의 중재 방법
① 체계적 둔감법
   ㉠ 두려움을 야기하는 사물이나 상황에 점진적으로 노출하는 방법이다.
   ㉡ 불안을 일으키는 정도가 약한 자극부터 강한 자극까지 차례로 노출시키는 것이다.
   ㉢ 분리불안장애 아동이나 공포증을 가지고 있는 아동에게 사용한다.
> **예** 엄마와 분리되는 것에 두려움을 나타내는 아동으로 하여금 처음에는 엄마가 있는 방에서 놀도록 한 후 다음 번에는 엄마가 집에 있는 동안 놀이터에서 놀도록 한다. 그 다음 단계는 엄마가 시장에 간 동안 이웃집에서 놀도록 하고 이후에는 주말에 친척집에서 엄마 없이 자도록 한다.

② 실제상황 둔감법
   ㉠ 내담자가 실제 공포를 야기하는 자극에 점진적으로 접근하거나 점진적으로 노출된다는 점을 제외하고는 체계적 둔감법과 유사하다.
   ㉡ 실제상황 둔감법을 사용하기 위해서 내담자는 우선 이완반응을 학습해야 한다.
   ㉢ 다음으로 내담자와 치료자는 공포를 야기하는 자극을 수반하는 상황의 위계를 만든다.
   ㉣ 실제상황 둔감법에서는 내담자가 위계의 각 장면을 상상하는 것이 아니라 공포반응을 대체하는 반응으로서 이완을 유지하면서 각 위계 상황을 직접 경험하도록 한다.

## 40 [2019 초등A-4]

**모범답안**

| 1) | ① 품행장애<br>② 다양한 문제행동에 노출되어 이에 대한 관찰학습이 이루어졌기 때문이다. |
| --- | --- |

**해설**

**지문 돋보기**

(가) 민규의 특성
• 자주 무단결석을 함: 심각한 규칙 위반
• 주차된 차에 흠집을 내고 달아남: 재산/기물 파괴
• 자주 밤늦게까지 집에 들어오지 않고 동네를 배회함: 심각한 규칙 위반
• 남의 물건을 함부로 가져간 후, 거짓말을 함: 사기/절도
• 반려동물을 발로 차고 집어던지는 등 잔인한 행동을 함: 사람과 동물에 대한 공격성

1) ① (가)에 제시된 민규의 특성은 DSM-5의 진단기준 A, 즉 사람과 동물에 대한 공격성, 재산/기물 파괴, 사기 또는 절도, 심각한 규칙 위반 등에 제시된 사항들에 대한 변형들로 구성되어 있다.

② 사회학습적 관점(social learning view)은 사람이 다른 사람의 행동을 관찰하고, 또 어떤 행동으로 말미암아 보상받는 것을 봄으로써 그 행동을 모방하여 생각하고 행동하게 된다고 주장한다(Sternberg et al., 2012 : 73).

**Check Point**

### ☑ 사회인지이론과 부적응행동

| 관찰학습과<br>부적응행동 | • 부적응행동의 관찰학습은 다음과 같은 상황에서 자주 발생한다.<br>  – 다양한 부적응행동에 노출<br>  – 수많은 모델에 반복적으로 노출<br>  – 부적응행동에 혜택이 주어진 것을 관찰<br>• 적절한 행동의 관찰학습 부족이 정서행동장애에 영향을 미칠 수 있다. |
| --- | --- |
| 대리효과와<br>부적응행동 | • 모델 관찰 결과로 학생의 행동이 변화하였다면 이를 대리효과라 부른다.<br>• 대리효과는 학생이 행동을 수행하게 하는 동기에 영향을 준다.<br>• 탈억제는 외부 자극에 따라 일시적으로 억제력을 잃는 것을 말한다. 모델이 새로운 부적응행동을 가르치지 않을 때도 부적응행동에 강한 영향을 줄 수 있다. |
| 기능부전적<br>자기효능감 | 기능부전적으로 높거나 낮은 자기효능감의 지각이 정서·행동 문제를 야기할 수 있다 |

## 41 [2019 중등A-8]

**모범답안**

| ㉠ | 이완 훈련 |
| --- | --- |

**Check Point**

### ☑ 이완 훈련

① 이완 훈련은 깊고 느린 호흡, 근육이완, 심상을 통해 아동이나 청소년의 긴장 수준을 낮추는 것이다.

② 이완 방법에는 다음과 같은 방법이 있다.
  ㉠ 깊은 호흡
  ㉡ 느린 호흡
  ㉢ 점진적 근육 이완
  ㉣ 심상(상상): 아동으로 하여금 자신이 재미있는 이완활동을 하고 있다고 상상해 보게 하는 것
  ㉤ 정서적 심상: 아동이 좋아하는 영웅을 정하고, 가상적 이야기에 이 영웅과 아동을 함께 등장시키는 방법

## 42    2020 유아B-4

**모범답안**

| 3) | 저항애착 |
|---|---|

**Check Point**

### ✎ 애착 유형

| 유형 | | 내용 |
|---|---|---|
| 안정<br>애착 | | • 연구대상의 65% 정도를 차지하는 유형<br>• 주위를 탐색하기 위해 어머니로부터 쉽게 떨어진다. 그러나 낯선 사람보다 어머니에게 더 확실한 관심을 보이며, 어머니와 함께 놀 때 밀접한 관계를 유지한다.<br>• 어머니와 분리되었을 때에도 어떤 방법으로든 능동적으로 위안을 찾고 다시 탐색과정으로 나아간다. 이들은 어머니가 돌아오면 반갑게 맞이하며, 쉽게 편안해진다. |
| 불안정<br>애착 | 회피<br>애착 | • 연구대상의 20% 정도를 차지하는 유형<br>• 어머니에게 반응을 별로 보이지 않는다. 어머니가 방을 떠나도 울지 않고, 어머니가 돌아와도 무시하거나 회피한다.<br>• 어머니와의 관계에서 친밀감을 추구하지 않으며, 낯선 사람과 어머니에게 비슷한 반응을 보인다. |
| | 저항<br>애착 | • 연구대상의 10~15%를 차지하는 유형<br>• 어머니가 방을 떠나기 전부터 불안해하고, 어머니 옆에 붙어서 탐색을 별로 하지 않는다.<br>• 어머니가 방을 나가면 심한 분리불안을 보인다.<br>• 어머니가 돌아오면 접촉하려고 시도는 하지만, 안아주어도 어머니로부터 안정감을 얻지 못하고 분노를 보이면서 내려달라고 소리를 지르거나 어머니를 밀어내는 양면성을 보인다. |
| | 혼란<br>애착 | • 연구대상의 5~10%를 차지하는 유형<br>• 불안정애착의 가장 심한 형태로 회피애착과 저항애착이 결합된 것이다.<br>• 어머니와 재결합했을 때, 얼어붙은 표정으로 어머니에게 접근하거나 어머니가 안아줘도 먼 곳을 쳐다본다. |

## 43    2020 초등A-3

**모범답안**

| 1) | 성우는 다른 사람의 기본적 권리를 침해하지 않았으며 사회적 규범 및 규칙을 위반하지 않았기 때문이다(또는 타인 권리의 침해와 사회적 규범의 위반이 없기 때문이다). |
|---|---|

**해설**

**지문 돋보기**

• 자주 화를 내고 : 분노/과민한 기분
• 주변 친구를 귀찮게 합니다. : 논쟁적/반항적 행동
• 자꾸 남의 탓으로 돌려요. : 논쟁적/반항적 행동
• 무시하거나 거부하기도 합니다. : 논쟁적/반항적 행동
• 7개월 넘게 지속되고 있어요. : 적대적 반항장애는 분노/과민한 기분, 논쟁적/반항적 행동, 보복적 행동이 최소 6개월간 지속되어야 함

1) 적대적 반항장애는 품행장애와 비교했을 때 사회적 규범의 위반과 타인 권리의 침해가 없거나 두드러지지 않다는 점에서 경도의 품행장애, 품행장애의 아형으로 보기도 한다.

## 44    2020 중등B-1

**모범답안**

| 장애명칭 | 범불안장애 |
|---|---|
| ㉠ | 합리적 정서행동치료 |

**해설**

**지문 돋보기**

(가) 학생 A의 특성
• 최근 7개월간 학교와 가정에서 과도한 불안을 보인 날이 그렇지 않은 날보다 더 많음 : 진단기준 A
• 자신의 걱정을 스스로 통제하는 것이 어렵다고 호소함 : 진단기준 B
• 과제에 집중하기 힘들어 하고 근육의 긴장을 보이며 쉽게 피곤해 함
  – 과제에 집중하기 힘들어 하고 : 진단기준 C-3
  – 근육의 긴장을 보이며 : 진단기준 C-5
  – 쉽게 피곤해 함 : 진단기준 C-2
• 학교, 가정 등 일상생활에서 불안이나 걱정 때문에 고통을 받고 있음 : 진단기준 D
• 특정 물질의 생리적 영향이나 다른 의학적 상태 때문에 나타난 증상이 아님 : 진단기준 E
• 이 장애는 다른 정신장애에 의해 더 잘 설명되지 않음 : 진단기준 F

㉠ 합리적 정서행동치료의 초점은 '학생 A의 비합리적 신념을 논박하여, 비합리적 신념을 합리적 신념'으로 전환시키는 인지 재구조화에 있다.

**Check Point**

### ✎ DSM-5의 범불안장애 진단기준

A. 최소한 6개월 이상 몇 개의 사건이나 활동에 대해 과도하게 불안해하며 걱정한다. **예** 학교수행평가

B. 자신이 걱정하는 것을 통제할 수 없다.

C. 불안이나 걱정은 다음 여섯 가지 중 세 가지 이상이 최소한 6개월 동안 나타난다.

　주의점: 아동에게는 한 가지 증상만 만족해도 된다.

　1. 안절부절 못하거나 벼랑 끝에 서 있는 느낌이 든다.

　2. 쉽게 피곤해진다.

　3. 집중하기 어렵다.

　4. 과민하다.

　5. 근육이 긴장되어 있다.

　6. 수면장애가 있다.

D. 불안, 걱정 또는 신체적 증상들이 사회적·학업적·직업적 및 다른 중요한 기능 영역에 임상적으로 중요한 손상 또는 결함을 초래한다.

E. 이 증상들은 약물이나 다른 의학적 상태의 생리적인 효과에 기인한 것이 아니다.

F. 이 증상들은 공황장애의 공황발작에 대한 불안과 염려, 사회불안장애에서 부정적 평가, 강박장애에서 오염이나 다른 강박 사고, 분리불안장애의 애착대상으로부터의 분리, 외상후 스트레스장애의 외상성 사건의 회상, 거식증의 체중 증가에 대한 염려, 신체증상장애의 신체적 고통 호소, 신체변형장애의 자각된 외모 결함, 질병 불안장애의 심한 질병에 대한 걱정 또는 정신분열증이나 망상장애의 망상적 신념 등 다른 정신장애로 더 잘 설명되지 않는다.

---

## 45 　　　　　　　　　　　　　　　2021 유아A-3

**모범답안**

1)　중간체계

**해설**

1) [A]의 관점은 생태학적 모델이다. 미시체계에 해당하는 어머니와 선생님 간의 상호작용이므로 중간체계에 해당한다.

---

## 46 　　　　　　　　　　　　　　　2022 유아B-1

**모범답안**

| 3) | ① 외적 자기안내의 제거 |
|---|---|
| | ② 소리 내지 않고 마음속으로 "나는 조용히 그림책을 볼 거야."라고 생각하며 그림책을 본다. |

**Check Point**

### ✎ 자기교수 훈련 절차

| 단계 | 설명 |
|---|---|
| [1단계]<br>인지적 모방 | • 교사는 큰 소리로 과제 수행 단계를 말하면서 시범을 보인다.<br>• 아동은 이를 관찰한다. |
| [2단계]<br>외적 모방 | • 교사는 아동이 과제를 수행하는 동안 큰 소리로 과제 수행 단계를 말한다.<br>• 아동은 교사의 지시에 따라 교사가 말하는 자기교수의 내용을 큰 소리로 따라 말하면서 교사가 수행한 것과 똑같은 과제를 수행한다. |
| [3단계]<br>외적 자기<br>안내 | • 아동은 큰 소리로 과제 수행 단계를 말하면서 같은 과제를 수행한다.<br>• 교사는 관찰을 하며 피드백을 제공한다. |
| [4단계]<br>외적 자기<br>안내의 제거 | • 아동은 작은 목소리로 과제 수행 단계를 속삭이면서 과제를 수행한다.<br>• 교사는 관찰하고 피드백을 제공한다. |
| [5단계]<br>내적 자기교수 | 아동은 소리 내지 않고 내적 언어를 사용하며 과제를 수행한다. |

---

## 47 　　　　　　　　　　　　　　　2022 유아B-4

**모범답안**

| 3) | 진아가 친구들에게 큰 박수를 받는 장면에 대리강화되었기 때문이다. |
|---|---|

## 48 [2022 초등A-6]

**모범답안**

| | |
|---|---|
| 1) | 적대적 반항장애 |
| 3) | ① 비합리적인 신념을 합리적 신념으로 바꾸는 것이다 (또는 비합리적 사고를 합리적 사고로 바꾸는 것이다). ② 게임에서 질 수도 있어. 다시 해 보자. |

**해설**

1) 적대적 반항장애의 진단기준 중 분노/과민한 기분(자주 또는 쉽게 화를 낸다, 자주 다른 사람에 의해 쉽게 기분이 상하거나 신경질을 부린다, 자주 화가 나 있고 원망스러워 한다.)과 논쟁적/반항적 행동(자주 본인의 실수나 잘못된 행동을 타인의 탓으로 돌린다.)에 해당하는 증후 그리고 기간(적어도 6개월 동안)이 제시되어 있다.

3) ① 정서 · 행동장애는 자신이나 타인과 관련된 주변의 사건에 대해 잘못 생각하는 왜곡된 사고로 나타날 수 있다. 부적응적 조망은 사회정보처리에서의 오류와 잘못된 신념으로 발생하는 인지왜곡이다. 정서 · 행동장애에 대한 인지중재는 학생의 부적응적 조망을 적응적 조망으로 변화시키도록 설계되어야 한다 (이성봉 외, 2022 : 165).

**Check Point**

### ☑ DSM-5의 적대적 반항장애 진단기준

A. 분노/과민한 기분, 논쟁적/반항적 행동, 보복적 행동이 최소 6개월간 지속되고, 형제가 아닌 다른 사람 1인 이상과의 상호작용에서 다음 항목 중 적어도 네 가지 증후를 보인다.

분노/과민한 기분
1. 자주 화를 낸다.
2. 자주 다른 사람에 의해 쉽게 기분이 상하거나 신경질을 부린다(짜증을 낸다).
3. 자주 화를 내고 쉽게 화를 낸다.

논쟁적/반항적 행동
4. 권위적인 사람 또는 성인과 자주 말싸움(논쟁)을 한다.
5. 권위적인 사람의 요구에 응하거나 규칙 따르기를 거절 또는 무시하는 행동을 자주 보인다.
6. 의도적으로 다른 사람을 자주 괴롭힌다.
7. 자신의 실수나 비행을 다른 사람의 탓으로 자주 돌린다.

보복적 특성
8. 지난 6개월간 두 차례 이상 다른 사람에게 악의에 차 있거나 보복적인 행동을 한 적이 있다.

주의점: 행동의 지속성과 빈도에 따라 장애의 증후적인 행동과 정상적인 제한 내에서의 행동을 구별해야 한다. 5세 이하의 아동을 대상으로 적용할 때에는 최소 6개월 동안 일상생활의 대부분 시간에 행동이 나타나지 않을 경우 진단을 내리지 않는다. 5세 이상의 경우, 최소한 6개월 동안 일주일에 적어도 한 차례 나타나야 준거에 부합하는 것이다. 이러한 빈도준거는 증후를 판별하는 데 적용할 수 있는 최소한의 빈도수준으로, 행동의 빈도와 강도는 개인의 발달수준, 성별 · 문화별로 수용될 수 있는 기준이 다름을 감안해야 한다.

## 49 [2022 중등A-9]

**모범답안**

• ㉠ 사람과 동물에 대한 공격성
  ㉡ 10세 이전
• ㉢ 미시체계

**Check Point**

### ☑ DSM-5의 품행장애 진단기준

A. 연령에 적합한 주된 사회적 규범 및 규칙 또한 다른 사람의 권리를 위반하는 행동을 반복적 · 지속적으로 보이며, 아래의 항목 중에서 세 가지 이상을 12개월 동안 보이고 그중에서 적어도 한 항목을 6개월 동안 지속적으로 보인다.

사람과 동물에 대한 공격성
1. 다른 사람을 괴롭히거나 위협하거나 협박한다.
2. 신체적 싸움을 먼저 시도한다.
3. 다른 사람에게 심각한 손상을 입힐 수 있는 무기(예 방망이, 벽돌, 깨진 병, 칼, 총 등)를 사용한다.
4. 사람에 대해 신체적으로 잔인한 행동을 한다.
5. 동물에 대해 신체적으로 잔인한 행동을 한다.
6. 강도, 약탈 등과 같이 피해자가 있는 상황에서 강탈을 한다.
7. 성적인 행동을 강요한다.

재산/기물 파괴
8. 심각한 손상을 입히고자 의도적으로 방화를 한다.
9. 다른 사람의 재산을 방화 이외의 방법으로 의도적으로 파괴한다.

사기 또는 절도
10. 다른 사람의 집, 건물, 차에 무단으로 침입한다.
11. 사물이나 호의를 얻기 위해 또는 의무를 회피하기 위해 자주 거짓말을 한다.
12. 피해자가 없는 상황에서 물건을 훔친다.

심각한 규칙 위반

13. 부모의 금지에도 불구하고 밤늦게까지 자주 집에 들어오지 않는다. 이러한 행동이 13세 이전부터 시작되었다.

14. 부모와 함께 사는 동안에 적어도 두 번 이상 밤늦게까지 들어오지 않고 가출한다.
(또는 장기간 집에 돌아오지 않는 가출을 1회 이상 한다.)

15. 학교에 자주 무단결석을 하며 이러한 행동이 13세 이전부터 시작되었다.

B. 행동의 장애가 사회적·학업적·직업적 기능수행에 임상적으로 심각한 장애를 초래한다.

C. 18세 이상의 경우, 반사회성 성격장애의 준거에 부합하지 않아야 한다.

다음 중 하나를 명시해야 한다.
• 아동기 발병형: 10세 이전에 품행장애의 특징적인 증상 중 적어도 한 개 이상을 보이는 경우다.
• 청소년기 발병형: 10세 이전에는 품행장애의 특징적인 증상을 전혀 충족하지 않는 경우다.
• 명시되지 않는 발병: 품행장애의 진단기준을 충족하지만, 첫 증상을 10세 이전에 보였는지 또는 10세 이후에 보였는지에 대한 정보가 없어서 확실히 결정하기 어려운 경우다.

# 50 　　　　　　　　　　　　　　　　2023 유아A-3

**모범답안**

| 3) | (어머니의) 직장 |
|---|---|

**해설**

3) 브론펜브레너의 생태학적 체계 모델에 따라 면담 내용에 포함되어 있는 각각의 체계를 분류하면 다음과 같다.

| 미시체계 | 어머니, 할머니, (서아를 담당하고 있다는 가정 하에) 유아특수교사 |
|---|---|
| 중간체계 | 어머니-유아특수교사의 상호작용 |
| 외체계 | (어머니의) 직장 |

# 51 　　　　　　　　　　　　　　　　2023 유아B-2

**모범답안**

| 3) | ① 체계적 둔감법<br>② 이완 기술 |
|---|---|

**해설**

3) ① 민지의 정서적 특성은 불안을 느끼는 것으로 이와 관련하여 가상의 병원놀이를 실시하고자 한다. 그리고 병원놀이의 궁극적 목적은 낮은 자극 수준에서 점진적으로 높은 자극 수준을 제시하는 중재 방법을 적용함으로써 병원에 대한 불안 정도를 낮추는 것이다. 따라서 병원놀이 과정에 적용한 중재 방법은 체계적 둔감법이라고 할 수 있다.

② 문제를 통해 제시되고 있는 세 가지 조건은 '체계적 둔감법과 관련된다', '스스로 불안을 낮출 수 있도록 한다', '가장 먼저 연습해야 한다'는 것이다. 이상의 조건을 모두 충족하는 중재 방법은 이완 기술이다.

**Check Point**

### 📝 체계적 둔감법과 이완 훈련

① 체계적 둔감화, 상호 억제, 역조건화 등으로 다양하게 불리는 절차들도 아동과 성인의 공포를 낮추는 데 효과적인 것으로 나타났다. 이러한 절차들의 핵심적 특징은 공포증을 가진 개인이 불안하지 않은 상태에서, 불안을 억제하거나 불안과 공존할 수 없는 활동을 하는 중에 공포를 일으키는 자극에 점진적, 반복적으로 노출되게 하는 것이다. 공포의 대상에 대한 점진적 접근과 편안한 상태에서의 반복적 노출은 두려움의 대상과 그것이 야기하는 공포 간에 존재하는 조건화된 결속이나 학습된 결속을 약화시키는 것으로 생각된다(Kauffman et al., 2020: 280).

② 체계적 둔감법은 Joseph wolpe에 의해 개발된 절차로, 두려움이 있는 사람이 두려움을 야기하는 자극을 상상하면서 이완을 연습한다. 체계적 둔감법의 사용에는 중요한 세 단계가 있다.
 ㉠ 내담자는 앞서 기술된 절차들(점진적 근육이완, 횡격막 호흡, 주의집중 연습, 행동이완 훈련) 중 하나를 사용하는 이완 기술을 학습한다.
 ㉡ 치료자와 내담자는 두려움을 유발하는 자극의 위계표를 만든다.
 ㉢ 내담자는 치료자가 위계표에 따라 장면을 묘사하는 동안 이완 기술을 연습한다.

내담자가 위계표에 따라 모든 장면을 상상하는 동안 이 완반응을 유지할 수 있으면 체계적 둔감법을 마치게 된다. 그러면 내담자는 실제 삶에서 두려움을 야기하는 자극과 직면하더라도 두려움 반응(불안과 회피행동)에서 벗어나게 된다(Miltenberger, 2017 : 542).

---

## 52        2023 유아B-4

【모범답안】

| 3) | ⓒ 교사의 행동을 관찰한다.<br>ⓓ 교사의 지시에 따라 "줄을 서서 차례를 기다려요."라고 큰 소리로 말하면서 줄을 선다. |
|---|---|

【해설】

**지문 돋보기**

| 단계 | 설명 | 박 교사의 행동 | 지우의 행동 |
|---|---|---|---|
| [1단계]<br>인지적<br>모방 | 교사는 큰 소리로 과제 수행의 단계를 말하면서 시범을 보이고 학생은 이를 관찰 | "줄을 서서 차례를 기다려요"라고 큰 소리로 말하면서 줄을 선다. | ⓒ |
| [2단계]<br>외적<br>모방 | • 학생은 교사의 지시에 따라 같은 과제를 수행<br>• 교사는 학생이 과제를 수행하는 동안 큰 소리로 과제 수행 단계를 말함 | (생략) | ⓓ |
| [3단계]<br>외적<br>자기<br>안내 | • 학생은 큰 소리로 과제 수행 단계를 말하면서 같은 과제를 수행<br>• 교사는 관찰하며 피드백을 제공 | 지우의 행동을 관찰하고 피드백을 제공한다. | (생략) |
| [4단계]<br>외적<br>자기<br>안내의<br>제거 | • 학생은 작은 목소리로 과제 수행 단계를 속삭이면서 과제를 수행<br>• 교사는 관찰하고 피드백을 제공 | (생략) | (속삭이듯 작은 목소리로) "줄을 서서 차례를 기다려요."라고 말하면서 줄을 선다. |
| [5단계]<br>내적<br>자기<br>교수 | 학생은 소리 내지 않고 내적 언어를 사용하며 과제를 수행 | (생략) | ('줄을 서서 차례를 기다려요'라고 속으로 말하면서) 줄을 선다. |

---

## 53        2023 초등B-4

【모범답안】

| 1) | 품행장애 |
|---|---|

【해설】

**지문 돋보기**

- 집에서 키우는 강아지를 학대함 : 사람과 동물에 대한 공격성/동물에 대해 신체적으로 잔인한 행동을 함
- 자주 주변 사람을 괴롭히고 위협하거나 협박함 : 사람과 동물에 대한 공격성/다른 사람을 괴롭히거나 위협하거나 협박함
- 이웃집 자동차를 고의적으로 망가뜨림 : 재산·기물 파괴/다른 사람의 재산을 방화 이외의 방법으로 의도적으로 파괴함
- 동생에게 이유 없이 자주 시비를 걸고 몸싸움을 함 : 사람과 동물에 대한 공격성/신체적 싸움을 먼저 시도
- 이런 행동이 1년 이상 지속되고 있음 : 12개월 이상 동안 보임

---

## 54        2023 중등A-5

【모범답안】

• 만성 운동 틱장애

【해설】

틱장애의 유형 중 만성 운동 틱장애와 만성 음성 틱장애는 지속기간이 1년 이상인 경우로, 운동 틱과 음성 틱이 동시에 나타나지 않는 경우를 말한다. 학생 A는 특정 행동은 하되 다른 소리는 내지 않는 특성이 있으며, 초등학교 입학 이후 현재까지(중등학생) 이와 같은 특성이 지속되고 있으므로 만성 운동 틱장애라고 할 수 있다.

## 55   

**모범답안**

- ⓒ 하위 욕구가 충족되어야 상위 욕구를 추구한다(또는 이전 단계의 욕구가 충족되어야 다음 단계의 욕구를 추구한다).

**Check Point**

✎ **Maslow의 욕구위계이론**

① Maslow의 욕구위계이론에서는 안전이나 배고픔, 애정, 안정감, 자아존중감 등과 같은 다소 낮은 수준의 욕구는 중요도상에서는 동일하지만, 위계적으로 다소 상위에 속하는 정의, 미, 선 등과 같은 상위 욕구보다 먼저 충족되어야 한다는 점을 강조한다.

② Maslow가 제안하는 인간의 5단계 욕구는 다음과 같으며, 이전 단계의 욕구가 충족되어야 다음 단계의 욕구를 추구한다.

| 욕구의 단계 | 설명 |
|---|---|
| Ⅰ. 생리적 욕구 | • 공기, 음식, 음료, 휴식, 충족 등에 대한 생리적 욕구<br>• 신체 내의 균형을 추구하고자 하는 욕구 |
| Ⅱ. 안전 욕구 | • 안전과 안정에 대한 욕구<br>• 두려움, 불안 및 혼란으로부터 자유롭고자 하는 욕구<br>• 법, 구조, 허용 한계 등에 대한 욕구 |
| Ⅲ. 소속감과 사랑 욕구 | • 가족, 친구, 연인에 대한 사랑과 소속감에 대한 욕구<br>• 애정, 친밀감, 자신의 근본을 알고자 하는 욕구 |
| Ⅳ. 존중감 욕구 | 자신과 타인에 대한 존중감에 대한 욕구 |
| Ⅴ. 자아실현 욕구 | • 자신이 할 수 있는 것을 하고자 하는 욕구<br>• 개인의 내적 성향에 따라 잠재력을 실현하고자 하는 욕구 |

## 56   

**모범답안**

2) 내적 통제 소재의 특성을 보인다.

**해설**

2) '내가 했어', '자신의 노력 덕분에' 등을 통해 성공의 원인을 자신(소윤)의 내부에 두고 있음을 알 수 있다.
- 내적 통제 소재를 가진 사람은 성공 또는 실패가 자신의 노력 또는 능력에 있다고 믿는 사람이다.

## 57   

**모범답안**

- ㉠ 신체생리적 모델
  ㉡ 행동주의 모델

**해설**

㉠ 신체생리적 모델에서는 정서·행동장애에 대한 신체생리적 원인을 전제하기 때문에 의료적 중재를 모색한다. 따라서 전통적으로 가장 많이 사용되어 온 중재 방법은 약물치료와 식이요법이다(이성봉 외, 2022 : 95-96).

㉡ 행동주의 모델은 행동의 본질을 이해하고 그 행동을 통제하는 것에 초점을 둔 이론이다. 행동주의 모델에서는 인간의 행동을 수동적 행동과 작동적 행동으로 설명한다. 수동적 행동은 강한 자극에 적응하는 행동으로 유기체의 생존과 유관되어 있다. 작동적 행동은 행동에 뒤따르는 자극을 조작하는 행동이며, 자극에 의해 영향을 받는다. 작동적 행동은 다른 사람을 통해 나타나며, 뒤따르는 후속결과에 의존하기 때문에 그 행동이 다시 발생할 수 있고 감소할 수도 있다(이성봉 외, 2022 : 114-116).

**58** 　　　　　　　　　　　　　　　　　2025 유아B-1

모범답안

| 1) | 부주의, 과잉행동, 충동성 |
|---|---|
| 2) | 권위주의적 훈육(또는 독재적 훈육) |

해설

1) ㉠ 주의력결핍과잉행동장애(ADHD)는 부주의, 과잉행동 및 충동성이라는 핵심적 특성으로 정의된다(이성봉 외, 2022: 205).
   • ADHD는 학령기 아동의 흔한 정신과적 질환으로서 과잉행동, 부주의, 충동성이 그 주요 증상이다(윤점룡 외, 2017: 144).

2) ㉡ Steinberg 등은 통제와 수용의 정도에 따라 양육 태도를 권위적 훈육, 권위주의적 훈육, 관대한 훈육, 무관심한 훈육으로 분류하였다. 지문의 내용 중 "정후가 집에서 지켜야 할 규칙을 만들어서 무조건 지키게 해요.", "그걸 지키지 못하면 심하게 야단을 쳐서" 등의 표현은 정후 아버지가 자신의 요구만을 정후에게 강요하고 정후의 부적절한 행동(즉, 규칙을 지키지 못하는 행동)에 대해 부정적 후속결과(즉, 야단)를 제공함을 의미하므로 권위주의적 훈육의 유형에 해당한다.
   • 권위주의적 훈육은 독재적 훈육이라고도 하며, 부모가 아동의 요구에 반응은 하지 않으면서 자신의 요구만을 아동에게 강요하고 엄격한 통제를 하며 아동의 부적절한 행동에 대해 부정적 후속결과를 제공한다(이성봉 외, 2022: 183).
   • 권위주의적 훈육은 반응적이지 않으면서 요구만 한다. 이런 부모는 일방적으로 여러 가지 한계를 정해 놓고 자녀에게 설명도 없이 엄격한 복종만을 요구한다(윤점룡 외, 2017).

Check Point

📝 **아동 관리 유형**

| 유형 | 내용 |
|---|---|
| 권위적 훈육<br>(신뢰적 훈육) | • 상호 호혜적이며 애착 형성이 이루어져 있고 자녀의 행동 발달에 가장 좋은 효과를 보이는 양육 형태이다.<br>• 권위적 훈육의 부모는 아동의 행동에 대해 반응적이고 요구적이다.<br>• 자녀의 약물 사용을 감소시키며 분노 및 정신적 문제를 감소시킨다. 이러한 부모는 통제와 수용의 적절한 균형을 유지한다. |
| 권위주의적<br>훈육<br>(독재적 훈육) | • 권위주의적 훈육의 부모는 아동의 요구에 반응은 하지 않으면서 자신의 요구만을 아동에게 강요하고 엄격한 통제를 하며 아동의 부적절한 행동에 대해 부정적인 후속결과를 제공한다.<br>• 권위주의적 훈육을 받은 아동은 공격적인 행동을 보이거나 매우 낮은 자존감을 가질 수 있다. |
| 관대한 훈육<br>(허용적 훈육) | • 부모는 아동이 스스로 자신을 조절하도록 하여 아동의 충동성에 대해 매우 관대한 태도를 보인다.<br>• 관대한 훈육을 받은 아동은 충동적이고 공격적이며 의존적인 행동을 보인다. |
| 무관심한<br>훈육 | • 부모는 아동의 어떠한 행동에도 관여하지 않으며 아동을 위한 훈육에 부모의 시간을 쓰지 않고 관심을 보이지도 않는다.<br>• 부모로부터 무관심한 훈육을 받은 아동은 또래 및 성인과의 부정적인 상호작용과 반사회적 행동을 보이며 정서·행동 문제를 보일 위험이 매우 높다. |

PART 07

# 자폐성장애아교육

KORea Special Education Teacher

## 01

정답 ②

해설

ㄱ. 동건이가 그림카드를 사용하여 문장판에 문장을 만들고 그것을 교사에게 제시하도록 지도하였다. : 4단계 문장 만들기 지도

ㄴ. 동건이가 원하는 그림카드를 교사에게 주면 해당하는 사물을 주어 교환의 개념을 알도록 지도하였다. : 1단계 교환 개념 지도 및 교환 훈련

ㄷ. 동건이가 선호하는 사물의 그림카드와 선호하지 않는 사물의 그림카드 중 선호하는 것을 식별하도록 지도하였다. : 3단계 그림 변별 훈련

ㄹ. 동건이가 자신의 의사소통판으로 가서 그림카드를 가져와 교사에게 주면 해당하는 사물을 주어 자발적으로 교환하도록 지도하였다. : 2단계 자발적 교환 훈련

Check Point

### ☑ 그림교환의사소통체계 적용 절차

| | |
|---|---|
| [1단계]<br>의사소통 방법 지도<br>(교환 개념 지도 및<br>교환 훈련) | • 단계 목표 : 아동이 테이블 위에 있는 그림카드를 집어서 훈련자에게 주고 원하는 것을 받는 것<br>• 다양한 그림으로 기본적인 교환을 수행한다. |
| [2단계]<br>자발적 교환 훈련 | • 성인이나 또래의 관심을 얻고 거리를 조절하기 위하여 연습을 지속한다.<br>• 이 단계에서는 2명의 훈련자가 참여하는데 훈련자 1은 아동의 시야에서 조금 멀리 이동하여 아동이 그림을 향해 다가가도록 하고, 훈련자 2는 아동이 훈련자 1의 얼굴이나 어깨를 만지도록 시범 보이기나 신체적으로 촉진한다.<br>• 주의사항 : 여러 의사소통 대상자(훈련자)에게 훈련을 받도록 하여, 이후 다양한 사람들과 의사소통을 시작할 수 있도록 해야 한다. |
| [3단계]<br>그림 변별 훈련 | • 다양한 그림들을 식별 가능하게 한다.<br>• 주의사항 : 그림카드의 위치를 계속 바꿔주어 아동이 그림카드의 위치를 기억하여 그에 따라 반응하지 않도록 해야 한다. |
| [4단계]<br>문장 만들기 지도<br>(문장으로 표현하는<br>방법 지도) | • 그림을 이용하여 문장을 만든다.<br>• 이 단계에서 아동에게 "나는 ～을 원해요"라는 문장을 사용하여 '원하는 것 요청하기'를 가르친다. 이때 '나는 원해요' 그림카드는 문장 띠에 미리 붙여 놓고, 아동은 자신이 원하는 사물의 그림 카드를 붙인 후 그 의사소통 띠를 의사소통 대상자에게 제시하도록 한다.<br>• 훈련자는 아동의 일상 환경을 구조화하여 하루 일과 전체를 통해 다양한 의사소통 기회 속에서 연습할 수 있을 때까지 계속한다. |
| [5단계]<br>질문에 반응하기<br>훈련 | • 단계 목표 : 아동이 일상생활 중 "뭘 줄까?"라는 질문에 대답하고 스스로 원하거나 필요한 물건과 행동을 요청하게 되는 것<br>• 그림을 이용하여 질문에 대답한다. |
| [6단계]<br>질문에 대한<br>반응으로 설명하기<br>훈련 | • 단계목표 : 새로운 의사소통 기능을 가르치는 것<br>• 이전에 숙달한 상호작용을 확장한다.<br>• 명명하기 또는 이름 붙이기, 즉 "무엇을 보고 있니?"라는 새로운 질문과 앞서 습득한 질문("뭘 줄까?")에 적절히 대답하도록 하는 것이다. |

## 02

정답 ⑤

해설

ㄱ. 특정한 사회적 상황과 그에 대한 적절한 반응을 설명해 주는 이야기를 지도한다. : 상황 이야기(또는 사회적 이야기)

ㄴ. 자연적 환경에서 발생하는 다양한 학습 기회와 사회적 상호작용에 반응하도록 지도한다. : 중심축 반응 훈련의 목표에 해당한다.

ㄹ. 동기화, 환경 내의 다양한 단서에 대한 반응, 자기주도, 자기관리 능력의 증진에 초점을 둔다. : 핵심 영역에 대한 설명이다.

**03** 　　　　　　　　　　　　　　　2009 중등1-21

정답 ④

해설

지문 돋보기

- 병원대기실에는 의자가 있다. : 설명문
- 아파서 병원에 온 사람들은 진찰을 받기 위해 의자에 앉아 있다. : 설명문
- 일반적으로 사람들은 아프기 때문에 의자에 앉아서 기다리고 싶어 한다. : 설명문
- 때때로 어린아이들은 대기실에서 뛰어다닌다. : 설명문
- 어린아이들은 일반적으로 가만히 앉아 있기 힘들기 때문에 뛰어다닐 수 있다. : 설명문
- 나는 중학생이기 때문에 가만히 앉아서 기다릴 수 있다. : 지시문
- 아버지는 내가 가만히 앉아서 기다릴 수 있도록 나에게 퍼즐을 주시면서 "퍼즐을 맞춰라."라고 말씀하실 것이다. : 협조문
- 나는 가만히 앉아서 기다리기 위해 퍼즐을 맞춘 후 아버지에게 퍼즐을 다 하였다고 말할 것이다. : 통제문
- 아버지는 내가 가만히 앉아서 퍼즐을 하고 있다면 좋아하실 것이다. : 조망문

ㄱ. '일반적으로 사람들은 아프기 때문에 의자에 앉아서 기다리고 싶어 한다.'와 '어린아이들은 일반적으로 가만히 앉아 있기 힘들기 때문에 뛰어다닐 수 있다.'의 경우 개인적인 생각이나 느낌을 나타낸 것이 아니라 사회의 일반적인 통념을 나타낸 것이므로 설명문으로 분류된다.

ㄴ. 통제문은 개별적으로 아동에게 필요한 전략을 포함하여 기억하게 함으로써 해당 상황을 통제할 수 있도록 돕는다.

ㄷ. 사회적 이야기는 자폐성장애 아동의 사회성 향상을 위해 널리 사용되는 교수전략 중 하나로 사회상황을 이해하도록 돕기 위해 사용되는 개별화된 짧은 이야기로서 사회적으로 적절한 행동을 설명하고 연속적 사건에 대한 정보를 제공한다(김건희 외, 2018 : 356).

ㄹ. 아동이 해야 할 행동을 기술하는 것이 아니라 사회상황을 이해하는 데 목표를 두고 있으며 다른 사람의 관점을 이해하도록 돕기 위해 작성된다. 이는 사회상황 속에서 필요한 사회적 기술의 개념이나 문제를 해결하기 위한 전략을 가르치기 위해 사용된다(김건희 외, 2018 : 356-357).

Check Point

✍ 상황 이야기의 문장 형식(Gray, 2010)

| 형식 | 기능 및 예시 |
|---|---|
| 설명문 | 아동에게 사회상황에 대한 사실이나 정보를 사실적이고 객관적인 문장으로 자세하게 기술하며, 사회성 이야기에 반드시 필요한 문장으로 가장 자주 사용한다.<br>예 여름은 덥고 겨울은 춥다.<br>　우리 교실에는 책상과 의자가 있다. |
| 조망문 | 다른 사람의 내적 상태, 생각, 감정, 신념, 의견 등을 묘사하며 주관적인 문장의 경우가 많다.<br>예 아픈 친구를 도와주는 것은 좋은 일이다.<br>　나는 음악시간이 즐겁고 재미있다. |
| 지시문 | 상황에 맞는 적절한 행동과 반응을 아동 혹은 팀에게 지시할 때 사용한다.<br>예 선생님을 만나면 "안녕하세요!"라고 인사한다.<br>　교실에 들어올 때는 문을 닫아야 한다. |
| 확정문 | 집단이나 문화 속에서 함께하는 가치관, 믿음, 주요 개념, 규칙, 의견을 표현함으로써 상황을 판단할 수 있도록 도와주고 주변 문장의 의미를 강조한다. 확정문은 주로 설명문, 조망문, 지시문 바로 뒤에 제시된다.<br>예 안전을 위해 차례대로 그네를 타야 한다. 이것은 매우 중요하다.<br>　교실에 있는 호랑이와 코끼리는 인형이기 때문에 무섭지 않다. |
| 협조문 | 아동을 돕기 위해 다른 사람이 할 수 있는 일과 역할을 알려 주는 문장이다.<br>예 나는 손을 다친 친구의 가방을 들어 준다.<br>　친구는 미술시간에 준비물을 가져오지 않은 나에게 색종이를 나누어 주었다. |
| 통제문 | 이야기를 새로 진술하거나 개별적으로 아동에게 필요한 전략을 포함하여 기억하게 함으로써 해당 상황을 통제할 수 있도록 돕는다.<br>예 동생과 나는 기차를 타고 가면서 동화책을 함께 본다. |
| 부분문장 | 부분문장은 빈칸을 메우는 형식의 문장이다. 문장을 이해하는지 혹은 다음 단계를 추측하도록 안내한다. 설명문, 조망문, 지시문, 확정문은 부분문장으로 쓸 수 있다.<br>예 안전을 위해 그네를 차례로 타야 한다. 이것은 매우 ＿＿＿＿＿＿. |

출처 ▶ 김건희 외(2019 : 358-359). 내용 요약 정리

## 04 ⎯⎯⎯⎯⎯⎯⎯⎯⎯⎯⎯⎯⎯⎯ 2010 유아2A-3

**모범답안 개요**

| | |
|---|---|
| 의사소통<br>특징 | 다음 중 택 3<br>• 자발적 의사소통을 할 수 없다.<br>• 음성 상동행동을 보인다.<br>• 구어를 거의 사용하지 않는다.<br>• 사회적 상호작용에 어려움이 있다(또는 구어를 의사소통 수단으로 사용하지 못한다). |
| 의견의<br>정당성 | • PECS는 구어를 전혀 사용하지 못하거나, 거의 사용하지 않더라도 효과적으로 사용될 수 있다.<br>• PECS는 언어적 촉진 없이도 자발적인 의사소통을 할 수 있다. |
| 잘못 알고<br>있는 사항 | PECS는 그림카드 한 장으로만 의사소통을 하는 것이다. → PECS는 다양한 그림카드를 이용하여 의사소통을 하는 것이다. |
| 구어 사용<br>촉발 가능성 | 경수는 이미 PECS의 3단계에 해당하는 그림 변별이 가능하므로 빠른 시간 내에 4단계 문장 만들기 과정을 통해 구어 사용을 연습할 수 있다. 그만큼 구어 사용의 가능성이 높아지는 것이다. |

**해설**

의사소통 특성) 하루 종일 혼자 웅얼거리는 행동은 음성 상동행동에 해당한다. 음성 상동행동은 혀 굴리는 소리 또는 의미 없는 소리나 말을 반복하는 것을 의미한다.
의견의 정당성) 그림교환 의사소통체계(PECS)와 달리 비연속 시행 훈련(DTT)은 지시하지 않으면 반응하지 않는 자극의존성을 가르치는 것이다.

## 05 ⎯⎯⎯⎯⎯⎯⎯⎯⎯⎯⎯⎯⎯⎯ 2010 초등1-19

**정답** ③

**해설**

ㄱ. 명료화 요구하기가 가능하다. : 명료화 요구하기는 다시 되묻는 기능을 한다. 예를 들어 대화 내용 중 장 교사의 '동수가 하겠다고?'가 이에 해당한다. 그러나 동수의 발화 내용에는 명료화 요구하기가 나타나 있지 않다.

**지문 돋보기**

> 장 교사 : (학생이 알아듣기 어려울 정도로 작게 말하며) 동수가 해야지.
> 동  수 : (아무런 반응 없이 대답이 없다.)
> 위 상황의 경우 동수가 명료화 요구하기를 할 수 있는 상황이나 동수가 명료화 요구하기를 하지 않았음

ㄴ. 대명사를 사용하여 말하고 있다. : '내가'에서 '내'는 인칭대명사에 해당한다.

ㄷ. 비언어적 의사소통 수단을 사용한다. : 비언어적 의사소통이란 몸짓, 자세, 표정 등과 같이 말이나 언어에 의존하지 않고 메시지를 전달하는 것으로, 동수의 의사소통 과정에는 나타나지 않는다.

ㄹ. 말 차례 지키기(turn-taking)가 가능하다. : 장 교사 – 동수 – 장 교사 – 동수…와 같이 말의 순서를 지켜 대화가 이루어지고 있다.

ㅁ. 주격조사를 정확하게 사용하며 말하고 있다. : '선생님이가'에서 주격조사를 과잉일반화하고 있다.

## 06 ⎯⎯⎯⎯⎯⎯⎯⎯⎯⎯⎯⎯⎯⎯ 2010 중등1-26

**정답** ①

**해설**

(가) '스스로 계획하는 데 어려움', '억제력이 부족', '하고 싶은 일을 충동적으로 하므로', '생각과 행동의 융통성이 부족' 등은 실행기능의 결함과 관련된 특징들이다. 실행기능은 계획 수립, 충동조절, 융통성 있는 행동 그리고 체계적인 환경 탐색 등을 가능하게 하는 뇌의 전두엽 기능 중의 하나이다.

(나) 중앙응집이론에서는 자폐성장애를 직접적인 손상에 의한 것이라고 보기보다는 인지양식에 의한 것이라고 주장한다. 환경에 의미를 부여하고, 환경을 의미 있게 받아들이기 위해서는 방대하고 복잡한 정보를 처리해야 하지만 자폐인들은 이에 어려움을 가지기 때문에 세상을 현실적으로 지각하지 못한다는 것이다. 전체를 보기보다는 부분에 집착하고, 즉 나무는 보고 숲은 보지 못하는 것과 같이 정보 투입 및 처리 방식이 상향식 접근방식을 취한다. 이 이론에서는 자폐의 근본 원인이 인지적 정보처리 과정에서 부분과 전체의 관계를 연계하지 못하고 전체보다는 특정 부분에 초점을 맞추는 빈약한 중앙응집이라는 인지적 결함에 기인한다고 주장한다(김건희 외, 2018 : 39−40).

**Check Point**

### 📝 중앙응집의 개념

① 인지체계가 의미를 갖고 정보를 통합하는 경향성이다. 개념적인 응집은 맥락 내에서 의미를 추론하거나 정보를 처리하는 능력을 의미하고, 지각적인 응집은 들어오는 감각 정보를 부분적이 아니라 전체적으로 인식하는 능력을 의미한다(특수교육학 용어사전, 2018).

② 중앙응집 능력이란 외부 환경에서 입력된 정보를 의미 있게 연계하고 총체적인 형태로 처리하는 능력을 의미한다. 중앙응집 능력은 장의존성 대 장독립성이라는 장이론을 근간으로 한다. 장이론은 인지 처리 양식을 설명하는 학습이론으로, 어떤 학습자의 경우 장의존적인 인지 양식을 선호하고 또 다른 학습자는 장독립적인 인지 양식을 선호한다. 일반적으로 장의존적인 학습자는 제시된 정보를 통합된 전체로 인식하고 이야기의 흐름과 의미의 초점을 파악하는 능력이 좋은 편이다. 이에 반해 장독립적인 학습자는 보다 분석적이고 세부적인 것에 초점을 맞추고 정보를 처리하는 데 사회적 맥락이나 주변 요소들을 적극적으로 활용하지 못하는 경향이 있다. 이에 따라 장독립적인 학습자는 중앙응집 능력이 비교적 약한 것으로 파악되는데 자폐성장애 학생들은 이러한 특성을 지닌 인지 처리자로 이해된다. 자폐성 장애인들은 지엽적이고 세부적인 정보를 보다 잘 처리하고 전체적이고 상황과 관련된 정보를 처리하는 데 어려움을 보이는 독특한 인지 양식을 나타내어 중앙응집 능력이 낮은 것으로 알려졌다(방명애, 2018 : 143−144).

## 07 　　　　　　　　　　　　　　 2011 유아1-14

**정답** ②

**해설**

**지문 돋보기**

- 지호는 몇 개의 단어를 말해 보라고 시키면 말할 수 있지만 그 단어를 사용해야 하는 장소에서는 먼저 말하지는 않는다는 것을 보면 자발적으로 구어를 이용한 표현에 문제가 있음을 알 수 있음. 따라서 자발적으로 의사소통을 시도할 수 있도록 지도하는 것이 요구됨
- 연주는 발화 자체가 되지 않기 때문에 자신이 갖고 싶은 것을 달라고 표현하지 못하는 문제가 있는 것으로 묘사되고 있음. 따라서 발화 이외의 대안적 방법을 이용하여 자신의 요구를 표현할 수 있도록 지도하는 것이 요구됨

① 우연교수 : 자발적 구어 표현력 향상에 효과적이다.
   비연속 시도 훈련 : 새로운 언어기술(또는 특정 기술) 습득에 효과적이다.

③ 그림교환의사소통체계 : 의사소통 의도 표현력 향상에 효과적이다.

## 08 　　　　　　　　　　　　　　 2011 유아1-20

**정답** ⑤

**해설**

ㄱ. 활동 중심 마음이해 향상 프로그램의 제1부 정서이해 향상 프로그램 중 2단계 상황에 근거한 감정의 이해 활동 내용과 관련된다.

② 문제해결 기술 : 학생은 매일 갈등이나 선택, 여러 가지 문제 등에 직면하게 된다. 이에 이와 같은 상황에서 직면한 문제를 성공적으로 해결할 줄 아는 능력을 문제해결 기술이라고 할 수 있다. 정서·행동장애아교육에서 다루어지는 문제해결 훈련이 이에 속한다.

**Check Point**

(1) 마음이해능력의 결함 관련 특성

① 자폐성장애 아동은 다른 사람의 정서적 표현을 이해하고 이에 관심을 기울이는 능력이 부족하다.

② 자폐성장애 아동들은 언어 연령을 일치시킨 일반 아동 집단에 비해 심리적 상태에 관련한 표현 어휘의 빈도와 다양도가 유의하게 낮은 수행을 보인다.

> **예** 일반 아동들은 '재미있는', '신나는' 등과 같이 다양한 정서를 나타내거나 마음 상태를 나타내는 어휘를 자주 사용하는 것에 비해 자폐성장애 아동들은 이와 같은 용어의 사용 빈도가 적다.

③ 자폐성장애 아동들은 일반 아동에 비해 다른 사람의 정서적 상태에 대한 이해 능력에서 어려움을 보인다.

④ 마음이해 향상을 위해 활동 중심 마음이해 향상 프로그램을 사용할 수 있다.

　　㉠ 제1부 정서이해 향상 프로그램

| 주제 | 활동 내용 및 설명 | 활동 예시 |
|---|---|---|
| [1단계] 얼굴 표정의 이해 | • 얼굴 표정 이해 향상 활동<br>• 즐거움, 슬픔, 화남, 두려움의 감정을 알고 사진이나 그림 속에서 찾기<br>• 여러 가지 감정을 그림으로 표현하기 | • 어떤 표정일까요?<br>• 얼굴 표정 콜라주 |
| [2단계] 상황에 근거한 감정의 이해 | • 여러 가지 상황을 이해하고 그에 따른 감정 이해를 위한 활동<br>• 생일 선물을 받고 즐거워하는 그림을 보면서 그림 속 주인공의 감정은 어떤 감정일지 알아보는 활동 | • 내가 행복할 때<br>• 우리 엄마와 아빠가 슬플 때<br>• 친구가 무서울 때 |

PART **07**

| [3단계] 바람에 근거한 감정의 이해 | • 상호작용 대상자가 원하는 것이 무엇인지를 알고, 원하는 것, 즉 바람이 이루어졌을 때의 감정과 바람이 이루어지지 않았을 때의 감정의 이해를 위한 활동<br>• 생일 선물로 장난감 자동차를 원했는데, 어머니께서 책을 선물한 경우 어떤 감정일지 생각해 보는 활동 | • 오늘은 나의 생일<br>• 친구가 바라보는 음식은?<br>• 새 자전거를 갖고 싶은 내 친구 |
|---|---|---|
| [4단계] 믿음에 근거한 감정의 이해 | • 다른 사람의 믿음을 이해하고 추론하며 이러한 믿음에 대한 감정을 이해하고 이후의 결과에 대한 감정을 이해할 수 있는 활동<br>• 친구가 생일 선물로 원하는 것이 장난감 자동차이고, 친구는 생일 선물로 장난감 자동차를 받을 수 있을 것으로 믿고 있는데, 실제 선물로 책을 받았다면 그 친구의 감정이 어떨지를 생각하고 말로 표현하기 | • 내 마음을 아는 우리 엄마<br>• 내 생각에 우리 엄마는<br>• 놀이 공원에 가고 싶은 내 친구 |

ⓒ 제2부 믿음이해 향상 프로그램

| 주제 | 활동 내용 및 설명 | 활동 예시 |
|---|---|---|
| [1단계] 시각적 조망 수용 | • 다른 사람의 시각적 조망에 대한 이해 촉진 활동으로 나와 다른 위치에서 사물을 바라볼 때 다른 것을 볼 수 있다는 것을 이해하도록 하는 활동 | • 선생님은 무엇을 보고 계실까요?<br>• 선생님에게는 어떻게 보일까요? |
| [2단계] 경험을 통한 인식의 이해 | • 사람들은 자신이 경험한 것을 잘 알지만 경험하지 않은 것은 알 수 없다는 것을 이해하는 활동<br>• 나는 과자 상자에 무엇인가를 넣는 것을 보아서 알지만 다른 친구는 넣는 것을 못 봤으므로 알 수 없다는 것을 이해하는 활동 | • 친구는 무엇을 감추었는지 알 수 있을까요? |
| [3단계] 사실과 일치하는 믿음의 이해 | • 다른 사람이 생각하거나 믿고 있는 것이 사실과 같은 것을 이해하는 활동<br>• 예를 들어, 친구는 초콜릿을 냉장고에 넣어 두었다고 생각하는데, 실제로 초콜릿이 그 친구의 생각과 같이 냉장고에 있는 경우 | • 어디에 있는 자동차를 가지고 놀까?<br>• 친구는 어디에 있는 블록을 가져올까? |

| [4단계] 틀린 믿음의 이해 | • 다른 친구가 생각하고 있는 것이 사실과 일치하지 않는다는 것을 이해하는 활동<br>• 예를 들어, 친구가 초콜릿을 냉장고에 넣어 두었고, 친구는 초콜릿이 냉장고에 있다고 생각하는데, 사실은 다른 친구가 냉장고에 있는 초콜릿을 다른 장소로 옮겨 두었지만, 여전히 그 친구는 냉장고에 있을 것이라고 생각하는 것을 이해하는 활동 | • 내 과자 상자<br>• 내 초콜릿은? |
|---|---|---|

(2) 자기관리 기술

① 개념

㉠ 자기관리란 순간의 욕구충족을 억제하여 만족을 지연시킴으로써 보다 장기적이고 상위의 목표를 달성하는 능력을 의미한다(동 자기통제, 자기훈련).

㉡ 자기관리의 목표는 미래의 자신의 삶에 긍정적인 영향을 줄 것이지만 현재는 부족한 자신의 행동을 증가시키고, 미래의 자신의 삶에 부정적인 영향을 줄 것인데도 현재 지나치게 많이 하고 있는 자신의 행동을 감소시키는 데 있다.

② 하위 유형

| 유형 | 개념 설명 |
|---|---|
| 목표설정 | 다른 자기관리 기술의 기본에 해당하는 것으로 자신이 해내고자 하는 행동의 수준 또는 행동의 결과와 행동 발생 기간을 설정하는 것 |
| 자기기록 | 자기 행동의 양이나 질을 측정하여 스스로 기록하도록 하는 방법(동 자기점검) |
| 자기평가 | 자기 행동이 특정 기준에 맞는지 결정하기 위해 사전에 선정된 준거와 자신의 행동을 비교하는 방법 |
| 자기강화 | 자신이 받을 수 있는 강화를 스스로 선정하고 목표를 성취했을 때 정해진 강화를 자기에게 적용하는 것 |
| 자기교수 | 과제를 수행할 때 자기 자신에게 말하면서 배우는 인지 훈련 방법의 하나(동 자기교시) |

## 09                        2011 유아1-27

[정답] ①

[해설]

ⓛ 사회극 놀이(social drama)란 적절한 사회적 행동을 가
르칠 수 있는 주제로 대본을 만들어 상황에 맞는 역할
을 하도록 하는 것을 말한다.

ⓒ 상황 및 지도 내용에 근거할 때 교수전략은 모델링에
해당한다.

ⓔ 상황 및 지도 내용에 비디오를 보여 주고, 반성적인 이
야기 나누기를 하고 있으므로 교수전략은 비디오 모델
링이라고 할 수 있다.

**Check Point**

(1) 시간적 지원

① 공간적 지원과 더불어 자폐성장애 아동의 학습을 위해
제공되어야 하는 중요한 환경 지원은 시간적 지원이다.

② 청각적 정보에 주의를 두고 이해하는 데 어려움을 갖
는 자폐성장애 아동에게 시간 개념이 담긴 청각 정보
(예 "5분만 더 하자!", "이거 먼저 하고 그건 나중에 하자!")는 아
동의 수행에 더욱 혼란과 결함을 초래할 수 있다. 시간
적 지원은 추상적인 시간 개념에 대한 이해를 돕기 위
해 시간의 구조화를 확립하는 것이다.

(2) 공동행동일과

① 공동행동일과는 중도 장애아동들의 언어발달을 지원하
기 위하여 개발한 것으로서 응용행동분석에 근거한 전
략이다.

② 공동행동일과는 자연적 환경에서의 언어 사용 기회 증
진을 목표로 한다.

③ 공동행동일과에서는 아동이 새로운 반응을 습득하고
적절한 시기에 바람직한 반응을 사용하도록 단서들을
제공하는 친숙한 일과들의 일관성에 의존하는 것인 만
큼 일과의 주제를 선정할 때는 모든 참여자들에게 의미
있고 친숙한 것인지를 확인해야 한다.

(3) 비디오 모델링

① 비디오 모델링은 가르칠 때 짧은 비디오 영상을 이용하
는 증거기반 교수방법으로 유아부터 청소년기의 학생
들에게까지 효과적이다. 비디오 모델링은 관찰학습의
잠재력을 이용하여 다양한 기술을 가르치는 데 시행될
수 있다.

② 일반적인 비디오 모델링은 제3자의 모습을 관찰하고 모
방하기 위한 방법인 데 반해 자신의 모습을 관찰하기
위한 방법에는 자기관찰과 자기모델링(비디오 자기모
델링)의 방법이 있다.

| 자기관찰 | 화면을 통해 자신의 바람직한 행동과 바람직하지 못한 행동을 모두 보여주는 경우 |
|---|---|
| 자기모델링 | 화면을 통해 자신의 적절한 행동만 보여주도록 편집된 비디오 테이프를 관찰하는 경우<br>• 자기상 향상에 유리<br>• 자기 효능감 향상에 유리 |

## 10                        2011 초등1-14

[정답] ④

[해설]

**[지문 돋보기]**

• 송 교사는 진규의 손이 닿지는 않지만 볼 수 있는 선반 위에
진규가 좋아하는 장난감 자동차를 올려놓았다. : 물리적 환경
조절 전략
• 뭘 보니? 뭘 줄까? : 요구
• 자동차? 자동차 줄까? : 반응을 유도하고 있음
• "자동차 주세요."라고 말해 봐. : 모델링
• 진규에게 장난감 자동차를 준다. : 자연적 강화 제공

ㄱ. 송교사가 진규를 대상으로 실시한 지도내용만으로는
간헐강화의 사용 여부를 알 수 없다.

ㄴ. 반응대가와 관련된 내용은 없다.

ㄷ. 자연스러운 환경에서 언어를 이용하여 물건을 요구할
수 있도록 하기 위한 지도 내용이므로 일반화를 고려하
여 지도하였다.

ㄹ. 환경 중심 언어중재는 기술 중심의 중재로 분류된다.
계획된 활동 일과는 특정 기술 또는 일련의 기술을 학
습하기 위한 복수의 기회를 통하여 특정 기술 교수를
목표로 한다.

ㅁ. 언어적 촉진(촉구) 자극을 사용하였다.

**Check Point**

✏ **동일 집단에 대한 상이한 접근들**

자폐스펙트럼장애의 핵심적 결함과 필요한 중재에 대해 연
구자들은 다른 관점들을 갖고 있다. 자폐스펙트럼장애 학
생들을 위한 중재접근들은 기술 중심, 관계 중심, 그리고 생
리학 중심 접근이라는 3개의 넓은 범주들로 나누어져 있다.
일부 치료와 중재 프로그램들은 각 접근들의 여러 견해들
을 결합하여 대부분의 옹호자들은 다양한 접근들로부터 나
온 전략들을 통합한다.

① 기술 중심 접근

　㉠ 기술 중심 접근에서는 자폐스펙트럼장애인들의 장애는 명시적 교수(explict instruction)를 통해서 최소화할 수 있다고 제안한다. 이 접근에 의하면 학생들은 관계 형성 이전에 상호작용, 의사소통 그리고 참여를 위해 필요한 기술들을 획득해야 한다.

　㉡ 기술 중심 접근은 기술의 숙달을 강조하며 다음과 같은 요소를 필요로 한다.
　　• 기술의 결합 사정
　　• 기술에 대한 체계적인 지도(교수)
　　• 자료의 수집

　㉢ 효과성을 보여주는 기술 중심의 접근들은 응용행동분석(ABA)의 원리에 기초한다. ABA의 원리를 사용하는 중재인 DTT와 PRT는 자폐스펙트럼장애 학생들의 긍정적 성과를 촉진하는 과학적 기반의 실제로 간주된다.
　　• 기능적 의사소통 훈련(FCT), 자연언어 패러다임(NLP), 우발교수, 그림교환의사소통체계(PECS) 등은 모두 응용행동분석의 원리에 기초를 두고 있다.

② 관계 중심 접근

　㉠ 관계 중심 접근은 다른 사람들에 대한 애착과 관계 형성 발달의 실패를 자폐스펙트럼장애의 핵심적인 장애로 간주한다. 이러한 관계의 부재는 이후에 사회적 의사소통과 흥미의 범위가 결함된 장애의 기초가 된다.

　㉡ 관계 중심 접근은 안정적 애착과 관계 형성의 증진에 초점을 둔다.

　㉢ 관계 중심 접근의 옹호자들은 일단 관계가 성립되면 기술들이 발달하고 자폐스펙트럼장애 증상들은 사라진다고 제안한다.

　㉣ 관계 중심 접근은 다음과 같은 특성을 갖는다.
　　• 무조건적인 수용
　　• 지속적인 접촉
　　• 아동의 주도를 따르기

　㉤ 가장 빈번하게 논의되었던 관계 프로그램들은 포옹치료(holding therapy), 온화한 교수(gentle teaching), 자유선택(options) 그리고 발달적 개별 관계 중심 접근(developmental individual relational based approach, 예 마루놀이) 등이 있다.

③ 생리학 중심 접근

　㉠ 생리학 중심 접근은 행동과 사회적 관계성의 증진을 위해서 감각과 신경학적 기능의 교정을 촉진한다.

　㉡ 이 관점에 의하면 내재성의 생물학적이고 신경학적인 손상들을 교정함으로써 자폐스펙트럼장애의 증후들은 완화될 것이고 개인은 관계를 발달시키고 기술을 배울 수 있다.

　㉢ 생리학 중심 접근은 다음과 같은 특징을 갖는다.
　　• 전문가에 의한 사정
　　• 치료 계획의 개발

　㉣ 사정 전문가들에는 의사, 영양사, 작업치료사 등이 포함된다. 부모와 교사들은 전문가들에 의해서 개발된 치료계획을 주의 깊게 따라야 한다.

　㉤ 생리학 중심 접근의 예에는 정신약리학적 식품 보조제, 식이제한, 감각통합, 청각치료, 시각치료, 두개해부치료, 음악치료 그리고 승마치료 등이 포함된다.

　㉥ 신경화학의 변화와 행동변화를 증진시키기 위한 약물치료의 사용을 제외하면 어떠한 생리학 중심 접근도 경험적으로 입증되지 않았다.

④ 혼합 접근

　㉠ 일부 프로그램들은 다양한 각도에서 성장과 발달을 증진시키는 프로그램을 만들기 위해 관계 중심, 기술 중심, 생리학 중심 접근의 측면들을 혼합한다.

　㉡ 공립학교에서 제공되는 프로그램들이 일차적으로는 기술 중심이지만 학생들의 광범위한 요구들을 다루기 위해서 각각 다른 접근들이 갖고 있는 견해들을 혼합한다.

출처 ▶ Heflin et al.(2014 : 118~121)

## 11 　　　　　　　　　　　　　　2011 초등1-21

정답 ⑤

해설

지문 돋보기

아스퍼거 장애(증후군): DSM-Ⅳ의 전반적 발달장애 5개 하위 영역 중 하나로 자폐의 행동 특성을 보이지만 언어 및 인지 발달에 이상이 없는 경우를 칭하는 용어로 사용되었음. DSM-5에서는 자폐스펙트럼장애로 흡수되면서 더 이상 사용되지 않음. 그러나 정보 전달 및 의사소통의 목적으로 아직까지 용어 사용이 병행되고 있으며, 고기능 자폐와 동일한 개념인지에 대한 논의도 아직 진행되고 있음(이소현, 2020: 153)

ㄱ. 영두는 대화 과정에서 사용하는 농담이나 비유를 이해하지 못하는 특성이 있으므로 은유법이나 상징의 사용은 부적절하다.

ㄴ. ⓒ을 지도할 때, 영두에게 폭언이나 폭행을 하는 상황을 묘사하는 만화를 그리도록 하여 그 상황을 이해시키는 '짧은 만화 대화' 전략을 적용한다.

ㄷ. 다음과 같은 측면에서 소거의 적용은 부적절하다고 할 수 있다.
  • 첫째, 영두의 폭언이나 폭행과 같은 문제행동에 대해서는 최소한의 혐오적인 중재부터 적용해야 한다(최소 강제성 대안의 원칙). 즉, 덜 강제적인 중재를 먼저 시도하고 그것이 효과가 없다고 입증될 때 더 강제적인 중재를 시행하여야 한다는 것이다. 따라서 영두에게 다양한 강화 중심의 전략을 우선적으로 적용하고 효과가 없음이 입증된 이후에 소거 전략을 적용하는 것이 바람직하다.
  • 둘째, 소거는 문제행동을 감소시키는 데 시간이 오래 걸린다는 점을 고려해야 한다. 폭언이나 폭행은 우선적인 개입을 필요로 하는 중재이기 때문에 효과가 나타나는 데 시간이 오래 걸리는 소거는 부적절하다.

ㄹ. 파워카드 전략은 해서는 안되는 일과 해야 할 일을 지도할 때 효과적이다.
  • 파워카드에는 특별한 관심 대상에 대한 작은 그림과 문제행동이나 상황에 대한 해결 방안이 제시되어 있다.

ㅁ. 아스퍼거장애 진단을 내리려면 자폐장애와 유사하게 사회적 상호작용의 질적 손상과 제한적·반복적·상동적 행동이나 관심 및 활동을 보여야 하지만 자폐와는 대조적으로 언어습득에서 임상적으로 유의미한 지연이나 일탈은 보이지 않아야 하며 또한 인지발달에서도 임상적으로 유의미한 지연이 없어야 한다. 아스퍼거장애의 근본적인 특징은 사회적 상호작용의 심하고 지속적인 손상과 제한적이고 반복적인 행동, 관심 및 활동 패턴의 발달이다. 또한 이 장애는 사회적, 직업적, 또는 다른 중요한 기능영역에서 임상적으로 유의미한 손상

을 보인다. 비록 사회적 의사소통의 미묘한 측면이 손상될 수는 있지만 자폐장애와는 대조적으로 언어습득에서 임상적으로 유의미한 지연이나 일탈은 없다. 이에 더하여, 출생 후 첫 3년 동안 인지발달에서도 임상적으로 유의미한 지연이 없으므로 환경에 대한 정상적인 관심을 표현하거나 연령에 적절한 학습기술과 적응행동(사회적 상호작용은 제외)을 습득하기도 한다(이승희, 2015: 166-168).

┌─────────────────────────────┐
│          아스퍼거 장애의 주요 특성          │
│ • 사회적 상호작용의 질적인 손상            │
│ • 제한적·반복적·상동적 행동, 관심 및 활동   │
│ • 사회적응의 손상                       │
│ • 지연되지 않은 언어                     │
│ • 지연되지 않은 인지, 자조기술 및 적응행동  │
└─────────────────────────────┘

Check Point

(1) 자폐성장애 아동의 의사소통의 질적인 손상
① 자폐성장애의 의사소통의 손상은 현저하고 지속적이며 이러한 손상은 언어적 기술과 비언어적 기술 모두에 영향을 미친다.
② 자폐성장애는 구어발달이 지체되거나 완전히 결여될 수 있다.
③ 말을 하는 경우 자폐성장애 아동은 다른 사람들과 대화를 시작하거나 지속하는 능력에 현저한 손상이 있다.
  • 자폐성장애 아동은 언어를 습득하더라도 어휘수준에 비해 언어이해 능력이 많이 떨어져 간단한 질문이나 지시를 이해하지 못할 수도 있다.
  • 자신이 좋아하는 주제에 대해서는 독백처럼 계속 중얼거리며 이야기도 하지만 관심이 없는 주제에 대해서는 아주 간단한 대화에도 참여하지 못하기도 한다.
  • 언어의 화용론에서도 농담이나 풍자 또는 함축적 의미를 이해하지 못하는 문제가 나타난다.
④ 자폐성장애 아동은 언어 또는 특이한 언어를 상동적이고 반복적으로 사용한다. 자폐성장애에서는 반향어, 대명사 전도, 신조어 등의 다양한 문제가 나타난다.

(2) 사회적 도해
① 사회적 도해는 학생들이 사회적 실수를 이해하고 수정하도록 도와주기 위한 사회적 분석법이다(ⓑ 사회적 분석).
② 사회적 도해의 목적은 다음과 같다.
  • 실수를 하게 된 주변 환경에 대하여 기술하기 위해
  • 사회적 실수로 인하여 상처 받을 수 있는 사람을 구분하기 위해
  • 향후 이러한 사회적 실수를 하지 않도록 하기 위한 계획을 위해

(3) 짧은 만화 대화

① 여러 다양한 사회적 상황에서 상호작용 대상자들과 교류하는 중에 발생하는 다양한 정보를 보다 용이하게 이해할 수 있도록 시각적으로 안내하는 사회적 담화 방법의 한 유형이다.

② '대화 상징 사전'과 '사람 상징 사전' 같은 상징을 이용하여 그림을 그리고 이야기를 나눈다.

(4) 파워카드 전략

① 아동의 특별한 관심을 사회적 상호작용 교수에 포함시키는 시각적 지원 방법으로 특별한 관심을 긍정적으로 활용한 대표적인 강점 중심의 중재 방법이자 사회적 담화의 한 유형이다.

② 파워카드 전략을 활용하기 위한 요소는 다음과 같다.

  ㉠ 간단한 시나리오: 학생이 영웅시하는 인물이나 특별한 관심사, 그리고 학생이 힘들어하는 행동이나 상황에 관련한 간략한 시나리오를 작성한다.

  ㉡ 명함 크기의 파워카드: 이 카드에는 특별한 관심 대상에 대한 작은 그림과 문제행동이나 상황에 대한 해결 방안을 제시한다.

(5) 아스퍼거 장애의 진단준거(DSM-IV-TR)

> A. 사회적 상호작용의 질적인 손상이 다음 중 적어도 2개 항목으로 나타난다.
>   1. 사회적 상호작용을 조절하기 위한 눈맞춤, 얼굴표정, 몸자세, 몸짓과 같은 다양한 비언어적 행동의 사용에 현저한 손상이 있다.
>   2. 발달수준에 적합한 또래 관계를 형성하지 못한다.
>   3. 자발적으로 다른 사람들과 기쁨, 관심, 성취를 공유하지 못한다.
>      예 관심의 대상을 보여주거나 가져오거나 가리키지 못함
>   4. 사회적 또는 정서적 상호성이 결여되어 있다.
>
> B. 제한적이고 반복적이며 상동적인 행동, 관심 및 활동이 다음 중 적어도 1개 항목으로 나타난다.
>   1. 강도나 초점에 있어서 비정상적인, 한 가지 이상의 상동적이고 제한적인 관심에 집착한다.
>   2. 특정한 비기능적인 일상활동이나 의식에 고집스럽게 매달린다.
>   3. 상동적이고 반복적인 동작성 매너리즘(예 손이나 손가락을 퍼덕거리거나 비꼬기, 또는 복잡한 전신동작)을 보인다.
>   4. 대상의 부분에 지속적으로 집착한다.
> C. 장애가 사회적, 직업적 또는 다른 중요한 기능영역에서 임상적으로 유의미한 손상을 초래한다.
> D. 임상적으로 유의미한 일반적 언어지연은 없다. 예 2세까지 단단어가 사용되고 3세까지는 의사소통적인 구가 사용된다.
> E. 인지적 발달 또는 연령에 적절한 자조기술, 적응행동(사회적 상호작용과는 다른) 및 환경에 대한 호기심의 발달에 임상적으로 의미한 지연이 없다.
> F. 다른 특정 전반적 발달장애나 조현병의 준거에 맞지 않는다.

## 12 2011 중등1-2

정답 ④

해설

① 각각의 조립 순서를 그림으로 상세히 제시하는 것은 개별 과제 조직에 해당한다.

② 사무용 칸막이를 이용하여 별도의 작업 공간을 정해주는 것은 물리적 구조화에 해당한다.

③ 시간대별 활동 계획표를 작성해 주어 다음 작업을 예측할 수 있도록 하는 것은 일과의 구조화에 해당한다.

⑤ 작업 시스템에 대한 설명에 해당한다.

**Check Point**

(1) 물리적 구조화

① 물리적 구조화는 아동이 어디에 있어야 하는지 그리고 거기서 해야 하는 과제와 활동이 무엇인지에 대한 정보를 제공한다.

② 분명한 특정 경계를 제시하는 것과 같은 예측 가능한 방법으로 아동이 해야 할 활동을 알려 주는 시각 정보를 제공한다.

③ 물리적 구조화는 아동의 주의집중 분산이나 감각자극의 과부하를 유발할 수 있는 환경적 요소를 줄여준다.

(2) 일과의 구조화

① 일과의 구조화는 하루에 일어나는 일의 계열을 조직하고 의사소통하기 위해 일과를 구조화하는 것으로 주로 일과표의 개발과 활용을 통해 이루어진다.

② 일과의 구조화를 확립하는 대표적인 방법은 시각적 일과표의 활용이다.

  • 시각적 일과표는 하루의 한 부분, 하루 전체, 일주일, 한 달, 또는 일 년에 관한 정보를 제공하는 일정에 관한 대표적인 시각적 지원이다.

  • 시각적 일과표는 활동의 예측가능성을 제공하므로 아동의 불안 감소에 도움이 된다.

  • 시각적 일과표에는 활동 간 일과표와 활동 내 일과표가 있다.

(3) 개별 과제 조직

① 개별 과제 조직은 다음과 같은 정보를 시각적 지원으로 활용하여 아동에게 제공해야 한다.

  • 어떤 과제를 수행해야 하는가?

  • 얼마나 많은 항목을 해야 하는가?

  • 과제를 완수할 때까지 자신의 수행을 어떻게 점검할 수 있는가?

  • 최종 결과물은 어떠한 것인가?

  • 과제의 완성을 어떻게 확인할 수 있는가?

② 시각적 지원은 조직화된 개별 과제를 지도하는 데 필수 요소이다. 시각적 지원을 통해 아동은 과제 완성 전략을 학습하고 무엇을 성취해야 하는지를 명확하게 학습할 수 있다.

**(4) 작업 시스템**

① 작업 시스템이란 교사의 직접적인 지도와 감독을 통해 습득된 개별 과제를 연습하거나 숙달하는 시각적으로 조직화된 공간을 의미한다.

② 작업 시스템은 과제 또는 활동의 특성에 관계없이 다음에 관한 정보를 제공해야 한다.

- 어떤 작업을 수행해야 하는가?(학생이 해야 하는 작업)
- 얼마나 많은 작업을 완성해야 하는가?(해야 하는 작업의 양)
- 작업은 언제 끝나는가?(작업이 종료되는 시점)

③ 작업 시스템은 작업 공간에서 아동이 독립적으로 모든 활동을 완수하는 것이 목표이므로, 새로운 기술을 가르치는 것보다는 기술의 숙달을 촉진하는 것에 주안점을 두어야 한다.

---

## 13 ⬛ 2011 중등1-8

정답 ④

해설

지문 돋보기

- (나) 문제행동과 동일한 기능을 가진 수용 가능한 교체 기술을 가르친다. : 대체기술 교수의 목표는 학생에게 문제행동을 대체하면서도 사회적으로 적절한 기술을 가르치는 것임. 선행/배경사건 중재가 다른 사람의 행동에 의존하는 것과는 달리, 대체기술 교수는 학생에게 바람직한 성과를 성취하고 문제행동이 더 이상 필요하지 않도록 상황을 변화시키는 능력을 제공하는 방법임. 교체기술, 대처 및 인내기술, 일반적인 기술의 세 가지 유형의 대체기술 교수가 행동지원 계획에 포함될 수 있음(Bambara et al., 2017 : 101-102)
- (다) 문제행동의 발생 빈도를 평가하고, 문제행동에 대한 반응적 중재 방법을 마련한다. : 선행/배경사건 수정과 대체기술 훈련이 효과가 있다면 문제행동의 빈도는 극적으로 감소할 것임. 그럼에도 불구하고 팀 구성원들은 자신들과 다른 사람들이 문제행동에 어떻게 반응해야 하는지를 고려해야 하며, 그 반응은 효과적이고 교육적인 방법이어야 함(Bambara et al., 2017 : 102)

---

- 촉진적 의사소통(Facilitated Communication ; FC)은 의사소통에 심각한 문제가 있는 개인에게 메시지를 타이핑하는 동안 지원하는 방법이다. 사람이 타이핑하는 데 신체적, 정서적 지원을 제공하는 것이 포함된다. 이 중재를 둘러싼 많은 논쟁은 의사소통자에게 제공하는 신체적 지원에 대한 질문들이었다(Pierangelo et al., 2010 : 67).
- 문제행동에 대한 반응 전략은 교수, 소거, 차별강화, 부적 체벌, 정적 체벌 등의 방법을 포함한다.

Check Point

**(1) 촉진적 의사소통**

촉진적 의사소통은 전통적 방법으로 의사소통하기 어려운 사람을 위한 대안적 의사소통 방법 중 하나이다. 키보드를 사용하여 글을 쓰거나 글자판의 철자 또는 그림판을 가리킴으로써 의사소통을 하며, 이때 정서적 유대를 형성한 촉진자는 그 사람의 손이나, 손목, 팔꿈치, 혹은 어깨 등을 살짝 쥐거나 만져주어 신체적 지지와 정서적 지지를 해준다. 촉진자의 도움의 여부 또는 정도는 촉진적 의사소통 방법을 사용하는 사람의 필요 또는 요구에 따라 달라질 수 있으며, 신체적 지지의 정도는 시간이 지남에 따라 점차 감소할 수 있다. 촉진자가 촉진적 의사소통 사용자에게 신체 접촉을 통한 도움을 제공한다는 사실은 학계의 논란을 불러왔다(엄수정 외, 2012 : 160).

**(2) 기능적 의사소통 훈련**

① 기능적 의사소통 훈련(Functional Communication Training ; FCT)은 실생활에서 우선적으로 필요한 것을 중심으로 자연스러운 환경에서 의사소통하는 것을 강조하는 언어 중재 방법이다.

② 자폐성장애 아동으로 하여금 문제행동의 기능을 대체할 의사소통기술이나 행동을 습득하여 사용하도록 함으로써 자신의 삶에 있어서 자주성과 통제력을 행사할 수 있게 하는 것을 의미한다.

③ 기능적 의사소통을 위한 접근법은 발달 순서보다 일상생활을 하는 데 꼭 필요한 의사소통 기술을 먼저 가르친다.

## 14    2012 유아1-8

정답 ③

해설

③ 구조화 또는 구조화된 교수를 통해 알 수 있는 바와 같이 자폐성장애 아동들의 혼란과 불안을 감소시키고 학습에 대한 주의력 및 반응성을 증진시키기 위해서는 교수·학습활동의 순서와 과제를 예측할 수 있도록 상황을 구조화해주는 것이 필요하다.

Check Point

(1) 구조화

① 개념 : 학생이 교수·학습활동의 순서와 과제를 예측할 수 있도록 체계적으로 계획하고 구성하는 것
② 학생이 보다 더 참여하고 쉽게 이해할 수 있도록 학습 환경이 설정된 것을 의미한다.
③ 자폐성장애 아동의 시각적 강점과 조직성을 선호하는 특성을 활용하여 이들의 학습 참여를 촉진하도록 안정감과 동기화를 증진시키고자 하는 것
④ 목적 : 자폐성장애 아동이 무엇을 해야 하는지를 이해하고 과제를 성공적으로 수행할 수 있도록 돕는 것을 목적으로 한다.

(2) 구조화된 교수

① 개념 : 자폐성 아동의 교육 및 지원을 위한 원리 전략
② 특성 : 특정 공간 및 학습활동과 연계된 물리적 환경 구성, 시각적 일과표의 활용, 자연적인 상황에서 다양한 기능적 기술의 개별화된 학습 기회 제공, 일관되고 체계적인 접근
③ 목적 : 아동의 요구에 적합한 물리적 환경을 구성하여 적응 능력을 향상시키는 것
④ 효과 : 상황에 대한 이해 증가, 혼란과 불안 감소, 학습에 대한 주의력 및 반응성 증진, 행동 조절 가능 등
⑤ 예 : TEACCH(Treatment and Education of Autistic and Related Communication-Handicapped Children)

## 15    2012 유아1-9

정답 ⑤

해설

ㄱ. 인지적 문제는 적응행동, 운동 기능, 감각지각 등과 함께 자폐성장애의 진단에 필수적이지는 않지만 나타날 수 있는 부수적인 특성에 해당한다. 그러나 제시문에는 인지적 어려움과 관련된 내용이 나타나 있지 않다.
　• 과민감성에 대해 제시된 내용은 없다.
ㄴ. 정확한 문법의 문장을 따라 말할 수 있도록 지도하는 것보다는 기능적인 부분에 초점을 두어야 한다.
ㄷ. 관심이나 성취 등을 타인과 자발적으로 나누는 데 어려움이 있으므로 사회적 또는 정서적 상호성을 신장시킨다. : '놀이를 할 때 언어적 상호작용을 잘 못하며', '가족들과 사람들에게 관심이 없어지고'
　• 자폐성장애 학생의 사회적 상호작용 특성과 관련된다.
ㄹ. 언어의 형태에 비해 언어의 내용과 사용 측면에 어려움이 두드러진 유아이므로 심층적인 언어평가를 받도록 안내하는 것이 필요하다. : '간단한 문장 표현은 가능하나'(언어의 형태), '질문에 간혹 엉뚱한 말을 하거나 특정 구나 말을 반복하여 의사소통이 곤란함'(언어의 사용 측면), '점차 의미 있는 말이 줄고'(언어의 내용 측면)

지문 돋보기

• 간단한 문장 표현은 가능하나 : 언어의 형태(구문론)
• 질문에 간혹 엉뚱한 말을 하거나 특정 구나 말을 반복하여 의사소통이 곤란함 : 언어의 사용(화용론)
• 언어적 상호작용을 잘 못하며 : 언어의 사용(화용론)
• 의미 있는 말이 줄고 : 언어의 내용(의미론)
• 말을 의미 없이 즉각 따라하는 것이 늘고 : 언어의 사용(화용론)

ㅁ. 언어행동의 문제가 있으므로 : '특정 구나 말을 반복하여', '말을 의미 없이 즉각 따라하는 것이 늘고'

Check Point

(1) 자폐성장애 아동 – 사회적 상호작용의 질적인 손상

① 자폐성장애는 사회적–정서적 상호성(즉, 다른 사람들과 어울리고 생각과 감정을 공유하는 능력)의 결함을 보인다.
② 자폐성장애는 사회적 상호작용과 의사소통을 조절하기 위하여 다양한 비언어적 행동을 사용하는 데 현저한 손상을 보인다.
③ 자폐성장애는 연령에 따른 다른 형태를 취할 수 있는, 즉 발달 수준에 적합한 또래 관계를 형성하지 못한다. 연령이 낮은 경우에는 우정을 형성하는 데 거의 관심이 없거나 전혀 관심이 없을 수 있으며, 연령이 높은 경우에는 우정에 관심은 있을 수 있으나 어떻게 우정을 형성하는지에 대한 이해가 결여되어 있다.

④ 자폐성장애 아동은 자발적으로 다른 사람들과 기쁨, 관심, 또는 성취 등을 공유하지 못한다. 자신이 흥미롭다고 생각되는 사물을 보여주거나 가져오거나 가리키지 않는다.

⑤ 자폐성장애 아동은 사회적 또는 정서적 상호성이 결여되어 있다. 사회적 상호작용의 문제는 매우 일찍부터 나타날 수 있는데 생후 1년 이전에 어떤 아기들은 이름을 불러도 반응이 별로 없고 다른 사람의 손길이 닿았을 때 거부반응을 보인다.

⑵ 자폐성장애 아동 - 제한적이고 반복적인 행동, 관심 또는 활동 패턴

① 자폐성장애는 상동적이거나 반복적으로 동작을 하거나 물건을 사용하거나 말을 하는 특징을 보인다. 상동적이거나 반복적인 행동에는 단순한 동작성 상동증, 물건의 반복적인 사용, 그리고 반복적인 말이 포함된다.

② 자폐성장애는 동일성 고집, 일상 활동에 대한 완고한 집착, 의식화된 언어적·비언어적 행동패턴을 보인다.
   ⊙ 일상 활동에 대한 과도한 집착과 제한된 행동 패턴은 변화에 저항으로 나타난다.
   ⊙ 의식화된 언어적·비언어적 행동 패턴은 반복적으로 질문하거나 주위를 서성거리기 등으로 나타날 수 있다.

③ 자폐성장애에서 보이는 고도로 제한적이고 고착된 관심은 강도나 초점에서 비정상적인 경향이 있다.

④ 자폐성장애는 감각적 입력에 대해 과대반응이나 과소반응을 나타내고 환경의 감각적 측면에 대해서 이례적인 관심을 보인다.
   ⊙ 감각적 입력에 대한 과대반응이나 과소반응은 특정 소리나 감촉에 대한 극도의 반응, 물건에 대한 지나친 냄새 맡기나 만지기, 빛 또는 회전 물체에 대한 매료, 그리고 때때로 고통, 더위 또는 추위에 대한 명백한 무관심을 통해 나타난다.
   ⊙ 환경의 감각적 측면에 대한 이례적 관심은 음식의 맛, 냄새, 감촉 또는 외관에 대한 극단적인 반응이나 습관적 행동으로 흔히 나타난다.

## 16

정답 ③

해설

③ 유아 B는 자신이 보고 있는 것을 철수도 알고 있다고 이해함으로써 철수가 찬장 X로 가는 상황을 이해하지 못하고 있다(즉 틀린 믿음을 이해하지 못하고 있다). 따라서 마음이해능력이 결여되어 있으며 철수의 관점을 읽을 수 있는 유아 A보다 상위인지 능력이 발달되어 있지 않을 가능성이 높다.

• 마음이론으로 일반인에게 잘 알려진 마음이해능력은 다른 사람의 생각과 마음을 이해하는 능력을 의미한다. 마음이해능력은 다른 사람의 행동을 이해하고 그 사람의 행동을 통해 그 사람이 다음에 어떤 일을 하게 될 것인지를 추론하는 능력을 의미한다. 마음이해능력은 사회 인지 발달 영역의 한 부분이며 조망수용 능력이나 공감, 조금 더 일반적인 용어로 '눈치' 등과 같이 다른 사람의 입장과 견해를 이해하는 능력을 포함한다(방명애 외, 2019: 135).

• 틀린 믿음 이해란 '나는 알고 있지만 다른 사람은 알지 못하는 것'을 이해하는 것을 의미한다(방명애 외, 2019: 136).

## 17

모범답안

| | |
|---|---|
| 1) | 상황 이야기 |
| 2) | • 사회적 상황을 이해하게 된다.<br>• 영미의 입장(또는 관점)을 이해하게 된다. |
| 3) | 상황에 맞는 적절한 행동과 반응을 아동 혹은 팀에게 지시한다. |
| 4) | 사회적 도해 |

해설

지문 돋보기

[친구와 블록 쌓기 놀이를 해요]
• 나는 친구들과 블록 쌓기를 해요. : 설명문
• 친구들은 블록 쌓기를 좋아하고 나도 블록 쌓기를 좋아해요. : 조망문
• 나와 영미는 블록으로 집을 만들어요. : 설명문
• 나는 빨강색을 좋아하지만, 영미는 여러 색을 좋아해요. : 조망문
• 빨강 블록 집도 예쁘지만 다른 색으로 만들어도 멋있어요. : 조망문
• 여러 색으로 집을 만들면 더 재밌어요. : 조망문
• 나는 친구들과 여러 색으로 블록 쌓기 놀이를 할 수 있어요. : 지시문

1) ㉠에 들어갈 말이 상황이야기임을 알 수 있는 단서는 다음과 같다.

▶ 지문 돋보기

- 그레이(C. Gray)의 이론을 근거로 제작하였음
- 자유놀이 시간이 되기 전에 여러 번 함께 읽었다. : 사회적 상황을 예측하게 하고 기대되는 사회적 행동을 할 수 있도록 사전에 도움
- [친구와 블록 쌓기 놀이를 해요]에는 글자라는 시각적 단서의 활용과 글로 작성된 이야기에 대한 이해를 도울 수 있는 그림을 포함하고 있음
- [친구와 블록 쌓기 놀이를 해요]의 이야기가 영미의 마음을 이해하고 바람직한 행동을 수행하는 데 도움을 주는 내용임

2) 상황 이야기는 학생들이 사회적 상황과 상대방의 입장을 이해할 수 있도록 돕는다.

3) 2010년 사회상황 이야기 사용지침서를 기준으로 할 때 해당 문장은 지시문(기능 : 상황에 맞는 적절한 행동과 반응을 아동 혹은 팀에게 지시할 때 사용한다.)에 해당하지만, 최근에 개정된 새로운 상황 이야기 책(Gray, 2015)에 제시된 바에 의하면 청자 코칭문(기능 : 이야기를 듣는 아동이 할 수 있는 행동이나 반응을 제안한다.)으로 분류된다.

▶ Check Point

(1) 상황 이야기

① 특정 사회적 상황과 관련된 분명한 사회적 단서와 적절한 반응을 설명해 주는 개별화된 인지적 중재 방법 (동 사회적 이야기, 사회적 상황 이야기)

② 마음이해능력을 촉진시키기 위한 여러 가지 전략 중 하나이다.

③ 다른 사람의 마음이해능력을 발달시킬 수 있는 중요한 정보를 제공하는데, 주로 다른 사람들이 알고 있는 것과 이들의 생각, 믿음, 그리고 그러한 상황과 관련된 느낌 등을 잘 설명한다.

(2) 상황 이야기의 목적

① 자폐성장애 아동의 특성을 고려하여 이들이 매일 접하게 되는 비구어적인 사회적 정보를 구체적이고 명시적인 정보로 설명하여 사회적 상황을 예측하게 하고 기대되는 사회적 행동을 할 수 있도록 돕는다.

② 사회적 상황에 대한 구체적 정보를 제공하여 어떤 일이 일어나고 있는지, 왜 그러한 일이 일어났는지 등을 알게 하고 그러한 상황 속에서 다른 사람들은 어떻게 행동할 것인지 혹은 나는 어떤 행동을 해야 하는지와 다른 사람들의 정서적 반응은 어떠할지 등에 대한 구체적인 정보를 제공한다.

## 18 [2013 유아B-4]

▶ 모범답안

| 1) | 제한적이고 반복적이며 상동적인 행동, 관심 및 활동 |
|---|---|
| 3) | • 기호 : ①, 이유 : 자폐성장애 아동은 실행기능의 결함으로 인해 다양하게 바뀌는 자료(또는 환경)에 유연하게 대처하지 못하기 때문이다.<br>• 기호 : ⑤, 이유 : 프리맥 원리에 따라 비선호 활동에 우선적으로 참여하고 이어서 선호 활동에 참여하도록 해야 하기 때문이다. |

▶ 해설

1) 답안은 DSM-Ⅳ-TR의 진단기준이다. DSM-5에서는 '제한적이고 반복적인 행동, 흥미, 활동'으로 변경되었다.

3) ② 다양하게 바뀌는 자료에 대해 과민하게 반응하는 특성이 있으므로 활동에 사용할 자료를 미리 제시하여 관심을 가지게 하는 것은 유연한 사고를 위해 바람직하다.

④ 특정 시간이 아니라 자유선택활동 시간에 도서 활동 영역을 좋아하는 민지의 특성을 이용하여 행동을 유발하고 이에 따른 교사의 관찰 기회를 가짐으로써 학습목표 성취를 지원할 수 있다.

- 환경상의 특성으로 인해서 장애 유아의 활동 참여나 탐구 행동이 제한되는 등 부정적인 영향을 받아서는 안 된다. 환경에 접근하지 못함으로 인해서 활동에 참여하지 못한다면 좌절을 경험함과 동시에 학습의 기회를 상실하게 된다(이소현, 2020 : 371).

⑤ 프리맥 원리는 선호 활동과 비선호 활동의 순서와 관련된다. ⑤의 경우 프리맥 원리를 적용하여 선호하는 활동을 수행하기 전에 비선호 활동을 수행하도록 하는 것이 적절하다. 이에 반해 고확률 요구 연속은 순응하는 과제(고확률)와 거부하는 과제(저확률)의 제시 순서로 표현되며, 일련의 고확률 요구들을 먼저 제시한 후에 즉시 계획된 저확률 요구를 제시하는 연속적인 과정을 말한다. 다양하게 바뀌는 자료에 대해 과민하게 반응하는 민지의 특성을 고려할 때 ⑤를 고확률 요구 연속으로 보는 것은 부적절하다.

**Check Point**

**(1) 정신장애의 진단 및 통계편람(DSM-IV-TR)**

A. 1, 2, 3에서 총 6개(또는 그 이상) 항목, 적어도 1에서 2개 항목, 그리고 2와 3에서 각각 1개 항목이 충족되어야 한다.
1. 사회적 상호작용의 질적인 손상이 다음 중 적어도 2개 항목으로 나타난다.
… (중략) …
2. 의사소통의 질적인 손상이 다음 중 적어도 1개 항목으로 나타난다.
… (중략) …
3. 제한적이고 반복적이며 상동적인 행동, 관심, 및 활동이 다음 중 적어도 1개 항목으로 나타난다.
a. 강도나 초점에서 비정상적인, 한 가지 이상의 상동적이고 제한적인 관심에 집착한다.
b. 특정한 비기능적인 일상활동이나 의식에 고집스럽게 매달린다.
c. 상동적이고 반복적인 동작성 매너리즘(예 손이나 손가락을 퍼덕거리거나 비꼬기, 또는 복잡한 전신동작)을 보인다.
d. 대상의 부분에 지속적으로 집착한다.
… (중략) …

B. 3세 이전에 다음 영역 중 적어도 한 가지 영역에서 지체 또는 비정상적인 기능을 보인다.
… (중략) …

C. 장애가 레트장애 또는 아동기붕괴성장애로 더 잘 설명되지 않는다.

**(2) 프리맥 원리**

① 프리맥 원리란 발생 가능성이 높은 활동을 발생 가능성이 낮은 활동 뒤에 오게 하여 발생 가능성이 낮은 행동의 발생률을 증가시키는 것이다.

**프리맥 원리**
선호하는 반응은 덜 선호하는 반응을 강화하여 행동의 발생 빈도를 증가시킬 수 있다는 원리이다. 강화의 상대성을 이용한 것으로 프리맥(D. Premack)이 제안하였다. 아동이 컴퓨터 게임을 선호하고 수학을 공부하는 것을 별로 원하지 않는 경우, 아동이 수학을 스스로 공부하는 행동을 증가시키기 위하여 수학을 한 뒤에 컴퓨터 게임을 하도록 하는 것은 프리맥 원리를 이용하는 것이다(특수교육학 용어사전, 2018 : 508)

② 활동 강화제를 제공함에 있어 적용 가능한 원리이다.

**19** 　　　　　　　　　　　　　　　　

**모범답안**

| 3) | • 기호와 수정 내용 : ⓓ, 세희가 질문에 반응한 모든 경우에 강화를 제공한다(또는 질문에 대한 세희의 모든 응답을 말로 칭찬한다 / 질문에 대한 세희의 모든 반응에 대해 강화를 제공한다).<br>• 기호와 수정 내용 : ⓼, 세희를 위해 다양한 단서와 자극에 반응할 수 있도록 환경을 구조화한다. |
|---|---|

**해설**

ⓓ 중심축 반응 훈련에서는 질문에 대한 모든 응답을 말로 칭찬한다. 핵심 영역은 동기 유발이다.

ⓗ 다양한 연필꽂이 만들기 재료 중에서 세희가 요구하는 것을 준다. : 핵심 영역은 동기 유발이다.

⓼ 자극을 다양화하고 단서를 증가시키며 반응을 격려하는 것이 필요하다. 핵심 영역은 복합 단서에 반응하기이다.

ⓞ 세희가 연필꽂이 만드는 순서를 모를 때, 도움을 요청할 수 있도록 가르친다. : 핵심 영역은 자기시도(또는 자기주도)이다.

**Check Point**

**(1) 중심축 반응 훈련 영역**

| 핵심 영역<br>(중심축) | 중재 | 예시 |
|---|---|---|
| 동기 | 아동에게 선택권을 제공한다. | • 아동이 과제의 순서를 선택한다.<br>• 아동이 쓰기 도구들을 선택한다.<br>• 아동이 학급에서 읽을 책을 선택한다. |
| | 과제를 다양하게 하고, 유지 과제를 같이 제시한다. | • 미술시간에 짧은 기간 동안 짧은 읽기 시간을 자주 가져 과제를 다양하게 한다.<br>• 쉬는 시간을 자주 가져 과제의 양을 다양하게 한다.<br>• 아동의 반응과 다음 지시까지의 시간을 줄여 과제의 속도를 수정한다.<br>• 화폐 학습과 같은 새로운 과제와 돈 세기와 같은 이미 학습한 과제를 같이 제시한다. |
| | 시도에 대한 강화를 한다. | • 질문에 대한 모든 응답을 말로 칭찬한다.<br>• 숙제와 다른 과제에 대해 칭찬의 글을 써준다. |

| | 자연스러운 강화를 사용한다. | • 시간 말하기를 배울 때, 아동이 좋아하는 활동의 시간을 배우게 한다.<br>• 화폐를 가르칠 때 아동이 좋아하는 작은 물건을 사게 한다. |
| --- | --- | --- |
| 복합 단서에<br>반응하기 | 복합 단서 학습과 반응을 격려한다. | • 미술시간에 종이, 크레용, 연필 등을 다양하게 준비하고, 아동이 좋아하는 것을 요구하게 한다.<br>• 수학 과제나 한글쓰기 연습을 위해 다양하게 쓰기 도구들을 준비한다. 그리고 아동이 좋아하는 도구를 요구하게 한다. |
| 자기시도<br>(자기주도) | 질문하는 것을 가르친다. | • 시간과 물건의 위치와 관련된 질문하기와 같은 정보-탐색 시도를 가르친다.<br>• 도움을 요청하는 정보-탐색 시도를 가르친다. |
| 자기<br>관리 | 자신의 행동을 식별하고, 행동이 발생하는 것과 발생하지 않는 것을 기록하는 방법을 아동에게 가르친다. | • 아동이 이야기 시간에 조용히 앉아서 책장이 넘어갈 때 종이에 표시하도록 시킨다.<br>• 교실에서 수학이나 다른 과제를 하는 동안에 과제 행동을 자기평가 할 수 있도록 알람시계를 사용하게 한다. |

(2) 중심축 반응 훈련과 비연속 시행 훈련의 비교

| 구분 | 중심축 반응 훈련 | 비연속 시행 훈련 |
| --- | --- | --- |
| 교재 | • 아동이 선택<br>• 매 시도마다 다양하게 제시<br>• 아동의 일상 환경에서 쉽게 찾을 수 있는 연령에 적합한 교재 사용 | • 치료자가 선택<br>• 준거에 도달할 때까지 반복 훈련<br>• 중재 절차의 시작은 자연적 환경에서 기능적인 여부를 고려하지 않고 목표 과제와 관련된 교재 제시 |
| 상호<br>작용 | 훈련자와 아동이 교재를 가지고 놀이에 참여함 | • 훈련자가 교재를 들고 있음<br>• 아동에게 반응하도록 요구함<br>• 교재는 상호작용하는 동안 기능적이지 않음 |
| 반응 | 반응하고자 하는 시도는 대부분 강화됨 | 정반응이나 정반응에 가까운 반응을 강화함 |
| 결과 | 자연적 강화를 사회적 강화와 함께 사용 | 먹을 수 있는 강화제를 사회적 강화와 함께 제공 |

**20**    2013추시 유아A-6

**모범답안**

| 1) | (활동의) 예측 가능성 |
| --- | --- |
| 2) | • 준언어적 요소(또는 초분절적 요소)<br>• 이유: 자폐성장애 학생들은 의사소통의 교환적 개념을 모르기 때문이다(또는 의사소통을 매개로 하여 자신이 원하는 어떤 결과를 획득한다는 것을 잘 알지 못하기 때문이다). |

**해설**

1) 시간이 어떻게 사용되는지에 관한 정보를 제공하는 시간 구조화는 일과를 예상할 수 있도록 지원해 주고 심리적 불안을 완화하여 학습에 대한 동기나 가능성을 높일 수 있다. 시간의 구조화는 활동에 걸리는 시간, 활동의 변화와 순서, 해야 할 활동에 대한 묘사, 시작과 끝에 대한 안내, 활동의 전환 안내 등을 제공한다(방명애, 2018 : 253).

2) 언어습득이 이루어지기 이전 단계에서 일반아동들은 비구어적 신호들을 통해 자신이 원하는 바를 표현하고 이를 통해 상호작용을 한다. 그러나 자폐아동들은 그것들을 상호관계 속에서 언어수단으로 사용하는 능력에 결함을 보인다. 그에 대한 원인은 자폐아동들이 의사소통의 교환적 개념, 즉 의사소통을 매개로 하여 자신이 원하는 어떤 결과를 획득한다는 것을 잘 알지 못하기 때문이다. 자신의 불만이나 불쾌감을 상대방에게 전달하고 설명하는 능력이 부족하며, 때로는 상대방을 의사소통 파트너로 인식하는 데에도 문제를 보인다(고은, 2021 : 343-344).

**21**    2013추시 유아A-7

**모범답안**

| 2) | ⓒ 자극 제시<br>ⓒ 피드백 |
| --- | --- |

**해설**

2) 비연속 개별 시도 교수는 주의집중, 자극 제시, 학생 반응, 피드백, 시행 간 간격을 구성 요소로 한다.

## 22        2013추시 유아B-8

**모범답안**

| 2) | • 번호: ① <br> • 수정 내용: (자폐성장애 아동의 반향어는 의사소통적 기능을 가지므로) 반향어의 의사소통적 기능을 파악하여 사회적 상호작용을 도와준다. |
|---|---|

**해설**

2) ① 자폐성장애 학생의 반향어는 제거되어야만 하는 문제행동이라기보다는 주장, 응답, 요구 등의 의사소통적 기능이 있으며, 자기 상해적인 행동은 수업활동이 지루해진 것을 표현하는 의사소통적 기능을 가진 행동일 수도 있다(방명애, 2018: 183).
  • 과거에는 반향어가 아무런 의미 없는 소리로 간주되었다. 그러나 즉각 반향어는 무엇인가 이해한다는 증거를 제공하고 기능적 목적으로 사용된다. 지연 반향어는 다양한 방식으로 사회적 상호작용을 도울 수 있다(김건희 외, 2018: 320).

## 23        2014 유아A-4

**모범답안**

| 1) | 제한적이고 반복적인 관심과 활동 |
|---|---|
| 2) | ① 지연 반향어 <br> • 의사소통 기능: 요구하기(또는 요청하기) |

**해설**

1) 장애인 등에 대한 특수교육법에 의하면 특수교육 대상자로서의 자폐성장애는 "사회적 상호작용과 의사소통에 결함이 있고, 제한적이고 반복적인 관심과 활동을 보임으로써 교육적 성취 및 일상생활 적응에 도움이 필요한 사람"으로 정의되어 있다.

**Check Point**

### (1) 즉각 반향어 기능

| 기능 | 예시 |
|---|---|
| 비초점 | 시선이나 동작이 사람이나 사물을 향하지 않고 발화 후에도 그 의도를 나타내는 증거가 보이지 않는다. <br> 예 "길동아, 하지 마."라고 말하면, 시선을 전혀 맞추지 않고 여전히 자기 할 일을 하면서 무의미하게 따라 말한다. |
| 주고받기 반응 | 시선이나 동작이 사람이나 사물을 향하고 있으나, 주고받는 순환적인 반응이나 이해를 동반하지 않는다. <br> 예 "이건 뭐야?"라고 물으면, 무의미하게 "이건 뭐야?"라고 따라 말하지만 시선은 사물을 보고 있다. |
| 연습 | 행동을 일으키기 전에 생긴 반향어로서 직후의 동작이나 의도가 추측된다. <br> 예 "밥 먹고 이 닦아야지."라고 말하면, 그것을 예측하고 행동을 하러 가면서 "밥 먹고 이 닦아야지."라고 말한다. |
| 자기규제 | 동작을 행하는 중에 자기가 행해야 할 동작에 대해서 반향어로 말한다. <br> 예 손을 물고 있는 학생에게 "물지 마!"라고 말하면, "물지 마!"라고 말하면서 손을 뗀다. |
| 기술 | 시선이나 동작이 사람이나 사물을 향해 있고 사물의 명칭을 반향어로서 말한다. <br> 예 학생이 선생님 시계를 뚫어져라 쳐다보자 "이건 선생님 시계야."라고 말하자 "선생님 시계야."라고 말한다. |
| 대답 | 반향어로 긍정을 표현하는 것으로, 직전 또는 직후의 동작으로 그 의도가 표현되어 있다는 것을 알 수 있다. <br> 예 학생이 놀이터에서 발걸음을 멈추자, 교사가 "지금은 비가 와서 안 돼."라고 말하자 "비가 와서 안 돼."라고 말한다. |
| 요구 | 필요한 물건을 얻거나 하고 싶은 행동을 하기 위하여 반향어를 말하는 것으로, 허가가 주어지면 사물을 가져거나 하고 싶은 행동을 한다. <br> 예 교사가 학습꾸러미에서 모형 비행기를 꺼내며 "빨간 것은 찬희 것, 파란 것은 종호 것"이라고 말하자, "파란 것은 종호 것"이라고 말한다. |

출처 ▶ 고은(2021)

(2) 지연 반향어 기능

| 기능 | 설명 |
|------|------|
| 비목적적 | 아무런 목적도 관찰되지 않으며 자기자극적이다. |
| 상황 연상 | 물체나 사람 또는 행동에 의해서 초래되는 반향어이다.<br>예 칫솔을 보면, "잘 닦아라." |
| 연습 | 언어적 형식을 갖춘 문장을 연습하듯이 반복한다. 대개 낮고 작은 소리로 연습하는 경향이 있다. |
| 자기지시적 | 대개 활동을 하기 전이나 활동을 하면서 반향어를 하는데, 연습에서처럼 다소 작은 소리로 한다. 자신의 행동을 통제하는 인지적인 기능을 갖고 있는 것으로 보인다. |
| 상호적 명명하기 | 대개 제스처를 동반하여 활동이나 사물을 명명한다. |
| 비상호적 명명하기 | 행동이나 사물에 대해 명명한다. 상호적인 명명과 유사하지만, 이 경우에는 스스로에게 말하는 것처럼 보이며 의사소통 의도는 보이지 않는다. |
| 순서 지키기 | 교대로 말하는 상황에서 자신의 구어 순서를 채우는 기능을 한다. 의사소통적 의도는 관찰되지 않는다. |
| 발화 완성하기 | 상대방에 의해서 시작된 일상적인 말에 반응하여 그 발화를 완성하는 기능을 나타낸다. |
| 정보 제공하기 | 상대방에게 새로운 정보를 제공해 준다.<br>예 "동생이 아파요." |
| 부르기 | 상대방의 주의를 끌거나 상호작용을 유지하려는 기능을 갖는다. 상대방이 쳐다보지 않으면 계속해서 부르는 경우가 많다. |
| 수긍하기 | 상대방의 말에 수긍하는 기능을 갖는다. 대개 바로 전에 말한 것을 행동에 옮긴다.<br>예 "장난감을 집어" 하면서 장난감을 챙긴다. |
| 요구하기 | 원하는 물건/행동을 얻기 위하여 요구하는 기능을 나타낸다. 대개 원하는 물건을 바라보면서 말하며 그 물건을 얻을 때까지 계속한다. |
| 저항하기 | 다른 사람의 행동에 저항하는 기능을 갖는다. 그러므로 다른 사람의 행동을 저지하는 결과를 가져올 수 있다.<br>예 "안 돼." |
| 지시하기 | 다른 사람의 행동을 지시하고 통제하는 기능을 갖는다.<br>예 "하지 말랬지." |

출처 ▶ 김영태(2019)

모범답안

1) 
- 구조화 전략: 시간의 구조화
- 적용 이유: 시간의 구조화는 활동의 예측 가능성을 제공하므로 성주의 불안감을 감소시켜 학습활동에 집중할 수 있도록 하기 때문이다.

**Check Point**

(1) 시간의 구조화

① 교실의 물리적 구조화(공간적 지원)는 해당 공간에서 무엇을 할지에 대한 기대를 전달하고 적절한 행동을 지원하며, 시간적 구조화(시간적 지원)는 학습에 대한 동기와 가능성에 영향을 미친다.

② 시간적 구조화는 시간이 어떻게 사용되는지를 의미한다.

③ 시간이 어떻게 사용되는지에 관한 정보를 제공하는 시간의 구조화는 일과를 예상할 수 있도록 지원해 주고 심리적 불안을 완화하여 학습에 대한 동기와 가능성을 높일 수 있다.

④ 시간의 구조화는 활동에 걸리는 시간, 활동의 변화와 순서, 해야 할 활동에 대한 묘사, 시작과 끝에 대한 안내, 활동의 전환 안내 등을 제공한다.

⑤ 예상할 수 있는 일과를 확립하는 것은 심리적 불안을 일부 완화시켜 줄 수 있고 아동이 학습에 더 집중할 수 있도록 만들어 줄 수 있다.

(2) 시각적 일과표 활용

① 시간의 구조화를 확립하는 대표적인 방법은 시각적 일과표의 활용이다.

② 시각적 일과표는 하루의 한 부분, 하루 전체, 일주일, 한 달, 또는 일 년에 관한 정보를 제공하는 일정에 관한 대표적인 시각적 지원이다.

③ 시각적 일과표는 아동의 독립성을 향상시키고 교사의 지속적인 감독과 지원에 대한 요구를 줄여 줄 수 있다. 시각적 일과표를 통해 아동은 해당 일의 활동을 순서에 맞게 진행할 수 있고 시간 구조와 환경적 배열을 이해할 수 있다.

④ 시각적 일과표를 활용하여 아동 스스로 일과를 점검하고 조정할 수 있도록 지도하면 이후 독립적 기능수행을 촉진하는 데 도움이 된다. 시각적 일과표는 구조를 제공하며 프리맥 원리가 적용될 수 있고 시간에 관한 교수가 가능하며 예측과 선택을 학습할 수 있으며 독립심을 증진시킬 수 있고 일과와 관련한 담화를 강화할 수 있으며 아동의 시각적 강점을 활용하는 장점을 가지고 있다.

⑤ 시각적 일과표는 제공하고자 하는 범위에 따라 다양하게 구성될 수 있다.

| 활동 간 일과표 | 하나의 일과 내에 이루어지는 활동의 순서를 제시하는 일과표 |
|---|---|
| 활동 내 일과표 | 활동을 수행하기 위한 단위행동들을 과제분석하여 이를 순서대로 제시한 것(과제구성도) |

# 25            2014 중등A-15

**모범답안**

의사소통판에 있는 두 가지 이상의 그림을 변별하는 것을 배운다.

**해설**

**지문 돋보기**

- 학생 A와 의사소통 상대자인 박 교사는 서로 마주 보고 앉고 : 1단계에서 훈련자는 학생이 충분히 볼 수 있는 위치에서 선호물을 보여줌
- 학생 A가 박 교사에게 자신이 좋아하는 야구공이 그려진 그림카드를 집어 주면, 박 교사는 "야구공을 갖고 싶었구나!"라고 하면서 학생 A에게 즉시 야구공을 준다. : [1단계] 교환 개념 지도 및 교환 훈련 과정
- 이와 같은 방식으로 학생 A가 하나의 그림카드로 그 카드에 그려진 실제 물건과의 교환을 독립적으로 하게 되면, 박 교사는 학생 A와의 거리를 점점 넓힌다. : [2단계] 자발적 교환단계의 시작

- 제시된 내용의 후반부는 훈련의 2단계 활동 내용이다. 이 단계에서 훈련자는 아동으로부터 조금 더 멀리 떨어진 곳으로 움직이고 의사소통판도 아동으로부터 보다 멀리 놓는다. 아동은 교환을 하려면 의사소통 대상자에게 가까이 가서 그림을 줘야 한다는 것을 배워야 하기 때문이다. 이때 훈련자는 의사소통 대상자를 향해 아동이 움직이는 것, 특별히 의사소통 대상자의 손을 향해 움직이는 것을 촉진해야 한다. 또한 2단계에서는 두 명의 훈련자가 참여하는데 훈련자 1은 아동의 시야에서 조금 멀리 이동하여 아동이 그림을 향해 다가가도록 하고, 훈련자 2는 아동이 훈련자 1의 얼굴이나 어깨를 만지도록 시범 보이거나 신체적으로 촉진한다.
- 3단계는 그림 변별 훈련 단계로, 의사소통판에 있는 두 가지 이상의 그림을 변별하는 것을 습득하도록 한다.

**Check Point**

## 📝 그림교환의사소통체계 실행 단계

**[1단계] 교환 개념 지도 및 교환 훈련**
(목표) 학생이 테이블 위에 있는 그림카드를 집어서 훈련자에게 주고 원하는 것을 받는 것이다.
⇩

**[2단계] 자발적 교환 훈련**
- (목표) 학생은 교환을 하려면 의사소통 대상자에게 가까이 가서 그림을 줘야 한다는 것을 배우는 것이다.
- (유의사항) 여러 의사소통 대상자(훈련자)에게 훈련을 받도록 하여, 이후 다양한 사람들과 의사소통을 시작할 수 있도록 해야 한다.
⇩

**[3단계] 그림 변별 훈련**
- (목표) 의사소통판에 있는 두 가지 이상의 그림을 변별하는 것을 습득하도록 한다.
- (유의사항) 한 가지 그림카드의 위치를 계속 바꿔 주어 아동이 그림카드의 위치를 기억하여 그에 따라 반응하지 않도록 해야 한다.
⇩

**[4단계] 문장 만들기 지도(문장으로 표현하는 방법 지도)**
⇩

**[5단계] 질문에 반응하기 훈련**
(목표) 학생이 일상생활 중 "뭘 줄까?"라는 질문에 대답하고 스스로 원하거나 필요한 물건과 행동을 요청하게 하는 것이다.
⇩

**[6단계] 질문에 대한 반응으로 설명하기 훈련**
(목표) 새로운 의사소통 기능을 가르치는 것이다.

## 26                2015 유아A-1

**모범답안**

| 1) | ⊙ 파워카드 전략 |
|---|---|
| 2) | ① 글자와 공룡을 좋아하며 읽기를 잘한다.<br>② 친구들과 어울릴 때 어려움이 있다. |
| 3) | ① 문장의 공통적 기능: 자신 또는 다른 사람의 마음 상태나 생각, 느낌 등에 관련된 정보를 제시한다(또는 사람의 내적 상태, 생각, 감정, 신념, 의견 등을 묘사한다).<br>② 문장 유형: 조망문 |

**해설**

▶ **지문 돋보기**

(나) 지원 전략(파워카드 전략)
• 티라노랑 친구들은 ~ 그네를 탈 수 있어요. : 시나리오(스크립트)의 첫 번째 문단에서는 영웅이나 롤 모델이 등장하여 문제 상황에 대한 해결책이나 성공 경험 제공
• 타고 싶은 ~ 그네를 탄다. : 시나리오의 두 번째 문단에서는 3~5단계로 나눈 구체적인 행동을 제시하여 새로운 행동을 습득할 수 있도록 함

(나) 지원 전략(상황이야기)
• 나는 친구들과 장난감 놀이를 해요. : 설명문
• 나와 친구들은 장난감을 아주 좋아해요. : 조망문
• 어떤 때는 내 친구가 먼저 장난감을 가지고 놀아요. : 설명문
• 그럴 때는 친구에게 "이 장난감 같이 가지고 놀아도 돼?"라고 물어보아요. : 지시문
• 친구가 "그래"라고 말하면 그때 같이 가지고 놀 수 있어요. : 지시문
• 그래야 내 친구도 기분이 좋아요. : 조망문
• 나는 친구에게 "친구야, 이 장난감 같이 가지고 놀아도 돼?"라고 물어볼 수 있어요. : 지시문

2) 파워카드 전략이란 아동의 특별한 관심을 사회적 상호작용 교수에 포함시키는 시각적 지원 방법이다. 따라서 (나)에 제시된 파워카드 전략은 민수가 글자와 공룡을 좋아한다는 특별한 관심을 친구들의 사회적 상호작용에 포함시키기 위해 적용한 시각적 지원 방법이라고 할 수 있다.

**Check Point** ●━━━━━━━━━━━━━━

**(1) 설명문**

| 유형 | 내용 | 예시 |
|---|---|---|
| 설명문 | 관찰 가능한 상황적 사실을 설명하는 문장과 사실에 관련된 사회적인 가치나 통념에 관련한 내용을 제시한다. | • 사실 설명: 용돈은 나에게 필요한 것을 살 수 있도록 부모님께서 주시는 돈입니다.<br>• 사회적 가치 및 통념: 용돈을 아끼기 위해 필요한 물건만 구입하는 것은 매우 현명한 일입니다. |
| 조망문 | 다른 사람의 마음 상태나 생각, 느낌, 믿음, 의견, 동기, 건강 및 다른 사람이 알고 있는 것에 대한 정보 등에 관련된 정보를 제시한다. | • 다른 사람이 알고 있는 것에 대한 정보: 내 친구는 나에게 무엇이 필요한지 알고 있습니다.<br>• 느낌과 생각: 우리 부모님은 내가 맛있는 음식을 골고루 먹을 때 매우 기뻐하십니다. |
| 긍정문 | 일반적인 사실이나 사회적 규범이나 규칙 등과 관련된 내용을 강조하기 위한 문장이다. | • 도서관에서 친구들에게 꼭 해야 할 말이 있을 때는 아주 작은 목소리로 말할 것입니다. <u>그것은 매우 중요합니다.</u><br>• 친구의 물건을 사용하고 싶을 때는 친구의 허락을 받은 후 사용할 것입니다. <u>이것은 매우 중요합니다.</u> |

**(2) 코칭문**

| 유형 | 내용 | 예시 |
|---|---|---|
| 청자 코칭문 | 이야기를 듣는 학생이 할 수 있는 행동이나 반응을 제안한다. | 쉬는 시간에 나는 그림을 그리거나 책을 읽거나 다른 조용한 활동을 할 수 있습니다. |
| 팀원 코칭문 | 양육자나 교사와 같은 팀 구성원이 학생을 위해 할 수 있는 행동을 제안하거나 떠올리도록 한다. | 우리 엄마는 나에게 수건 접는 방법을 알려 주실 것입니다. |
| 자기 코칭문 | • 학생이 부모나 교사와 함께 이야기를 검토하면서 이야기 구성에 참여하는 것이다.<br>• 자기 코칭문은 학생의 주도권을 인정하고 스스로 이야기를 회상하며 다양한 시간과 장소에서 이야기의 내용을 일반화시킬 수 있도록 돕는다. | 선생님이 "눈과 귀를 교실 앞에 두어라."라고 하시면 나는 선생님이 하시는 말씀을 잘 듣고 선생님의 행동을 잘 보라는 것으로 이해하고 그것을 지키려고 노력하겠습니다. |

## 27 2015 유아A-2

**모범답안**

| 3) | 그림 일과표를 이용하여 활동의 예측 가능성을 높여 주도록 하였다(또는 시각적 일과표를 사용하여 활동의 예측 가능성을 높여 주도록 하였다). |
|---|---|

**해설**

3) 학급의 물리적 환경 구성에 있어서는 ① 감각적 속성을 고려하여 편안한 환경을 조성하고, ② 예측이 가능하고 참여를 증진시킬 수 있도록 환경을 구조화하며, ③ 변화와 이동에 적응하게 하는 융통성 있는 환경을 구성하는 것이 좋다. … (중략) … 예를 들어, 그림이나 사진으로 제작한 일과표 등의 시각적 지원은 학급 내에서의 기대 행동을 이해하고 규칙을 따르고 부적절한 행동을 줄이고 활동 간 이동에 보다 쉽게 적응하도록 돕는 것으로 나타났다(이소현, 2020 : 460). 이에 비춰볼 때 박 교사는 지우가 한 활동이 끝나고 다른 활동으로 전이하는 것을 도와주기 위해 그림 일과표를 제작하여 교실 환경에 배치(물리적 환경의 구조화)할 것을 제안하고 있다.
   - 장애유아를 위한 교육에 있어서 물리적 환경이란 공간과 공간을 구성하는 시설·설비 및 교재·교구 등을 모두 포함한다(이소현, 2020 : 367).

## 28 2015 유아A-5

**모범답안**

| 1) | 중앙응집 기능의 결함 |
|---|---|
| 2) | A: 운소(또는 비분절음, 초분절음) |

**해설**

1) 영수는 '3'과 '꽃'이라고 대답했다. : 전체보다는 특정 부분에만 초점을 맞추고 있다.

2) 음운론이란 한 언어 내에서 사용되는 말소리의 기능과 체계를 과학적으로 연구하는 학문으로 음성학과 음운론으로 나뉜다. 이 중 음운론은 말소리의 체계와 기능을 연구하는데 기본 단위는 음운(또는 음소)이다. 음운은 단어의 뜻을 구별하게 해주는 소리의 최소단위라고 정의되며, 음소와 운소로 구분된다. 음소는 분절 음운으로서 자음과 모음을 말하며 운소는 장단, 억양, 강세 등과 같은 비분절 음운을 가리킨다(고은, 2021 : 76-77).

**Check Point**

**✎ 음운론**

① 음운론의 기본 단위는 '음운'이다. 음운은 음소와 운소로 구분된다.

② 음소는 분절음으로 자음과 모음을 말하며 운소는 장단, 억양, 강세 등과 같은 초분절음(또는 비분절음)을 의미한다.

## 29 2015 초등B-4

**모범답안**

| 1) | 자극 제시 |
|---|---|
| 2) | 다음 중 택 1<br>• 제한적이고 반복적인 관심과 활동<br>• 제한적이고 반복적인 행동, 흥미, 활동<br>• 강도나 초점에 있어서 비정상적으로 극도로 제한되고 고정된 흥미<br>• 제한된 범위의 관심 영역에 지나치게 집중하거나 특별한 흥미를 보이는 행동 |
| 3) | 다음 중 택 1<br>• 학습한 기술의 일반화에 어려움이 있다.<br>• 교사 주도적이다.<br>• 자기주도 능력이 억제된다.<br>• 집단 활동 중심의 학교 상황에 적용하기 어렵다. |

**해설**

2) 자폐성장애 아동은 제한된 범위의 관심 영역에 지나치게 집중하거나 특별한 흥미를 보이는 행동을 한다(2012 유아1-8 기출).

**Check Point**

**✎ 비연속 시행 훈련의 장단점**

| 장점 | • 학생에게 많은 학습 기회를 제공한다.<br>• 산만한 것들을 제거함으로써 교수 상황이 분명하다.<br>• 중요한 기술을 독립된 부분으로 나눈다.<br>• 정확한 행동을 미리 결정하고, 즉시 강화한다.<br>• 모든 사람에게 똑같은 접근법으로 사용 가능하다.<br>• 개별 학생요구에 맞게 수정 가능하다. |
|---|---|
| 단점 | • 분명한 단서가 제시되지 않을 때는 행동을 자발적으로 하지 못하는 자극 의존성의 제한점이 있다.<br>• 교사가 엄격하게 통제된 학습 환경을 만들어 지도하기 때문에 비연속 시행 훈련을 통해 획득된 기술이 학습 상황과 유사한 상황에서 나타나는 일반화의 제한을 가지고 있다.<br>• 교사 주도적이다.<br>• 교사가 학생과 일대일 상황에서 개별적으로 상호작용하고 지속적으로 자극을 제공해야 한다는 점에서 집단 활동 중심의 학교 상황에서는 매우 제한적이다. |

# 30

**모범답안**

| 3) | 의사소통판에 있는 두 가지 이상의 그림을 변별하는 것을 습득하도록 한다(또는 그림카드를 구별하는 변별학습이다 / 학생은 그림 상징의 모음 중에서 적절한 그림으로 요청하는 것을 배운다). |
|---|---|

**해설**

3) (나)는 버스 그리기를 좋아하는 정호에게 버스 그림카드와 기차 그림카드 2개를 활용하여 자발적 의사소통을 지도하는 과정을 보여주고 있다. 그림교환의사소통체계의 3단계 활동을 묘사한 것이다.
- 3단계에서는 의사소통 판에 있는 두 가지 이상의 그림을 변별하는 것을 습득하도록 한다. 이 훈련을 위해 교사는 의사소통 판에 아동이 선호하는 것과 선호하지 않는(혹은 중립적인) 2개의 그림카드를 붙이고 아동에게 잘 보일 수 있도록 놓아둔다(방명애, 2019 : 69).

**Check Point**

### ☑ 그림교환의사소통체계의 단계와 목표

① 고은(2021)

| 단계 | 목표 |
|---|---|
| 1단계 | 교환개념을 학습하는 것이다. |
| 2단계 | 아동이 일정 거리를 두고 놓여 있는 의사소통 판에서 그림카드를 떼어 의사소통 파트너의 손에 주는 것이다. |
| 3단계 | 그림카드를 구별하는 변별학습이다. |
| 4단계 | 제시되지 않음 |
| 5단계 | 제시되지 않음 |
| 6단계 | 사건과 사물에 대해 설명하는 것이다. |

출처 ▶ 고은(2021). 내용 요약정리

② Frost & Bondy(2002)
그림교환의사소통체계(PECS)는 자폐증 또는 다른 발달지체 학생에게 기능적인 의사소통을 가르치기 위한 포괄적인 프로그램이다. 이 프로그램은 델라웨어 자폐증 프로그램에서 Andy Bondy와 Lori Frost에 의해 개발되었다(Barton et al., 2015 : 171).

| 단계 | 목표 |
|---|---|
| [1단계] 의사소통하는 방법 | 학생은 가장 선호하는 물건을 그림 상징과 주고받는 것을 배운다. |
| [2단계] 거리와 지속성 | 학생은 좀 떨어진 거리에 있는 의사소통 판에서 그림 상징을 떼어 교사의 관심을 얻고, 그림 상징을 주고받는 것을 배운다. |
| [3단계] 그림 변별 | 학생은 그림 상징의 모음 중에서 적절한 그림으로 요청하는 것을 배운다. |
| [4단계] 문장 구조 | 학생은 여러 단어로 된 문장을 사용하여 물건을 요구하는 것을 배운다. <br> 예 "나는 ○○을 원해요." |
| [5단계] "무엇을 원하니?"에 반응하기 | 학생은 "무엇을 원하니?"라는 질문에 반응하여 그림 상징을 주고받는 것을 배운다. |
| [6단계] 대답하기 | 학생은 다음 질문에 대답하는 것을 배운다 ("무엇이 보이니?", "무엇을 가지고 있니?", "무엇이 들리니?", "그건 무엇이니?"). |

출처 ▶ Barton et al.(2015 : 172)

# 31

**모범답안**

| 2) | 마음이해능력(또는 마음이론, 생각의 원리) |
|---|---|

**해설**

**지문 돋보기**
- 친구들이 "얼굴이 안 보여."라고 말했다. 이에 효주는 "난 보이는데…."라고 말했다. : 나와 다른 위치에서 사물을 바라볼 때 다른 것을 볼 수 있다는 것을 이해(시각적 조망 수용)하지 못하고 있음. 이는 다른 사람의 정보적 상태에 대한 이해 능력에 어려움이 있음을 의미하며 마음이해능력의 결함으로 인해 나타남

2) 마음이해능력은 넓은 의미와 좁은 의미로 이해할 수 있는데, 넓은 의미의 마음이해능력은 다른 사람의 마음에 대한 모든 지식을 모두 포함한다. 예를 들어, 어린 학생이 무엇인가를 하기 위하여 어머니의 얼굴을 쳐다보는 것과 같은 행동이 이에 해당한다. 이와 달리, 보다 제한된 의미의 마음이해능력은 다른 사람의 믿음과 바람, 의도 등과 같이 다른 사람의 행동을 보면서 직접적으로 관찰할 수 없는 정신적 상태를 추론하고 이러한 추론에 의하여 다른 사람의 정서적 상태나 정보적 상태를 예측하도록 하는 심리적 체계이다(방명애 외, 2019 : 135).

• 유아가 자신의 관점에서 벗어나 타인의 입장이 되어 타인의 마음을 이해하고 추론하는 능력을 조망수용능력이라고 하며, 유아의 사회인지 발달에 매우 중요하다고 하겠다. 조망수용능력은 시각적으로 타인의 관점을 수용하는 지각적 조망수용, 타인의 의도와 사고를 이해하고 추론하는 인지적 조망수용, 그리고 다른 사람의 정서적 상태를 이해하는 정서적 조망수용으로 분류된다(정덕희, 2011).

## 32 　　　　　　　　　　　　　　　2016 초등A-6

**모범답안**

| 2) | 왼쪽 바구니에 풀지 않은 문제지 4장을 넣고, 문제지를 1장씩 꺼내어 문제를 푼 후 다 푼 문제지는 오른쪽 바구니에 넣도록 한다. |
|---|---|

**해설**

2) 난이도가 가장 낮은 단계의 작업 시스템인 '왼쪽에서 오른쪽으로' 방식을 예를 들어 설명한다.

**Check Point**

### (1) TEACCH의 구조화 유형

| 물리적 구조화 | • 물리적 구조화는 아동이 어디에 있어야 하는지 그리고 거기서 해야 하는 과제와 활동이 무엇인지에 대한 정보를 제공한다.<br>• 분명한 특정 경계를 제시하는 것과 같은 예측 가능한 방법으로, 아동이 해야 할 활동을 알려 주는 시각 정보를 제공한다.<br>• 물리적 구조화는 아동의 주의집중 분산이나 감각자극의 과부하를 유발할 수 있는 환경적 요소를 줄여준다. |
|---|---|
| 일과의 구조화 | • 일과의 구조화는 하루에 일어나는 일의 계열을 조직하고 의사소통하기 위해 일과를 구조화하는 것으로, 주로 일과표의 개발과 활용을 통해 이루어진다.<br>• 일과의 구조화를 확립하는 대표적인 방법은 시각적 일과표의 활용이다.<br>　- 시각적 일과표는 하루의 한 부분, 하루 전체, 일주일, 한 달, 또는 일 년에 관한 정보를 제공하는 일정에 관한 대표적인 시각적 지원이다.<br>　- 시각적 일과표는 활동의 예측가능성을 제공하므로 아동의 불안 감소에 도움이 된다.<br>　- 시각적 일과표에는 활동 간 일과표와 활동 내 일과표가 있다. |
| 개별 과제 조직 | • 개별 과제 조직은 아동이 수행할 과제의 자료를 조직하는 것으로 아동이 해야 하는 과제가 무엇인지, 어떻게 과제를 수행해야 하는지, 얼마 동안 과제를 해야 하는지 등에 관한 정보를 시각적 지원을 활용하여 아동에게 제공한다. |
| 작업 시스템 | • 시각적 지원은 조직화된 개별 과제를 지도하는 데 필수 요소이다. 시각적 지원을 통해 아동은 과제 완성 전략을 학습하고 무엇을 성취해야 하는지를 명확하게 학습할 수 있다.<br>• 작업 시스템이란 교사의 직접적인 지도와 감독을 통해 습득된 개별 과제를 연습하거나 숙달하는 시각적으로 조직화된 공간을 의미한다.<br>• 작업 시스템은 과제 또는 활동의 특성에 관계없이 다음과 같은 정보를 제공해야 한다.<br>　- 작업에서 완성해야 되는 것은 무엇인가?<br>　- 얼마나 많은 작업을 완성해야 하는가?<br>　- 언제 작업을 끝내야 하는가?<br>　- 다음 단계는 무엇을 해야 하는가?<br>• 작업 시스템은 작업 공간에서 아동이 독립적으로 모든 활동을 완수하는 것이 목표이므로, 새로운 기술을 가르치는 것보다는 기술의 숙달을 촉진하는 것에 주안점을 두어야 한다. |

### (2) 작업 시스템

① TEACCH 프로그램에서는 보통 난이도가 다른 네 종류의 방식(왼쪽에서 오른쪽으로 방식, 색깔 맞추기를 이용한 시스템, 상징기호 시스템, 문자에 의한 시스템)을 사용하는데, 개별 아동의 기능 수준에 맞춘 방식을 응용하여 지도하는 것이 중요하다. 여기서는 난이도가 가장 낮은 단계의 작업 시스템인 '왼쪽에서 오른쪽으로' 방식에 대해 살펴보도록 한다.

　㉠ 교재는 미리 학습이나 작업용 책상 위 왼쪽에 준비해 놓고, 책상 위 오른쪽에는 완성물을 넣을 상자를 놓아둔다. 아동은 왼쪽 상자에 있는 교재나 작업용 부품을 꺼내 책상 가운데서 정해진 과제를 하고 완성물을 오른쪽 상자 안에 넣는다. 어떤 과제를 어느 정도의 분량으로 해야 할지는 왼쪽의 교재나 재료를 보고 가운데의 그림 설명을 보면 이해할 수 있도록 되어 있다. 왼쪽 상자가 텅 비고 오른쪽 상자가 완성물로 가득 찼을 때 과제나 작업이 종료되는 것이므로, 시간 개념이 취약해도 자폐성장애 아동의 장기인 시각적 기능으로 이해할 수 있게 한다.

　㉡ 이때 좌우 상자 사이의 중앙에 시각적으로 제공되는, '정해진 과제'에 대한 이해를 돕는 아이디어가 개별 과제 조직(또는 과제 편성)이라는 구조화 방법이다.

② 과제 학습이나 작업이 끝나면 벨을 울리는 방법 등으로 교사에게 알리도록 가르치는 것도 좋다. 또한 작업이 끝나고 아동이 좋아하는 활동이나 간식 시간을 갖게 하면 기대나 즐거움을 체험하게 되어 학습이나 작업 의욕을 강화시킬 수도 있다. 이러한 활동도 적절한 지도 프로그램으로 짜여야 할 것이다(사사키 마사미, 2019: 114-115).

# 33 [ ]                                              2016 중등B-6

**모범답안**

• 반향어
  ㉠ 자기지시적 기능

**해설**

㉠ 지연 반향어이다.
기능) 자신의 행동을 통제하는 인지적 기능을 갖고 있으므로 자기지시적 기능을 갖고 있다고 할 수 있다.
㉢ 즉각 반향어에 해당한다.

**Check Point**

## 📝 지연 반향어의 기능

| 기능 | 예시 |
|---|---|
| 상호적 명명 | 대개 제스처를 동반하여 활동이나 사물을 명명한다. |
| 순서 지키기 | 교대로 말하는 상황에서 자신의 구어 순서를 채우는 기능을 한다. 의사소통의 의도는 관찰되지 않는다. |
| 발화 완성 | 상대방에 의해서 시작된 일상적인 말에 반응하여 그 발화를 완성하는 기능을 나타낸다. |
| 정보 제공 | 상대방에게 새로운 정보를 제공해 준다. |
| 부르기 | 상대방의 주의를 끌거나 상호작용을 유지하려는 기능을 갖는다. 상대방이 쳐다보지 않으면 계속해서 부르는 경우가 많다. |
| 수긍 | 상대방의 말에 수긍하는 기능을 갖는다. 대개 바로 전에 말한 것을 행동에 옮긴다. |
| 요구 | 원하는 물건을 얻기 위하여 요구하는 기능을 나타낸다. 대개 원하는 물건을 바라보면서 말하며 그 물건을 얻을 때까지 계속한다. |
| 저항 | 다른 사람의 행동에 저항하는 기능을 갖는다. 그러므로 다른 사람의 행동을 저지하는 결과를 가져올 수 있다. |
| 지시 | 다른 사람의 행동을 지시하고 통제하는 기능을 갖는다. |
| 비상호적 명명 | 행동이나 사물에 대해 명명한다. 상호적인 명명과 유사하지만, 이 경우에는 스스로에게 말하는 것처럼 보이며 의사소통 의도가 보이지 않는다. |
| 비목적적 기능 | 아무 목적이 없으며 자기 자극적이다. |
| 자기지시 | 대부분 활동하기 전이나 활동을 하면서 반향어를 하는데, 연습에서처럼 다소 작은 소리로 한다. 자신의 행동을 통제하는 인지적 기능을 갖고 있는 것으로 보인다. |
| 연습 | 언어적 형식을 갖춘 문장을 연습하듯이 반복한다. 대개 낮고 작은 소리로 연습하는 경향이 있다. |
| 상황 연상 | 물체나 사람 또는 행동에 의해서만 초래되는 반향어다. |

# 34 [ ]                                              2017 유아A-2

**모범답안**

| 1) | ① 강도나 초점에 있어서 비정상적으로 극도로 제한되고 고정된 흥미<br>② 감각 정보에 대한 과잉 또는 과소반응, 또는 환경의 감각 영역에 대한 특이한 관심 |
|---|---|
| 2) | 중심축 반응 훈련 |
| 3) | 동기유발 |
| 4) | 민수는 원하는 것을 요구하는 방법을 모를 때, 도움을 요청할 수 있다(또는 민수는 원하는 것을 요구하는 방법을 모를 때, 질문을 할 수 있다). |

**해설**

3) 중심축 반응 훈련은 동기유발, 복합 단서에 반응하기, 자기 관리, 자기 시도를 핵심 영역으로 한다.

**Check Point**

## 📝 자폐성장애의 DSM-5 진단기준

A. 다양한 분야에 걸쳐 나타나는 사회적 의사소통과 사회적 상호작용의 지속적인 결함으로 현재 또는 과거력상 다음과 같은 특징으로 나타난다.
  1. 사회적-정서적 상호성의 결함
     - 예 비정상적인 사회적 접근과 정상적인 주고받기 대화의 실패, 흥미, 감정이나 정서 공유의 감소, 사회적 상호작용을 시작하거나 반응하는 것의 실패
  2. 사회적 상호작용을 위한 비언어적인 의사소통 행동의 결함
     - 예 구어와 비구어적 의사소통의 서툰 통합, 비정상적인 눈맞춤과 몸짓 언어, 몸짓의 이해와 사용의 결함, 얼굴 표정과 비언어적 의사소통의 전반적 결핍
  3. 관계 발전, 유지 및 관계에 대한 이해의 결함
     - 예 다양한 사회적 맥락에서 적합한 행동 적응상의 어려움, 상상 놀이를 공유하거나 친구 사귀기의 어려움, 또래에 대한 관심 결여

     **현재 심각도를 명시할 것**: 심각도는 사회적 의사소통 손상과 제한적이고 반복적인 행동 양상에 기초하여 평가한다.
B. 제한적이고 반복적인 행동, 흥미, 활동이 현재 또는 과거력상 다음 항목들 가운데 적어도 2가지 이상 나타난다.
  1. 상동적이거나 반복적인 운동성 동작, 물건 사용 또는 말하기
     - 예 단순 운동 상동증, 장난감 줄세우기, 또는 물건 튕기기, 반향어, 특이한 문구 사용
  2. 동일성에 대한 고집, 일상적인 것에 대한 융통성 없는 집착, 또는 의례적인 언어나 비언어적 행동 양상
     - 예 작은 변화에 대한 극심한 고통, 활동 간 전환의 어려움, 완고한 사고방식, 의례적인 인사, 매일 같은 길로만 다니거나 같은 음식 먹기

3. 강도나 초점에 있어서 비정상적으로 극도로 제한되고 고정된 흥미
   - 예 특이한 물체에 대한 강한 애착 또는 집착, 과도하게 국한되거나 고집스러운 흥미
4. 감각 정보에 대한 과잉 또는 과소반응, 또는 환경의 감각 영역에 대한 특이한 관심
   - 예 통증/온도에 대한 명백한 무관심, 특정 소리나 감촉에 대한 부정적 반응, 과하게 사물의 냄새를 맡거나 만지기, 빛이나 움직임에 대한 시각적 매료

   **현재 심각도를 명시할 것**: 심각도는 사회적 의사소통 손상과 제한적이고 반복적인 행동 양상에 기초하여 평가한다.

C. 증상은 반드시 초기 발달 시기부터 나타나야 한다(그러나 사회적 요구가 개인의 제한된 능력을 넘어서기 전까지는 증상이 완전히 나타나지 않을 수 있고, 나중에는 학습된 전략에 의해 증상이 감춰질 수 있다).
D. 이러한 증상은 사회적, 직업적 또는 다른 중요한 현재의 기능 영역에서 임상적으로 뚜렷한 손상을 초래한다.
E. 이러한 장애는 지적장애(지적발달장애) 또는 전반적 발달지연으로 잘 설명되지 않는다. 지적장애와 자폐스펙트럼장애는 자주 동반된다. 자폐스펙트럼장애와 지적장애를 함께 진단하기 위해서는 사회적 의사소통이 전반적인 발달 수준에 기대되는 것보다 저하되어야 한다.

---

# 35             2017 유아B-3

**모범답안**

3) 믿음(또는 틀린 믿음)

**해설**

3) 자폐성장애 학생들은 일반학생에 비해 다른 사람의 정보적 상태에 대한 이해 능력에서 어려움을 보인다. 예를 들어, 다른 사람의 시각적 조망 수용을 이해하거나 다른 사람의 틀린 믿음을 이해하는 데서 많은 어려움을 보인다. 틀린 믿음 이해란 '나는 알고 있지만 다른 사람은 알지 못하는 것'을 의미한다(방명애 외, 2019 : 136).

**Check Point**

### ⊘ 믿음-바람 추론 구조

① 마음이해는 사람들의 일상적인 심리적 활동에 대한 이해를 포함하는 것으로, 일반적으로 믿음, 바람, 행위라는 삼각 구조로 설명된다.
   - 사람들은 무엇인가 원하는 것을 만족시키기 위하여 행동을 한다.
   - 믿음-바람 추론 구조 및 관련 요소 예시

| 관련 요소 | 일상생활 속에서의 예 |
| --- | --- |
| 행위 | 혜수는 피자 가게로 간다. |
| 생리적 상태 | 혜수는 배가 고팠고 |
| 바람 | 피자가 먹고 싶었으며 |
| 선호도와 지각적 경험 | 그 가게에서 자기가 좋아하는 감자피자(선호)를 먹었고(지각적 경험) |
| 믿음 | 그 가게에 가면 맛있는 피자를 먹을 수 있을 것으로 생각했다. |
| 정서적 반응 | 그러나 가게 문이 닫혔기 때문에 혜수는 몹시 실망하고 속상해했다. |

② 이와 같은 일상적인 심리적 과정인 믿음-바람 추론 구조에서 자폐아동들이 보이는 문제는 다음과 같은 세 가지로 요약될 수 있다.
   - 믿음-바람 추론 구조를 통하여 다른 사람의 행위를 예측하지 못한다.
   - 다른 사람의 행동을 심리적 상태로 묘사하고 설명하는 부분에서 어려움을 보인다.
   - 믿음-바람 심리 구조를 이용하여 다른 사람의 정서적 반응을 예측하는 데 상당한 어려움을 보인다.

출처 ▶ 박현옥(2011 : 11-12)

# 36 | 2017 초등B-6

**모범답안**

2)
① 테이프라는 한 가지 단서만 사용하고 있기 때문이다.
② 빨간색(또는 파란색) 테이프 주세요.

**해설**

2) 책상 위에 놓여 있는 컵, 물, 주전자, 빨간색, 파란색, 테이프, 사인펜은 자극이 되며 교사의 지시문에 컵, 물, 주전자, 빨간색, 파란색, 테이프, 사인펜을 포함시키는 것은 단서에 해당한다. 복합 단서를 제시하기 위해서는 이와 같은 단서들 중 두 가지 이상을 포함하여 언급해야 한다.

# 37 | 2017 중등A-7

**모범답안**

| | |
|---|---|
| ㉠ | 사회적-정서적 상호성의 결함 |
| ㉡ | 다음 중 택 1<br>• 구어와 비구어적 의사소통의 서툰 통합<br>• 비정상적인 눈맞춤과 몸짓 언어<br>• 몸짓의 이해와 사용의 결함<br>• 얼굴 표정과 비언어적 의사소통의 전반적 결핍 |

**Check Point**

(1) 사회적 의사소통 및 사회적 상호작용의 지속적 결함 관련 특성 및 예

| 특성 | 예 |
|---|---|
| 사회적-정서적 상호성의 결함 | • 비정상적인 사회적 접근과 정상적인 주고받기 대화의 실패<br>• 흥미, 감정이나 정서 공유의 감소<br>• 사회적 상호작용을 시작하거나 반응하는 것의 실패 |
| 사회적 상호작용을 위한 비언어적인 의사소통 행동의 결함 | • 구어와 비구어적 의사소통의 서툰 통합<br>• 비정상적인 눈맞춤과 몸짓 언어<br>• 몸짓의 이해와 사용의 결함<br>• 얼굴 표정과 비언어적 의사소통의 전반적 결핍 |
| 관계 발전, 유지 및 관계에 대한 이해의 결함 | • 다양한 사회적 맥락에서 적합한 행동 적응상의 어려움<br>• 상상 놀이를 공유하거나 친구 사귀기의 어려움<br>• 또래에 대한 관심 결여 |

(2) 제한적이고 반복적인 행동, 흥미, 활동 관련 특성 및 예

| 특성 | 예 |
|---|---|
| 상동적이거나 반복적인 운동성 동작, 물건 사용 또는 말하기 | • 단순 운동 상동증<br>• 장난감 줄 세우기<br>• 물건 튕기기<br>• 반향어<br>• 특이한 문구 사용 |
| 동일성에 대한 고집, 일상적인 것에 대한 융통성 없는 집착, 또는 의례적인 언어나 비언어적 행동 양상 | • 작은 변화에 대한 극심한 고통<br>• 활동 간 전환의 어려움<br>• 완고한 사고방식<br>• 의례적인 인사<br>• 매일 같은 길로만 다니거나 같은 음식 먹기 |
| 강도나 초점에 있어서 비정상적으로 극도로 제한되고 고정된 흥미 | • 특이한 물체에 대한 강한 애착 또는 집착<br>• 과도하게 국한되거나 고집스러운 흥미 |
| 감각 정보에 대한 과잉 또는 과소반응, 또는 환경의 감각 영역에 대한 특이한 관심 | • 통증/온도에 대한 명백한 무관심<br>• 특정 소리나 감촉에 대한 부정적 반응<br>• 과하게 사물의 냄새를 맡거나 만지기<br>• 빛이나 움직임에 대한 시각적 매료 |

# 38 | 2017 중등B-3

**모범답안**

| | |
|---|---|
| ㉠ | 비연속 시행 훈련 |
| ㉡ | 즉각적으로 교정적 피드백을 제공한다. |

**해설**

㉡ 학생이 정확한 반응을 하면 교사는 즉시 적절한 강화제를 가지고 강화를 한다. 그러나 학생이 무반응 또는 오반응을 보일 경우 즉각적으로 교정적 피드백을 제공한다.

## 39 　　　　　　　　　　　　　　　2018 유아A-6

모범답안

| 2) | 청각자극에 대해 과잉반응을 보인다(또는 청각자극에 대해 과민하게 반응한다). |
|---|---|

해설

2) 자폐아동은 감각 정보의 등록이나 조절기능의 장애 때문에 사람이나 사물을 포함한 주위 환경과의 상호작용에 문제를 보인다. 약 50% 이상이 청각, 시각, 촉각, 미각 등의 감각에 있어서 비정상적인 반응과 감각추구 그리고 운동상의 문제를 표출한다. 감각적 자극에 대해 과잉반응하는 경우가 많지만 과소반응을 보이는 경우도 있다. 즉, 음악이 들리면 귀를 막거나 가벼운 접촉이나 약한 냄새에도 마치 고통을 받는 듯이 반응하는 과잉감수성을 보이기도 하지만 때로는 화재경보기 소리처럼 큰 소음에도 반응하지 않는 과소감수성을 보인다. 이로 인하여 주위 환경에 쉽게 적응하지 못하고 불안이나 거부 등의 부적절한 행동을 나타낼 수 있다(김건희 외, 2018 : 32).

## 40 　　　　　　　　　　　　　　　2018 초등A-4

모범답안

| 4) | 지호는 마음이해능력의 결함으로 자신과 다른 위치에서 지구를 보는 민희가 다른 것을 볼 수 있다는 것을 이해하지 못하기 때문이다. |
|---|---|

해설

4) 지호는 현재 낮 시간에 해당하는 지구를 보고 있다. 지호의 반대편에서 지구를 보고 있는 민희의 상황을 이해하지 못하기 때문에 자신과 동일한 낮 시간대로 답한 것이다(다른 사람의 정보적 상태 이해의 어려움 / 시각적 조망 수용의 어려움). 이는 자폐성장애 학생의 인지적 특성 중 마음이해능력론의 결함과 관련된다.
- 다른 사람의 정보적 상태 이해의 어려움이란 다른 사람이 알고 있는 것은 내가 알고 있는 것과 다를 수 있다는 것, 다른 사람이 보고 있는 것은 내가 보고 있는 것과 다를 수 있다는 것을 이해하는 데 어려움이 있음을 의미한다(방명애 외 2019 : 138).

## 41 　　　　　　　　　　　　　　　2018 초등B-5

모범답안

| 2) | ① 물리적 공간의 구조화(또는 물리적 구조화, 물리적 환경의 구조화)<br>② 손빨래 순서를 시각적 일과표(또는 활동 내 일과표, 작업 일정표)로 제시함 |
|---|---|

## 42 　　　　　　　　　　　　　　　2018 중등A-5

모범답안

| ㉠ | 실행기능의 결함 |
|---|---|
| ㉡ | 사회적 의사소통장애(또는 실용적 의사소통장애) |

해설

㉡ DSM-Ⅳ에서 자폐성장애, 아스퍼거장애 또는 달리 분류되지 않은 전반적 발달장애로 진단된 사람은 자폐스펙트럼 장애로 진단되어야 한다. 사회적 의사소통에 결함을 보이지만 자폐스펙트럼 장애의 다른 진단 항목을 만족하지 않는 경우에는 사회적 의사소통장애로 평가해야 한다.

Check Point

✎ 실행기능 결함 관련 특성
① 특정 학업 과제 및 일상적인 과제를 조직하고 계획하는 데 어려움을 보인다.
② 자폐성장애 학생들은 반응 억제와 충동 조절에 어려움을 보인다.
③ 인지적 융통성의 어려움으로 인해 새로운 전략을 사용하거나 유연하게 생각하는 데 어려움을 보인다.
④ 체계적으로 환경을 탐색하는 데 문제를 보인다.
⑤ 작업 기억을 사용하는 데 어려움을 보인다. 자폐성장애 학생들은 일시적으로 저장된 정보를 회상하고 조직하는 데 어려움을 보인다.
⑥ 시간 관리나 여러 가지 과제를 수행해야 할 때 우선순위를 결정해야 하는 것에 많은 어려움을 나타낸다.
⑦ 복합적이고 추상적인 개념을 이해하는 데 어려움을 보인다.

## 43   2018 중등B-2

모범답안

- ㉠ 지연 반향어
- ㉡ 상황 이야기
- ㉢ 청자 코칭문(또는 지시문)
  이야기를 듣는 학생이 할 수 있는 행동이나 반응을 제안한다(또는 상황에 맞는 적절한 행동과 반응을 학생 혹은 팀에게 지시한다).
- ㉣ 짧은 만화 대화
  <장점> 다음 중 택 1
  - 학생들이 좋아하는 만화 형식을 이용하므로 학생들이 보다 적극적으로 참여할 수 있다.
  - 만화라는 시각적 단서와 표상을 제공함으로써 서로 주고받는 정보를 이해하는 데 도움을 준다.

해설

㉡ 다음과 같은 사항을 통해 사용된 중재 방법의 명칭을 유추할 수 있다.
- 학생 D는 자폐스펙트럼장애이다.
- Gray의 이론에 근거하여 만든 중재이다.
- 수업 전에 읽도록 한다.
- 글의 내용이 사회적 상황 및 타인의 입장을 이해할 수 있도록 하는 데 중점을 두고 있다.

㉢ <수업시간에 친구와 함께 공부하기> 글에 사용된 문장의 유형은 다음과 같다.

지문 돋보기

- 나는 교실에서 친구들과 함께 공부를 한다. : 설명문
- 친구들과 함께 공부하는 것은 즐거운 일이다. : 조망문
- 우리는 수업시간에 바른 자세로 선생님 말씀을 듣는다. : 설명문
- 나는 때때로 가만히 앉아있는 것이 힘들다. : 조망문
- 내가 갑자기 일어서면 친구들에게 방해가 될 수도 있다. : 설명문
- 나는 도움이 필요할 때 "선생님 도와주세요."라고 말할 것이다. : 청자 코칭문(또는 지시문)
- 선생님이 나에게 와서 도와줄 것이다. : 팀원 코칭문(또는 협조문)
- 교실에서 친구와 함께 수업하는 것은 즐거운 것이다. : 조망문

㉣ 짧은 만화 대화는 사회적 기술을 가르치기 위해 개별화된 인지적 중재방법이다. 그림이나 만화를 통해 사회적 상황에 대한 이해와 함께 적절하고 구체적인 대화를 촉구한다. 사회적 상호작용 속에서 발생하는 문제행동과 대화에 대해 자폐성장애 아동에게 만화라는 시각적 단서와 표상을 제공함으로써 서로 주고받는 여러 정보를 이해하는 데 도움을 주게 된다(김건희 외, 2019 : 365).

- 짧은 만화 대화의 장점에는 다음 내용도 가능하다.
  - 상황에 대한 대안을 찾는 데 유용하다.
  - 작은 장면으로 나누어 제시하기 때문에 학생이 대화의 과정을 보다 쉽게 알 수 있다.
  - 학생에게 타인의 생각과 느낌에 대한 정보를 사전에 알려주고 적절하게 대처할 수 있는 기술을 지도하는데 효과적이다.

Check Point

(1) 설명문과 코칭문(Gray, 2015)
① 설명문

| 유형 | 내용 | 예시 |
|---|---|---|
| 설명문 | 관찰 가능한 상황적 사실을 설명하는 문장과 사실에 관련한 사회적인 가치나 통념에 관련한 내용을 제시한다. | • 사실 설명: 용돈은 나에게 필요한 것을 살 수 있도록 부모님께서 주시는 돈입니다.<br>• 사회적 가치 및 통념: 용돈을 아끼기 위해 필요한 물건만 구입하는 것은 매우 현명한 일입니다. |
| 조망문 | 다른 사람의 마음 상태나 생각, 느낌, 믿음, 의견, 동기, 건강 및 다른 사람이 알고 있는 것에 대한 정보 등에 관련한 정보를 제시한다. | • 다른 사람이 알고 있는 것에 대한 정보: 내 친구는 나에게 무엇이 필요한지 알고 있습니다.<br>• 느낌과 생각: 우리 부모님은 내가 맛있는 음식을 골고루 먹을 때 매우 기뻐하십니다. |
| 긍정문 | 일반적인 사실이나 사회적 규범이나 규칙 등과 관련한 내용을 강조하기 위한 문장이다. | • 도서관에서 친구들에게 꼭 해야 할 말이 있을 때는 아주 작은 목소리로 말할 것입니다. 그것은 매우 중요합니다.<br>• 친구의 물건을 사용하고 싶을 때는 친구의 허락을 받은 후 사용할 것입니다. 이것은 매우 중요합니다. |

② 코칭문

| 유형 | 내용 | 예시 |
|------|------|------|
| 청자 코칭문 | 이야기를 듣는 아동이 할 수 있는 행동이나 반응을 제안한다. | 쉬는 시간에 나는 그림을 그리거나 책을 읽거나 다른 조용한 활동을 할 수 있습니다. |
| 팀원 코칭문 | 양육자나 교사와 같은 팀 구성원이 아동을 위해 할 수 있는 행동을 제안하거나 떠올리도록 한다. | 우리 엄마는 나에게 수건 접는 방법을 알려 주실 것입니다. |
| 자기 코칭문 | • 아동이 부모나 교사와 함께 이야기를 검토하면서 아동이 이야기 구성에 참여하는 것이다.<br>• 자기 코칭문은 아동의 주도권을 인정하고 스스로 이야기를 회상하며 다양한 시간과 장소에서 이야기의 내용을 일반화시킬 수 있도록 돕는다. | 선생님이 "눈과 귀를 교실 앞에 두어라"라고 하시면 나는 선생님이 하시는 말씀을 잘 듣고 선생님의 행동을 잘 보라는 것을 뜻하는 것으로 이해하고 그것을 지키려고 노력하겠습니다. |

(2) 짧은 만화 대화

① 특성

　ⓐ 짧은 만화 대화는 자폐성장애 아동에게 어떤 일이 일어날지, 언제 그 일이 시작되고 끝날지, 누가 관여하게 될지, 아동에게 어떤 점을 기대하는지 등과 같은 명확하고 정확한 정보를 제공하여 아동을 지원할 수 있다.

　ⓑ 아동과 의사소통 대상자(아동을 잘 알고 신뢰관계가 형성된 전문가 혹은 부모)가 서로 그림을 그리면서 대화 상황을 생각할 수 있도록 돕는다.

　ⓒ '대화 상징 사전'과 '사람 상징 사전' 같은 상징을 이용하여 그림을 그리고 이야기를 나눈다.

② 주의사항

　ⓐ 자폐성장애 아동은 정보를 글자 그대로 해석하고 행동은 짧은 만화 대화에서 제시한 것과 동일하게 하려는 경향이 있다. 그러므로 변화 가능한 일과를 대화 속에 포함시켜야 한다.

　ⓑ 앞으로 일어날 일에 대해 설명할 때에는 상황이 바뀔 수도 있다는 것을 같이 알려주어야 한다. 예를 들어, 20일에 체육대회를 계획하고 있더라도 비가 오는 경우에는 연기될 수도 있다는 것을 알려 주어야 한다.

---

**44** 　　　　　　　　　　　　　　　

**모범답안**

| 3) | 시각적 일과표(또는 활동 간 일과표, 그림 일과표) |
|----|------|
| 4) | ① ⓐ, 교환 개념 훈련 단계에서 교환 개념을 획득시킬 때, 교과에서 사용되는 단어의 그림카드보다 학생이 선호도를 고려한(또는 반영한) 그림카드를 우선적으로 사용한다.<br>② ⓔ, 변별학습 단계에서는 목표로 하는 그림카드를 제시하는 행동에 대해서만 보상을 해 준다. |

**해설**

**지문 돋보기**

[A]의 내용 중
• 환경 구조화의 일환으로 : 환경 구조화 전략의 종류 중 하나임을 의미. 환경 구조화 전략에는 물리적 환경의 구조화, 시간의 구조화, 사회적 환경의 구조화가 있음
• 벨크로를 이용해 만들었기 때문에 과목카드를 쉽게 붙였다 떼었다 할 수 있다. 그것으로 지수에게 음악 시간과 원래 교과 시간이 바뀌었음을 설명해 주면 금방 이해하고 안정을 찾을 것 같다. : 시간의 구조화를 확립하는 대표적인 전략인 시각적 일과표의 활용에 대해 언급하고 있음

4) ⓐ 교환 개념 지도 및 교환 훈련 단계에서는 아동이 원하는 것, 즉 아동의 선호도를 파악한다(선호도는 몇 가지 사물을 책상 위에 올려 두고 아동이 먼저 집거나 가지고 노는 것, 빨리 사용하는 것이 무엇인지 관찰하여 파악할 수 있다). 선호도를 파악하는 과정에서 유의할 점은 훈련자가 아동에게 원하는 것이 무엇인지 질문하지 않아야 한다. 즉, 훈련자는 아동에게 "뭘 줄까? 네가 원하는 것 좀 보여 줘, 이거 줄까?" 등의 말을 하지 않는다. 훈련자는 질문하지 않고 아동이 좋아할 만한 몇 가지 물건을 제시하고 아동이 선택하는 것을 관찰한다(방명애 외, 2018: 68).

ⓔ 변별학습 단계(그림 변별 훈련 단계)는 두 가지 이상의 그림을 변별하는 것에 목적을 가지고 있으므로 목표로 하는 그림카드에만 강화를 제공하는 것이 바람직하다.

📝 **그림교환의사소통체계**

① **개념**

그림교환의사소통체계는 사회적 의사소통에 많은 어려움이 있는 자폐성장애 아동들의 사회적 상호작용과 의사소통 능력을 향상시키기 위하여 개발되었다.

② **실행 절차**

| [1단계]<br>의사소통 방법 지도<br>(교환 개념 지도 및<br>교환 훈련) | • 단계 목표 : 아동이 테이블 위에 있는 그림카드를 집어서 훈련자에게 주고 원하는 것을 받는 것<br>• 다양한 그림으로 기본적인 교환을 수행한다. |
|---|---|
| [2단계]<br>자발적 교환 훈련 | • 성인이나 또래의 관심을 얻고 거리를 조절하기 위하여 연습을 지속한다.<br>• 이 단계에서는 2명의 훈련자가 참여하는데 훈련자 1은 아동의 시야에서 조금 멀리 이동하여 아동이 그림을 향해 다가가도록 하고, 훈련자 2는 아동이 훈련자1의 얼굴이나 어깨를 만지도록 시범 보이거나 신체적으로 촉진한다.<br>• 주의사항 : 여러 의사소통 대상자(훈련자)에게 훈련을 받도록 하여, 이후 다양한 사람들과 의사소통을 시작할 수 있도록 해야 한다. |
| [3단계]<br>그림 변별 훈련 | • 다양한 그림들을 식별 가능하게 한다.<br>• 주의사항 : 그림카드의 위치를 계속 바꿔주어 아동이 그림카드의 위치를 기억하여 그에 따라 반응하지 않도록 해야 한다. |
| [4단계]<br>문장 만들기 지도<br>(문장으로 표현하는<br>방법 지도) | • 그림을 이용하여 문장을 만든다.<br>• 이 단계에서 아동에게 "나는 ~을 원해요"라는 문장을 사용하여 '원하는 것 요청하기'를 가르친다. 이때 '나는 원해요' 그림카드는 문장 띠에 미리 붙여 놓고, 아동은 자신이 원하는 사물의 그림 카드를 붙인 후 그 의사소통 띠를 의사소통 대상자에게 제시하도록 한다.<br>• 훈련자는 아동의 일상 환경을 구조화하여 하루 일과 전체를 통해 다양한 의사소통 기회 속에서 연습할 수 있을 때까지 계속한다. |
| [5단계]<br>질문에 반응하기<br>훈련 | • 단계 목표 : 아동이 일상생활 중 "뭘 줄까?"라는 질문에 대답하고 스스로 원하거나 필요한 물건과 행동을 요청하게 되는 것<br>• 그림을 이용하여 질문에 대답한다. |
| [6단계]<br>질문에 대한<br>반응으로 설명하기<br>훈련 | • 단계목표 : 새로운 의사소통 기능을 가르치는 것<br>• 이전에 숙달한 상호작용을 확장한다.<br>• 명명하기 또는 이름 붙이기, 즉 "무엇을 보고 있니?"라는 새로운 질문과 앞서 습득한 질문("뭘 줄까?")에 적절히 대답하도록 하는 것이다. |

## 45

**모범답안**

| 1) | ① 진정 영역(또는 안정 영역)<br>② 학생이 안정을 되찾을 수 있도록 한다. |
|---|---|
| 2) | ⓒ 특별한 관심(또는 특별한 관심과 강점)<br>ⓒ 문제행동이나 상황에 대한 해결 방안 |

**해설**

1) ① 대화 내용에서 지도 교사가 언급한 '물리적 배치', '환경적 지원'을 단서로 물리적 환경의 구조화를 그리고 '유의해야 할 점은 타임아웃을 하거나 벌을 주기 위한 공간은 아니다'를 단서로 했을 때 진정 영역에 대해 언급하고 있음을 알 수 있다.

2) ⓒ 파워카드 전략은 아동의 특별한 관심을 사회적 상호작용 교수에 포함시키는 시각적 지원 방법이다. 파워카드 전략은 일상적 일과 속에서 필요한 의사소통 능력, 숨겨진 교육과정으로 알려진 사회 인지 능력 등을 포함한 사회적 능력을 이들의 특별한 관심과 강점을 활용하기 때문에 매우 효과적인 방법으로 밝혀지고 있다. 자폐성장애 아동들은 대부분 제한된 특별한 관심을 보이며 이러한 특별한 관심은 어린 시기부터 나타난다. 오랜 시간 동안 이들의 특별한 관심은 일상생활을 방해하는 부정적 요소로 인식되어 왔으나 최근에는 즐거움을 표현하거나 여가 활동의 일부, 낯선 상황에 적응하거나 불안을 달래기 위한 기능이 있고, 이러한 특별한 관심을 각 아동이 지닌 강점으로 이해하고 긍정적으로 활용할 경우 학업과 발달에 도움이 된다고 한다. 파워카드 전략은 이러한 특별한 관심을 긍정적으로 활용한 대표적인 강점 중심의 중재 방법이자 사회적 담화의 한 유형이다(방명애, 2019 : 78).

• 파워카드 전략 : 적절한 사회적 상호작용을 교수하기 위해 학생의 특별한 관심과 강점을 포함하는 시각적 지원방법(2020 중등A-5 기출)

ⓒ 문제에서 묻고 있는 것은 파워카드 전략의 요소(시나리오, 파워카드) 중 파워카드의 구성에 관한 것이다. 파워카드에는 특별한 관심 대상에 대한 작은 그림과 문제행동이나 상황에 대한 해결 방안을 제시한다(방명애, 2019 : 79).

**Check Point**

(1) 진정 영역

진정 영역(안정 영역)은 수업 환경이 아동을 당황하게 만들거나 행동 문제로 아동이 안정을 취할 필요가 있을 때 유용한 공간으로, 학생이 스스로 해당 공간에 가서 이완을 할 수도 있고 교사가 학생에게 해당 공간으로 가도록 안내할 수도 있다.

① 과제나 활동을 회피하기 위한 수단으로 진정 영역에 가도록 해서는 안 된다는 것이다. 즉, 진정 영역은 타임아웃을 위한 장소나 과제를 회피하기 위한 장소가 아니라 과제에 대한 집중을 유지하는 데 필요한 조건을 제공하는 장소이어야 한다.

② 진정 영역에는 아동의 특성에 따라 이완을 촉진시킬 수 있는 물건을 둘 수 있으며, 진정 영역에 있는 동안 아동은 강화를 계속 받을 수 있고 지속적으로 과제를 수행할 수도 있다.

③ 어떤 상황에서 진정 영역을 활용할 수 있으며 진정 영역에서는 어느 정도의 시간 동안에 어떤 행동을 해야 하는지에 관해서도 지도가 이루어져야 한다.

(2) 파워카드 전략

① 아동의 특별한 관심을 사회적 상호작용 교수에 포함시키는 시각적 지원 방법이다. 일상적 일과 속에서 필요한 의사소통 능력, 숨겨진 교육과정으로 알려진 사회 인지 능력 등을 포함한 사회적 능력을 향상시키는 데 이들의 특별한 관심과 강점을 활용하기 때문에 매우 효과적인 방법으로 밝혀지고 있다.

② 파워카드 전략을 이용하기 위해서는 간단한 시나리오(스크립트)와 명함 크기의 파워카드가 필요하다.

**46**

**모범답안**

• ㉢ 학생 J가 활동 순서를 선택할 수 있도록 한다.
㉣ 질문에 대한 학생 J의 모든 응답을 말로 칭찬한다(또는 질문에 대한 학생 J의 모든 시도에 대하여 강화한다).
• ㉤ 학생 J가 조리 도구의 용도를 모를 때, 도움을 요청할 수 있도록(또는 질문하도록) 가르친다.

**해설**

**지문 돋보기**

〈유의 사항〉
• 학생이 할 수 있는 다른 활동과 함께 제시: 유지과제 제시
• 다양한 활동, 자료, 과제량 준비: 과제를 다양하게 하기

㉢ 다양한 지도 방법이 제시되어 있으므로 선택 기회 측면에서 기술한다.
㉣ 질문에 답하는 것을 지도할 것이므로 아동의 시도 강화 측면에서 기술하는 것이 적절하다. 중심축 반응 훈련(PRT)의 핵심 영역 중 동기 유발을 위한 방법은 다음과 같다.
• 아동에게 선택권을 준다.
• 과제를 다양하게 하고, 유지 과제를 같이 제시한다.
• 시도에 대한 강화를 한다.
• 자연스러운 강화를 사용한다.

# 47 ⬛ 2020 유아A-1

**모범답안**

| | |
|---|---|
| 1) | 중앙응집 기능의 결함 |
| 2) | ⓒ 훈련 초기단계에서는 구체적인 그림을 제공한다.<br>ⓔ PECS를 훈련할 때는 유아와 그림카드의 거리를 늘려가면서 지도한다. |
| 3) | ① 상황 이야기<br>② 친구들도 즐겁게 웃고 있어요. |

**해설**

**지문 돋보기**

- 오늘은 ○○ 생일이에요. : 설명문
- 교실에서 생일잔치를 해요. : 설명문
- 케이크와 과자가 있어요. : 설명문
- 나는 기분이 참 좋아요. : 조망문
- 친구들도 즐겁게 웃고 있어요. : 조망문
- 모두 신났어요. : 조망문
- 나는 박수를 쳐요. : 설명문
- 선생님도 기뻐해요. : 조망문
- 앞으로 나는 친구들과 생일잔치에서 즐겁게 놀 거예요. : 청자 코칭문

1) 사물의 전체가 아니라 부분에 집중함: 인지적 특성과 관련하여 중앙응집 기능에 결함이 있음을 알 수 있다.
2) ⓒ 그림카드는 선호물을 직관적으로 알아볼 수 있을 만큼 구체적으로 표현된 것을 제공한다.
   ⓔ 자발적 교환 훈련 단계에서 훈련자는 아동으로부터 조금 더 멀리 떨어진 곳으로 움직이고 의사소통판도 아동으로부터 보다 멀리 놓는다. 아동은 교환을 하려면 의사소통 대상자에게 가까이 가서 그림을 줘야 한다는 것을 배워야 하기 때문이다.

# 48 ⬛ 2020 유아A-8

**모범답안**

| | |
|---|---|
| 2) | 즉각 반향어 |
| 3) | 상동행동 |

**해설**

3) 상동행동이란 특정 목적이 없이 같은 동작을 일정 기간 반복하는 것을 말한다. 예를 들면, 몸을 앞뒤로 또는 옆으로 흔들기, 빙빙 돌기, 손 펄럭이며 움직이기, 소리 내기, 빛이나 특정 부분 오랫동안 응시하기, 일반적이지 않은 신체의 움직임 등을 반복하거나 물건 돌리기 · 두드리기 · 문지르기 등 사물의 용도에 적절하지 않은 비전형적인 사물 조작 행동을 반복하기도 한다. 이런 행동은 자폐성장애, 시각장애 또는 심한 지적장애 등이 있는 사람에게서 주로 관찰된다(특수교육학 용어사전, 2018 : 247).

# 49 ⬛ 2020 초등A-4

**모범답안**

| | |
|---|---|
| 1) | 실행기능의 결함 때문이다. |

**해설**

1) '스스로 계획하고 수행하는 데 어려움이 있음'(조직 및 계획 능력의 결함), '작은 변화가 생기면 유연하게 대처하기보다 우는 행동을 보임'(새로운 전략 사용 및 유연한 사고의 부재), '충동적으로'(반응 억제 및 충동 조절의 어려움)와 같은 특성은 실행기능의 결함에서 비롯된다.

**Check Point**

**✎ 실행기능의 결함**
① 자폐성장애 아동들은 반응 억제와 충동조절에 어려움을 보인다.
② 작업 기억을 사용하는 데 어려움을 보인다. 자폐성장애 아동들은 일시적으로 저장된 정보를 회상하고 조직하는 데 어려움을 보인다.
③ 특정 학업 과제 및 일상적인 과제를 조직하고 계획하는 데 어려움을 보인다.
④ 시간 관리나 여러 가지 과제를 수행해야 할 때 우선순위를 결정해야 하는 데서 많은 어려움을 나타낸다.
⑤ 인지적 융통성의 어려움으로 인해 새로운 전략을 사용하거나 유연하게 생각하는 데서도 어려움을 보인다.
⑥ 복잡하고 추상적인 개념을 이해하는 데 어려움을 보인다.

## 50                    2020 초등B-6

**모범답안**

| | |
|---|---|
| 3) | • 촉각자극에 대해 과잉반응을 보인다.<br>• 촉각자극에 대해 민감하게 반응하거나 회피하려고 한다. |
| 4) | ① 실수가 다시 발생하지 않도록 하기 위한 계획은 무엇인가?(또는 실수가 다시 발생하지 않도록 계획하기)<br>② 활동의 순서와 내용에 대한 예측 가능성을 향상시킬 수 있도록 시각적으로 지원해 주고 있기 때문이다. |

**해설**

3) 일반적인 유형에 따라 분류할 경우 역치가 낮고 감각 등록이 높은 경우, 정민이는 과잉반응을 보일 것이다. 그리고 Dunn의 분류방식에 따르면 정민이의 자기조절 전략(수동적, 적극적)에 따라 반응은 달라진다. 정민이가 수동적인 자기조절 전략을 사용하는 학생이라면 자극에 대해 민감하게 반응할 것이고, 적극적인 자기조절 전략을 사용하는 학생이라면 유입되는 자극의 감소를 위해 활동 참여를 강력하게 회피하려는 경향을 보일 것이다.

• 신경학적 역치는 행동이 발생할 수 있는 감각 자극의 수준으로 우리가 주목하거나 반응하는 데 필요한 자극의 양을 의미한다. 자극이 역치에 도달할 만큼 충분하면 활동을 유발한다. 신경학적 역치는 행동 발생을 위한 역치가 높아서 자극이 충분히 등록되지 않은 수준과 역치가 낮아서 대부분의 자극이 등록되어 적은 자극에도 민감하게 반응하는 수준으로 구분된다(방명애, 2018: 205). 자폐성장애를 가진 많은 아동들과 성인들은 감각자극에 대해 과등록을 하거나 과민반응을 보인다(Yack et al., 2018: 32).

• 감각등록이란 중추신경계로 감각 정보를 탐지하는 것으로 감각 정보 처리를 위한 첫 단계이다(Ayres, 2006: 214).

4) ② 자폐성장애 학생은 종종 언어적 정보를 이해하고 기억해 내고 주목하는 데 어려움을 겪는다. 그러나 반대로 시각적 처리 능력은 전반적으로 자폐성장애의 상대적인 강점으로 인지된다. 따라서 교실에서의 시각적 지원의 사용은 자폐성장애에게 학습 관련 정보 접근을 가능하게 해 주고, 명확하고 예측 가능한 기대에 대해 의사소통을 하고, 추상적인 문제를 해결하는 데 도움을 준다(김건희 외, 2019: 206).

---

**Check Point**

**(1) 과반응과 저반응**

| 과반응의 예 | 저반응의 예 |
|---|---|
| • 특정 소리에 대한 괴로움<br>• 빛에 대한 예민함<br>• 특정 촉감에 대한 불편함<br>• 특정 냄새와 맛에 대한 혐오감<br>• 높은 곳과 움직임에 대한 비합리적인 두려움<br>• 자주 깜짝 놀라는 반응 | • 갑작스럽거나 큰 소리에 대한 인식부족<br>• 부딪히거나 타박상, 베인 것에 대한 통증을 인식하지 못함<br>• 얼굴에 묻은 음식물을 인식하지 못함<br>• 환경과 사람, 그리고 사물에 대한 주의집중 부족<br>• 과도하게 빙빙돌아도 어지럽지 않음<br>• 반응이 느림 |

출처 ▶ Yack et al.(2018: 33)

**(2) Dunn의 감각처리 모델**

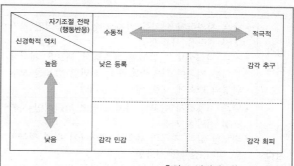

출처 ▶ 방명애 외(2019: 206)

| 반응<br>패턴 | 특성 |
|---|---|
| 낮은<br>등록 | • 행동 반응을 위해 강력한 감각 자극을 필요로 함<br>• 높은 신경학적 역치를 가지고 있고 수동적인 자기<br>  조절 전략을 사용함<br>• 높은 역치에 감각 자극이 도달할 수 있도록 적극적<br>  으로 자극을 추구하는 행동을 하지 않음<br>• 적절한 방법으로 자극에 반응하는 데 오랜 시간이<br>  걸리고 둔감함<br>• 환경에 관심이 없고 자신에게만 몰두하거나 따분해<br>  하거나 무감각해 보임 |
| 감각<br>추구 | • 행동 반응을 위해 강력한 감각 자극을 필요로 함<br>• 높은 신경학적 역치를 가지고 있고 적극적인 자기<br>  조절 전략을 사용함<br>• 높은 역치 충족을 위해 지속적으로 감각 자극을 찾<br>  고자 일상에서 다양한 감각 자극을 추구함<br>• 상동행동, 반복행동, 자해행동 등의 다양한 자극 추<br>  구 행동을 보임<br>• 자극 추구 과정에서 과다행동을 보이거나 충동행동<br>  을 보임 |
| 감각<br>민감 | • 낮은 신경학적 역치를 가지고 있고 수동적인 자기<br>  조절 전략을 사용함<br>• 적은 자극에도 민감하여 계속해서 새로운 자극에<br>  주의를 기울여 과잉행동 또는 산만한 반응을 보임<br>• 환경의 변화에 대해 매우 불안해함 |
| 감각<br>회피 | • 낮은 신경학적 역치를 가지고 있고 적극적인 자기<br>  조절 전략을 사용함<br>• 과도한 감각 자극의 유입을 제한하기 위해 적극적<br>  인 회피 전략을 사용함<br>• 유입되는 자극의 감소를 위해 활동 참여를 강하게<br>  거부하는 경향을 보임<br>• 적극적인 자기조절 전략으로 판에 박힌 일이나 의<br>  식을 만들어 이에 집착함 |

(3) 사회적 도해

① 경도장애 학생들로 하여금 자신들의 행동 중에 보인 사
   회적 실수에 대한 이해를 돕기 위하여 적용하는 전략

② 사회적으로 모순되는 행동을 줄이기 위하여 고안된 상
   황 이야기와 달리, 학생들이 사회적으로 실수를 저지른
   다음에 시행된다.

③ 사회적 도해의 적용 절차

| 1단계 | 실수를 확인하기 |
|---|---|
| 2단계 | 실수로 인해 손해 본 사람이 누구인지 결정하기 |
| 3단계 | 실수를 어떻게 정정할 것인지 결정하기 |
| 4단계 | 실수가 다시 발생하지 않도록 계획하기 |

**51** 

모범답안

• 마음이해능력의 결함 때문이다.
• ㉠ 인지
• ㉡ 가수 E가 대화 시 친구의 기분을 고려하여 성공적으
  로 말하는 상황을 제시한다.

Check Point

✎ 파워카드 전략의 요소

| 간단한<br>시나리오 | • 학생이 영웅시하는 인물이나 특별한 관심사,<br>  그리고 학생이 힘들어 하는 행동이나 상황에<br>  대한 간략한 시나리오를 작성한다.<br>• 시나리오는 대상 학생의 인지 수준으로 작성한<br>  다.<br>• 첫 번째 문단에서 영웅이나 롤 모델이 등장하<br>  여 문제 상황에 대한 해결이나 성공 경험을 제<br>  공한다. 두 번째 문단에서는 3~5단계로 나눈<br>  구체적인 행동을 제시하여 새로운 행동을 습득<br>  할 수 있도록 한다.<br>• 간략한 시나리오와 더불어 특별한 관심사에 해<br>  당하는 그림을 포함할 수 있다. |
|---|---|
| 명함<br>크기의<br>파워카드 | • 파워카드에는 특별한 관심 대상에 대한 작은<br>  그림과 문제행동이나 상황에 대한 해결 방안을<br>  제시한다.<br>• 파워카드는 학생이 습득한 행동을 일반화하기<br>  위한 방안으로도 활용될 수 있다.<br>• 파워카드는 지갑이나 주머니에 넣고 다니거나<br>  책상 위에 두고 볼 수 있도록 한다. |

출처 ▶ 방명애 외(2019 : 78-79)

## 52 　　　　　　　　　　　　　　　2021 유아B-4

**모범답안**

| 2) | 중앙응집 기능의 결함 |
|---|---|
| 3) | ① 시각적 일과표를 제공하여 활동의 예측 가능성을 높여 준다.<br>② 종소리(또는 알람)를 이용하여 활동의 시작과 끝을 미리 알려줌으로써 활동의 예측 가능성을 높여 준다. |

**해설**

2) 기록 일부에 제시된 바와 같이 선우는 카드에 그려진 꽃에는 관심이 없고, 카드의 테두리선에만 반응을 보였다. 이처럼 주요 단서가 되는 자극에 주의를 기울이지 못하는 인지적 특성은 중앙응집 기능의 결함과 관련이 있다. 자폐성장애 아동들은 빈약한 중앙응집 기능으로 인해 전체보다는 특정 부분에 초점을 맞추는 인지적 특성을 보인다.

3) 활동 간 전이란 좋아하는 활동에서 싫어하는 활동으로 이동하는 것 혹은 이와 반대의 경우를 의미한다.

## 53 　　　　　　　　　　　　　　　2021 초등A-4

**모범답안**

| 2) | ① 차례를 지키면 즐거워요(또는 차례를 지키면 행복해요 등).<br>② 친구들이 차례를 지켜 버스를 타는 사진(또는 그림) |
|---|---|

**해설**

2) ① 은수의 특성에서 차례를 지키지 않는다는 점, 사회 상황 이야기에서 통학버스를 타려고 줄을 서서 기다리고 있을 때 맨 앞으로 끼어든다는 점 등을 고려하여 조망문은 차례 지키기를 주제로 다룬다. 그리고 은수는 3어절 수준의 말과 글을 이해한다는 점을 고려하여 문장을 완성한다.
　• 조망문이란 다른 사람의 마음 상태나 생각, 느낌, 믿음, 의견, 동기, 건강 및 다른 사람이 알고 있는 것에 대한 정보 등에 관련된 정보를 제시하는 문장 유형이다.

## 54 　　　　　　　　　　　　　　　2021 초등B-6

**모범답안**

| 2) | ① 그림교환의사소통체계(PECS)<br>② 학생은 스스로 그림카드가 있는 곳으로 가서 그림 카드를 집어, 교사에게 가서 교사의 손에 카드를 놓는다. |
|---|---|

**해설**

2) ② 그림교환의사소통체계의 2단계(자발적 교환 훈련)에서는 아동으로부터 조금 더 멀리 떨어진 곳으로 움직이고 의사소통판도 아동으로부터 보다 멀리 놓는다. 아동은 교환을 하려면 의사소통 대상자에게 가까이 가서 그림을 줘야 한다는 것을 배워야 하기 때문이다. 이때 훈련자는 의사소통 대상자를 향해 아동이 움직이는 것, 특별히 의사소통 대상자의 손을 향해 움직이는 것을 촉진해야 한다.

## 55 　　　　　　　　　　　　　　　2021 중등A-8

**모범답안**

• ㉠ 일과의 구조화
　㉡ 물리적 구조화
• ㉢ (이미 기술을 습득한 과제 중) 기술의 숙달을 필요로 하는 과제
　㉣ 작업은 언제 끝나는가?

**해설**

㉢ 작업시스템은 작업 공간에서 학생이 독립적으로 모든 활동을 완수하는 것이 목표이므로, 새로운 기술을 가르치는 것보다는 기술의 숙달을 촉진하는 것에 주안점을 두어야 한다. 독립적인 과제 수행을 통해 학생이 습득한 기술이 유창하게 숙달될 수 있도록 학습의 기회를 제공하는 것이다(방명애 외, 2019: 238).

## 56 　　　　　　　　

모범답안

| 1) | ① 노란색 주세요.<br>② "잘했어요."라고 칭찬하면서 수미가 좋아하는 동물 스티커를 준다. |
|---|---|
| 3) | 보다 빨리 변별자극을 확립하기 위해서이다(또는 보다 빨리 자극통제를 가르치기 위해서이다). |

해설

1) 비연속 시행 교수는 주의집중, 자극 제시, 학생 반응, 피드백, 시행 간 간격을 포함한다.

지문 돋보기

• 선생님이 "수미야!"하고 부른 후, "선생님 보세요."라고 말해요.
　: 주의집중
• 그 다음 "노란색 주세요."라고 해요. : 자극 제시
• 수미가 제대로 노란색을 주는 정반응을 보이면 : 학생 반응
• "잘했어요."라고 칭찬하면서 수미가 좋아하는 동물 스티커를 주면 돼요. : 피드백

3) 비연속 시행 교수에서 매번 같은 시간에(일관성) 많은 정보를 포함하지 않고(간결성), 행동 발생에 필요한 것을 정확하게 상세화(명확성)한다면, 변별자극은 보다 빨리 학습된다. … (중략) … 자극 통제를 가르치기 위해서는 이러한 정확한 단어를 매번 사용해야 한다(Heflin et al., 2014 : 227).

Check Point

### ✍ 비연속 시행 훈련의 구성 요소 및 절차

| 주의<br>집중 | • 매 교수 시행마다 시행의 시작을 위해 학생의 주의를 이끈다.<br>• 교사는 주의집중을 위해 학생의 이름을 부를 수 있으나 시행마다 학생의 이름을 부르는 것이 학생의 주의를 끄는 데 도움이 되지 않을 수 있다. |
|---|---|
| 자극<br>제시 | • 교수 또는 지시를 하는 것으로 학생의 반응에 대한 변별자극을 제시한다.<br>• 변별자극은 일관되고 명확하며 간결해야 한다.<br>• 학생이 해야 하는 반응에 대한 구체적이고 간략하고 분명한 지시 또는 질문을 한다. |
| 학생<br>반응 | • 교사의 자극(단서)에 대해 학생이 반응을 한다.<br>• 학생이 촉진 없이도 자극이 제시되었을 때 정반응을 할 수 있도록 점진적으로 촉진을 용암시켜야 한다. |
| 피드백 | • 학생이 정확한 반응을 하면 교사는 즉시 적절한 강화제를 가지고 강화를 한다.<br>• 학생이 무반응 또는 오반응을 보일 경우 즉각적으로 교정적 피드백을 제공한다. |
| 시행 간<br>간격 | • 시행 간 간격은 후속결과가 제공된 후에 다음 회기를 위한 변별자극이 주어지기 전 3~5초 동안의 시간을 말한다.<br>• 시행 간 간격은 학생에게 회기가 끝나고 다른 회기가 시작된다는 단서가 된다. |

## 57 　　　　　　　　

모범답안

| 3) | ① ⓒ, ⓓ<br>② 복합 단서에 반응하기 |
|---|---|

해설

지문 돋보기

• ⓐ 매일 다니던 길로 가지 않으면 울면서 주저앉는다. : 동일성에 대한 고집
• ⓑ 이 닦기, 손 씻기, 마스크 쓰기를 할 수 있지만 성인의 지시가 있어야만 수행한다. : 자극 의존성
• ⓒ 칫솔을 아는데도 칫솔에 있는 안경 쓴 펭귄을 보고 "안경"이라고 대답한다. : 교사가 제공하는 단서(즉, 지시 또는 요구)에 대하여 관련없는 자극에 반응하는 특성
　　− 재우의 입장에서 자극은 칫솔과 펭귄, 안경 등으로 다양함. 이와 같은 자극들 중 교사가 제시한 단서에 해당하는 적절한 자극을 제시하고 있지 못함
• ⓓ 1가지 속성만 요구하면 정확히 반응하는데 2가지 속성이 포함된 지시에는 오반응이 많다. : 제한적인 단서에 반응하는 특성으로 복합 단서에 대해 부적절하게 반응함을 보여주고 있음

3) 교사는 재우가 관련 없는 자극에 반응하거나 복합 단서가 제시될 경우 적절하게 반응하지 못하는 것으로 보고 중심축 반응 훈련의 복합 단서에 반응하기를 고려하고 있다.

• 복합 단서에 반응하기란 학생이 이미 습득한 중심 행동을 여러 다양한 속성과 특징을 지닌 복잡한 요구에 반응하도록 하는 것이다. 예를 들어, 학생이 '크레파스'라는 명칭을 이미 알고 있다면 이것을 활용하여 새로운 자극인 색깔 자극을 더 제시하여 '파란색 크레파스'에 반응하도록 하는 것이다(방명애 외, 2019 : 92).

**Check Point**

(1) 중심축 반응 훈련 영역

| 핵심 영역<br>(중심축) | 중재 | 예시 |
|---|---|---|
| 동기 | 아동에게 선택권을 제공한다. | • 아동이 과제의 순서를 선택한다.<br>• 아동이 쓰기 도구들을 선택한다.<br>• 아동이 학급에서 읽을 책을 선택한다. |
| | 과제를 다양하게 하고, 유지 과제를 같이 제시한다. | • 미술시간에 짧은 기간 동안 짧은 읽기 시간을 자주 가져 과제를 다양하게 한다.<br>• 쉬는 시간을 자주 가져 과제의 양을 다양하게 한다.<br>• 아동의 반응과 다음 지시까지의 시간을 줄여 과제의 속도를 수정한다.<br>• 화폐 학습과 같은 새로운 과제와 돈 세기와 같은 이미 학습한 과제를 같이 제시한다. |
| | 시도에 대한 강화를 한다. | • 질문에 대한 모든 응답을 말로 칭찬한다.<br>• 숙제와 다른 과제에 대해 칭찬의 글을 써준다. |
| | 자연스러운 강화를 사용한다. | • 시간 말하기를 배울 때, 아동이 좋아하는 활동의 시간을 배우게 한다.<br>• 화폐를 가르칠 때 아동이 좋아하는 작은 물건을 사게 한다. |
| 복합 단서에 반응하기 | 복합 단서 학습과 반응을 격려한다. | • 미술시간에 종이, 크레용, 연필 등을 다양하게 준비하고, 아동이 좋아하는 것을 요구하게 한다.<br>• 수학 과제나 한글쓰기 연습을 위해 다양하게 쓰기 도구들을 준비한다. 그리고 아동이 좋아하는 도구를 요구하게 한다. |
| 자기<br>시도 | 질문하는 것을 가르친다. | • 시간과 물건의 위치와 관련된 질문하기와 같은 정보-탐색 시도를 가르친다.<br>• 도움을 요청하는 정보-탐색 시도를 가르친다. |
| 자기<br>관리 | 자신의 행동을 식별하고, 행동이 발생하는 것과 발생하지 않는 것을 기록하는 방법을 아동에게 가르친다. | • 아동이 이야기 시간에 조용히 앉아서 책장이 넘어갈 때 종이에 표시하도록 시킨다.<br>• 교실에서 수학이나 다른 과제를 하는 동안에 과제 행동을 자기평가할 수 있도록 알람시계를 사용하게 한다. |

(2) 복합 단서에 반응을 돕기 위한 방법

① 자극을 다양화하고 단서 증가시키기

다음과 같은 순서로 진행한다.

㉠ 한 가지 속성의 단서를 지닌 자극에 반응하게 한다.

㉡ 두 가지 단서를 제공하여 학습자가 이러한 하나 이상의 단서에 반응할 수 있도록 한다.

㉢ 보다 복잡한 단서에 반응하게 한다.

② 강화스케줄 활용하기

강화스케줄을 사용하는 방법은 다음과 같다.

㉠ 다양한 강화인을 활용하여 학습자들에게 목표 기술을 가르치기 위해 동기를 향상시킨다.

㉡ 학습자가 목표 기술을 잘 사용할 수 있도록 연속 강화를 제공할 수 있다.

㉢ 학습자가 새로운 기술을 어느 정도 습득하고 나면 점차 강화스케줄을 변경하여 간헐 강화를 제공할 수 있다.

출처 ▶ 방명애 외(2019 : 92-93)

## 58 · 2022 초등A-5

모범답안

| 2) | ① 사회적 의사소통과 사회적 상호작용에 어려움이 있다 (또는 사회적 상호작용에 어려움이 있다 / 사회적 관습이나 규칙을 이해하는 데 어려움을 보인다). ② 시각적인 정보처리에 강점을 보인다. |
|---|---|

해설

지문 돋보기

〈성규의 수업 중 수행특성〉
• 지도 그리기에 관심이 없고 자신이 좋아하는 위치에만 스티커를 붙이려고 고집함: 극도로 제한되고 고정된 흥미 / 동일성에 대한 고집 / 제한적이고 반복적인 행동, 흥미, 활동
• 함께 사용하는 스티커를 친구가 가져가면 소리를 지름: 관계발전, 유지 및 관계에 대한 이해의 결함 / 사회적 관습이나 규칙에 대한 이해 부족 / 사회적 의사소통과 사회적 상호작용의 지속적 결함
• 친구들의 농담에 무표정하고 별다른 반응이 없음: 사회-정서적 상호성의 결함 / 사회적 의사소통과 사회적 상호작용의 지속적 결함
• 활동 안내를 그림카드로 제시했을 때 활동의 참여도가 높아짐: 시각적 정보처리에 강점

〈성규를 위한 수정계획〉
• 지도의 주요 위치에 스티커로 표시해주기: 스티커를 좋아하는(또는 집착하는) 성규의 관심/흥미 고려
• 시각적 일과표와 방문하게 될 장소에 대한 안내도 제시하기: 시각적 정보처리에 강점이 있음을 반영
• 현장학습 시, 친구들과의 상호작용을 돕고 지켜야 할 규칙을 알 수 있도록: 사회적 의사소통과 사회적 상호작용의 결함 고려(또는 규칙에 대한 이해 부족 고려)

2) • 사회상황이야기, 파워카드 전략 모두 사회적 의사소통과 사회적 상호작용(또는 사회적 관습이나 규칙)에 대한 이해를 돕는 데 유용하다.
• 사회상황이야기, 파워카드 전략 모두 자폐성장애 아동의 시각적 능력을 활용하는 시각적 지원방법이다.

Check Point

✍ **자폐성장애 아동의 일반적 특성**
자폐성장애 아동의 일반적 특성은 다음과 같다(2012 유아 1-8 기출).
① 상동적이고 반복적인 동작을 한다.
② 시각적인 정보처리에 강점을 보인다.
③ 정해진 순서나 규칙에 집착하거나 변화에 매우 민감하다.
④ 사회적 관습이나 규칙에 대해 이해하는 데 어려움을 보인다.
⑤ 제한된 범위의 관심 영역에 지나치게 집중하거나 특별한 흥미를 보이는 행동을 한다.

## 59 · 2022 중등B-7

모범답안

• ㉠ 중앙응집 기능의 결함
• ㉡ 확정문
문장을 이해하는지 또는 다음 단계를 추측하도록 안내한다.
• 이유: 다음 중 택 1
 - 긍정적이고 정확한 어휘를 사용해야 한다.
 - 설명하는 유형의 문장이 지시하는 유형의 문장보다 2배 이상 되지 않는다.

해설

지문 돋보기

| 문장 | 문장 유형 |
|---|---|
| 나는 점심시간에는 친구와 함께 식당에서 점심을 먹어요. | 설명문 |
| 우리는 줄을 서서 기다리고, 줄을 서서 이동해야 해요. | 설명문 |
| 줄 서서 이동할 때에는 줄에서 벗어나면 안 돼요. | 설명문 |
| 선생님이 식당에 가기 전에 "여러분, 줄을 서세요."라고 말하면 나는 줄을 서려고 노력해야 해요. | 지시문 |
| 내가 줄서는 것을 어려워하면 선생님이 도와줄 수 있어요. | 협조문 |
| 선생님의 도움이 필요할 때에는 "선생님, 도와주세요."라고 말해요. | 지시문 |
| 점심시간에 줄 서서 이동할 때에는 나와 친구는 조금 거리를 두어야 해요. | 지시문 |
| 이것은 매우 중요한 일이에요. | 확정문 |
| 조금 떨어져서 간격을 유지하는 것은 기분 좋은 일이에요. | 조망문 |
| 내가 차례를 지키지 않으면 친구가 속상해할 수도 있어요. | 조망문 |
| 나는 점심시간에 줄을 서서 차례를 지키려고 노력할 거예요. | 지시문 |
| 점심시간에 줄을 서서 차례를 지키는 것은 일이에요. | 부분문장 |

㉠ 중앙응집이론에서는 자폐성장애를 직접적인 손상에 의한 것이라고 보기보다는 인지양식에 의한 것이라고 주장한다. 환경에 의미를 부여하고, 환경을 의미 있게 받아들이기 위해서는 방대하고 복잡한 정보를 처리해야 하지만 자폐인들은 이에 어려움을 가지기 때문에 세상을 현실적으로 지각하지 못한다는 것이다. 전체를 보기보다는 부분에 집착하고, 즉 나무를 보고 숲을 보지 못하는 것과 같이 정보 투입 및 처리 방식이 상향식 접근 방식을 취한다. 이 이론에서는 자폐의 근본 원인이 인지적 정보처리 과정에서 부분과 전체의 관계를 연계하지 못하고 전체보다는 특정 부분에 초점을 맞추는 빈약한 중앙응집이라는 인지적 결함에 기인한다고 주장한다 (김건희 외, 2019 : 39−40).

• 사회상황 이야기 초안에 나타난 오류
  − 사회상황 이야기 작성 지침(Gray, 2010)에 의하면 이야기는 1인칭 혹은 3인칭 관점의 문장으로서 긍정적이고 정확한 어휘를 사용하여 현재뿐 아니라 과거와 미래 시제를 고려하도록 하고 있다. 그러나 사회상황 이야기에 사용된 문장들 중 "줄 서서 이동할 때에는 줄에서 벗어나면 안 돼요."는 부정문의 형태이다. 이뿐만 아니라 "조금 거리를"과 "조금 떨어져서"에서 조금의 범위도 명확히 제시되어 있지 않다.
  − 문헌에 제시된 바에 따라 상황 이야기에 사용된 문장형식의 비율을 살펴보면 다음과 같다.

(나)의 초안에 사용된 문장 형식별 사용 정도는 다음과 같다.
설명문(3회), 조망문(2회), 확정문(1회), 부분문장(1회), 지시문(4회), 협조문(1회)

| 문헌별 내용 | 비율 산출 |
| --- | --- |
| 설명문(3), 조망문(2), 확정문(1), 협조문(1)의 수를 지시문(4)과 통제문(0)의 수로 나눌 때 지수가 2와 같거나 그 이상이 되어야 하며, 지시문을 반드시 사용할 필요는 없다(김건희 외, 2019). | 7÷4 |
| 설명문(3)과 조망문(2), 긍정문(1) 개수의 합인 서술문의 개수가 코칭문(지시문 4, 협조문 1) 개수의 2배 이상이 되도록 해야 한다(문소영 외, 2020). | 6÷5 |
| Gray(2010)는 상황 이야기의 문장이 반드시 설명문(3), 조망문(2), 확정문(1), 부분문장(1)의 총 수를 사용자·팀·개인을 지도하는 문장(지시문 4, 협조문 1)의 총 수로 나눈 값이 2 또는 그 이상이어야 한다고 주장했다. 이 비율은 상황 이야기가 "지시하기보다는 묘사해야 한다."는 개념으로부터 도출된 것이다(Patricia et al., 2023). | 7÷5 |

따라서 전체적으로 설명, 묘사를 위한 문장(설명문, 서술문)이 지시를 위한 문장(코칭문)의 2배가 되지 않음을 알 수 있다.

**Check Point**

**(1) 사회 상황이야기 문장 형식(Gray, 2010)**

| | |
| --- | --- |
| 설명문 | 아동에게 사회상황에 대한 사실이나 정보를 사실적이고 객관적인 문장으로 자세하게 기술하며, 사회성 이야기에 반드시 필요한 문장으로 가장 자주 사용한다.<br>예 여름은 덥고 겨울은 춥다.<br>우리 교실에는 책상과 의자가 있다. |
| 조망문 | 사람의 내적 상태, 생각, 감정, 신념, 의견 등을 묘사하며 주관적인 문장의 경우가 많다.<br>예 아픈 친구를 도와주는 것은 좋은 일이다.<br>나는 음악시간이 즐겁고 재미있다. |
| 지시문 | 상황에 맞는 적절한 행동과 반응을 아동 혹은 팀에게 지시할 때 사용한다.<br>예 선생님을 만나면 "안녕하세요!"라고 인사한다.<br>교실에 들어올 때는 문을 닫아야 한다. |
| 확정문 | 집단이나 문화 속에서 함께하는 가치관, 믿음, 주요 개념, 규칙, 의견을 표현함으로써 상황을 판단할 수 있도록 도와주고 주변 문장의 의미를 강조한다. 확정문은 주로 설명문, 조망문, 지시문 바로 뒤에 제시된다.<br>예 안전을 위해 차례대로 그네를 타야 한다. 이것은 매우 중요하다.<br>교실에 있는 호랑이와 코끼리는 인형이기 때문에 무섭지 않다. |
| 협조문 | 아동을 돕기 위해 다른 사람이 할 수 있는 일과 역할을 알려 주는 문장이다.<br>예 나는 손을 다친 친구의 가방을 들어 준다.<br>친구는 미술시간에 준비물을 가져오지 않은 나에게 색종이를 나누어 주었다. |
| 통제문 | 이야기를 새로 진술하거나 개별적으로 아동에게 필요한 전략을 포함하여 기억하게 함으로써 해당 상황을 통제할 수 있도록 돕는다.<br>예 동생과 나는 기차를 타고 가면서 동화책을 함께 본다. |
| 부분문장 | 부분문장은 빈칸을 메우는 형식의 문장이다. 문장을 이해하는지 확인하거나 혹은 다음 단계를 추측하도록 안내한다. 설명문, 조망문, 지시문, 확정문은 부분문장으로 쓸 수 있다.<br>예 안전을 위해 그네를 차례로 타야 한다. 이것은 매우 _____ 하다. |

(2) 사회상황 이야기 작성 지침(Gray, 2010)

① 사회상황을 이해하도록 설명하고 정보공유를 위한 하나의 목표를 가진다. 이때 구성되는 이야기는 아동에 대한 존중과 함께 신체적·사회적·정서적으로 안전한 이야기에 먼저 관심을 갖는다.

② 1인칭 혹은 3인칭의 관점에서 상황, 기술, 개념에 대한 정확한 정보를 수집하여 이야기의 특정 주제를 확인한다.

③ 이야기의 제목을 규정하는 도입, 세부사항을 서술하는 본문, 정보를 다시 강조하고 요약하는 결말 등 세 부분으로 구성된다. 이를 위해 적어도 3개 문장이 요구된다.

④ 이야기는 아동에게 내용을 명확히 전달하고 의미를 강조하는 구성방식을 가진다. 즉, 아동의 연령과 능력을 고려해서 리듬감 있고 반복적인 구절을 이용할 수 있다. 또한 시각적 단서로 구체적 사물, 사진, 그림, 파워포인트 자료, 비디오, 숫자, 도표 등을 사용해서 아동의 관심을 끌고 이해를 향상시킬 수 있다.

⑤ 이야기는 1인칭 혹은 3인칭 관점의 문장으로서 긍정적이고 정확한 어휘를 사용하여 현재뿐 아니라 과거와 미래 시제를 고려해야 한다.

⑥ 이야기를 전개할 때 '육하원칙(누가, 언제, 어디서, 무엇을, 어떻게, 왜)'이 모든 질문에 고려되어야 한다.

⑦ 이야기는 설명문, 조망문, 지시문, 확정문, 협조문, 통제문, 부분문장 등 일곱가지 문장형식을 가진다. 설명문은 반드시 제시되어야 하며 나머지는 선택적이다.

⑧ 설명문, 조망문, 확정문, 협조문의 수를 지시문과 통제문의 수로 나눌 때 지수가 2와 같거나 그 이상이 되어야 하며, 지시문을 반드시 사용할 필요는 없다.

⑨ 이야기는 아동의 관심과 흥미를 끌 수 있도록 쓰며, 아동의 경험, 인간관계, 관심사, 선호도 등을 고려하여 내용, 글, 삽화, 형태를 아동의 이야기가 되도록 전개한다.

⑩ 편집과 수행에 대한 지침을 제시한다. 이야기를 명료하게 완성하기 위해 이야기와 삽화를 점검하고 필요 시 수정한다. 이야기를 유형별 혹은 연도별로 구분하여 바인더 노트에 정리하여 반복적으로 사용할 수 있고, 업데이트할 수 있다.

출처 ▶ 김건희 외(2019 : 357-359)

# 60 　　　　　　　　　2023 유아A-4

**모범답안**

| 2) | ① 싫어해요(또는 속상해 해요, 슬퍼해요, 기분이 안 좋아요).<br>② 청자 코칭문(또는 지시문) |
|---|---|
| 3) | 상황에 근거한 감정을 이해할 수 있다. |

**해설**

**지문 돋보기**

(가)
- 지수가 그림책을 읽을 때 : 목표행동
- 공룡 스티커 : 토큰
- 공룡 딱지 : 교환 강화제

(나)
- 놀이 시간에는 교실에 있는 놀잇감을 가지고 놀아요. : 설명문
- 나는 공룡을 가지고 노는 걸 제일 좋아해요. : 조망문
- 나처럼 공룡을 가지고 놀고 싶어 하는 친구들도 있어요. : 조망문
- 나만 공룡을 가지고 놀면, 친구들은 싫어해요. : 조망문
- 나는 공룡을 바구니에 두어 친구들도 가지고 놀 수 있게 할 거예요. : 청자 코칭문
- 이것은 친구와 사이좋게 노는 방법이에요. : 긍정문
  - "이것은 좋은 일이에요." 등과 같이 이야기의 내용을 강조하는 긍정문(문소영 외, 2020 : 68)에 해당

2) ① 조망문은 자신 또는 다른 사람의 마음 상태나 생각, 느낌, 믿음, 의견, 동기, 건강 및 다른 사람이 알고 있는 것에 대한 정보 등에 관련한 정보를 제시하는 문장 형식이다. 따라서 문제에서는 지수 혼자 공룡을 가지고 놀았을 때 친구들이 느낄 수 있는 마음 상태를 표현해 주는 용어(예 슬프다, 속상하다, 기분이 좋지 않다 등)를 사용하여 내용을 완성하면 된다.

**Check Point**

📝 정서이해 향상 프로그램

| 주제 | 활동 내용 및 설명 | 활동 예시 |
|---|---|---|
| [1단계]<br>얼굴 표정의<br>이해 | • 얼굴 표정 이해 향상 활동<br>• 즐거움, 슬픔, 화남, 두려움의 감정을 알고 사진이나 그림 속에서 찾기<br>• 여러 가지 감정을 그림으로 표현하기 | • 어떤 표정일까요?<br>• 얼굴 표정 콜라주 |
| [2단계]<br>상황에<br>근거한<br>감정의 이해 | • 여러 가지 상황을 이해하고 그에 따른 감정 이해를 위한 활동<br>• 생일 선물을 받고 즐거워하는 그림을 보면서 그림 속 주인공의 감정은 어떤 감정일지 알아보는 활동 | • 내가 행복할 때<br>• 우리 엄마와 아빠가 슬플 때<br>• 친구가 무서울 때 |
| [3단계]<br>바람에<br>근거한<br>감정의 이해 | • 상호작용 대상자가 원하는 것이 무엇인지를 알고, 원하는 것, 즉 바람이 이루어졌을 때의 감정과 바람이 이루어지지 않았을 때의 감정의 이해를 위한 활동<br>• 생일 선물로 장난감 자동차를 원했는데, 어머니께서 책을 선물한 경우 어떤 감정일지 생각해 보는 활동 | • 오늘은 나의 생일<br>• 친구가 바라보는 음식은?<br>• 새 자전거를 갖고 싶은 내 친구 |
| [4단계]<br>믿음에<br>근거한<br>감정의 이해 | • 다른 사람의 믿음을 이해하고 추론하며 이러한 믿음에 대한 감정을 이해하고 이후의 결과에 대한 감정을 이해할 수 있는 활동<br>• 친구가 생일 선물로 원하는 것이 장난감 자동차이고, 친구는 생일 선물로 장난감 자동차를 받을 수 있을 것으로 믿고 있는데, 실제 선물로 책을 받았다면 그 친구의 감정이 어떨지를 생각하고 말로 표현하기 | • 내 마음을 아는 우리 엄마<br>• 내 생각에 우리 엄마는<br>• 놀이 공원에 가고 싶은 내 친구 |

## 61

**모범답안**

| 3) | 다음 중 택 1<br>• 로봇에 대하여 말할 때 동기가 높아지기 때문이다.<br>• 역할 모델인 로봇의 제안을 쉽게 따르기 때문이다.<br>• 로봇을 이용하는 것은 진서에게 비위협적이기 때문이다. |
|---|---|

**Check Point**

📝 파워카드 전략에서 아동이 좋아하는 인물이나 관심사를 이용하는 이유

| 동기부여 | 자폐성장애 아동들은 대부분 자신의 관심사에 대하여 말할 때 동기가 높아진다. |
|---|---|
| 역할 모델 | 학생은 자신의 관심 대상을 역할 모델로 삼고, 그처럼 되고 싶어 하기 때문에 역할 모델의 제안을 쉽게 따른다. |
| 비위협적인 방법 | 관심사를 이용하는 것은 학생에게 비위협적이다. |

## 62

**모범답안**

| 1) | ① 아동은 교환을 하려면 의사소통 대상자에게 가까이 가서 그림을 줘야 한다는 것을 배우는 것이다(또는 아동이 일정 거리를 두고 놓여 있는 의사소통 판에서 그림카드를 떼어 의사소통 파트너의 손에 주는 것이다).<br>② 좋아하는 기차의 그림카드와 선호하지 않는 것의 그림카드 중 좋아하는 기차의 그림카드를 골라 기차로 바꾸기 |
|---|---|

**해설**

1) ① 자발적 교환 훈련 단계에서 훈련자는 아동으로부터 조금 더 멀리 떨어진 곳으로 움직이고 의사소통 판도 아동으로부터 보다 멀리 놓는다. 이 단계에서 아동은 교환을 하여면 의사소통 대상자에게 가까이 가서 그림을 가져야 한다는 것을 배우게 된다(방명애 외, 2019 : 69).

• 2단계의 목표는 아동이 일정 거리를 두고 놓여 있는 의사소통판에서 그림카드를 떼어 교사의 손에 주는 것이다. 이 단계를 '자발적 교환 훈련 단계'라고도 한다(고은, 2021 : 357).

② 선호하는 사물과 그렇지 않은 사물을 변별하는 활동 후, 선호하는 여러 가지 사물들 중에서 변별하는 것을 연습한다(김영태, 2019 : 495).

**Check Point**

(1) PECS 프로그램의 단계별 목표
주요 문헌에 소개되어 있는 바를 중심으로 정리하면 다음과 같다.

| 단계 | 목표 |
|---|---|
| 1 | 교환개념을 학습하는 것이다(고은, 2021 : 356). |
| 2 | • 아동이 일정 거리를 두고 놓여 있는 의사소통 판에서 그림카드를 떼어 의사소통 파트너의 손에 주는 것이다(고은, 2021 : 357).<br>• 1단계와 동일한 목표를 가지되, 추가적으로 의사소통 요구하기를 유지하고 그림카드, 의사소통 상대자와의 거리를 점차 늘려가는 것을 목표로 한다(김영태, 2019 : 494). |
| 3 | • 그림카드를 구별하는 변별학습이다(고은, 2021 : 357).<br>• 아동 또는 의사소통 상대의 의사소통판에 있는 여러 가지 그림카드 중 아동이 원하는 사물과 관련된 그림카드를 선택하는 것이다(김영태, 2019 : 494-495). |
| 6 | • 사건과 사물에 대해 설명하는 것이다(고은, 2021 : 357).<br>• 아동이 자발적으로 언급하는 것이다(김영태, 2019 : 496). |

(2) 그림 변별에 어려움을 겪는 학생을 위한 방법
① 선호하는 그림카드는 눈에 띄게 두고 다른 카드는 그림 없이 검정색으로 색칠한 카드를 놓기
② 좋아하는 그림카드와 잘 모르는 카드 놓아두기
③ 좋아하는 그림과 좋아하지 않는 그림 놓아두기
④ 점차 선호도가 유사한 두 개의 카드를 제시하여 그중 정확한 카드를 변별하도록 하기

# 63
2023 초등B-3

**모범답안**

| 1) | 중앙응집기능의 결함 |
|---|---|
| 3) | ㉢ 다음 중 택 1<br>• 수업을 마칠 때마다 시각적 일과표 내의 일과 그림을 순서대로 떼어낼 수 있도록 제작하여, 모두 떼어냈을 때 귀가하도록 한다.<br>• 시각적 일과표의 마지막에 귀가하는 사진을 추가한다.<br>② 식사 후 교실로 이동하는 경로를 사진(또는 그림)으로 제시한다. |

# 64
2023 초등B-4

**모범답안**

| 2) | 설명문 |
|---|---|

**해설**

2) 설명문은 관찰 가능한 상황적 사실을 설명하는 문장과 사실에 관련한 사회적 가치나 통념에 관련한 내용을 제시한다.
  • ㉡은 관찰 가능한 상황적 사실을 설명하는 설명문에 해당한다.

# 65
2023 중등B-10

**모범답안**

• ㉠ 다양한 수업 자료 중 학생 A가 원하는 것을 선택하도록 한다.
• ㉡ 시도에 대한 강화를 한다.

**Check Point**

✎ 핵심 영역 중 동기 유발을 위한 중재 방법

| 중재 | 예시 |
|---|---|
| 학생에게 선택권을 제공한다. | • 학생이 과제의 순서를 선택한다.<br>• 학생이 쓰기 도구들을 선택한다.<br>• 학생이 학급에서 읽을 책을 선택한다. |
| 과제를 다양하게 하고, 유지 과제를 같이 제시한다. | • 미술시간에 짧은 기간 동안 짧은 읽기 시간을 자주 가져 과제를 다양하게 한다.<br>• 쉬는 시간을 자주 가져 과제의 양을 다양하게 한다.<br>• 학생의 반응과 다음 지시까지의 시간을 줄여 과제의 속도를 수정한다.<br>• 화폐 학습과 같은 새로운 과제와 돈 세기와 같은 이미 학습한 과제를 같이 제시한다. |
| 시도에 대한 강화를 한다. | • 질문에 대한 모든 응답을 말로 칭찬한다.<br>   - 질문에 응답하기 위한 모든 노력에 칭찬하기<br>   - 질문에 응답하기 위한 비언어적 행동에도 긍정적으로 반응하기<br>   - 틀린 반응을 하더라도 학생의 노력에 긍정적으로 반응하기<br>• 숙제와 다른 과제에 대해 칭찬의 글을 써준다. |
| 자연스러운 강화를 사용한다. | • 시간 말하기를 배울 때, 학생이 좋아하는 활동의 시간을 배우게 한다.<br>• 화폐를 가르칠 때 학생이 좋아하는 작은 물건을 사게 한다. |

## 66

**모범답안**

| 1) | 자기시도(또는 자기주도, 스스로 시작행동하기) |
|---|---|

**Check Point**

### ✍ 자기시도

중심축 반응 훈련에서 자기시도를 중심 행동으로 선정한 이유는 스스로 시작하는 상호작용을 통해 학습이 일어나는 일이 많기 때문이다. 사회적 상황에서 상호작용 대상자에게 먼저 말을 걸거나 몸짓으로 의사소통을 시도하는 행동 등이다. 예를 들어, 친구들이 놀고 있을 때, "나도 같이 놀자"라고 말하거나 공을 던지면서 "자, 받아"라고 말하는 것 등이 자기시도를 하는 것에 해당된다. 다른 사람에게 질문하는 것은 중요한 자기시도의 예이다. 따라서 다른 사람에게 질문하는 것을 가르치는 것도 자기시도를 가르치는 것이다. 아동이 할 수 있는 질문의 예는 "이게 뭐야?", "어디 가요?" 등이 있다(방명애 외, 2019 : 95).

## 67

**모범답안**

| 3) | ① 짧은 만화 대화 ② 쿠키를 똑같이 나누어 먹어야 해요. |
|---|---|

**해설**

3) ② 채은이가 하준이를 밀었던 것은 쿠키를 나누어 주는 과정에서 발생한 상황이며, 짧은 만화 대화는 이와 같은 상황에 적용되고 있다. (가)에서 채은이와 하준이의 대화 내용을 토대로 채은이의 말은 쿠키를 똑같이 나누어 먹는 것과 관련되어야 한다.

**Check Point**

### ✍ 해결 방안 모색하기

이야기 중에 나타난 여러 가지 어려운 상황에 대한 해결 방안을 모색해 본다. 만일 학생이 새로운 방안을 모색하지 못한다면 교사나 부모가 해결 방안을 제시할 수 있다. 이때 제시된 여러 가지 해결 방안의 장단점에 대해 이야기를 나눌 수도 있다. 장단점에 대해 이야기를 나눌 때는 그림을 그리면서 이야기를 할 수도 있고, 이야기를 나누면서 적절한 해결 방안이 아니라고 판단되는 것은 하나씩 지워 나가고 나머지 해결 방안을 제시하여 다음에 문제 상황에서 학생이 사용할 수 있도록 안내한다(방명애 외, 2019 : 85).

## 68

**모범답안**

| 1) | 촉각에 대하여 과잉반응을 보인다. |
|---|---|

**해설**

**지문 돋보기**

- 끈적이고 미끌거리는 액체를 만지는 것에 대해 강한 거부감을 보이던 : 촉각에 대하여 과잉반응을 보임 : 치약 냄새를 아주 좋아하는 : 후각에는 과잉반응을 보이지 않음
- 혜진이가 손에 물감을 직접 묻히지 않는 치약물감놀이에는 참여하기 시작하였습니다. : 만지지 않아도 되는 활동에는 참여하는 것으로 보아 혜진이는 촉각에 대하여 과잉반응을 보이고 있음을 알 수 있음

1) 자폐성장애는 감각적 입력에 대해 과잉반응이나 과소반응을 나타내고 환경의 감각적 측면에 대해서 이례적인 관심을 보인다.

**Check Point**

### ✍ 자폐성장애 학생의 감각적 특성

| 과잉반응 | 과소반응 |
|---|---|
| • 특정 소리에 대한 괴로움<br>• 빛에 대한 예민함<br>• 특정 촉감에 대한 불편함<br>• 특정 냄새와 맛에 대한 혐오감<br>• 높은 곳과 움직임에 대한 비합리적인 두려움<br>• 자주 깜짝 놀라는 반응 | • 갑작스럽거나 큰 소리에 대한 인식 부족<br>• 부딪히거나 타박상, 베인 것에 대한 통증을 인식하지 못함<br>• 얼굴에 묻은 음식물을 인식하지 못함<br>• 환경과 사람, 그리고 사물에 대한 주의집중 부족<br>• 과도하게 빙빙돌아도 어지럽지 않음<br>• 반응이 느림 |

## 69 | 2024 초등B-6

모범답안

|  | ① 신경학적 역치가 높기 때문에 지속적으로 다양한 감각 자극을 추구한다(또는 신경학적 역치가 높기 때문에 적극적인 자기조절전략을 사용한다).<br>② 다양한 감각 자극을 제공함으로써 신경학적 역치를 충족시키기 위한 것이다. |
|---|---|
| 1) |  |

**Check Point**

(1) Dunn의 감각처리 모델

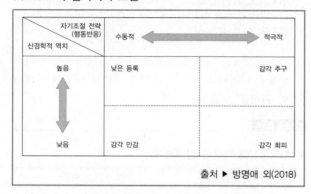

출처 ▶ 방명애 외(2018)

(2) 감각 추구

| 특성 | 지원 전략의 예시 |
|---|---|
| • 행동 반응을 위해 강력한 감각 자극을 필요로 함<br>• 높은 신경학적 역치를 가지고 있고 적극적인 자기조절 전략을 사용함<br>• 높은 역치 충족을 위해 지속적으로 감각 자극을 찾고자 일상에서 다양한 감각 자극을 추구함<br>• 상동행동, 반복행동, 자해행동 등의 다양한 자극 추구 행동을 보임<br>• 자극 추구 과정에서 과다행동을 보이거나 충동행동을 보임 | • 활동 내에서 감각 추구를 할 수 있는 기회를 포함시켜 제공함<br>• 전정 감각 추구 행동에 대한 활동의 예<br>  – 학생들의 학습 자료를 여러 차례 나누어 주는 활동<br>  – 또래들이 완성한 과제를 걷는 활동<br>  – 책상과 의자를 정리하는 활동<br>• 촉각과 고유수용 감각 추구 행동에 대한 활동의 예<br>  – 쓰기 활동을 하는 동안에 글씨 쓰기를 하지 않는 손(예 왼손)에 만지작거릴 수 있는 사물을 주어 강한 촉각 자극 제공하기<br>  – 몸에 꼭 끼는 옷 입게 하기<br>  – 무게감 있는 조끼 입게 하기 |

## 70 | 2024 중등B-8

모범답안

• ㉢, 신체적 촉진
촉각 역치가 낮은 학생 A의 손목을 잡으면 과잉반응을 보일 수 있기 때문이다.

해설

**지문 돋보기**

(가)
㉠ 세면대 거울에 손 씻는 단계 그림을 붙여서 학생 A에게 손 씻기를 지도 : 시각적 촉진
㉡ 손을 씻어야 한다는 의미로 선생님이 손으로 수도꼭지를 살짝 건드려서 학생 A에게 손 씻기를 알려 줘도 : 몸짓 촉진
㉢ 학생 A가 손을 씻을 수 있도록 손목을 잡아 줄 수 있으며, : 신체적 촉진
㉣ 선생님이 손을 씻는 모습을 학생 A에게 보여 주고 학생 A가 이를 모방 : 모델링

㉢ (가)에서 담임 교사의 발화 내용에 의하면 학생 A는 낮은 촉각 역치를 보인다고 제시되어 있다. 따라서 매우 작은 촉각 자극에 대해서도 과잉반응(예 거부 반응)을 보일 수 있으므로 직접적인 신체적 접촉이 이루어지는 신체적 촉진의 방법을 이용하여 지도하는 것은 부적절하다.

## 71 | 2025 유아A-3

모범답안

| 2) | ① 지연반향어<br>② 요구하기 |
|---|---|

해설

2) ① 지혜가 반복적으로 말하고 있는 "피자 다음에 더 줄게."는 요리 활동 후 유아들이 피자를 먹으려고 앉아 있는 상황에서 교사가 한 말이다. 이와 같은 교사의 말을 지혜는 피자를 다 먹은 후, 자유놀이 시간에 유아들이 기차놀이를 하고 있는 중에 반복하고 있는 것이므로 반향어의 유형 중 지연반향어에 해당한다.
② 지문의 전반부에 제시된 바에 의하면 지혜는 피자 두 개를 원했으나 교사는 한 개씩만 주었음을 알 수 있다. 이에 지혜는 지연반향어를 이용하여 피자를 더 줄 것을 요구하고 있다.

## Check Point

### 📝 지연반향어의 기능

| 기능 | 설명 |
|------|------|
| 비목적적 | 아무런 목적도 관찰되지 않으며 자기자극적이다. |
| 상황 연상 | 물체나 사람 또는 행동에 의해서 초래되는 반향어이다.<br>예 칫솔을 보면, "잘 닦아라." |
| 연습 | 언어적 형식을 갖춘 문장을 연습하듯이 반복한다. 대개 낮고 작은 소리로 연습하는 경향이 있다. |
| 자기지시적 | 대개 활동을 하기 전이나 활동을 하면서 반향어를 하는데, 연습에서처럼 다소 작은 소리로 한다. 자신의 행동을 통제하는 인지적인 기능을 갖고 있는 것으로 보인다. |
| 상호적 명명하기 | 대개 제스처를 동반하여 활동이나 사물을 명명한다. |
| 비상호적 명명하기 | 행동이나 사물에 대해 명명한다. 상호적인 명명과 유사하지만, 이 경우에는 스스로에게 말하는 것처럼 보이며 의사소통 의도는 보이지 않는다. |
| 순서 지키기 | 교대로 말하는 상황에서 자신의 구어 순서를 채우는 기능을 한다. 의사소통적 의도는 관찰되지 않는다. |
| 발화 완성하기 | 상대방에 의해서 시작된 일상적인 말에 반응하여 그 발화를 완성하는 기능을 나타낸다. |
| 정보 제공하기 | 상대방에게 새로운 정보를 제공해 준다.<br>예 "동생이 아파요." |
| 부르기 | 상대방의 주의를 끌거나 상호작용을 유지하려는 기능을 갖는다. 상대방이 쳐다보지 않으면 계속해서 부르는 경우가 많다. |
| 수긍하기 | 상대방의 말에 수긍하는 기능을 갖는다. 대개 바로 전에 말한 것을 행동에 옮긴다.<br>예 "장난감을 집어" 하면서 장난감을 챙긴다. |
| 요구하기 | 원하는 물건/행동을 얻기 위하여 요구하는 기능을 나타낸다. 대개 원하는 물건을 바라보면서 말하며 그 물건을 얻을 때까지 계속한다. |
| 저항하기 | 다른 사람의 행동에 저항하는 기능을 갖는다. 그러므로 다른 사람의 행동을 저지하는 결과를 가져올 수 있다.<br>예 "안 돼." |
| 지시하기 | 다른 사람의 행동을 지시하고 통제하는 기능을 갖는다.<br>예 "하지 말랬지." |

출처 ▶ 김영태(2019)

---

### 모범답안

| | |
|---|---|
| 1) | ① 제한적이고 반복적인 행동, 흥미, 활동<br>② 지연반향어 |
| 3) | ② 시행 간 간격<br>③ 시도 |

### 해설

1) ① DSM-5의 자폐스펙트럼장애 진단기준과 「장애인 등에 대한 특수교육법」의 정의를 혼동하지 않도록 주의한다.
   - DSM-5 : 제한적이고 반복적인 행동, 흥미, 활동
   - 장애인 등에 대한 특수교육법 시행령 : 제한적인 반복적인 관심과 활동

### 지문 돋보기

- 학교에 오면 나무 블록을 일렬로 세워 놓는 행동을 계속 반복함 : 상동적이거나 반복적인 운동성 동작
- 색연필이나 사인펜을 무지개색 순서대로 항상 정리함 : 동일성에 대한 고집, 일상적인 것에 대한 융통성 없는 집착
- 큰 소리에 과민하게 반응하며 귀를 틀어막음 : 청각 정보에 대한 과잉반응

3) ② 비연속 시행 훈련은 주의집중, 자극 제시, 학생 반응, 피드백, 시행 간 간격의 단계로 진행된다. ⓒ은 교사의 피드백 다음 단계이면서 동시에 다음 시행(시행 2) 사이의 간격을 의미하므로 시행 간 간격의 단계에 해당한다.

### 지문 돋보기

〈시행 1〉

| 지문 | DTT 단계 및 내용 | |
|------|------|------|
| 교사 : (정우의 주의를 집중시킨다.) | 시행의 시작을 위해 학생의 주의 이끌기 | 주의<br>집중 |
| 정우 : (교사를 바라본다.) | 학생의 주의집중 | |
| 교사 : ('사과', '수박', '딸기' 단어 카드를 제시하며) "사과를 골라 보세요." | 변별자극 제시 | 자극<br>제시 |
| [정반응] 정우 : ('사과' 단어 카드를 골라낸다.)<br>[피드백] 교사 : "잘했어요!" (강화제 제공) | 학생의 정반응에 대해 교사는 즉시 적절한 강화제를 가지고 강화제공 | • 학생<br>반응<br>• 피드<br>백 |
| [오반응] 정우 : ('수박' 단어 카드를 골라낸다.)<br>[피드백] 교사 : "아니야." ('사과' 단어 카드를 보여주며) "이게 사과예요." | 학생의 오반응에 대해서는 즉각적으로 교정적 피드백 제공 | |

③ 중심축 반응 훈련에서는 학생이 무엇인가를 하고자 하는 모든 시도를 강화한다. 비록 그 시도가 틀린 반응이거나 적절한 반응이 아니라 하더라도 무엇인가를 하고자 하는 시도가 명확하다면 이러한 모든 시도를 강화하여 학생의 동기를 강화할 수 있다.

**Check Point**

(1) 비연속 시행 훈련과 중심축 반응 훈련

| 구분 | 비연속 시행 훈련 | 중심축 반응 훈련 |
|---|---|---|
| 교재 | • 치료자가 선택<br>• 준거에 도달할 때까지 반복 훈련<br>• 중재 절차의 시작은 자연적 환경에서 기능적인 여부를 고려하지 않고 목표 과제와 관련된 교재 제시 | • 아동이 선택<br>• 매 시도마다 다양하게 제시<br>• 아동의 일상 환경에서 쉽게 찾을 수 있는 연령에 적합한 교재 사용 |
| 상호작용 | • 훈련자가 교재를 들고 있음<br>• 아동에게 반응하도록 요구함<br>• 교재는 상호작용하는 동안 기능적이지 않음 | 훈련자와 아동이 교재를 가지고 놀이에 참여함 |
| 반응 | 정반응이나 정반응에 가까운 반응을 강화함 | 반응하고자 하는 시도는 대부분 강화됨 |
| 결과 | 먹을 수 있는 강화제를 사회적 강화와 함께 제공 | 자연적 강화를 사회적 강화와 함께 사용 |

출처 ▶ 방명애 외(2019)

(2) 중심축 반응 훈련의 동기 유발 요소

| 요소 | 설명 |
|---|---|
| 선택 기회 제공하기 | • 학생과 상호작용을 하는 동안 학생에게 선택 기회를 제공할 경우 동기가 강화될 수 있음<br>• 선택 기회 제공이란 학생이 선호하는 교재를 선택하도록 하는 것임 |
| 기존에 학습하였던 내용과 새로운 내용을 같이 제시하기 | 학생에게 이미 성취하였던 과제와 새로운 과제를 같이 섞어서 제시할 경우 학습 동기가 강화될 수 있음 |
| 아동의 시도 강화하기 | • 학생이 무엇인가를 하고자 하는 모든 시도를 강화함<br>• 비록 그 시도가 틀린 반응이거나 적절한 반응이 아니라 하더라도 무엇인가를 하고자 하는 시도가 명확하다면 이러한 모든 시도를 강화하여 학생의 동기를 강화할 수 있음 |
| 자연적이고 직접적인 강화 제공하기 | 자연적이고 직접적인 강화는 학생의 학습 동기 강화에 매우 효과적임 |

출처 ▶ 방명애 외(2019 : 91)

## 73

**모범답안**

| | |
|---|---|
| 3) | 해당 활동을 어디에서 해야 하는지에 대한 정보를 제공해 주기 때문이다(또는 교실 내 어느 영역에서 어떤 활동이 이루어지는지에 대한 명확한 정보를 제공하고 영역의 한계를 알게 하기 때문이다 / 환경의 조직에 관한 구체적인 정보를 제공하기 위해서이다). |

**해설**

3) 카펫이나 테이프로 영역을 구분해 주는 것은 환경 구조화 전략 중 물리적 공간의 구조화(또는 물리적 구조화)에 해당한다.

• 물리적 공간을 구조화할 때 교실 내에 특정 활동이 이루어지는 장소에 대한 정보를 제공할 수 있도록 경계를 정하여 표시할 수 있다. 해당 활동을 어디에서 해야 하는지에 대한 정보를 제공한다(방명애 외, 2019 : 247).

• 구조화된 물리적 환경은 자폐성장애 학생에게 교실 내 어느 영역에서 개별 활동, 소집단 활동, 대집단 활동이 이루어지는가에 대한 명확한 정보를 제공하고 영역의 한계를 알게 하여 참여를 촉진시킬 수 있다(방명애 외, 2019 : 246).

• 자폐성장애 학생의 학업 및 사회적 참여 촉진을 위한 교수 환경 지원 전략 중 하나는 교실 및 학교 내 물리적 공간을 구조화하여 공간적 지원을 제공하는 것이다. 공간적 지원은 환경의 조직에 관한 구체적인 정보를 제공하기 위해 사용되는 지원으로, 사물의 위치에 관한 정보와 사적인 공간을 포함하여, 학생이 감각적으로 과부하되었을 때 안정을 취할 수 있도록 지원할 수 있고, 다른 사람에 대한 학생 자신의 공간적 관계를 이해할 수 있도록 지원할 수 있다(방명애 외, 2019 : 246).

## 74

**모범답안**

- 마음이해능력의 결함
- 짧은 만화 대화
- ㉠ 조망문
  ㉡ 자기 코칭문은 학생이 부모나 교사와 함께 이야기를 검토하면서 이야기 구성에 참여하는 것이고, 청자 코칭문은 이야기를 듣는 학생이 할 수 있는 행동이나 반응을 제안하는 것이다(또는 자기 코칭문은 회상하고 그 내용을 실제로 적용하기 위해서 개인적인 전략을 확인하려고 사용자가 작성한 진술이고, 청자 코칭문은 제안하는 반응 또는 반응 선택을 묘사함으로써 행동 또는 사용자를 조심스럽게 안내하는 진술이다).

**해설**

**지문 돋보기**

- 학생 C가 다른 사람의 생각이나 감정, 의도와 같은 내면 상태를 추론하는 능력이 많이 부족 : 다른 사람의 정서적 상태 이해의 어려움
- 학생 C가 친구가 하는 농담이나 관용어를 문자 그대로 받아들여 엉뚱한 대답을 해서: 글자 그대로 해석하기
- 학생 C는 상황이나 바람, 신념에 따라 달라지는 사람의 감정도 파악하기 어려워해요. : 상황에 근거한 감정 이해의 어려움, 바람에 근거한 감정 이해의 어려움, 믿음에 근거한 감정 이해의 어려움

인지적 결함) 다른 사람의 정서적 상태 이해의 어려움, 글자 그대로 해석하기, 상황에 근거한 감정 이해의 어려움, 바람에 근거한 감정 이해의 어려움, 믿음에 근거한 감정 이해의 어려움은 모두 자폐성장애 학생의 마음이해능력의 결함과 관련된 특성에 해당한다.

- 상황에 근거한 감정의 이해, 바람에 근거한 감정의 이해, 믿음에 근거한 감정의 이해는 활동 중심 마음이해 향상 프로그램 중 제1부 정서이해 향상 프로그램의 2~4단계의 주제에 해당한다.

㉠ 다른 사람의 마음 상태에 대한 정보를 제시하고 있으므로 상황 이야기의 문장 유형은 조망문이다.
㉡ 상황 이야기의 문장 유형은 청자 코칭문에 해당한다.

**Check Point**

### (1) 설명문

| 유형 | 내용(기능) | 예시 |
|---|---|---|
| 설명문 | 관찰 가능한 상황적 사실을 설명하는 문장과 사실에 관련한 사회적인 가치나 통념에 관련한 내용을 제시한다. | • 사실 설명: 용돈은 나에게 필요한 것을 살 수 있도록 부모님께서 주시는 돈입니다.<br>• 사회적 가치 및 통념: 용돈을 아끼기 위해 필요한 물건만 구입하는 것은 매우 현명한 일입니다. |
| 조망문 | 자신 또는 다른 사람의 마음 상태나 생각, 느낌, 믿음, 의견, 동기, 건강 및 다른 사람이 알고 있는 것에 대한 정보 등에 관련한 정보를 제시한다. | • 다른 사람이 알고 있는 것에 대한 정보: 내 친구는 나에게 무엇이 필요한지 알고 있습니다.<br>• 느낌과 생각: 우리 부모님은 내가 맛있는 음식을 골고루 먹을 때 매우 기뻐하십니다. |
| 긍정문 | 일반적인 사실이나 사회적 규범, 규칙 등과 관련한 내용을 강조하기 위한 문장이다. | • 도서관에서 친구들에게 꼭 해야 할 말이 있을 때는 아주 작은 목소리로 말할 것입니다. 그것은 매우 중요합니다.<br>• 친구의 물건을 사용하고 싶을 때는 친구의 허락을 받은 후 사용할 것입니다. 이것은 매우 중요합니다. |

출처 ▶ 방명애 외(2019)

### (2) 코칭문

| 유형 | 내용(기능) | 예시 |
|---|---|---|
| 청자 코칭문 | • 이야기를 듣는 학생이 할 수 있는 행동이나 반응을 제안한다.<br>• 기존의 지시문에 해당한다. | 쉬는 시간에 나는 그림을 그리거나 책을 읽거나 다른 조용한 활동을 할 수 있습니다. |
| 팀원 코칭문 | • 양육자나 교사와 같은 팀 구성원이 학생을 위해 할 수 있는 행동을 제안하거나 떠올리도록 한다.<br>• 기존의 협조문에 해당한다. | 우리 엄마는 나에게 수건 접는 방법을 알려 주실 것입니다. |
| 자기 코칭문 | • 학생이 부모나 교사와 함께 이야기를 검토하면서 이야기 구성에 참여하는 것이다.<br>• 자기 코칭문은 학생의 주도권을 인정하고 스스로 이야기를 회상하며 다양한 시간과 장소에서 이야기의 내용을 일반화시킬 수 있도록 돕는다.<br>• 기존의 통제문에 해당한다. | 선생님이 "눈과 귀를 교실 앞에 두어라."라고 하시면 나는 선생님이 하시는 말씀을 잘 듣고 선생님의 행동을 잘 보라는 뜻으로 이해하고 그것을 지키려고 노력하겠습니다. |

출처 ▶ 방명애 외(2019)

PART 07

# 김남진
# KORSET 특수교육 기출분석 2 　모범답안 및 해설

**초판인쇄** | 2025. 4. 3.　**초판발행** | 2025. 4. 10.　**편저자** | 김남진

**발행인** | 박 용　**발행처** | (주) 박문각출판　**등록** | 2015년 4월 29일 제2019-000137호

**주소** | 06654 서울특별시 서초구 효령로 283 서경 B/D　**팩스** | (02) 584-2927

**전화** | 교재 주문 (02) 6466-7202, 동영상 문의 (02) 6466-7201

저자와의
협의하에
인지생략

ISBN 979-11-7262-745-4 / ISBN 979-11-7262-743-0(세트)

정가 30,000원(분권 포함)